19세기 미술가 토머스 콜이 그린 〈로마 약탈〉. 이 사건이 일어난 서기 410년에 로마는 제국의 수도가 아니었지만, 알라리크와 고트족에 의한 이 약탈은 생명의 끝자락에 있는 초강대국을 상징했다.

훈족 아틸라(?~453)는 서방의 역사에서 가장 유명한 인물 가운데 하나로, 서로마 제국이 붕괴하면서 권좌에 올랐다. 그의 이름은 엄청난 잔인성과 정복의 대명사가 되지만, 그는 결코 단순히 피에 굶주린 군사 지도자가 아니었다. 이 목판 초상화는 그가 죽고 1000여 년이 지난 뒤에 독일에서 만들어진 것이다.

나중에 이슬람 사원으로 개조된 하기아소피아는 본래 동로마의 콘스탄티노폴리스에서 가장 큰 교회로 지어졌다.

그 거대한 돔은 자신을 거의 권좌에서 쫓아낼 뻔하고 도시 중심부 상당 부분을 파괴한 서기 532년의 니카 반란 이후 유스티니아누스에 의해 발주됐다.

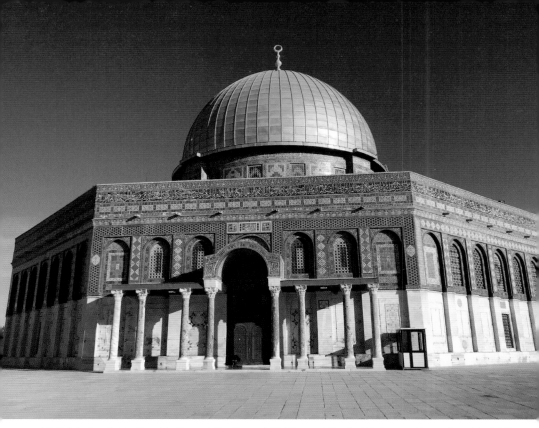

예루살렘의 쿱밧 앗사흐라(바위의 돔)는 7세기에 우마이야 할리파 압둘말리크가 건설했고, 나중에 오스만 시대에 대대적으로 개조됐다. 이것은 세계에서 가장 오래되고 가장 쉽게 알아볼 수 있는 건축물 가운데 하나이며, 중세 이슬람 세력의 거들먹거리는 힘과 세련미의 상징이었다.

이 중세 말 페르시아 필사본 그림은 서기 656년의 '낙타 전투'를 보여준다. 이 전투는 이라크 바스라에서 선지자 무함마드의 사촌 알리와 미망인 아이샤 사이에서 벌어졌다. 그림 왼쪽 위 낙타 등에 타고 있는 사람이 아이샤다. 그 결과는 오늘날에도 순나-시아 분열에서 메아리치고 있다.

샤를마뉴는 그가 죽은 지 오래 뒤에 알브레히트
뒤러가 생각했듯이 '유럽의 아버지'로 제대로
알려졌다. 오늘날의 프랑스, 독일, 벨기에,
룩셈부르크, 북부 이탈리아를 통합한 그의 정복은
나폴레옹에서 유럽연합의 설계자들에 이르는
유럽 정치인의 꿈에 영향을 미쳤다.

9세기에 브리튼섬을 침략한 노르드인
대군단이 이스트앵글리아왕 에드먼드를
살해했다. 그는 나중에 기독교 성인으로
간주됐다. 노르드인들이 그를 나무에 묶고
활로 쏘아 죽였다는 전설은 이 사나운
스칸디나비아 전사들에 대해 여러 세대의
중세 사람이 지녔던 공포를 말해준다.

한때 클뤼니 III을 채웠을 호화로운
장식 일부. 클뤼니 수도원장 위그가 발주한
이 프레스코화는 19세기 말 베르제라빌
예배당에서 발견됐다. 클뤼니의 수도원
생활은 문예부흥 이전의 위대한 미술 및
음악 일부에 자극제가 됐다.

클레르보의 베르나르 성인(이 그림은 16세기
미술가 엘그레코의 상상화다)은 막후에서
시토 교단을 움직인 인물이었으며, 12세기에
신전기사단에 대한 교황의 승인을 얻는 데
결정적인 역할을 했다.

tout le pays. Et fait Il fist rappareillier leglise de monsegne sant Jaqnes et plusieurs autres. Et quant il eut chasse les sarrazins hors du regne. Il se mist au retour bers france

La bataille de ronchenaulx et la mort rolant et oluuer.

서기 778년 론세스바예스 전투와 롤랑의 죽음을 보여주는 중세 말 필사본. 본래 샤를마뉴 치세의 군사 원정을 바탕으로 한 《롤랑의 노래》는 롤랑을 기사도의 영웅으로 만들었다. 이것은 중세에 가장 인기 있는 이야기 가운데 하나였다.

펨브로크 백작 윌리엄 마셜은 스스로
생각하기에 당대 최고의 기사였다.
그는 잉글랜드 플랜태저넷 왕가의 다섯 왕을
섬겼으며, 70대에도 전쟁터를 누볐다.
이 조각상은 런던 템플 교회에 있는
그의 무덤에 있는 것이다.

아키텐의 알리에노르와 프랑스왕 루이 7세의 결혼은 그들을 싣고 동방으로 2차 십자군 원정을 떠날 배가 기다리고 있는 가운데 치러졌다. 알리에노르의 '성지' 방문은 매우 성공적인 것은 아니었으며, 두 사람은 유럽으로 돌아온 뒤 이혼했다.

잉글랜드 처트시 대수도원의 바닥 타일에는 '사자 심장' 리처드가 3차 십자군 원정에서 살라훗딘과 말을 타고 싸우는 모습이 묘사돼 있다. 실제 그런 싸움은 벌어지지 않았지만 중세 말에 이 두 지배자 사이의 경쟁의식은 유명했다.

중세인들

중세인들

서로마 몰락부터 종교개혁까지,
중세 천년사를 이끈 16개 세력

댄 존스 지음 | **이재황** 옮김

책과함께

모든 것에 관심을 가진

앤서니에게

지금 있는 것은 언젠가 있었던 것이요,

지금 생긴 일은 언젠가 있었던 일이라.

하늘 아래 새것이 있을 리 없다.

"보아라, 여기 새로운 것이 있구나!" 하더라도 믿지 마라.

그런 일은 우리가 나기 오래전에 이미 있었던 일이다.

— 〈전도서〉 1장 9~10절

차례

일러두기

• 이 책은 Dan Jones의 POWERS AND THRONES(Apollo, 2021)를 우리말로 옮긴 것이다.
• 옮긴이가 덧붙인 설명은 〔 〕로 표시했다.

머리말

16세기에 잉글랜드 역사가 존 폭스는 가까운, 그리고 먼 역사의 큰 물줄기를 돌아보았다. 역사는 (또는 그가 정말 중요한 것으로 생각한 교회사는) 크게 세 토막으로 나눌 수 있다고 폭스는 생각했다.

그것은 '원시 시기'로 시작되었다. 그가 말하는 것은 기독교도가 지하 묘지에 숨어 사악하고 신앙 없는 로마인의 박해를 피하고 십자가 처형을 당하거나 더 나쁜 일을 당하지 않으려 애썼던 그 고대의 시기다. 그것은 폭스가 말한 "우리의 나중 나날"에 이르러 막을 내렸다. 바로 종교개혁 시기다. 유럽인의 삶에 대한 가톨릭교회의 장악력이 도전받고, 서유럽 항해자가 '신세계'를 탐험하기 시작한 때다.

이 두 시기 사이에 약 1000년간 지속된 어색한 조각이 끼여 있다. 폭스는 이를 '중세the middle age'라고 불렀다. 그것은 태생적으로 성격이 아리송하다.

오늘날에도 우리는 폭스가 붙인 이름을 그대로 사용한다(다만 'the Middle Ages'로 복수 표시를 추가했다). 우리에게 서기 5세기 서로마 제국의 멸망에서 종교개혁까지의 시기는 '중세'다. 이 시기와 관련된 모든 것은 '중세적medieval'인 것이다. 19세기에 만들어진 이 형용사는 문자적으로 같은 의미다.[1] 그러나 복수를 나타내는 글자 하나를 추가하기는 했어도, 우리의 시대 구분은 대체로 동일하다. 중세는 고전기 세계가 사라졌지만 현대 세계는 아직 시작되지 않은 시대다(늘 그렇게 생각되어왔다). 사람들이 성을 건설하고, 갑옷 입고 말 탄 채 싸우던 시대다. 세계가 평등하고 모든 것이 아주 멀리 있던 시대다. 일부 21세기 세계사학자들이 '중세'가 아니라 '중간천년기Middle Millennium'라고 부르며 이 용어를 새것으로 바꾸려 했지만 그것은 아직 인기를 얻지 못하고 있다.[2]

단어는 충분히 장전되었다. 중세는 흔히 거창한 역사적 농담의 대상이다. '중세적'이라는 것은 자주 더러운 용어로 안배된다. 특히 신문 편집자들은 이를 자기네가 어리석음, 야만성, 제멋대로의 폭력을 나타내고 싶을 때 손쉬운 도구로 사용한다. (이 시기를 나타내는 데 흔히 대용으로 쓰이는 이름이 '암흑시대Dark Ages'다. 이것도 상당히 비슷한 역할을 한다. 중세라는 과거를 지적인 밤이 내내 계속된 시기로 희화화한다.) 매우 분명한 이유로 이는 오늘날의 역사가들을 상당히 자극할 수 있다. 역사가를 만나게 된다면 모욕을 주려고 '중세적'이라는 말은 쓰지 않는 게 제일 좋다. 설교를 듣거나 코피가 터지기 싫다면 말이다.

이제 읽게 될 이 책은 중세의 이야기를 들려준다. 두툼한 책이다. 방대한 작업이기 때문이다. 여러 대륙과 여러 세기를 휩쓸고 다닐 것이고, 때로는 무서운 속도를 내기도 할 것이다. 훈족의 왕 아틸라부터 잔 다르크까지 수많은 남자와 여자를 만나게 될 것이다. 그리고 역사의 적어도 10여 개 분야(전쟁과 법에서 미술과 문학에 이르기까지)에 무모하게 뛰어들게 될 것이다.

나는 몇몇 거창한 질문도 할 것이다(그리고 대답도 할 수 있기를 바란다). 중세에 무슨 일이 일어났을까? 누가 지배했을까? 권력은 어떤 모습이었을까? 사람들의 삶을 규정지은 큰 세력은 무엇이었을까? 그리고 중세는 어떻게 지금 우리가 아는 세계를 규정(만약 그랬다면)지었을까?

조금 벅차다고 느껴지는 때가 있을 것이다.

그러나 약속하건대, 재미있을 것이다.

이 책은 대체로 연대순에 따라 네 부분으로 나뉜다. 1부는 현대의 한 명석한 역사가가 "로마의 유산"[3]이라고 이름을 붙인 것을 살펴본다. 이는 후퇴하고 붕괴하는 상황에 있는 서쪽의 로마 제국에서 시작한다. 서로마는 특히 기후 변화와 몇 세대에 걸친 대량 이주로 흔들리고 있었다. 이어 로마의 뒤를 이어 등장한 파생 초강대국들을 살펴본다. 유럽 왕국의 토대가 된 이른바 '이방인' 왕국, 개조된 동쪽의 로마 초대국인 동로마 그리고 초기 이슬람 제국들이다. 이는 5세기 초부터 8세기 중반까지의 이야기다.

2부는 프랑크족의 시대에서 시작한다. 그들은 서쪽에서 기독교 제국인 유사 로마 제국을 되살렸다. 이 부분의 이야기는 어느 정도(전적으로는 아니다) 정치적인 것이다. 유럽을 기독교 왕가의 영역으로 쪼갠 여러 왕조의 등장을 추적하는 외에, 제1천년기가 저물 무렵 등장한 새로운 형태의 문화적 '연성' 권력도 살펴볼 것이다. 책의 이 부분은 중세 시기에 서유럽 사회에서 수행자와 기사가 어떻게 해서 그렇게 중요한 역할을 하게 되었는지도 묻는다. 그리고 그 두 부류의 사고방식이 융합해 어떻게 십자군 운동을 탄생시켰는지에 대해서도 알아본다.

3부는 새로운 지구촌 초강대국의 깜짝 놀랄 등장으로 시작한다. 12세기 몽골족의 부상은 강렬하고 무섭도록 잔인한 이야기였다. 지금의 베이징에 수도를 둔 한 동방의 제국이 세계의 절반을 잠깐 지배했다. 그 과정에서 수백만 명이 희생되었다. 세계 지리정치학의 이 극적인 변화를 배경으로 3부는 또한 때로 중세 '성기盛期'라 불리는 시기에 등장한 다른 강국도 살펴본다. 이례적인 새 금융 기법을 만들어내 자신들과 세계를 더 부유하게 만들었던 상인, 고대의 지혜를 되살리고 오늘날의 대형 대학 일부를 설립한 학자, 도시와 대성당과 성곽(700년이 지난 지금도 중세 세계로 돌아가는 관문으로서 버티고 서 있다)을 만든 건축가와 기술자도 만난다.

이 책의 4부는 중세를 마감하는 부분이다. 이 부분은 동쪽에서 서쪽까지 전 세계를 관통한 세계적 유행병으로 시작한다. 주민을 전멸시키고 경제의 변모를 초래했으며 사람들이 자기 주변 세계에 대해 생각하는 방식을 바꾸어놓았다. 이어 세계가 어떻게 재건되었는지를 살핀다. 문예부흥기의 천재들을 만나고, 새로운 세계를 찾아 나선 (그리고 그것을 발견한) 위대한 항해자들과 함께 여행한다. 맨 마지막으로 종교 교리의 변화가 새로운 통신 기술과 손잡고 어떻게 종교개혁을 가져왔는지를 살필 것이다. 종교개혁은 폭스도 인정했듯이 '중세'의 막을 내린 격변이었다.

자, 이것이 이 책의 대체적인 모습이다. 이 책이 집중하고 있는 것에 대해서도 몇 마디 해야겠다. 이 책은 권력에 관한 것이다. 이 말은 그저 정치 권력이나, 심지어 인력人力을 의미하는 것이 아니다. 우리는 여러 힘센 남자와 여자를 만날 것이다(물론 중세이기 때문에 불가피하게 여자보다 남자가 많을 것이다). 그러나 나는 또한 인간의 통제 너머에 있는 큰 힘을 보여주는 데도 관심이 있다. 기후 변화, 대량 이주, 유행병, 기술 변화, 세계적 연결망 등은 매우 현대적인 (심지어 탈현대적인) 일인 것처럼 들린다. 그러나 이것들은 중세 세계의 모습 역시 규정했다. 그리고 우리 모두는 어떤 의미에서 중세의 자손이기 때문에 우리가 중세 사람과 얼마나 비슷한지를 인식하는 것이 중요하다. 우리의 진정하고 심원한 차이를 인정하는 것과 함께 말이다.

이 책은 주로 서방에 초점을 맞추고 있으며, 세계 다른 지역의 역사를 서방의 렌즈를 통해 바라본다. 그에 대해 변명하지 않겠다. 나는 아시아와 아프리카의 역사에 매혹되어 있으며, 이 이야기를 하는 과정에서 중세의 서방이 세계의 동방 및 남방과 얼마나 깊숙이 엮여 있는지 보여주려 애썼다. 그러나 중세라는 개념 자체는 서방 역사에서 특수한 것이다. 나는 또한 서방에서 글을 쓰고 있다. 내가 생애 대부분의 시간 동안 살고 연구한 곳이다. 언젠가 나는(다른 누군가일 가능성이 더 높지만) 이런 관점을 완전히 뒤집고 이 시기를 이를테면 '밖으로부터' 보는 중세사 보충편을 쓸 것이다.[4] 그러나 지금은 그날이 아니다.

자, 이것이 앞으로 일이 전개될 양상이다. 앞서 말했듯이 이것은 두툼한 책이다. 그러나 이것은 또한 너무나도 짧은 책이다. 나는 여기서, 1000쪽도 되지 않는 공간에서 1000년 이상의 역사를 다루었다. 이 책의 각 장은 그것을 전적으로 다루고 있는 학술의 완전한 한 분야다. (미주와 참고문헌은 독자들이 흥미를 발견한 각 분야로 더 깊이 들어갈 수 있도록 도울 것이다.) 따라서 여기서 많은 것을 볼 수 있겠지만 책을 만드는 과정에서 잘려 나간 부분도 많다. 내가 할 수 있는 말은, 내가 책을 쓰면서 언제나 갖는 목표가 재미와 정보를 동시에 주는 것이라는 말뿐이다. 이 책이 두 가지를 조금씩이라도 갖추고 있다면 다행이겠다.

2021년 봄
스테인스어폰템스에서
댄 존스

1부

제국

410년경부터 750년경까지

1장

로마인들

✤

어디를 가나 (…) 로마 사람들의 이름은 존경과 두려움의 대상이다.
— 암미아누스 마르켈리누스, 로마의 역사가이자 군인

그들은 안전한 길을 떠나 황야로 터덜거리며 들어갔다. 무거운 나무 궤짝을 함께 들고 갔는데 울퉁불퉁한 땅에서 3킬로미터쯤 들고 가자니 팔이 아파왔다. 상자는 길이가 1미터에 불과했지만 잘 만들어지고 꽉 차 있었으며, 커다란 은색 용수철 자물쇠로 잠겨 있었다. 조금이라도 옮기려면 적어도 두 사람 또는 작은 수레가 필요했다. 상자와 내용물 합쳐서 사람 몸무게의 절반 정도 되었기 때문이다.[1]

그러나 그 안에 든 물건의 가치는 사람 하나를 훨씬 능가했다. 노예 하나를 갈리아에서 사서 브리타니아해(현재의 잉글랜드해협)를 건넌 뒤 론디니움(런던)의 시장에서 돈을 받고 팔면 당시에 600데나리우스를 받았다. 노예가 남자든 여자든 건강하고 젊으며 일 잘하게 생겼다거나 잘생겼다는 가정하에서다. 이것은 적은 금액이 아니었다. 보통 병사 연봉의 두 배쯤에 해당했다.[2] 그러나 그것이 많다고 해도, 역시 5세기 로마 제국 상류층 시민에게는 아무것도 아니었다. 그들이 약간 경사진 시골길에서 삐걱거리며 들고 간 오크 상자 안에 들어 있는 재물은 집안을 그득 채울 노예를 사기에 충분한 정도였다.

오크 상자 안의 귀중한 짐 가운데는 600닢 가까이 되는 솔리두스라 불리는 금화가 들어 있었다. 이것이 1만 5000닢의 실리콰 은화 및 몇 줌의 잡동사니 동전과 부딪쳐 달그락거리고 있었다. 주화는 여러 황제들의 얼굴을 넣어 다양하게 주조되었다. 가장 최근의 것이 불행한 운명을 맞은 찬탈자 콘스탄티누스 3세(재위 409~411)의 것이었다.

주화와 함께 들어 있는 것은 더욱 큰 보물이었다. 눈부신 금목걸이, 반지, 날씬한 젊은 여성의 굴곡 부위에 걸치도록 만들어진 멋진 장신구(보디체인) 모음도 있었다. 기하학적 무늬와 생생한 사냥 장면을 새긴 팔찌, 은수저와 (야생동물, 고대 영웅, 여왕 모양으로 만든) 후춧가루 통 등 식탁용품, 은제 귀이개 같은 우아한 목욕 용품과 목이 긴 따오기처럼 보이도록 만들어진 이쑤시개, 주발과 큰 잔과 단지, 작은 상아 보석함(많은 물건에 이름이 새겨져 있는 아우렐리우스 우르시키누스 같은 부유한 남자가 율리아네 부인 같은 세련된 여성을 위해 자주 사주었던 장신구 종류다)도 있었다. 한 맞춤 팔찌에는 작은 금박 조각에 이런 애정의 표시가 새겨져 있었다. "율리아네 부인, 즐겁게 사용하세요." 열 개의 은수저는 이 가족이 신흥 종교이면서도 당시 널리 퍼졌던 종교를 믿고 있음을 보여주었다. 수저마다 '키로xp'로 알려진 부호가 찍혀 있었다. '그리스도'에 해당하는 그리스어 '크리스토스ΧΡΙΣΤΟΣ'의 첫 두 글자로 만든 합성 도안이다. 이는 브리타니아와 히베르니아(아일랜드)에서 북아프리카와 서아시아까지 퍼져 있던 신자 사회에 속하는 같은 신앙인(기독교도)이라면 금세 알아보았을 것이다.[3]

이 주화, 장신구, 가정용품 비장품은 결코 이 가족의 귀중품 전체가 아니었다. 아우렐리우스와 율리아네는 브리타니아에서 대단히 부유한 소수 기독교 상류층(바로 건너 유럽 대륙과 지중해의 다른 상류층과 비슷하게 안락한 삶을 누리는 저택 패거리다)의 일원이었기 때문이다. 그렇다 해도 이는 상당한 밑천이었다. 그리고 이 가족은 궤에 집어넣을 것을 고르느라 약간 고생을 했다. 그것은 전적으로 옳았다. 이 많은 돈은 사실상 보험용이었기 때문이다.

이 가족은 그것을 보관하기 적당한 어딘가에 묻으라는 귀띔을 받았다. 한편으로 그들은 브리타니아의 점점 어지러워지는 정치가 정부 붕괴나 사회 불안이나 무언가가 악화되는 쪽으로 넘어가 버리지 않는지 지켜보았다. 이 지방에 어떤 일이 닥칠지는 시간만이 말해줄 터였다. 그러는 동안에 부유한 가족의 재물을 놓아둘 가장 적당한 장소는 땅속이었다.

붐비는 길(동쪽의 마을 벤타이케노룸(케이스터바이노리치)를 카물로두눔(런던투콜체스터) 공로와 연결하는 길이다)은 멀어진 지 오래였고, 상자를 나르는 작은 무리는 자기네를 보는 사람이 없음을 알았다. 그들은 꽤 멀리 걸어왔고, 가장 가까운 마을인 스콜도 3킬로미터 이상 떨어져 있었다. 좋은 지점을 찾았음에 만족한 그들은 상자를 내려놓았다.

그들은 아마도 잠시 쉬었을 것이다. 어쩌면 해가 지기를 기다렸을 수도 있다. 그러나 오래지 않아 삽으로 땅을 팠다. 진흙과 부스러기 자갈이 섞인 흙이 쌓이고, 얕은 구덩이가 파였다.[4] 그들은 많이 팔 필요가 없었다. 힘을 낭비할 필요가 없었다. 장래의 자기네들을 위한 일만 하면 될 터이기 때문이다. 그래서 구덩이가 몇 자 정도 깊이로 파이자 그들은 조심스럽게 상자를 구덩이로 내리고 다시 흙을 덮었다. 그러자 튼튼한 오크 상자가 사라졌다. 아우렐리우스의 숟가락과 은그릇, 율리아네의 섬세하게 세공한 장신구, 여러 줌의 주화가 든 것이었다. 무덤 부장품처럼 묻혔다. 여러 세대 전 어렴풋한 기억 속에 있는 그 주인과 함께 매장된 망자의 소중한 물건들처럼.

땅을 팠던 사람들은 그곳을 기억해 두고 떠나 다시 길로 향했다. 마음이 놓였고, 짐도 없어 홀가분했다. 그들은 돌아올 것이라고 스스로에게 말했을 것이다. 언제? 그것은 말하기 어려웠다. 그러나 분명히, 브리타니아를 덮친 정치적 폭풍우가 걷히고, 넌더리가 나도록 꼬박꼬박 동부 해안에 쳐들어오는 야만스러운 침략자들이 마침내 격퇴되고, 왕국의 병사들이 갈리아의 전쟁에서 돌아오면 아우렐리우스 도련님이 다시 그들을 보내 값나가는 짐을 파내게 할 것이다. 409년에 그들은 아우렐리우스 우르시키누스의 매장 보물이 실제로는 1600년 가까이나 땅속에 그대로 묻혀 있을 것임은 알지 못했다(그런 상상을 할 엄두조차 내지 못했다).†

5세기가 시작될 때 브리타니아는 1000년 이상 거슬러 올라가는 영광스러운 역사를 가진 초강대국 로마 제국에서 가장 먼 구석이었다.

로마는 철기시대 군주국으로 출발했지만(전승에 따르면 그 기원은 서기전 753년이다), 일곱 왕의 치세(로마의 전승에 따르면 이들은 점점 더 폭압적이 되어갔다) 이후인 서기전 509년에 공화국이 되었다. 그 후 서기전 1세기에 공화국 역시 전복되고 로마는 황제들에 의해 통치되었다. 처음에는 한 황제가 로마에서 통치했지만, 나중에는 최대 네 명의 황제가 밀라노, 라벤나, 콘스탄티노폴리스 같은 여러 수도에서 동시에 통치했다.

로마의 네 번째 황제 클라우디우스(재위 41~54)는 서기 43년 브리타니아를 정복하기 시작했다. 사나운 로마 군단의 2만 병사와 장갑裝甲을 한

---

† 이 보물 상자는 오늘날 '혹슨 보물'로 알려져 있다. 이것은 1992년 금속탐지기로 잃어버린 쇠망치를 찾던 도중 발견되었고, 지금 영국박물관에 전시되어 있다.

코끼리 등 전쟁 수단을 동원해 섬들의 원주민을 공격했다. 1세기 말에는 브리타니아 남부의 대부분이 정복되었다. 북쪽 끝에는 군이 주둔했으며, 그곳은 결국 '하드리아누스 장벽'으로 경계를 삼았다. 이후 브리튼섬은 더 이상 알려진 세계의 끝에 있는 신비로운 지역이 아니라, 대체로 지중해의 초대국에 평정되고 편입된 영토였고, 그로부터 350년 동안 로마 제국에 들어가 있었다.

로마라는 이 거대 정치체는 규모, 사회 수준, 군사력, 지속 기간 면에서 오직 페르시아의 두 거대 국가(파르티아와 사산) 및 중국의 한漢 왕조만이 필적할 수 있을 뿐이었다. 그리스 태생의 역사가로 4세기에 살면서 글을 썼던 암미아누스 마르켈리누스는 로마를 "인류가 생존하는 만큼 오래 이어질 운명을 타고난 도시"라고 불렀다. 그리고 로마 제국은 "미개한 민족의 그 오만한 목을 발로 밟고 그들에게 자유의 영원한 기초와 보증이 될 법을 제공"했다.[5]

이는 과장이다. 그러나 약간의 과장이다. 암미아누스 마르켈리누스가 로마와 그 제국을 바라보고 과거의 아득한 선사시대에서부터 영원한 미래에 이르기까지 수많은 승리를 찾아낸 진지한 로마 작가로서 유일한 사람은 결코 아니었다.[6] 베르길리우스, 호라티우스, 오비디우스, 리비우스 같은 시인과 역사가는 로마 시민의 우월한 특성과 이 도시를 기반으로 한 제국 역사의 웅장한 성격에 대해 이야기했다.

로마인의 마법적인 기원 신화를 엮은 베르길리우스의 《아이네이스》는 "세계의 지배자이자 토가를 입은 민족인 로마인" 아래서 "끝이 나지 않을 제국"에 대해 이야기한다.[7] "용감하게 하고 참아내는 것이 우리 로마의 방식"이라고 리비우스는 썼다.[8] 400년 뒤 제국이 내전, 찬탈, 암살, 침략, 정치적 분열, 유행병, 파산지경 등으로 고통을 받은 이례적으로 힘든 시기를 지나고서도 마르켈리누스는 여전히 다음과 같은 태도를 유지할 수 있었다. "로마는 세계의 모든 지역에서 여주인이자 여왕으로 받아들여진다. (…) 어디를 가나 그 원로원 의원들의 권위는 그들의 은발에 걸맞은 존중을 받고 있고, 로마 사람들의 이름은 존경과 두려움의 대상이다."[9]

그러나 마르켈리누스가 이런 찬가를 부른 지 한 세대 뒤에 제국의 서쪽 절반은 붕괴의 마지막 단계에 있었다. 로마의 수비대와 정치 지배자들은 자기네와 조상들이 수백 년 전부터 점령하고 지배해왔던 땅들을 여기저기서 내버리고 있었다. 브리타니아에서의 제국의 지배는 409~410년에 해체되고 다시는 회복되지 않았다. 브리타니아가 갑작스럽게 범汎유럽 연방으로부터 이탈한 충격이 바로 아우렐리우스 우르시키누스와 율리아네 가족 같은 상류층 가족들로 하여금 재산을 보따리에 싸서 땅속에 묻게 한 원인이었다. 재산 손실을 줄이려는 이 대비책은 전혀 의도치 않게 한 시대의 종말을 보존한 반짝이는 타임캡슐이 되었다.

5세기 말이 되면 서쪽의 로마 제국은 더 이상 존재하지 않았다. 18세기 역사가 에드워드 기번은 이렇게 썼다. "(그것은) 영원히 기억될 혁명이었고, 아직도 지구상의 각국이 그것을 느끼고 있다."[10] 서로마 제국의 쇠락과 멸망은 역사가들이 수백 년 동안 다루어온 역사 현상이다. 로마의 유산은 언어와 풍광, 법과 문화에 찍혀 심지어 오늘날까지도 남아 있기 때문이다. 그리고 로마가 21세기의 우리에게 아직도 의미가 있다면 중세에는 그 영향력이 더 컸을 것이다. 바로 이 책이 정리하고 탐구하려는 그 시대에 말이다.

우리는 다음 장에서 로마 제국의 종말을 상세하게 검토할 것이다. 그러나 지금은 우리 생각을 제1천년기로 접어드는 시기의 그 '등장'(이라기보다는 공화국으로부터의 변신)에 돌려 중세 직전 시기의 그 땅을 놓여 있는 대로 묘사해야 한다. 중세의 서유럽을 제대로 보기 위해서는 먼저 '로마 아이테르나'(영원한 로마)가 어떻게, 그리고 왜 세 대륙과 다양한 종교 및 전통을 가진 수많은 사람과 마찬가지로 매우 다양한 언어를 연결하는 제국을 지배할 수 있게 되었는지를 물어야 한다. 이 제국은 유목 민족과 시골 농부와 도시 상류층의 제국이며, 고대 문화의 창조적인 중심지부터 알려진 세계의 끄트머리까지 뻗쳐 있는 제국이었다.

기후와 정복

로마인은 자기네가 신들의 사랑을 받고 있다는 말을 자기네끼리 즐겨 이야기했다. 사실 그들은 역사적으로 대부분의 기간 동안 좋은 날씨의 혜택을 받았다. 로마가 공화국과 제국으로 흥성하던 시기인 대략 서기전 200년에서 서기 150년 사이에는 쾌적하면서도 생산성이 높은 기후 조건이 서방을 지배했다. 거의 400년 동안, 때때로 전 세계의 기온을 떨어뜨렸던 것 같은 거대한 화산 분출이 없었다. 같은 시기에 태양의 활동은 활발했고 안정적이었다.[11]

그 결과로 서유럽과 광역 지중해권 주변부는 이례적으로 따뜻하고 쾌적한 시기를 보냈으며, 마침 비도 많이 내렸다.[12] 식물과 동물이 번성했다. 코끼리가 아틀라스산맥의 숲에서 어슬렁거렸고, 포도나무와 올리브 숲이 사람들의 기억 속의 어느 시대보다도 더 북쪽에서 자랄 수 있었다. 다른 시기에는 척박하고 농사짓기 어려웠던 지역도 경작할 수 있었고, 전통적으로 '좋은' 땅의 작물 수확량은 크게 늘었다. 자연이 기회를 알아볼 수 있는 어떤 문명에도 최대의 은혜를 내리는 듯했던 이 혜택받은 시기는 지금

종종 '로마의 기후 최적기RCO' 또는 '로마의 온난기'로 불린다.

로마는 서기전 27년 1월 16일 공식적으로 제국이 되었다. 원로원이 율리우스 카이사르의 양자 옥타비아누스에게 '아우구스투스'의 칭호를 주었다.

이에 앞서 공화국은 20년 동안 유혈 내전으로 고통을 겪었다. 이런 전쟁의 과정에서 카이사르가 서기전 49년 권력을 장악하고 군사 독재자로서 통치했다. 그러나 카이사르는 그의 시대와 그 이전에도 있었던 독재자였고, 서기전 44년 3월 15일(이두스 마르티아이, 즉 3월 가운뎃날) 살해당했다. 학자이자 관료였던 수에토니우스(대략 70~130)에 따르면 이는 그의 허풍스러운 야망(많은 로마인이 그가 군주제를 부활시키려 하고 있음을 알아차렸다)의 직접적인 대가였다. "일상적으로 권력을 행사하면서 카이사르는 그것을 사랑하게 되었다"라고 수에토니우스는 썼다. 그는 또한 카이사르가 젊은 시절 친어머니를 강간하려 했다는 소문도 전했다. 점쟁이들이 "이 사람은 세계를 정복할 운명"이라고 말할 때의 분명한 징조로 해석되는 환상이었다.[13]

명성은 카이사르의 운명이었지만, 진정한 위대함은 옥타비아누스의 것이었다. 황제 권력은 거의 옥타비아누스의 얼굴에 쓰여 있었다. 그의 반짝이는 눈과 매력적으로 잘생긴 용모는 웬일인지 헝클어지고 약간 흐트러진 외양 때문에 더욱 돋보였다. 그가 실제 키 170센티미터보다 커 보이기 위해 굽 높은 구두를 신었다는 사실만 아니라면 허영심이 없다고 속을 수도 있을 정도였다.[14]

옥타비아누스는 카이사르와 다른 부분에서 성공했다. 양부의 죽음에 대한 복수를 하고 전쟁에서 적을 물리쳐 마침내 유일하고 경쟁자가 없는 로마의 지배자가 된 그는 아우구스투스로서, 세분됐던 공화국의 모든 정치권력을 꼼꼼하게 자신에게 집중시켰다. 사실상 원로원 의원, 집정관, 호민관, 폰티펙스 막시무스(최고 사제), 군 최고사령관을 동시에 겸한 셈이었다.

아우구스투스가 어떤 사람인가에 대해 로마인의 생각은 갈렸다. 고상한 선지자이자 비길 데 없는 정치군인인가, 아니면 부패하고 잔인하며 믿을 수 없는 폭군인가? 역사가 타키투스(대략 58~116)는 이렇게 물었으나 판단을 내리지 않았다.[15] 그러나 그가 황제(또는 그가 잘 쓴 말로 '프린켑스 키비타티스(제1시민)')†로서 이룬 성과는 부정하기 어렵다.

그는 권력을 잡은 뒤 나라를 약화한 공화국 말기 내전의 잔불을 밟아 껐다. 그는 웅장한 건설 사업으로 로마라는 도시를 변모시켰다. 카이사르 시절에 이미 시작된 것도 일부 있었지만 나머지는 그 자신의 계획이었다. 신전과 기념물이 널려 있던 200만 제곱미터의 캄푸스 마르티우스(마르스 광장)는 근본적으로 재건설되었다. 새로운 극장, 도수관導水管, 도로 건축 명령이 내려왔다. 최상급의 건축 자재만이 검사를 통과했다. 아우구스투스는 죽을 때, 자신이 벽돌의 도시 로마를 대리석의 도시로 바꾸어놓았다고 자랑했다.[16] 그는 정부를 전면적으로 개혁해 권력을 자신의 손에 집중시키고 원로원의 힘을 뺐다. 그는 황제의 장엄에 대한 개인숭배를 장려했고, 이는 그의 후계자들에 의해 발전되어 일부 황제는 신인神人으로 숭앙받기까지 했다.

서기 14년 8월 19일 아우구스투스가 일흔다섯의 고령으로 세상을 떠

---

† 로마 황제는 처음 300여 년 동안 흔히 아우구스투스가 선호한 칭호를 따서 '프린키파테Principate'로 알려졌다.

로마 제국
(최전성기)

날 때쯤 로마 제국은 엄청나게, 그리고 극적으로 확장되고 평정되고 광범위하게 개혁되어 있었다. 브리타니아는 아직 손이 닿지 않는 미개지였지만(카이사르는 서기전 55~서기전 54년 이곳에 갔지만 전면 침공의 전망에 대해서는 매우 부정적으로 보았고, 그 아들 역시 브리튼인을 내버려두었다), 초기 로마 제국은 이탈리아반도와 이베리아반도 전체, 갈리아(현대의 프랑스), 멀리 도나우강에 이르는 알프스 이북 유럽, 발칸반도 대부분과 소아시아, 북쪽의 안티오케이아에서 남쪽의 가자에 이르는 레반트 해안의 대부분, 아우구스투스가 프톨레마이오스 왕조의 마지막 파라오 클레오파트라와 그 연인 마르쿠스 안토니우스를 상대로 한 유명한 전쟁에서 얻은 매우 부유한 아이깁토스(이집트), 서쪽으로 누미디아(현대의 알제리)까지 계속 뻗어 있는 북아프리카를 아우르고 있었다. 그리고 이어진 세기 동안에는 더 큰 확장의 무대가 펼쳐져 있었다.

로마는 지중해의 모든 연안을 지배한 역사상 유일 세력이었다. 그들은 여기에 내륙으로 멀리까지 미치는 이례적으로 깊숙한 영토의 변방을 추가했다. 다키아(현대의 루마니아)를 정복한 트라야누스(재위 98~117) 치세 때가 그 전성기였는데, 제국은 하드리아누스 장벽에서 티그리스강 기슭까지 500만 제곱킬로미터를 차지하고 있었다. 전 세계 인구의 4분의 1이 로마의 지배 아래서 살았다.

이 거대한 제국 영토 집합체는 단순히 점령된 것에 그치지 않고, 재구성되고 로마 문명의 규정적 특징이 새겨졌다. 거대하고, 중앙으로부터 통제받고, 변경에서 강력하게 방어되고, 영토 안에서 밀착 통치되고(또는 완전히 자유롭거나 관용적이고), 기술적으로 발전하고, 그 자신 및 바깥 세계와 효율적으로 연결된 로마 제국의 전성기가 도래했다.

"그들은 황무지를 만들어놓고 이를 평화라 부른다"

그러면 로마 제국의 규정적 특징이란 무엇인가? 첫 번째이자 외부인에게 가장 놀라운 것은 로마의 이례적이고 지속적인 군사력이다. 전사문화가 정치에 스며들었다. 공화국 시기에 공직에 선출되는 것은 거의 병역을 마쳤는지 여부에 좌우되었으며, 반대로 군사 지휘권은 정치적 자리에 선출되는 것에 의존했다. 따라서 당연하게도 로마의 가장 큰 역사적 업적의 상당수는 전쟁터에서 얻은 것이었다.

국가 기구는 직업적인 상비군에 의존했다(그리고 대체로 그것을 위해 존재했다). 상비군은 아우구스투스 치세 말년에 약 25만 명을 헤아렸고, 가장 많았던 3세기 초에는 45만 병력을 제국 전역에 배치할 수 있었다. 레기오(군단)는 각기 로마 시민 가운데서 징집한 5000명의 중장 보병으로 이루어졌으며, 제국의 시민이 아닌 방대한 주민 가운데서 뽑은 보조 부대 아욱실리아와 제국의 국경 밖 이방인 군대로부터 모집한 누메리로 수를 늘렸다. (나중에 보겠지만 로마군의 이방인 분견대가 제국 말년에 지배자로 떠오른다.) 해군 함대에는 5만 명의 수병이 소속되었다. 북해에서 카스피해까지 드넓은 지역에 분산된 이 병력을 유지하는 비용은 매년 제국 전체 국내총생산(GDP)의 2~4퍼센트를 먹어치웠다. 국가 예산의 절반을 훌쩍 넘는 돈이 방위비로 들어갔다.† 서기전 1세기의 공화국 말년과 이른바 '3세기의 위

---

† 비교해보자. 이 책을 쓸 때 미국의 방위 및 안보 예산은 세계 최대(2위와 차이가 좀 있다)였으며, 국내총생산 대비로 미국의 군사비 지출은 로마 제국과 매우 비슷해 3.1퍼센트 정도다. 그러나 드론과 탱크와 병력에 이렇게 많은 돈이 들어가는데도, 미국 국내총생산의 3.1퍼센트는 대략 연간 연방 예산의 15퍼센트에 해당한다. 다시 말해서 로마 황제가 그들의 가용 소득에서 군사 분야에 쓴 것이 현대 미국 대통령에 비해 서너 배나 많았다는 것이다. 상대적인 전개 능력이나 확대 가능성(비유가 어떨지 모르겠지만, 주먹싸움에 로켓 발사기를 들이대는 능력이다) 측면에서 현대의 미국은 1세기의 로마 제국과 세계에서 차지하는 위치가 비슷했다. 이들은 건드리지 않는 게 언제나 최고의 수이다.

기' 동안에 지배했던 여러 시원찮은 황제 치하에서 그랬듯, 로마의 군대가 제국의 화합이라는 대의에 어긋나게 작동한 시기도 있었다. 그러나 로마 군대가 없었다면 제국은 결코 없었을 것이다.

베르길리우스(서기전 70~서기전 19)는 이렇게 썼다. "로마인이여, 그대의 제국 안의 세계 민족들을 지배하는 것이 그대의 과업이 될 것이다. 일정한 방식으로 평화를 유지하고, 패자를 관용하고, 오만한 자를 꺾어버리는 것이 그대의 기술이 될 것이다."[17] 로마 제국 군대의 규모, 이동 속도, 기술적 능력, 전략적인 지혜, 가공할 훈련은 당대의 어느 나라도 따라올 수 없었으며, 베르길리우스의 드높은 목표를 가능케 했다.

전형적인 로마 병사는 최소 10년 복무 조건으로 계약했다. 3세기 이전에는 아욱실리아에서 25년 동안 복무하면 그 보상으로 완전한 로마 시민권을 주었다. 통상적인 봉급은 적절했고, 맡을 수 있는 병과는 많고도 다양했다. 짧은 검, 길고 구부러진 방패, 던지는 창으로 훈련받는 보병 외에, 로마 군대는 기병, 포병, 의무병, 군악병, 행정병, 기술병을 채용했다.

공을 세우면 보상과 영예를 주는 문화가 강력했지만, 같은 이유로 훈련이 잔인할 정도로 엄격했으며 굶기고 매질하고 때로는 즉결 처형까지 했다. 서기전 2세기에 로마의 역사에 대해 상세하게 쓴 그리스 작가 폴리비오스에 따르면, 전투에서 자리를 지키지 않은 병사를 푸스투아리움 수플리쿰(장살형杖殺刑)으로 처벌할 수 있었다. 동료들이 함께 몽둥이로 치거나 돌을 던져 죽이는 것이다.[18] 집단으로 잘못을 저지르거나 항명하는 경우에는 한 레기오 전체를 데키마티오(십일살형十一殺刑)로 처벌할 수도 있었다. 열 명 단위로 한 명씩을 제비뽑기로 뽑아 동료들이 때려 죽이는 것이었다.

공화국 시대에 레기오는 오랫동안 기억될 여러 차례의 전쟁을 통해 마케도니아인과 셀레우코스 왕조, 그리고 카르타고인을 물리치고 지중해의 패권을 확립했다.

가장 유명한 것은 아마도 카르타고일 것이다. 위대한 장군 한니발은 서기전 218년 코끼리를 몰고 알프스산맥을 넘었지만, 로마 공화국을 끝장내는 데는 실패했다. 서기전 216년 로마가 동원한 사상 최대 규모의 대군을 칸나이 전투에서 격파하고서도 말이다. 이후 세대들은 한니발의 실패에 대해 탄식하였다. 감히 로마에 맞서려 했던 카르타고인에 내려진 벌은 그들의 오랜 수도 카르타고를 절멸시키는 것이었다. 서기전 146년 3차 로마-카르타고 전쟁이 끝난 뒤였다. (같은 해에 다른 지역의 전쟁에서 고대 그리스의 도시 코린토스가 완전히 쑥대밭이 되었다.)

이런 전쟁들이 이어지며 로마 군대의 장기적인 우월성이 과시됐고, 그것은 제국 시대에도 이어졌다. 전장에서 로마 군대를 마주친 경험은 조금만 이야기해도 정신이 번쩍 들게 하는 것이었다. 1세기에서 예를 하나 들어보자면, 제국 군대가 브리타니아를 침공하고 복속시키면서 사납게 으르렁거렸던 일이 그런 경우다.

율리우스 카이사르는 서기전 55~서기전 54년에 처음으로 브리타니아 예비 군사 원정을 했다. 브리타니아는 로마에 매력적인 목표물이었다. 동남부는 비옥한 경작지로 유망했고, 섬 곳곳의 광산은 주석, 구리, 납, 은, 금 매장량이 풍부했다. 이곳은 또한 갈리아의 반역자들이 로마 당국을 피해 도망쳐 가곤 하는 곳이었다. 이 밖에도 배를 타고 갈 수 있는 세계의 끄트머리라고 생각되는 군도群島를 정복할 수 있다는 전망만으로도 위신이 섰다. 카이사르의 침공은 토착 브리튼인의 호전성과 악천후 때문에 격퇴당했지만, 한 세기 후 클라우디우스의 치세인 서기 43년에 4개 레기오가 상륙 침공을 이끌어 점령 전쟁에 불을 붙였고, 이어졌다 끊어졌다 하며 50년 가까이 지속되었다. 서기 60~61년 전사 여왕 부디카를 중심으로 반란을 일으켰던 이케니족 같은 부족들은 극단적인 편견으로 초토화되었다. 다른 부족들은 협상을 했다. 브리타니아와 브리튼인은 예전의 모습을 회복할 수 없었다.

제국 군대가 브리타니아를 정복하고 평정하는 과정에서 보인 무자비는 로마인에게 상당한 자존심 문제였다. 이는 타키투스가 운이 다한 부족장 칼가쿠스의 입을 빌려 적은 유명한 연설에서 냉소적으로 요약했다. 칼가쿠스가 그나이우스 율리우스 아그리콜라(그는 타키투스의 장인이었다) 휘하의 로마 군대와 전투할 준비를 하면서 한 연설이다.

세계를 강탈한 자들이 도처를 약탈해 육지가 남아나지 않았는데, 그들이 바다를 털고 있다. 적이 부유하면 그들은 탐욕을 부리고, 적이 가난하면 그들은 지배하려 한다. 동쪽도 서쪽도 그들을 만족시키지 못했다. 사람들 사이에서 그들만이 빈자와 부자에 대해 똑같은 열의로 탐낸다. 그들은 강도와 살육과 약탈에 제정帝政이라는 거짓 이름을 붙인다. 그들은 황무지를 만들어놓고 이를 평화라 부른다.[19]

이 연설을 들은 직후 칼가쿠스의 병사들은 레기오, 아욱실리아, 기병대로 이뤄진 아그리콜라의 군대를 피해 허둥지둥 도망쳤다. "무시무시하고 끔찍한 광경"이었다고 타키투스는 썼다. "(부족 전사들은) 부대 전체가 달아났다. (…) 곳곳에 무기와 시체와 절단된 사지가 흩어져 있었고, 땅에서는 피비린내가 났다." 그날 밤 로마 군대는 잔치를 벌였다. 그러나 상대는 그러지 못했다. "울부짖는 남녀들이 뒤섞인 속에서 헤매는 브리튼인들은 부상자를 끌고 성한 사람에게 소리치며 고향을 떠났다. (…) 폐허의 침묵이 모든 곳을 지배했다. 농작물은 버려졌고, 집은 멀리서 연기를 내고 있었다."[20] 칼가쿠스는 동포의 운명을 너무도 정확하게 예언했고, 그 과정에서 수백 년 동안 로마 제국 변경의 수많은 부족 지도자가 겪었던 일을 되새겼다. 브리타니아, 갈리아, 게르마니아(독일), 다키아, 팔레스티나, 그 밖의 곳에서 때때로 레기오들이 매복의 습격을 받거나 패하는 경우에도 그 손실은 로마의 주둔을 물리치기에 충분하지 않았다. 로마의 군사적 패권을 뒷받침하는 것은 패배를 흡수하고 갈등을 확대하고 무자비한 복수를 가하는 제국의 능력이었다. 로마는 전투에서 지는 경우는 많았지만 전쟁에서 진 경우는 거의 없었다.

그러나 이 모든 것에도 불구하고 로마 군대는 또한 여러 차례 멋진 승리를 거두었다. 칼을 뽑지도 않고 창을 들지도 않고 피를 흘리지도 않고서 거둔 승리였다. 감당할 수 없는 전쟁터의 규모라는 강점이 당시에(역사 속에서 늘 그랬듯이) 싸우지 않고 승리하는 호사를 누리게 했다. 로마 군대의 힘은 단순히 실질적인 무력이었을 뿐 아니라 잠재적인 경쟁자에게 사실상의 억지력으로 작용했다. 서방 세계에 제국 군대의 자원에 필적할 만한 다른 세력이 없었기 때문에 황제는 자기네 군대가 할 수 있다는 단순한 사실을 경쟁자에게 복종하도록 위협하는 정치적 도구로 이용할 수 있었다.[21] 이는 세계 역사 속의 대부분의 초강대국이 인식하게 되는 교훈이다.

로마 군사력의 전성기는 서기전 27년 아우구스투스의 등극 이후 200년 동안이었다. 이 시기는 팍스로마나(로마에 의한 평화)로 알려졌다. 로마가 그 보호 아래 살던 자에게 이례적인 안정, 평화, 번영의 기회를 (당시의 기준으로) 제공할 수 있었던 시기였다. 로마가 그렇게 할 수 있었던 것은 지구상에서 가장 위험한 군대에 의한 보호를 전체에 제공했기 때문이다.

팍스로마나는 서기 180년 철학자 황제 마르쿠스 아우렐리우스가 죽은 뒤 해지고 흐트러지기 시작했다. 3세기의 수십 년 동안 위기가 제국을 휩쓸었으며, 이 기간에 제국이 세 덩어리로 나뉘고 수십 명의 황제가 들어서며 완전한 붕괴 직전의 상태가 되었다. 로마 군대의 의지와 능력을 거의 파괴에 이르도록 검증한 최후였다. 그러나 4세기와 5세기 초까지도 로마인은 여전히 자기네 군대에 자부심을 가졌다. 군대는 이제 갈수록 전문화되고 제국의 변경 지역(리메스)에 배치되어 문명의 주변부를 이방인 민족들의 침입으로부터 보호하였고, 분할과 분열, 권력투쟁과 내부 반목에도 불구하고 대체로 제국을 굳건히 유지하도록 보장하고 있었다.

따라서 로마는 그 전성기에 역내의 어떤 나라라도 깨부술 수 있는 천하무적의 전쟁 국가였다. 3세기 위기를 겪은 이후 동쪽에서는 사산 왕조 페르시아로부터 강한 도전을 받고 서쪽에서는 이방인들의 도전을 받을 때에도 로마는 여전히 무서운 세력이었다.

그러나 압도적인 군사력과 그것이 미치는 범위만으로는 같은 시기의 고전기 세계의 다른 초강대국들과 대체로 구별되지 않는다. 서기전 4세기 알렉산드로스 3세의 마케도니아 제국은 지중해 중부의 이오니아제도에서 히말라야산맥에 이르도록 영토를 확장했다. 고대 페르시아의 여러 제국도 비슷한 영토를 지배했다. 서기 100년 무렵 중국의 후한後漢은 650만 제곱킬로미터의 땅과 6000만 인구를 지배했다.

로마를 지중해 세계 안팎에서 그렇게 지배적인 세력으로 만든 것은 압도적인 군사력과 발맞추어 개발된 정교한 민사 기구다. 그것은 로마인이 그 자체로 유익하다고 생각한 최첨단의 사회적·문화적·법적 체계의 망網이다. 그들이 옳든 그르든(그리고 오늘날 우리는 많은 여성과 가난한 자의 권리를 크게 제한하고, 그 규범에 반대하는 사람들을 악독하게 박해하고, 피를 흘리는 스포츠와 기타 형태의 공공연한 폭력에 열광하고, 생존을 위해 많은 노예에 의존한 사회에 관해 의구심을 가질 것이다), 로마인의 생활 방식은 전파되기에 매우 적합한 것이었고, 전파된 모든 곳에 깊숙하고 때로는 영구적인 흔적을 남겼다.

시민과 이방인

클라우디우스 황제가 세계의 끝에 있는 부족들을 복속시키기 위해 브리타니아에 코끼리를 들여보낸 지 몇 년이 지난 뒤, 그는 원로원에 나가 소란스러운 로마의 주요 고관 무리에게 복잡한 시민권과 정치권력 문제에 관해 연설했다. 시기는 서기 48년이었고, 손에 든 안건은 특별한 것이었다. 갈리아의 로마 속주에서 가장 부유하고 가장 존경할 만한 사람들을 원로원 의원으로 선출해야 하느냐 아니냐였다.

학구적이지만 허약하고 시야도 좁은 아우구스투스의 손자이자 마침 갈리아의 루그두눔(리옹)에서 태어난 클라우디우스는 그래야 한다고 생각했다. 그는 자신의 취지를 강조하기 위해 의원들에게 로마의 고대사를 이야기했다. 로마의 건설자이자 첫 왕이었던 로물루스의 뒤를 이어 도시 바깥에서 온 사비니족 누마가 왕위에 오른 시절까지 거슬러 올라갔다. 로마가 언제나 가장 존경할 만한 외부인을 받아들이는 곳이었다고 클라우디우스는 주장했다. 그는 "원로원을 명예롭게 할 수 있는 사람이라면 지방민이라도 거부해서는 안 된다"라고 말했다.

모든 의원이 동의하지는 않았다. 일부 의원은 로마인이 "외국인 무리"를 기꺼이 받아들이도록 "강요되는" 것은 수치스러운 일이라고 강력하게 주장했다. 그는 특히 문제의 외국인(갈리아인)은 로마의 정복에 맞서 격렬하게 혈전을 벌인 적이 있기 때문이라고 했다.[22] 이 주장의 핵심에는 태고부터 현재에 이르기까지 강력한 왕국의 지배자들을 고무해온 두 가지 오래된 논쟁이 있다. 국가가 이전의 적을 어떻게 자기네 사회에 끌어들일 것인가, 그리고 국가 또는 사회의 구성원 자격에 대한 문호를 외국인에게 개방하는 것이 그들의 혈통과 특성을 강화하는가, 희석하는가? 이는 로마의 수백 년 제정 시대를 시끄럽게 했던 논쟁이었고, 중세와 그 이후까지 유산을 남겼다.

서기 48년 원로원 앞에 선 클라우디우스는 준비가 잘되어 있었다. 갈리아인의 충성심에 대한 의구심에 관해 그는 이렇게 말했다. "갈리아인이 10년 동안 전쟁에서 거룩한 율리우스 카이사르에게 저항했다는 사실에만 주목하는 사람이 있다면, 그들이 또한 100년 동안 충성스럽고 믿을 만했으며 우리가 위험에 처했을 때 이 충성심을 발휘하고자 최선을 다해 노력했음도 생각해야 한다." 로마인으로 분류되지 않는 비非이탈리아인에 대한 보다 일반적인 반감에 대해 그는 의원들에게 고대 그리스의 사례를 제시했다. "전쟁에서 그렇게 강력했던 스파르타와 아테네가 몰락한 원인이 무엇이겠는가? 그들에게 정복당한 사람을 이방인이라고 끼워주지 않았기 때문이 아니겠는가?" 설득을 당했든 열정적인 황제에게 위압당했든, 원로원은 결국 동의했다. 그 시점 이후로 갈리아인은 로마 시민권을 얻게 되었을 뿐만 아니라 정치적으로 제국에서 가장 높은 자리까지도 꿈꿀 수 있게 되었다.

로마(도시 자체, 이탈리아반도, 그리고 궁극적으로 로마 군대가 정복한 방대한 영토)의 중요한 사회적 구분 가운데 하나는 시민과 나머지 사람 사이에 그어졌다. 로마 사회는 지위와 서열에 민감해서, 세나토르(원로원 의원)와

에퀘스(기사)의 상층 계급, 플레브스(평민)라는 중간 계급, 그리고 프롤레타리우스로 알려진 땅 없는 가난뱅이 사이의 작은 차이도 매우 심각하게 받아들였다.

그러나 가장 중요한 것은 시민권이었다. 로마 시민이라는 것은 가장 깊숙한 의미에서 자유를 뜻했다. 남자에게 그것은 권리와 의무라는 탐나는 꾸러미를 받는 것이었다. 시민은 투표권이 있고, 정치적 직위를 얻을 수 있고, 자신과 자신의 재산을 지키기 위해 법정을 이용할 수 있고, 의식이 있을 때 토가를 입을 수 있고, 아욱실리아가 아니라 레기오에서 군 복무를 할 수 있고, 특정한 세금을 면제받을 수 있고, 채찍질, 고문, 십자가 처형 같은 대부분의 형태의 신체형 및 사형을 피할 수 있었다.

시민권이 남성에게만 국한된 것은 아니었다. 여성에게는 권리의 상당수가 주어지지 않았지만, 여성 시민의 신분을 그 자녀들에게 넘겨줄 수 있었다. 그리고 시민이라면 시민이 아닌 사람에 비해 더 안락하고 풍요로운 삶을 누릴 가능성이 높았다. 따라서 시민은 중요한 신분이었고, 로마 국가가 군대에서 25년 복무한 사람에 대한 보상으로 그것을 흔들어 보이는 이유도 그 때문이었다. 노예도 주인이 자기네를 해방시켜주면 해방된 자로서 제한된 시민의 권리를 주장할 수 있음을 알기 때문에 불평 없이 일했다. 살인이나 위조 같은 매우 심각한 범죄에 부과되는 처벌을 받아 시민권을 잃는 것은 일종의 법적인 신체 절단이고 사회적 죽음이었다.

로마만이 독특하게 이 법적·사회적 특권의 개념을 발전시킨 것은 결코 아니었다. 고대 그리스와 카르타고에도 시민이 있었고, 이 시기의 다른 여러 지중해 국가에도 있었다. 로마가 독특했던 것은 오랜 역사를 통해 자기네 제국의 지배를 유지하는 데 도움이 되도록 시민권의 개념을 발전시키고 확장했다는 데 있었다.

제국의 최종 목표는 부를 빨아들여 로마에서 소비하는 것이었다. 그런 의미에서 그것은 마구잡이의 착취를 바탕으로 한 강탈이었다. 그러나 약탈품의 한 지분인 시민권 약속을 통해, 정복당한 귀족은 언제나 양지에 있을 수 있었다. 이에 따라 제국의 첫 200년 동안 제국의 속주가 늘어나면서 시민권은 점차로 이탈리아에서 먼 변방의 상위 신분 집단에게까지 주어졌다. 귀족과 고관, 아욱실리아에서 군 복무 기간을 채운 사람, 은퇴한 관료, 그리고 해방된 그들의 노예는 모두 시민권을 취득할 수 있었다. 완전한 신분이든 여러 가지 제한된 형태의 것 가운데 하나든 말이다. 후자의 경우라도 제한되기는 했을망정 여러 가지 매력적인 권리가 있었다.[23]

마침내 212년, 카라칼라 황제는 클라우디우스가 시작했던 것을 마무리해 여러 속주의 모든 자유민은 어떤 형태의 시민권을 주장할 수 있다는 포고를 내렸다. 전체 대중은 "승리를 공유"해야 한다고 카라칼라는 선언했다. "이 칙령은 로마 사람들의 존엄성을 높일 것"이었다.[24]

많은 역사가가 이 카라칼라 칙령(카라칼라의 본명이 안토니누스여서 때로 '안토니누스 칙령'으로도 불린다)을 제국 역사의 전환점으로 본다. 이것이 제국의 체제를 핵심부터 약화시킨 결정이었기 때문이다. 비로마인이 군대에 들어갈 매력을 떨어뜨렸고, 명예로운 시민권을 없애버린 것이다. 물론 그런 측면은 있을 것이다. 그러나 제국 안에서의 동화에 대한 열린 태도가 로마의 역사적인 핵심 장점 가운데 하나임도 분명한 사실이다.† 그것이 로마 체제의 가치를 다른 무엇에 비해서도 더 높은 자리에 올려놓았고, 사람들이 하나 이상의 정체성을 즐길 수 있는 가능성을 자유롭고 문제없이

---

† 이런 동화에 대한 환영의 태도에서 로마 제국은 20세기로 넘어가는 시기 미국이 가장 많이 이민을 받아들일 때의 모습을 능가한다. 역사적으로 아마도 12~13세기의 몽골 제국(9장 참조)만이 여러 민족을 통합하는 데서 그런 대범함을 보여주었다.

받아들였기 때문이다.

　로마인은 우릅스 아이테르나(영원한 도시)의 일곱 언덕 아래서 태어날 필요가 없었다. 북아프리카인이나 그리스인일 수도 있고, 갈리아인이나 게르만인이나 브리튼인일 수도 있고, 히스파니아인이나 슬라브인일 수도 있었다. 심지어 황제조차 종족적으로 '로마인'일 필요는 없었다. 트라야누스와 하드리아누스 황제는 히스파니아인이었다. 193년 권좌에 올라 211년까지 재위했던 셉티미우스 세베루스는 렙티스마그나(리비아)에서 태어났다. 아버지는 북아프리카인, 어머니는 시리아계 아라비아인이었다. 따라서 (세베루스 왕조로 알려진) 그의 후계자들은 이 아프리카-아라비아 유산을 공유하고 있었다. 이 왕조의 두 번째 황제가 다름 아닌 카라칼라였다. 그러므로 카라칼라는 212년 그 칙령을 발포할 충분한 정치적 이유가 있었다. 특히 공공 재정이 위험에 처해 있던 시기에 세수 기반을 넓히는 일이기도 했다. 북아프리카의 유산을 물려받은 황제로서의 경험이 그의 생각에 영향을 미쳤다고 보아도 큰 시대착오를 일으키는 일은 아닐 것이다.

판매되는 영혼

카라칼라가 아프리카인의 경험을 제국 통치에 사용했다 하더라도, 그만 그랬던 것은 아니었다. 그가 태어나기 100년도 더 전에 로마는 10년 동안 플라비우스 왕조의 창건자 베스파시아누스의 통치를 받았다. 베스파시아누스는 짧지만 고약한 내전에서 승리를 거두어 서기 69년 황제가 되었다. 이해에만 황제 네 명이 들어선 내전이었다.[†] 그러나 그는 황제가 되기 전에 잠깐 북아프리카에 있었는데, 그때 그는 '노새 몰이꾼', 즉 노예 상인으로 알려졌다. 이 일을 할 때 베스파시아누스는 어린 소년들의 고환을 잘라내는 데 선수였고, 그렇게 해서 웃돈을 받고 그들을 환관으로 팔았다.[25] 베스파시아누스는 이런 일을 자주 해서 약간의 악명을 얻었지만, 다른 역사 시기에 행해졌던 것만큼은 아니었다. 로마에서 노예를 부리고 그들을 일상적으로 잔인하게 대하는 것은 그저 많은 정도가 아니었다. 모든 곳에 널리 퍼져 있었다.

노예제는 고대 세계를 통틀어 어쩔 수 없는 현실이었다. 재산으로 간주되고 강제로 사역되며 권리를 박탈당하고 사회적으로 '죽은' 사람인 노예는 그 시대의 거의 모든 주요 왕국에 다 있었다. 중국에서는 진秦·한漢·신新 왕조에서 여러 형태의 노예를 부렸다. 이집트, 아시리아, 바빌로니아, 인도의 고대 지배자 역시 마찬가지였다.[26] 이스라엘인의 신은 그들에게 이렇게 말했다. "너희는 남종이나 여종을 두려면 너희 주변에 있는 다른 민족에게서 구해야 한다. 그들에게서 남종과 여종을 사들일 수 있다."[27] 같은 동포를 노예로 삼는 것만 삼가라고 요구했을 뿐이다. 그러나 로마는 달랐다. 역사에 기록된 진정한 '노예제 국가'의 사례는 별로 많지 않다. 노예제 국가는 노예제가 사회의 모든 측면에 스며들고, 전체 경제와 문화가 그 위에 세워지는 나라다. 로마가 그 가운데 하나였다.[††]

역사가들은 로마에 얼마나 많은 노예가 있었는지에 대해 한목소리를 내지 못한다. 믿을 만한 기록이 없기 때문이다. 한 개략적인 추측에 따르면 아우구스투스 재위 무렵에 이탈리아반도에는 노예가 200만 명 있었다.

---

† 이른바 '네 황제의 해'다. 네 황제는 갈바, 오토, 비텔리우스, 베스파시아누스이다.
†† 역사가들은 그 밖의 나라로 늘 고대 그리스, 식민지 시대의 브라질과 카리브해 지역, 그리고 내전 이전의 미국 남부를 든다.

아마도 이 지역 주민의 4분의 1 정도였을 것이다. 그 밖의 속주에도 많은 노예가 더 있었다.[28]

노예는 사회에서 상상할 수 있는 모든 역할을 하도록 사역되었다. 지배만 할 수 없었다. 그들은 라티푼디움으로 알려진 대규모, 대량 생산 농장에서 일했다. 농민 가족이 한 명이나 몇 명의 노예를 데리고 일하는 소규모 농지에서도 일했다. 부유한 로마인의 집에서는 수십 명이나 심지어 수백 명의 노예를 두기도 했을 것이다. 그들은 청소부, 요리사, 제빵사, 심부름꾼, 문지기, 시종, 유모, 여자 가정교사, 정원사, 경호원, 수위, 교사, 서기, 음악가, 시 낭송자, 무용수, 첩이나 단순한 성적 대상 노릇을 했다.

부자의 부림을 받다가 중년이나 노년에 자유를 살 가능성이 생기는 일부 노예는 삶이 안락하고 심지어 호화로울 수도 있었다. 서기 79년 폼페이가 화산재 속에 묻혔을 때 노예의 아름다운 금팔찌 하나가 보존되었다. 전통적으로 수호 동물인 뱀 모양을 한 그 팔찌에는 이런 말이 새겨져 있다. "주인이 노예 소녀에게." 그러나 선물을 받았다고 해서 소유물의 신분이 나아질 가능성이 보장된 것은 아니었다. 또 하나의 대조적인 노예의 액세서리가 이른바 '조니누스 목걸이'다. 4세기나 5세기의 것으로, 지금 로마의 디오클레티아누스 목욕장에 전시되어 있다. 철로 대충 만든 이 목걸이에는 아마도 짜증 나고 고통스러웠을 커다란 펜던트가 매달려 있다. 요즘 사람들이 잃어버린 개를 찾기 위한 용도로 쓸 법한 형태다. 그 새김글은 이것을 걸고 있는 사람과 마주치면 누구라도 그 사람이 도망친 사람임을 알 수 있도록 하는 내용이다. 거기에는 이 노예를 돌려주면 솔리두스 금화 한 닢을 보상으로 주겠다는 약속이 들어 있다.[29]

노예는 팔려서 되었든 노예로 태어났든 당연히 마소의 수준으로 떨어지는 것이었다. 우리는 로마의 노예가 정말로 어떤 존재였는지 알지 못하고 알 수 없을 것이다. 그들 대부분이 자신의 내면생활에 대해 전혀 흔적을 남기지 않았기 때문이다. 그러나 인류 역사의 다른 시점의 노예에 관해 우리가 알고 있는 모든 것으로 미루어보면 그들이 보통 오랜 시간 동안 단순히 속상하게 하는 일부터 완전히 지옥 같은 일에 이르기까지 학대를 받고 비참한 상태에 있었음을 알 수 있다. 아프리카의 제분소부터 이베리아의 광산까지, 노예들은 끔찍하고 때로는 치명적인 고통 속에서 고생을 했다.

2세기 작가 아풀레이우스는 자신의 소설《황금 당나귀》(원제는《변신》)에 학대당하는 노예들의 기괴한 모습 몇 가지를 담았다. 노예의 삶에 대한 그의 삽화가 허구이고 그의 이야기에 공상적이고 외설적이고 풍자적인 부분이 번갈아 나타나지만, 아풀레이우스는 그래도 노예 생활의 비참한 진실을 내비치고 있다. 그의 주인공은 이야기 도입부에서 친구의 예쁜 집안 노예와 서로 즐거운 커플이 되지만, 나중에는 제분소에서 일하는 불쌍한 가난뱅이 무리와 만난다. "그들의 전신은 검푸른 채찍 자국투성이였고 채찍이 할퀸 등은 다 해진 넝마로 덮었다기보다는 걸쳐져 있었다. 일부는 그저 아랫도리만 가리고 있었다. (…) 이마에 낙인이 찍히기도 했고, 머리칼이 일부 밀리기도 했고, 발목에 차꼬가 채워지기도 했다. 얼굴은 창백했고, 눈은 화덕의 매캐한 열기에 침침해져 반쯤 실명한 상태였다."[30]

아풀레이우스 시대에 로마는 이미 500년 가까이 노예제 사회였다. 노예는 공화국이 지중해 일대로 급속하게 팽창을 시작하던 서기전 2세기부터 로마인의 생활에 없어서는 안 될 기둥이었다. 발칸반도에서, 그리스의 섬들에서, 북아프리카와 기타 여러 곳에서 거둔 눈부신 군사적 승리와 함께 막대한 약탈의 기회가 생겼다. 인간 노획물도 그 가운데 하나였다.

카르타고와 코린토스가 모두 먼지가 되어서 사라진 서기전 146년 같은 해에는 수만 명의 포로가 쏟아져 들어왔다.

바다 건너로 수송되어 온 노예들은 고향으로 달아나는 것이 불가능해 자유롭고 쉽게 구할 수 있었고, 급속한 로마 경제 발전의 견인차가 되었다. 공화국을 위한(그리고 나중에는 황제를 위한) 무상 노동력으로서 신전, 도수관, 도로, 민간 건물을 건설하는 데 투입되거나 광산에 보내졌으며, 부유한 로마인을 위한 상품으로서 그들의 여가 생활과 편의를 위해 팔려 널찍한 도시 저택이나 시골의 대형 농장에 보내졌다.

강제노동의 이점은 분명했다. 노예는 주인이 적당하다고 생각하는 만큼 고되게 일했고, 주인이 원하는 만큼 세게 맞았으며, 돼지처럼 길러지고 소처럼 사육되었으며, 너무 늙거나 병들어 일할 수 없으면 해방되거나 그냥 버려졌다. 고향에서 수천 킬로미터 밖으로 끌려와 마음에 상처를 입고 아마도 처음에는 현지의 말을 하지도 못했을 그들이 로마에 옴으로써 도시가 바뀌고 공화국이, 그리고 나중에는 제국이 바뀌었다.

로마의 가차 없는 팽창이 제국 시대에도 계속 이어지면서 갈리아인, 브리튼인, 게르만인과 기타 부족민이 노예 체제 속으로 들어왔다. 해적의 노예사냥은 유럽과 광역 지중해권 일대의 골칫거리였다. 서기전 1세기 그리스의 역사가이자 철학자인 스트라본은 노예선 해적들이 아르메니아와 시리아 일대의 나라를 공포에 떨게 하며 민간인을 몰아 배에 실어다 판다고 말했다. 그는 이렇게 썼다. "(이는) 이문이 가장 많은 것으로 드러났다. 잡기가 쉬웠을 뿐만 아니라, 시장 규모가 크고 돈이 많이 돌았으며 아주 멀지도 않았기 때문이다." 여기서 이야기하는 시장은 키클라데스제도 델로스섬의 노예 매매 중심지였는데, 스트라본은 매일 1만 명의 노예가 거래되었다고 주장했다. 그들은 모두 외국 땅으로 보내져 거기서 살고 고생하

고 죽었다.[31]

　로마의 노예제가 그 자체로 인종차별적인 것은 아니었지만(여기에 카리브해 및 미국 남부 노예와 중요한 차이점이 있다), 로마인은 제국 바깥에서 온 '이방인'이 로마인 자신보다 노예로 삼기에 아주 적합하다는 것을 당연하게 여겼다. 따라서 제국이 커감에 따라 수백만 명이 노예 생활이라는 근본적인 모독을 당했다. 그 무도함을 4세기의 작가 리바니우스는 다음과 같이 간명하게 요약했다. "노예는 어느 순간에 다른 누군가의 소유가 될 사람이다. 그의 신체는 팔릴 수 있다. 그리고 무엇이 이보다 더 굴욕적일 수 있을까? (…) 참으로 이 신체가 절단되지 않았지만 영혼은 완전히 파괴되었으니 말이다."[32]

　노예의 반란이 가끔 일어나기는 했지만(가장 유명한 것이 서기전 73년의 스파르타쿠스 전쟁이다), 로마의 노예 소유를 철폐하려는 움직임은 없었다. 아마 어느 쪽에서도 없었던 듯하다. 아주 가끔씩만 노예를 가장 심한 학대로부터 보호하려는 노력이 있었다. 하드리아누스(재위 117~138)는 노예상인에게 아프리카 소년들을 거세하지 못하게 하려다 실패했으며, 콘스탄티누스 1세(재위 306~337)는 얼굴에 문신하는 것을 금지했다. 후자는 지나치게 설치는 노예 소유주를 염두에 둔 칙령이었을 가능성이 매우 높다.

　그러나 아직 노예 없는 세계는 생각하기 어려웠기에 아주 많이 나아가는 것은 가당치 않았을 것이다. 철학적으로 노예제는 자유로운 사회에 필수적인 것으로 생각되었다. 그것이 없으면 진리를 추구할 자유와 고귀한 로마인이 존재할 수 없었으므로 자연스러운 현상이었다. 경제적으로 로마와 그 제국의 전체 체계는 제국에 필수적인 물자와 상품을 공급하는 오래되고도 복잡한 교역망에 의해 촉진된 대량의 노예에 의존했다.

　결국 로마는 가부장 사회였다. 거기서 노예는 열등한 지위에 있었고,

그것이 그저 그들의 운명이었다. 3세기 말의 기독교 전도자 요안네스 크리소스토모스가 청중에게 그 위계를 설명했다. 이 위계는 가난한 사람의 집에도 있었다. "남자가 그 아내를 지배하고, 아내는 노예를 지배하며, 노예는 자기 아내를 지배하고, 그리고 다시 남자와 여자는 아이를 지배한다."[33] 이어진 중세에 노예는 규모 면에서 줄었지만 여전히 서방 일대 거의 어디에나 있었다. 그리고 노예가 사라진 것 같은 곳에서도 경제와 문화의 기둥으로서의 자리는 흔히 농노제로 대체되었다. 인간을 땅에 예속시키는 제도였다. 이는 재산노예제와 아주 같은 것은 아니었지만, 관련된 사람들에게 그 차이는 미미하게 느껴졌을 것이다. 그리고 노예에 대한 서양의 집착은 대체로 노예가 로마의 허풍스러운 영광과 불가분의 관계라는 사실에서 나온 것이었다.

로마화

로마가 시민권과 노예제를 모두 속주로 확대했지만, 이것이 세계에서 로마가 끼친 영향력의 유일한 징표는 아니며, 이는 중세까지 이어진다. 로마는 레기오와 시설에 관한 단순한 사실 외에 강력한 문화적 브랜드를 갖고 있었다. 로마인이 가는 어디서나 법과 언어와 풍경은 '로마적'인 정취를 띠었다. 그리고 곧, 4세기부터는 종교 역시 마찬가지였다. 제국이 서기 제1천년기에 등장한 강력한 두 일신교 가운데 첫 번째인 기독교의 확산에 강력한 매개물이 된 것이다.

이는 균일한 과정이 아니었고, 로마의 관습이 이베리아반도, 북아프리카, 갈리아, 브리타니아, 발칸반도, 그리스, 레반트 등의 토착 풍속과 섞여 만들어진 다양한 산물은 광범위하고 독특한 하위문화를 만들어냈다. 모두가 제국의 깃발 아래 공존했다. 그보다 더욱 중요한 것은 로마화가 일반 대중에게 영향을 미친 것보다 훨씬 크게 속주의 지배 계층에게 닿았으며, 시골이 아니라 크고 작은 도시에 집중되었다는 점이다. 그러나 이런 경고에도 불구하고 로마의 제도, 가치관, 기술, 세계관의 수출은 제국 붕괴 이후 수백 년 동안 정말로 근본적인 것이었다. 로마는 매우 잘 짜인 초대국이었는데, 이질적인 민족들이 공사가 매우 잘된 도로, 효율적으로 경비된 해로, 지구 끝까지 뻗쳐 있는 교역로로 연결되어 있었기 때문이다. 그리고 이 제국의 연결 조직은 단지 물리적인 길만이 아니었다. 이들은 로마적인 것을 가능케 하고 수십 세대 동안, 그리고 수백만 제곱킬로미터의 제국 영토 전역에서 인식할 수 있게 한 문화적 상수常數였다. 이들은 제국 자체가 소멸한 지 오랜 시간이 지난 뒤에도 옛 로마 영토 안에서 유대감을 가질 수 있도록 했다.

4세기의 어느 시기에 제국 안의 낯선 도시에 도착한 부유한 여행자는 자기 주변이 이질적임에도 불구하고 무슨 광경이 나타날지 잘 알았다. 거리는 격자형으로 나 있을 것이다. 도시의 고급스러운 지역에서는 가장 부유한 주민들이 사는 널찍한 저택의 안마당에 횃불이 타오르고 있을 것이다. 집들은 벽돌과 돌로 지어지고 온돌식 난방을 갖추었으며 식수가 공급되고 바닥과 벽은 고전기 그리스와 고대 로마에 기울어진 독특한 지중해풍으로 장식돼 근사하다.

도시 중심부 쪽으로는 포룸(광장)으로 알려진 열린 공간이 시장과 한 무리의 공공건물을 끼고 있을 것이다. 관공서, 가게, 여러 신을 위한 신전 같은 것이다. 시장의 가게 주인과 노점상은 제국 전역과 그 바깥에서 구해

들여온 물건들을 팔 것이다. 포도주, 기름, 후추 등 향신료, 소금, 곡물, 모피, 도기, 유리, 귀금속 같은 것이다. 이들은 제국에서 통용되는 금·은·동의 주화(통상 로마 황제의 모습을 담고 있다)로 금액을 지불할 수 있다.

선진적인 급수 설비도 볼 수 있다. 그리고 냄새를 맡을 수 있다. 도수관은 식수를 도시로 가져오고 공중화장실은 시의 하수구와 연결되어 있을 것이다. 공중목욕탕에서는 청결, 위생, 휴식을 너무 기대하지 않는 편이 나을 것이다. 아쿠아이술리스(영국 바스), 아우구스타트레베로룸(독일 트리어), 베리투스(레바논 베이루트) 같은 도시의 공중목욕탕은 거대한 단지다. 다양한 온도로 물을 데운 여러 목욕실이 향수를 뿌리고 기름을 바르고 세정식의 일부인 의식을 즐기는 (그리고 그럴 여유가 있는) 사람들에게 부러워할 만한 정도의 충분한 서비스를 제공한다.

큰 도시에는 극장과 아마도 전차 경주나 검투사의 유혈 스포츠를 위한 경기장이 있을 것이다. 이는 티투스 황제가 짓고 서기 80년에 문을 열어, 5만 명에서 8만 5000명 사이의 관객이 앉을 수 있었던 로마의 거대한 콜로세움처럼 크지는 않을 것이다. 속주 소도시의 목욕탕이 306년 무렵 대중에게 공개된 거대한 디오클레티아누스 목욕장에 필적할 수 없듯이 말이다.

제국의 크고 작은 각 도시의 건축물은 우아한 기둥과 다채로운 모자이크 같은 숨길 수 없는 로마의 특색이 들어 있는 경우에도 현지의 기호와 양식 역시 반영하고 있을 것이다. 도시 바깥의 일상생활에서는 로마의 영향이 현저히 줄어든다는 점을 지적하는 것 역시 중요하다. 로마는 분명하게 도시의 제국이었고, 시골 지역은 그 혁신과 간섭에 훨씬 덜 노출되어 있었다. 그럼에도 불구하고 제국 전역에서 공공건물은 여전히 로마의 민간 생활을 의식적으로 떠올리게 했으며, 그곳에서 일하고 숭배하고 교제

했던 남녀는 문을 지나갈 때마다 로마 제국에서의 자기네의 위치를 재확인하리라는 것 역시 사실이다.

뒤에서 보겠지만 서방 도시 풍광에 대한 로마의 분명한 영향은 그 정치적 붕괴 이후 중단되었다. 그러나 장기적으로 볼 때 그것은 매우 중요했다. 14~15세기 문예부흥 시기에 문명의 최고점으로 재발견되고 떠받들어져 가능하면 부활시켜야 할 것이 되었기 때문이다.

그러나 로마가 중세 전체에 걸쳐 지울 수 없는 흔적을 남긴 또 하나의 분야는 언어다. 사실 로마의 가장 오래 지속된 유산 가운데 하나는 그들의 공통어로, 중세뿐만 아니라 심지어 현대의 학생에게까지 영향을 미쳤다.

로마 제국 전역에서 사용된 공식 언어는 라틴어였다. 이는 안티오케이아에서 영국 세인트올번스에 이르기까지 모든 사람이 마르티알리스의 풍자시를 가지고 서로 이야기했다는 의미는 아니다. 위대한 로마의 시인, 철학자, 역사가의 고전 라틴어는 더 이상 보통의 일상 화자 사이에서 사용되지 않았다. 엘리자베스 시대 잉글랜드의 여관 주인과 염소치기가 셰익스피어 단시의 구문과 어휘를 사용하지 않았던 것과 마찬가지다.

제국의 동부에서는 라틴어가 가장 널리 쓰이고 훌륭하며 유용한 언어의 자리를 놓고 그리스어와 경쟁했다. 특히 4세기 말 제국이 공식적으로 분리된 이후에 그랬다. 제국 서부에서는 라틴어가 채택되고 변형되고 제국 각지의 현지 언어와 교배되었다. 종국적으로 서기 제2천년기에 로망스제어-諸語가 되는 것을 만들어내는 과정이었다. 그러나 라틴어가 정확히 세계어는 아니었다 하더라도 그것은 분명히 제국의 상거래에서 제1공용어였다. 그것을 통해 각지의 교육받은 로마인이 서로 의사소통을 하고 세련된 존재로서의 자기네 신분을 자랑했다.

라틴어(그리고 문법과 표현의 기술)를 배우는 것은 상류층 교육의 기본적인 부분이 되었다. 이 언어의 실용 지식이 없으면 정치 활동이나 관료 생활을 꿈꾸기가 불가능했다. 그리고 중세의 사제, 수도원장, 사법관, 학자, 법률가, 지방관, 교사, 귀족, 왕에게 라틴어는 또한 없어서는 안 될 도구가 되었다.†

그러나 제대로 된 라틴어 교육을 받지 못하고 여기저기서 주워들은 짧은 라틴어만 가지고도 많은 것을 할 수 있었다. 서기 79년 베수비우스산 분출 때 파괴된 남부 이탈리아 도시 가운데 하나인 헤르쿨라네움에서 발견된 라틴어 낙서는 로마인이 때로 벽에 휘갈긴 세속적이고 불경스러운 감정의 편린을 우리에게 제공한다. 공중목욕탕 옆의 한 여관에 어떤 형제는 이렇게 썼다. "아펠레스 무스와 그의 형제 덱스트로는 두 여성과 함께 두 번씩 즐겁게 사랑을 나누었다." 폼페이의 검투사 막사 부근의 한 기둥에는 거주자가 자랑을 남겼다. "트라케의 검투사 켈라두스는 모든 여자의 기쁨이다."

성적 능력과 정복에 대한 자랑 외에, 중세에 들어서도 한동안 지속되는 공통어로서 라틴어가 가장 실용적으로 적용된 것 가운데 하나는 로마법과의 연결이다. 로마인은 이른바 12판법-板法이 새겨진 서기전 5세기로 거슬러 올라간다는 자기네의 오랜 입법 역사에 자부심을 갖고 있었다. 이는 법적 절차, 부채, 상속, 가족, 토지 소유, 종교 활동, 그리고 살인과 모반부터 절도와 거짓 맹세에 이르는 심각한 범죄 등에 관한 로마의 전통과 관습을 한데 모은 것이다. 이 12판법은 총체적으로 거의 1000년 동안 로마법의 바탕을 이루었다.

---

† 중세 라틴어는 고전 라틴어와 상당히 달라진다. 그래서 중세 라틴어는 거의 독자적인 언어라고 할 수 있다. 그럼에도 불구하고 중세 라틴어가 로마 세계로부터 받은 영향은 분명하고도 직접적이었다.

물론 그 1000년 동안 로마법 또한 상당한 발전을 이루었다. 12판법은 마기스트라투스(정무관)에서 황제까지 이르는 관리의 법령과 공고문으로 보충되었다. 유리스타로 알려진 법학자들은 대대로 법의 이 서로 다른 부분을 연구하고 사건들에 전문적인 의견을 다는 데 평생을 바쳤다. 오랜 시간 모은 그 결과는 방대하고 정교한 법전이 되었는데, 부동산, 재화, 소유권, 계약, 거래 등 주로 권력자의 관심사와 관련되었다.

로마에서는 오직 시민만이 고소할 수 있도록 허용되었다. 그러나 로마의 재판 광경은 달아오르는 것이 가능했다. 마기스트라투스가 공판을 주재하며, 수십 명의 유덱스(심판관, 지금의 배심원이라고 생각하면 될 것이다)가 격식을 차려 토가를 입은 노련한 변론가의 주장을 들은 뒤 C(condémno, 유죄) 또는 A(absólvo, 무죄 방면)가 새겨진 투표판을 던져 평결을 내린다. 키케로나 플리니우스(小) 같은 오늘날 우리에게도 아직 이름이 익숙한 로마인이 재판에서 아드보카투스(변호인)와 마기스트라투스로 활약했다.

키케로는 서기전 70년 매우 유명한 기소 연설을 했다(이후에도 몇 개를 발표했다). 여기서 그는 부유하고 부패한 마기스트라투스 가이우스 베레스를 규탄했다. 그가 시칠리아 총독으로 재직하는 동안 잔인하고 폭압적인 악행을 저질렀다는 것이었다. 그 뒤, 1세기와 2세기 초에 플리니우스는 역대 황제 아래서 제국 내의 아주 높은 사법관 직위에 올라 활약했다. 그의 저작은 아직도 우리에게 로마 제국 전성기의 사법 체계를 들여다볼 기회를 제공하고 있다.

로마법의 '가장 순수한' 형태는 물론 로마 자체에 있었지만, 제국 시대에 이 법률 제도는 여러 가지 형태로 속주에 퍼져 나갔다. 속주 총독은 관할 지역을 돌며 순회 재판에 나가 사건 내용을 듣고 그 사건에 가장 적합한 법규에 따라 판결을 내렸다. 로마 시민 사이의 분쟁, 예컨대 퇴역한 병사가 속주에 정착한 경우는 로마법에 따랐다. 시민이 아닌 사람 사이의 사건은 그 지역의 기존 법률에 맡길 수 있었다. 지역사회가 자결自決이라는 중요한 수단을 유지할 수 있도록 한 것이다.[34] 이런 측면에서 로마법의 적용 범위에 관한 가장 유명한 선언 가운데 하나가 서기전 1세기 공화국의 말년에 키케로에 의해 이루어졌다. 그는 이렇게 썼다. "로마의 법이 따로 있고 아테나이의 법이 따로 있거나, 현재의 법이 있고 미래의 법이 따로 있어서는 안 된다. 모든 민족과 모든 시대가 하나의 영원불변하는 법을 가져야 한다."[35] 그의 요지는 실용적인 것만큼이나 철학적이다. 그리고 우리는 당시 가장 유명한 로마인이었던 키케로의 이 말이 제국 각지에 살며 법과 만나는 경우가 그것을 범해 그 대가로 혹독한 처벌에 직면했을 때가 유일한 수많은 보통 사람의 경험이 아니라, 다른 부유하고 권세 있는 사람들의 관심사에 응답한 것임을 기억해야 한다.

그러나 동시에 로마법의 영향은 광범위하고도 오래 지속되었다. 그것은 키케로가 살았던 시대인 공화국뿐만이 아니라 제국에 들어서도 강력한 힘을 발휘했으며, 중세와 근세에 들어서도 상당 기간 그 영향력이 매우 강력하게 감지되었다. 그런 측면에서 로마법은 로마의 언어와 상당히 비슷했다. 그것은 또한 역사적 강인성에서 로마의 종교 또는 적어도 4세기 이후 제국 전역에서 수용된 종교와도 비슷했다. 그 종교는 기독교였다.

다신에서 일신으로

예수가 태어나고 봉사하고 죽은 뒤의 첫 250년 동안 로마 제국은 기독교를 믿기에 특별히 좋은 곳이 아니었다. 로마인은 전통적으로 신을 수집하는 데 열심이었다. 올림포스의 신과 동방에서 들여온 다양한 신비 종교가 그 예다. 그래서 로마인은 폰티우스 필라투스 총독 시절 예루살렘에서 잠 깐 파문을 일으킨 목수 아들에 대한 기억을 살아 있게 하려는 신도로 이뤄 진 이 이상한 유대 종파에 처음에는 별 관심이 없었다.

첫 세대 기독교도는 지중해의 도시에 산재하면서 서로 드문드문 연락을 주고받았지만, 신도를 늘릴 상황이 아니었다. 사도 파울로스(바울로 성인) 같은 열렬한 신자는 멀리까지 여행하며 듣고자 하는 자가 있으면(경우에 따라 그렇지 않은 자에게도) 전도를 하고 편지를 써서 예수 희생의 기적을 이 야기했다. 그러나 태양과 행성부터 자기네 황제까지 온갖 대상을 신으로 섬기며 자기네가 정복한 민족의 종교 활동을 자유롭게 차용하는 제국에 서 파울로스 같은 사람은 전혀 새롭지 않았다. 서기 1세기 그의 생시에는 그의 열성적인 여행과 편지 쓰기가 결국 이후 2000년 동안의 세계 역사에 서 말 그대로 수십억 명에 이르는 사람의 마음속에 예수의 이름을 새겨놓 으리라는 조짐이 거의 없었다.

서기 112년, 플리니우스(小)는 비티니아(현재의 튀르키예)에서 현지 기독 교도에 대한 불만이 제기된 이후 자신이 행한 법적 조사에 대해 트라야 누스 황제에게 편지를 썼다. 플리니우스는 그들 여러 명(어린 소녀들도 있 었다)을 고문한 뒤에야 그들이 "사악하고 (…) 터무니없는 미신"을 믿고 있 음을 정말로 확인할 수 있었으며 그 미신이 "전염병처럼 확산"되고 있다 고 썼다.[36]

이 초기에 기독교도는 때때로 이런 부당한 처우를 받았다. 물론 그들만 그런 것은 아니었다. 다른 색다른 신흥 종교 신봉자에게도 가끔 이런 박해 가 퍼부어졌다. 3세기 페르시아의 선지자 마니의 가르침을 따랐던 '마니 교도'가 그 한 예다.

그러나 대략 200년에서 350년 사이에 기독교는 변모를 겪었다. 우선 기독교도는 한 집단으로 진지하게 받아들여졌다. 그리고 3세기 중반에 집단으로 박해당했다. 기독교도에 대한 정말로 계획적인 추적은 데키우스(재위 249~251) 치하에서 시작되었다. 황제는 '3세기 위기' 동안에 제국의 안녕을 위해 자신이 명령한 일련의 비기독교적 희생제에 기독교도가 모두 참여를 거부한 데 화가 났다. 데키우스 치하에서, 그리고 이후 발레리아누스(재위 253~260)와 디오클레티아누스(재위 284~305) 치하에서 기독교도는 채찍질을 당하고 가죽이 벗겨지고 야생동물에게 던져졌으며, 여러 창의적인 방식으로 살해당했다.

디오클레티아누스는 가학적인 사람으로 기억되었고, 그의 잔인성은 초기 기독교도가 겪은 고통을 수집해 정리한 카이사레이아의 에우세비오스 같은 후대 기독교도 작가들에게 끔찍한 자료를 제공했다. 에우세비오스 저작의 전형적인 한 문단은 이렇다.

여자들은 한 발이 묶여 머리를 아래로 향한 채 공중으로 높이 내걸렸다. 실오라기 하나 없이 완전한 나체였다. 이렇게 해서 모든 구경거리 가운데 가장 수치스럽고 잔인하며 비인간적인 모습으로 모든 사람이 보는 앞에 내걸렸다. 또 어떤 사람들은 나무와 그루터기에 묶여 끔찍하게 죽었다. 그들은 매우 튼튼한 가지 둘을 기계를 이용해 한데 묶고 순교자의 두 다리를 양쪽 나무에 하나씩 묶은 뒤 두 가지의 묶음을 풀어 가지들이 본래의 자리로 날아가게 했다. 그렇게 그들은 희생자의 다리를 한순간에 떼어버렸다.[37]

기계로 사지를 잡아당기는 고문, 살 긁어내기, 낙인 찍기, 불 위에 올리기. 이 모든 잔혹 행위와 그보다 더한 것들이 3세기 말 불운한 열성 기독교 신도들에게 가해졌다. 그러나 4세기가 시작되면서 기독교도의 고통이 갑자기 사라졌다. 먼저 그들은 용인을 받았고, 이어 신봉자가 생겼고, 마지막으로 그들의 신앙과 존재가 옹호받았다. 5세기 초 서방의 로마 제국이 치명적인 붕괴를 겪을 즈음 기독교는 제국의 공식 종교였으며, 세계 최대급 종교로서의 미래를 보장받았다. 이는 상당 부분 콘스탄티누스 1세 황제에게로 귀결된다.

나이수스(세르비아 니시)에서 태어난 콘스탄티누스는 306년 황제가 되었다. 약간의 재능이 있는 장군으로 원정 중이었던 그는 아버지 콘스탄티우스가 죽었을 때 에보라쿰(영국 요크)에 있었다. 따라서 그의 병사들이 그를 황제로 선포한 것은 바로 이 브리타니아 북부의 도시였다. 불행하게도, 어쩌면 아닐지도 모르지만 이때는 로마 제국이 극심한 불화에 싸여 있던 시기로, 황제 자리가 넷으로 나뉘어 있었다. 디오클레티아누스가 만든 이른바 테트라르키아(사제공치四帝共治)는 두 쌍의 지배자들이 타협과 협력의 정신으로 제국의 동·서 양 지역을 조화롭게 다스린다는 구상이었다. 당연히 테트라르키아의 실제 결과는 오랜 내전이었다. 그러나 여기서 기독교에 결정적 기회가 왔다. 312년 가을, 콘스탄티누스는 테베레강 위에 놓인 밀비우스 다리에서 경쟁 황제 막센티우스와 싸울 준비를 하고 있었다. 그가 하늘을 올려다보자 태양 위로 찬란한 십자가가 보였다. 그리고 그리스어로 이런 내용이 쓰여 있었다. "이 징조로 정복하리라." 그는 이를 기독교의 신이 보낸 전갈로 받아들였다. 분명히 당시 그 신은 아들 예수의 사랑·용서·화해 강령보다 전투와 정치에 더 관심이 있어 보였다. 어떻든 콘스탄티누스는 그의 상대를 물리쳤다. 막센티우스는 테베레강에 빠져 죽었고, 시신은 참수되었다. 콘스탄티누스는 이제 테트라르키아를 철폐하고 전체를 자기 혼자서 다스리는 유일 황제의 길로 나아갔다.

그 순간 이후로 그는 기독교의 주교와 신도에게 제국의 후원이라는 보상을 듬뿍 베풀었다. 그의 병사들은 자기네 방패에 '키로' 부호를 그리고 전투에 나갔다. 제국 각지에서 온 관리는 313년 밀라노에서 기독교도를 차별하지 않는다고 약속하는 내용을 담아 반포된 새로운 황제의 칙령을 시행하도록 명령받았다. 로마에서는 산조반니 인 라테라노 대성전과 산 피에트로 대성전이 되는 성전 건설 공사가 시작되었다. 예루살렘에서는 첫 성묘聖墓 교회가 발주되었다. 예수가 십자가 처형을 당하고 묻힌 곳을 표시하기 위한 것이었다. (나중에 콘스탄티누스의 어머니 헬레나가 327년 이곳에 갔다가 예수가 처형된 십자가 나뭇조각을 발견했다는 소문이 있었는데, 이는 중세에 매우 중요하게 생각되었다.) 그리고 330년, 콘스탄티누스는 공식적으로 콘스탄티노폴리스를 건설하고 이곳을 기념비적인 기독교 교회로 채웠다. 콘스탄티노폴리스는 동쪽의 비잔티온(비잔티움, 지금의 이스탄불)에 건설한 제국의 새 수도였다.

이제 기독교의 신은 제국 전역에서 권장되었고, 비록 처음에는 다른 전통적인 로마의 신들을 배제하게 할 수 없었지만 곧 동류 가운데 맨 앞자리를 차지하게 되었다. 콘스탄티누스는 죽을 때 세례를 받았고, 그 이후 로마 황제 가운데 기독교도가 아닌 사람은 '배교자' 율리아누스(재위 361~363) 한 사람뿐이었다. 5세기에는 기독교가 제국의 공식 종교였고, 황제들은 그 신학의 상세한 내용을 심각하게 받아들이기 시작했다. 특히 이단과 분리파 박해 같은 경우에 그랬다.

기독교 역시 로마화의 첫 파도를 경험했다. 분명한 군사적 색채, 해설 언어로서 라틴어 선호, '주교 관구'(역설적으로 이에 해당하는 라틴어 '디오이케시스'는 한때 주요 박해자였던 디오클레티아누스 황제에게서 나왔는데, 그는 재위 시에 행정 편의를 위해 제국을 세속 '디오이케시스'로 나누었다) 네트워크, 거대한 건축물과 화려한 의식, 그리고 아마도 가장 오래 간 것으로 콘스탄티누스 이후 로마 제국을 규정한 불화를 반영한 동·서 두 분파의 분할 조짐 등이 있었다.[38]

측근들에게 전도하려던 그의 시도는 기껏해야 과장이었을 것이고, 거의 틀림없이 졸렬했을 완고한 장군 콘스탄티누스는 그가 나아가는 길에 기독교를 내세우는 것이 어울리지 않는 인물이어서 그가 갑자기 신앙에 밀착한 이유는 아직도 논란이 있다. 여러 세대 동안 보통의 로마인은 기독교 신앙을 과거의 전통적인 신들 및 토착 의례 선호와 계속 병행했다.

그러나 4세기 초 콘스탄티누스가 내린 결정의 힘은 부정할 수 없다. 그가 등장하기 전에 기독교도는 추적당했고 증오의 대상이었고 경기장에서 야생동물의 먹이로 취급됐다. 그가 등장한 뒤, 기독교는 인기 없는 변방의 종교에서 제국의 핵심 종교 조직으로 튀어 나갔다. 그것은 (아마도 적절하게) 기적적이었다.

유산

"어떤 것들은 빠르게 생겨나고, 또 어떤 것들은 빠르게 사라진다."[39] 스토아 철학자이자 로마 황제였던 마르쿠스 아우렐리우스(재위 161~180)는 이렇게 썼다. 그가 통치했던 제국의 역사에서 '전환점'을 찾는다면 여러 후보가 있을 것이다. 한 주요 사건은 212년의 카라칼라 칙령이다. 시민권이 속주로 급격하게 재분배되었다. 또 하나는 '3세기 위기'다. 로마가 삐걱거리고 쪼개지고 거의 붕괴했다가 개혁되었다. 세 번째는 콘스탄티누스의 치세다. 로마가 기독교를 받아들였고, 새 수도 콘스탄티노폴리스는 제국의 중심지와 미래를 이후 지중해 서부가 아니라 동부에서 찾게 될 것임을 확실히 했다. 그리고 네 번째는 370년 (다음 장에서 보게 될) 스텝의 유목 민족이 유럽에 도착하면서 나타났다. 로마의 제도와 영토와 권력 구조에 막대하고 결국 견딜 수 없는 압력을 가한 사건이었다.

이 요인들(그리고 다른 요인들) 사이에서 로마 제국 붕괴의 책임이 어디에 있는지를 논하는 것은 지금 우리 이야기의 맥락에서 즉각적인 중요성을 지니지 않는다. 중요한 것은 5세기로 접어들 무렵에, 심지어 분리가 되는 와중에도 로마 제국이 거의 1000년 동안 서방의 정치, 문화, 종교, 군사 강국이었다는 점이다. 이 시기에 자기네 보물들을 묻었던 '혹슨 보물'의 주인들은 '로마적인 것'의 모든 과실을 누리고 있었다. 기독교, 시민권, 도시의 안락, 공통어, 법에 의한 지배, 그리고 노예 노동을 통해 이런 혜택을 추구할 자유. 서쪽으로 브리타니아에서 동쪽으로 사산 왕조 페르시아 제국과의 경계에 접한 땅의 사람들에 이르기까지 그들과 같은 많은 다른 사람도 마찬가지였다.

5세기 초에 분명치 않았던 것은 이 '로마적인 것'이 얼마나 더 지속될 것이냐였다. 그에 관해서는 오직 시간만이 이야기해줄 터였다. 어떤 지역(가장 대표적으로 동부 지중해의 옛 그리스 세계)에서는 로마가 개선되지만 급격하게 바뀌지는 않는 상태로 수백 년 더 이어질 운명이었다. 이 장 서두에 나온 브리타니아 같은 다른 곳에서는 레기오가 떠나자 로마의 영향을 받았다는 분명한 표시가 금세 사그라졌다. 새로운 이주자의 물결이 밀려오면서, 때로는 문자 그대로, 로마의 유산 상당수가 묻혔다.

서방 로마 제국의 멸망이 어떤 사람들에게는 땅이 흔들리는 사건이었다. 그것이 그들로 하여금 소유물을 꾸려 땅속에 묻거나, 아니면 가지고 다른 곳으로 가서 새로운 삶을 찾도록 강요했다. 그러나 또 어떤 사람들에게는 거의 영향을 주지 않았을 것이다. 로마 제국 치하에서 하나의 규정적인 삶의 경험이 없는 것처럼, 로마 제국이 없는 상태에서의 전형적인 삶의 경험도 없었다. 그렇지 않다고 상상하는 것은 순진한 일일 것이다.

그러나 이런 얼버무림 가운데 어느 것도 서쪽 로마의 멸망이 중요하지 않다거나, 그것을 여전히 서방 역사의 중요한 국면으로 심각하게 받아들여서는 안 된다고 말하는 것은 아니다. 로마 지배의 지속성, 세련됨, 특별한 지리적 범위, 기품을 갖출 능력과 야비한 잔인성. 이 모든 것이 서로 다른 깊이로 서방의 문화와 정치 지형에 박혀 있었다. 이 모든 것은 고전기 세계가 중세로 변화하면서 계속 중요한 요소가 된다. 심지어 로마가 사라진 뒤에도 그것은 잊히지 않았다. 그 역사적 바탕 위에 중세의 모든 것이 세워졌다.

2장

이방인들

❦

전 세계를 정복해 세워진 로마가 붕괴하리라고 누가 생각할 수 있었겠는가?
또한 만국의 어머니가 그들의 무덤이 되리라고 누가 생각할 수 있었겠는가?
— 히에로니무스, 《에제키엘 주해》에서

세계의 구조 속에 숨겨진 표지標識에 예민한 사람들에게 서방의 로마 제국
붕괴는 여러 가지 징조로 표현되었다. 안티오케이아에서는 개가 늑대처럼
짖었고, 밤새들이 오싹한 소리를 냈으며, 사람들은 황제를 화형火刑에 처해
야 한다고 투덜거렸다.[1] 트라케에서는 한 죽은 사람이 길에 누워 산 사람과
도 같이 불안한 시선으로 행인들을 바라보다가 며칠 뒤 갑자기 사라졌다.[2]

그리고 바로 로마의 시에서는 시민들이 여전히 극장에 갔다. 한 기독교
도 작가에 따르면 이는 사실상 신의 분노를 부르는 지독하고 광적으로 죄
가 되는 취미였다.[3] 인류는 어느 시대에나 미신에 사로잡혀 있고, 우리는
특히 다 지나고 난 뒤에는 징조를 잘 내세운다. 그래서 역사가 암미아누스
마르켈리누스는 자신이 살았던 4세기 말을 되돌아보고 이 시기가 "부침
이 영원히 반복되는" 운명의 바퀴가 빨리 돌아간 때였다고 생각한 것이다.[4]

로마의 치명적인 병폐가 나타난 370년대에 로마 국가(군주국, 공화국,

제국)는 1000년 이상의 역사를 가지고 있었다. 그러나 불과 100여 년 뒤인 5세기 말에는 발칸반도 서쪽의 모든 속주가 로마의 손아귀에서 빠져나갔다. 제국의 옛 중심부에서는 로마의 제도, 조세 체계, 교역망이 무너지고 있었다. 로마 상류층 문화의 물리적 표지인 거대한 저택, 저가로 수입된 소비재, 뜨거운 수돗물은 일상생활에서 사라지고 있었다.

우릅스 아이테르나(영원한 도시)는 여러 차례 약탈당했고, 서방의 제왕 자리는 여러 멍청이, 찬탈자, 폭군, 아이 사이를 맴돌다가 결국 없어지고 말았다. 그리고 이전에 강력한 거대 국가의 핵심을 이루었던 영토는 로마의 제국 전성기의 도도한 시민들에게 야만인이고 인간 이하라고 경멸받았던 민족들이 나눠 가졌다. 이들은 '이방인'이었다. 이방인은 서방 사람들에게 아주 낯설고 로마의 관습에 무지하거나 이를 거부하는 떠돌이 유목 부족부터 삶이 로마적인 것의 영향을 크게 받았지만 시민권의 열매를 공유할 수 없었던 오랜 이웃까지 너른 범위의 민족을 포괄하는 경멸적인 단어였다.

이방인의 흥기는 장·단거리 이주, 정치 체제 및 문화의 충돌, 제국 제도의 전반적인 붕괴 등이 개재된 복잡한 과정이었다. 로마는 동방에서 대체로 흔들리지 않고 유지되지만, 그곳에서 로마는 그리스어를 쓰는 동로마라는 돌연변이 형태로 번성했고, 서방에서는 이제 신참자들의 손에 미래가 놓였다. 이방인의 시대가 시작되었다.

"가장 무시무시한 전사들"

고대 세계는 370년 볼가강 기슭에서 무너졌다고(그리고 중세가 시작되었다고) 할 수 있다. 이해에 그곳 강변에는 뭉뚱그려 '훈족'으로 알려진 민족의 무리가 나타났다. 그들은 수천 킬로미터 밖 '스텝steppe'이라고 하는 중국 북방 초원의 고향을 떠나온 사람이었다. 훈족의 기원은 앞으로도 어렴풋할 테지만, 그들이 서방 역사에 미친 영향은 심대했다.

훈족은 처음 나타났을 때 요즘 말로 기후 이민climate migrant, 또는 심지어 난민이었다. 그러나 4세기에 그들은 동정을 청하러 서방에 온 것이 아니었다. 오히려 그들은 말을 타고 합성반곡궁合成反曲弓을 들고 왔다. 합성반곡궁은 대체로 크고 강력했다. 활을 150미터(이례적인 거리였다)까지 정확하게 쏠 수 있었으며, 100미터 밖에서도 갑옷을 뚫을 수 있었다. 그런 무기는 당대의 어떤 유목 민족도 만들어낼 수 없었다. 훈족은 전문적인 기마 궁술을 이용해 잔인한 도살자의 명성을 쌓았고 스스로도 그것을 열렬하게 강조했다. 그들은 전사 계급이 이끌고 혁명적인 군사 기술을 이용할 수 있었던 유목 문명이었다. 엄혹한 유라시아 스텝에 대대로 살면서 강인해진 민족인 그들에게 이주는 삶의 유일한 방도였고 폭력은 생존의 기본 현실이었다. 그들이 로마 세계를 뿌리째 흔들 것이었다.

훈족은 서기전 3세기 이후 부족 제국의 지배자로서 아시아 스텝에 살며 그곳을 지배해온 유목민 집단과 어느 정도 연관되어 있었다.[5] 이 유목민들은 중국의 진秦 및 한漢 왕조를 상대로 싸웠으며, 중국 역사가들은 그들을 '흉노匈奴'(시끄러운 노예)라고 불렀다.[6] 이 이름이 고착되어 '훈Xwn/Hun'으로 음역되었다. 흉노 제국은 2세기에 붕괴했지만 많은 부족이 살아남았고, 흩어진 흉노 제국의 후예들은 200년 뒤에도 여전히 흉노 또는 훈이라는 이름으로 불렸다. 언제, 어디서, 누가 그들을 무엇으로 불렀는지는 어렴풋이 알 수 있을 뿐이다. 당시 자료가 단편적이기 때문이다. 그러나 이 단어가 어떤 식으로 번역되었든 그것은 은연중에 공포감을 담고 있었다. 정주定住 문명이 낯선 유목민에게 전통적으로 품어왔던 공포와 혐오였다.

4세기 말에 훈족은 더 이상 제국을 호령하고 있지 않았지만, 여전히 한 정치 세력이었다. 그리고 그들에 대해 날카롭게 쓴 것은 중국의 관찰자들만이 아니었다. 313년 무렵 나나이반데라는 중앙아시아 출신의 상인은 훈족의 한 무리가 북중국 도시들에 입힌 경악할 손실에 관해 썼다. 예컨대 뤄양에서는 황제의 "궁궐이 불타고 도시가 파괴되었다."[7] 한 세대 뒤, 즉 훈족의 한 분파가 세계의 다른 부분으로 이동해 유럽을 향한 뒤 서방 작가들 역시 훈족의 악행을 자세히 전하는 긴 글을 썼다.

암미아누스 마르켈리누스는 훈족을 "상당히 이례적인 야만인"이라고 불렀다. 분명히 그들은 신체적으로 차이가 있었다. 흔히 아이들의 머리를 묶어놓아 자라면서 길고 원뿔 모양이 되게 했다. 훈족은 몸이 땅딸막하고 털이 많으며 상스럽고 안장 위와 천막 아래의 생활에 길들여졌다고 암미아누스 마르켈리누스는 썼다. 그는 또 이렇게 썼다. 훈족은 "어느 왕의 권력에도 복종하고 있지 않지만, 그들 우두머리들의 즉흥적인 지휘 아래 그들 앞에 있는 어떤 장애물도 헤치고 나아간다."[8]

4세기에 훈족을 서쪽으로 이동하게 한 원인이 무엇인지에 대해 역사가들은 오랫동안 당혹스러워했다. 불행하게도 훈족은 당시 대부분의 유목 민족과 마찬가지로 문자 생활을 하지 않았다. 기록을 남기거나 역사를 쓰는 문화가 없는 민족인 그들은 더 이상 자기네 언어로 우리에게 이야기할 수 없고, 따라서 우리는 결코 그들 입장에서 본 이야기를 알 수 없다. 그들에 대한 우리의 지식은 대부분 그들을 싫어한 사람들이 남긴 것이다.

암미아누스 마르켈리누스 같은 문인들은 훈족을 신들의 채찍이라고 생각했다. 그의 이야기에 따르면 그들이 서방에 나타난 것은 오로지 군신 "마르스의 분노"가 표출된 것이었다. 어떤 인적 요인이 그들의 흥기를 촉진했는지 하는 문제는 그를 아주 오래 붙들어두지 못했다. 훈족에게 이 문제에 관해 조금이라도 선택권이 있었다는 전제하에서, 암미아누스 마르켈리누스는 그들이 "남들의 재산을 약탈하려는 야만적 열정에 사로잡혀" 있었다고만 썼다.[9] 그는 물론이고 당시의 다른 어떤 작가도 훈족이 '왜' 370년에 볼가강에 나타났는지 탐구할 생각을 하지 않았다. 분명한 것은 그들이 그곳에 나타났다는 사실이었다.

그러나 훈족이 아시아 스텝의 그들 고향을 떠나 서쪽을 향하도록 몰아댄 것이 무엇인지에 관한 단서를 제공할 수 있는 자료가 하나 있다. 그것은 역사 기록자나 실크로드를 오가는 상인이 아니라, 치롄祁連향나무 또는 프르제발스키향나무(학명 *Juniperus przewalskii*)로 알려진 강인하고 가시가 있는 중국산 나무다. 산에서 자라는 이 튼튼한 나무는 속도는 느리지만 꾸준하게 성장해 키가 20미터 정도까지에 이른다. 개개의 나무는 때로 1000년 넘게 살기도 하며, 자라면서 나이테 속에 그들이 사는 세계의 역사에 대한 귀중한 정보를 보존한다. 이 경우에는 치롄향나무가 4세기 동방의 강우량에 관해 우리에게 말해준다.[10]

티베트고원의 칭하이성青海省에서 나온 치롄향나무 표본이 제공한 나이테 자료에 따르면 아시아 동부 지역은 350년에서 370년 사이에 큰 가뭄을 겪었던 듯하다. 이 가뭄은 지난 2000년 동안 기록된 가뭄 가운데 가장 심한 것이었다. 하늘이 완전히 말라버렸다. 북중국은 적어도 1930년대 미국의 '더스트볼Dust Bowl'이나 900만에서 1300만 명이 굶어 죽은 1870년대 중국의 가뭄만큼이나 심한 상황을 겪었다. 19세기 중국의 이 가뭄 때 티머시 리처드라는 선교사가 서민들의 처참한 상황에 대한 기록을 남겼다. "사람들이 자기네 집을 허물고, 아내와 딸을 팔며, 나무뿌리와 썩은 고기, 흙과 풀을 먹고 있다. (…) 이것만 해도 충분히 불쌍한 생각이 들 텐데, 길가에는 남자와 여자가 늘어져 누워 있고, 죽은 자의 몸을 배고픈 개와

까치가 헤집는다. 그리고 아이들을 삶아 먹었다는 (…) 소문들은 생각만 해도 소름이 끼칠 정도로 공포스럽다."[11] 4세기 훈족의 경우도 상황은 아마 비슷했을 것이다. 스텝의 풀과 덤불이 한갓 고통스러운 먼지로 변해버렸을 것이다. 동물을 길러 고기, 음료, 옷, 수송 수단을 얻었던 훈족에게 이는 생존을 위협하는 재난이었다. 그리고 이것은 그들에게 냉혹한 선택을 강요했을 것이다. 옮겨 가느냐, 죽느냐. 그들은 옮겨 가는 쪽을 선택했다.

370년에 다양한 훈족의 무리가 볼가강을 건너기 시작했다. 오늘날의 러시아와 카자흐스탄의 경계에서 카스피해로 흘러드는 강이었다. 이것 자체는 로마에 직접적인 위협이 아니었다. 서기전 49년 율리우스 카이사르가 루비코네강(루비콘강)을 건넜을 때 그는 제국 수도에서 약 350킬로미터 밖에 있었다. 볼가강을 건넌 훈족은 이탈리아 중심부로부터 그보다 약 열 배는 더 떨어져 있었고, 동쪽의 수도 콘스탄티노폴리스에서도 2000킬로미터 이상 떨어져 있었다. 수십 년이 지나 그들은 자기네가 로마 세계에서 일등 권력자라고 대놓고 주장하게 된다. 그러나 370년대에 문제가 되었던 것은 훈족이 아니었다. 그들이 쫓아낸 민족들이 문제였다.

훈족은 볼가강을 건너자 (대략 현대의 우크라이나, 몰도바, 루마니아에 해당하는 지역에서) 다른 종족 문명들과 만나게 되었다. 먼저 만난 것이 이란계 언어를 사용하는 알란족이었고, 그다음이 뭉뚱그려 고트족으로 알려진 게르만계 부족이었다. 이들이 처음 만났을 때 두 집단 사이에서 정확히 무슨 일이 일어났는지에 대해서는 믿을 만한 기록이 없다.

그러나 그리스 작가 조시모스가 개략적인 모습을 전해주었다. 훈족이 알란족을 물리친 후 "처자와 말과 수레를 이끌고" 고트족의 땅으로 쳐들어갔다고 그는 말했다. 조시모스는 훈족이 매우 조악하고 미개해서 인간

답게 걷지도 못한다고 생각했지만, "그들은 수레를 몰고 공격하고 적시에 퇴각하며 말 위에서 활을 쏘아" 고트족을 "대량으로 살육"했다. 고트족은 고향을 떠나도록 강요당했고, 로마 제국 쪽으로 가서 "황제에게 받아들여 달라고 사정"을 했다.[12]

다시 말해서 동아시아 중부의 기후 위기가 동유럽의 2차적인 이주민 위기로 이어진 것이다. 가뭄이 훈족을 이동하게 했고, 훈족은 고트족을 이동하게 했다. 이에 따라 위험을 당한 고트족 부족민들의 거대한 무리가 376년 로마의 변경을 이루는 또 하나의 큰 강인 도나우강 기슭에 나타났다. 실제적인 정확성을 띤 숫자 추정은 불가능하지만, 난민의 수는 9만에서 10만 명에 이르렀던 것으로 보인다. 일부는 무장했지만, 대부분은 자포자기 상태였다. 그리고 그들은 모두 로마 제국 경내에서 한숨 돌리기를 원했다. 로마가 천국은 아니겠지만 적어도 훈족이 없는 지역이었다. 통상 안정된 곳이고, 위기가 왔을 때 군대가 시민과 속국민을 보호해주는 곳이었다.

인도주의의 위기는 결코 좋은 것이 아니었고, 376년 역시 예외는 아니었다. 고트족의 유입을 처리하는 일이 동쪽의 황제 발렌스(재위 364~378)에게 떨어졌다. 누가 어떤 조건으로 제국으로 들어와야 하고, 그들을 어느 곳에 정착시켜야 하는지를 결정하는 일이었다.

발렌스는 죽은 형(또한 이전 공동 황제) 발렌티니아누스 1세 덕분에 동쪽 로마 지배자 자리에 오른 신경과민의 인물이었는데, 치세의 상당 기간을 자기 손에 있는 제한된 자원을 가지고 분명히 끝이 없어 보이는 군사적 책무를 이행하려 하며 보냈다. 그는 끊임없이 내부 반란이나 사산 왕조 페르시아와의 국경(아르메니아와 그 밖의 곳) 충돌에 매달려 있었다. 페르시아는 당시로서는 로마의 동부 지역 안전에 단연 가장 큰 위협이었고, 두 제국 사이의 경쟁이 서아시아의 정치를 지배했다.

그렇기는 하지만 발렌스는 이방인 왕국 출신의 가난한 외국인의 무리가 대규모로 도착한 일을 무시할 수 없었다. 그것은 그에게 도덕적인 딜레마이면서 동시에 현실적인 딜레마이기도 했다. 후줄근한 고트족을 받아들이는 것이 나을까, 아니면 돌려보내 훈족에게 살육되거나 노예가 되도록 해야 할까? 그들에게 도나우강을 건너도록 허락하는 것은 큰 문제를 초래할 수 있었다. 공공질서를 유지하고 정상적으로 식료를 공급하면서 질병의 확산을 막는 것은 쉬운 일이 아닐 터였다. 다른 한편으로 자포자기 상태의 이주민은 역사 속에서 값싼 노동력의 확실한 원천이었고, 로마 군대는 언제나 신병이 필요했다. 발렌스가 고트족을 제국으로 들어오도록 허용한다면 자기네 남성들에게 페르시아를 상대로 한 군역을 압박할 수 있고, 나머지 사람에게는 세금을 부과할 수 있었다. 상황은 미묘했다. 그러나 전망이 어둡지만은 않았다.

376년, 고트의 사절들은 발렌스가 안티오케이아에 있는 것을 알고 자기네 민족의 입국 허락을 정식으로 요청했다. 황제는 잠시 생각하더니 고트족 일부가 도나우강을 넘도록 허락하겠다고 말했다. 그 뒤에 고트족은 가족을 이끌고 트라케(현대의 불가리아와 동부 그리스)에 정착할 수 있었다. 조건은 그들이 남성을 군대에 보내야 한다는 것이었다.

테르빙기 부족으로 알려진 고트 부족이 강을 건너오도록 하라는 명령이 변경으로 내려갔다. 그러나 경쟁 부족인 그레우퉁기 부족은 허락을 받지 못했다.† 이는 발렌스에게 분명히 타당한 임시방편으로 생각되었다.

---

† 이 부족명을 고트족 자신이 지은 것인지 아니면 그저 외부인인 로마인이 대충 붙인 것인지에 대해서는 학계에서 약간의 논란이 있다. 19세기 미국 내륙에서 아메리카 원주민의 부족 구조를 묘사하는 일에 맞닥뜨린 백인 정착자들이 겪었을 어려움을 생각해보라.

암미아누스 마르켈리누스의 글 같은 자료들에 따르면 그는 그 결과에 만족했다. "그 일은 두려워할 일이 아니라 기뻐해야 할 일로 생각되었다."[13] 그는 전화위복을 이룬 듯했다. 도나우강에서 로마 군대는 대규모 구호 활동을 벌이기 시작했다. "배와 뗏목과 나무 둥치를 파내 만든 카누에 태워" 1만 5000명에서 2만 명으로 추산되는 고트족을 강 이쪽으로 데려왔다.[14] 그러나 오래지 않아 고트족 이주민 문제가 틀어졌다. 시간이 지난 뒤에 발렌스의 접근법이 역사적으로 엄청난 실책이었다고 말하기는 쉽다. 그러나 아우구스투스나 콘스탄티누스 1세 같은 사람이었다고 해도 실패했을 상황이었다. 그리고 한 가지는 분명했다. 방대한 수의 난민을 제국에 받아들인다는 방침이 정해진 뒤에는 그것을 되돌리는 일이 불가능함이 드러난 것이다.

초반의 승리

로마인과 고트족 사이에는 근년의 사연이 있었다. 367년에서 369년 사이에 발렌스는 고트 부족을 상대로 여러 차례 전쟁을 벌였다. 이 전쟁들은 협상을 통해 정리되었지만, 로마 병사들이 고트 땅에 입힌 타격과 여기에 더해 경제 제재는 양쪽에 나쁜 감정을 남겼다. (로마와의 전쟁이 훈족의 도착 전에 고트족이 약화하는 데 중요한 역할을 했을 가능성은 정말로 매우 높다.[15]) 따라서 국가 주도 난민 정착 사업은 금세 더러운 착취 사건으로 변질되어 "범죄가 가장 나쁜 동기에서 (…) 아직 아무런 잘못이 없는 신참자를 상대로 저질러졌다."[16]

　암미아누스 마르켈리누스에 따르면, 도나우강 도강을 담당한 루피키누스와 막시무스라는 로마 관리들은 테르빙기 부족 이주 가족들이 굶주리는 것을 기화로 개고기 몇 덩이를 줄 테니 아이들을 노예로 팔라고 강요했다. 잔인함에 능력 부족도 더해졌다. 루피키누스와 막시무스는 테르빙기 고트족을 학대했으며, 또한 입국 대상이 아닌 다른 이방인 난민들이 들어오는 것을 막지도 못했다.

로마의 하천 순찰대를 피한 게릴라식 도강으로 376년에서 377년 사이에 트라케는 서서히 불만을 품고 학대당한 수천 명의 고트족 이주자의 본거지가 되었다. 일부는 합법적인 신분이었지만 다수가 불법 도강자였다. 대부분은 고국에서 쫓겨났지만 자기네를 받아준 나라에도 애정이 없었다. 새로이 들어온 수만 명을 수용하고 정착시키고 먹일 수 있는 토대가 존재하지 않았다. 제국의 최대 관심의 초점은 여전히 페르시아 변경에 있었고, 발렌스는 고트족 문제를 명백히 그 일을 감당할 수 없는 사람들에게 맡겨버렸다. 발칸반도는 화약고가 되어가고 있었다.

377년, 로마 제국 안의 고트족이 연속적으로 여러 차례의 반란을 시작했다. 부유한 트라케 마을과 토지에 대한 그들의 약탈은 곧 전면적인 전쟁으로 비화했다. 고트족은 "절망과 격렬한 분노의 감정이 뒤섞인 상태"[17]에서 로마군의 분견대와 싸웠다. 흑해 해안에서 그리 멀지 않은 아드살리세스에서 벌어진 한 격돌에서 고트족은 "불로 단련한 커다란 곤봉"을 가지고 로마 병사들을 공격했다. 그들은 "완강하게 저항하는 사람들의 가슴에 단검을 쑤셔 넣었다. (…) 들판은 온통 시신으로 뒤덮였다. (…) 일부는 새총에 맞아 쓰러졌고, 끝에 쇠를 박은 막대기에 꿰이기도 했다. 어떤 경우에는 정수리와 이마에 칼의 일격을 맞아 머리가 둘로 쪼개져 양쪽 어깨 위에 걸쳐 있는 가장 소름 끼치는 장면을 연출하기도 했다."[18]

고트족에 대한 첫 번째 큰 심판은 378년 한여름에 이루어졌다. 이 무렵 제국 안의 고트 부족들은 힘을 합치고 있었다. 그들은 전쟁터에서 알란족의 집단, 그리고 심지어 일부 소속 없는 훈족과도 손을 잡았다. 그 훈족들역시 경비가 허술한 경계의 강을 넘어와 사서 고생을 하고 있었다. 그들모두 때문에 도나우강과 하이무스산맥(발칸산맥) 사이의 큰 회랑 지대 대부분이 불에 그을리고 연기가 나는 평원으로 바뀌었다. 어느 시점이 되자콘스탄티노폴리스 성벽이 보이는 곳에 전사 무리가 득시글댔다. 이는 더이상 제국 변방의 부수적인 이주민 문제가 아니라, 제국의 온전함과 명예모두를 위협하는 본격적인 위기였다.

발렌스로서는 행동하는 것 외에 다른 수가 없었다. 페르시아 전선이 잠시 소강상태에 들어가자 그는 군대의 맨 앞에 서서 직접 발칸반도로 행군했다. 그는 또한 서쪽의 황제인 열아홉 살 먹은 조카 그라티아누스에게 전갈을 보내 지원을 요청했다. 이는 그 자체로서 현명한 일이었다. 그라티아누스는 나이가 어리지만 도나우강 더 위쪽의 게르만 부족들을 상대로 이미 몇 차례 인상적인 군사적 승리를 기록했기 때문이다.

그러나 발렌스는 자기보다 훨씬 어리고 더 성공적인 공동 황제에게 도움을 청하는 일에 갈등을 겪었다. 그의 자존심도 그렇고 조언자들도 이 일을 자력으로 해결하라고 역설했다. 결국 발렌스는 그라티아누스가 올 때까지 기다리지 않았다. 여름의 상당 기간 군대를 숙영지에 주둔시키고 있던 그는 8월 초 많은 수의 고트족이 프리티게른이라는 지휘관 아래 아드리아노폴리스(지금의 튀르키예 에디르네) 부근에 집결하고 있다는 소식을들었다. 척후병들은 병력 수를 대략 1만 명 정도로 추정했다. 발렌스는 혼자서 그들을 공격하기로 결심했다.

8월 9일 동틀 무렵에 "군대가 빠르게 움직였다."[19] 발렌스는 병사들을아드리아노폴리스의 성곽 숙영지에서 출발시켜 타는 듯한 한낮의 태양

아래 험한 시골길 13킬로미터를 행군했다. 그들이 고트족을 발견했을 때 고트족은 마른 들판에 불을 놓고 있었다. 암미아누스 마르켈리누스는 이렇게 썼다. "여름의 열기에 이미 지친 우리 병사들은 (이제) 목이 말랐다. 여느 때보다 더 분노를 폭발시킨 벨로나(로마의 전쟁의 여신)는 로마의 대의에 종말을 고하고 있었다."[20]

발렌스가 나타나자 고트족 측에서 사절을 보냈다. 그들은 휴전을 연장하고 싶다고 말했다. 사실 고트족 사절들은 고트족 지도자들이 덫을 놓는 동안 시간을 벌려고 한 것이었다. 요령부득의 협상 이후 오후에 접어들면서 발렌스는 지치고 목마른 병사들에 대한 통제력을 잃었다. 그들은 명령도 없이 고트족 쪽으로 돌격했다. 전투가 벌어졌다. "맞선 대열이 전선戰船과도 같이 격돌해 서로를 이리저리 밀쳐냈다. 바다의 파도처럼 서로를 밀고 당겼다. 먼지가 자욱하게 일어나 하늘을 가릴 정도였다. 끔찍한 비명이 그 하늘에 울려 퍼졌다. (…) 적이 쏜 것을 보고 피하는 것이 불가능했다. 쏘면 무조건 맞았고, 어느 쪽이라도 죽일 수 있었다."[21] 그러나 손실은 로마 병사 쪽이 더 크게 입었다.

고트족의 병력이 1만 명 정도임을 시사했던 로마의 정보는 틀린 것이었다. 훨씬 많았다. 아마도 3만 명의 병력이었던 로마 군대를 너끈히 상대할 만했다.[22] "이방인은 엄청난 수로 쏟아져 나왔다. 말과 사람을 짓밟고 대열을 흐트러뜨려 질서 있게 퇴각하지 못하게 했다. 우리 병사들은 너무 가까이 밀집해 있어 벗어날 희망이 없었다."[23] 한편 고트족은 대규모 기병 분견대를 로마의 척후가 보지 못하도록 세심하게 숨겼다. 싸움의 결정적인 순간, 이 기병들이 나타나 엄청난 영향을 미쳤다. 발렌스는 수 싸움에서 밀렸고, 그의 병사들은 압도당했다. "온 들판이 하나의 시커먼 피의 웅덩이였고, (생존자들이) 눈을 돌리는 곳은 어디나 시체의 무더기뿐이었다.

결국 달빛 없는 밤이 이 돌이킬 수 없는 손실을 끝냈다. 로마는 비싼 대가를 치렀다."[24]

가장 값비싼 희생은 발렌스 자신이었다. 이 황제의 정확한 최후는 수수께끼에 싸여 있다. 한 이야기는 그가 화살에 맞아 즉사했다고 말한다. 또한 이야기는 그가 말에서 떨어져 습지에 빠졌고, 거기서 익사했다고 한다. 또 한 이야기는 발렌스가 소수의 경호병 및 일부 환관과 함께 전장에서부터 추격당했고, 한 농가에 숨었다고 주장한다. 추격자들은 문을 때려 부술 수 없자 "밀짚과 나뭇더미를 쌓아놓고 거기에 불을 질러 집과 그 안에 있던 모든 사람을 불태워버렸다."[25] 어떤 것이 사실이든 발렌스의 시신은 발견되지 않았다. 아드리아노폴리스에서 이방인들은 1만에서 2만 명의 로마 병사를 죽였다. 동쪽의 황제도 그 틈에 있었다. 로마는 심한 상처를 입었다. 그리고 시간이 지나면서 그 상처가 곪기 시작했다.

돌아온 폭풍우

376~378년의 위기가 로마의 위신과 동쪽 제국 군대의 병력에 심한 손상을 주었지만, 그것이 제국을 곧바로 재난으로 몰아넣지는 않았다. 그 공의 상당 부분은 4세기 후반에 양쪽의 제국을 안정시킨 한 지도자에게 돌려야 한다. 테오도시우스 1세 황제는 발렌스가 죽은 뒤 콘스탄티노폴리스에서 권좌에 올랐고, 서방에서 볼썽사나운 권력투쟁이 벌어진 후 392년에 메디올라눔(밀라노)에서도 권력을 차지했다. 메디올라눔은 3세기 말 이후 서방 제국의 수도였다.

테오도시우스는 고트족과 현실적인 합의를 이루어 그들을 공식적으로

트라케에 정착시키고 그 전사들을 고용해 그들 스스로 구멍 낸 로마 병력 부족을 메우도록 했다. 또한 제국 전역에서 로마의 전통적인 이교 신앙을 억누르고, 성장하는 기독교 교회 안에서의 사연 많은 분열을 단호하게 억누르는 조치들을 취했다. 가장 중요한 것으로, 유럽의 전통적인 제국 경계들(사실상 라인강과 도나우강)이 다시 심각하게 침범당하지 않도록 확실히 했다. 테오도시우스의 치세가 완전히 평온했던 것은 아니었지만, 지나고 보면 그것은 짧은 황금기였다. 특히 그가 양쪽 로마를 함께 통치한 마지막 황제가 될 운명이었기 때문이다.

395년 1월의 어느 춥고 비가 내리던 날, 테오도시우스가 죽었다. 로마 국가는 그의 두 아들이 함께 다스리게 되었다.[26] 콘스탄티노폴리스에서는 아르카디우스라는 열일곱 살의 젊은이가 승계했다. 메디올라눔에서는 아홉 살의 호노리우스가 황제로 지명되었다. 둘 다 스스로 권력을 행사할 만큼 성숙한 것으로 판단되지 않았기 때문에 통치는 두 명의 실력자에게 위임되었다. 동방 황제 뒤의 권력자는 루피누스라는 갈리아 출신의 정력적인 냉혈한이었다. 서방에서 그 자리는 스틸리코라는 카리스마 있는 장군이 차지했다.

스틸리코의 당대인들은 그가 반은 이방인임을 강조했지만(그의 아버지가 반달족이라는 게르만계 부족 집단의 일원이었다), 그는 제국이 약화해 무너지는 상황에서도 스스로 단호한 로마 옹호자임을 입증하였다. 그런 의미에서 스틸리코는 로마인과 이방인 사이에 명확한 금이 그어진 것은 아니라는 산 증인이었다. 두 세계는 맞서 있는 것만큼이나 서로 교차하고 있었다.

"인간이 지구에 거주한 이래 (다른 어느) 인간도 온 세상의 예외 없는 축복을 받은 사람은 없었다."[27] 스틸리코의 개인 선전원 노릇을 했던 시인 클라우디아누스는 이렇게 썼다. 그러나 스틸리코가 자신의 딸 마리아를 젊은 황제 호노리우스와 결혼시킨 것을 포함해 서방에서 권력을 쥐자, 그는 제국 안팎의 광범위한 적들과 다툼을 벌이게 되었다. 그리고 대량 이주가 다시 증가해 서방의 로마를 시험하려 했고, 결국 멸망으로 이끌었다.

스틸리코가 권력을 잡았던 395년에는 370년대의 고트족 위기가 이제 한 세대가 지나 기억에서 사라져가고 있었다. 그러나 그해 고트족의 대침공을 초래한 바탕이 됐던 사실은 거의 변하지 않은 상태였다. 실제로 그 일이 거의 동일한 형태로 다시 일어나려 하고 있었다. 390년대에 훈족이 다시 한번 이동하고 있었기 때문이다.

증거가 분명치 않고 여러 해석이 가능하긴 하지만, 몇 가지 이유로 380년대 중반에서 420년대 중반 사이에 훈족이 서쪽으로의 이동을 재개했다는 사실은 분명하다.[28] 가뭄에 시달리던 북중국 스텝에서 시작된 그들의 이동은 이제 그들을 캅카스에서 1700킬로미터 떨어진 헝가리 대평원으로 데려갔다. 그들은 큰 무리를 이루어 이동했으며, 이전과 마찬가지로 다른 종족 집단을 그들 앞에서 흩뜨렸다.†

훈족은 370년대에 흑해 북쪽에 도착하자 고트족을 쫓아냈다. 이제 그들은 헝가리 대평원으로 밀고 들어가면서 다른 이방인 집단을 찢어발겼다. 알란족, 반달족, 수에비로 알려진 게르만계 민족, (로마 작가들이 그들의 통통한 모습과 발효 버터를 머리칼에 바르는 고약한 습관 때문에 특히 경멸한) 부르군트족으로 불리는 또 다른 게르만계 민족 등이다.

이들 집단의 일부 또는 전부가 4세기 말에 개별 훈족과 접촉했다. 진취

---

† 390년대에는 이미 훈족이라는 이름만으로도 넓은 범위의 로마인의 마음에 공포감을 심어주기에 충분했다. 390년대 발칸 지역에서 한 무리의 도망친 노예와 탈영병이 도적 떼가 되었을 때 그들은 '훈족'이라고 자칭했다. 물론 그들은 분명히 훈족이 아니었다. 모방은 치명적으로 진실한 아부의 한 형태였다. 이 도적들은 떠오르는 4세기의 공포 브랜드라고 할 수 있는 것을 이용하고 있었다.

적인 훈족 전사들이 용병으로서 일자리를 찾기 위해 서방으로 간 것이다. (일부 훈족은 로마 제국 안에서도 자기네의 군사적인 능력을 떠벌리기 시작했다. 콘스탄티노폴리스의 루피누스와 메디올라눔의 스틸리코는 모두 부켈라리이로 알려진 호위 담당 개인 수행원 가운데 훈족을 두었다.) 그러나 용병 계약을 통한 국지적이고 소규모였던 만남은 서방이 훈족의 두 번째 큰 파도의 영향에 대비하는 데 아무런 도움도 되지 않았다. 훈족은 로마 제국 변경 쪽으로 밀고 들어오면서 다시 한번 그들 앞에서 무질서한 이주라는 2차적인 공포와 파도를 촉발했다. 이는 405년에서 410년 사이 로마 변경에 대한 여러 차례의 통렬한 공격으로 절정을 이루었다.

문제는 알프스산맥 동부 산기슭에서 먼저 터졌다. 405년 하반기에 라다가이수스라는 고트족 왕이 아마도 10만 명(그 가운데 2만 명쯤이 전사였다)에 이르는 듯한 거대한 무리를 이끌고 나타나 이탈리아로 밀고 들어가려 했다. (테바이의 올림피오도로스라는 작가로부터 정보를 얻은) 조시모스에 따르면, 라다가이수스가 곧 도착할 것이라는 소식은 "모든 사람을 당혹케 했다. 도시들은 절망에 빠졌고, 심지어 로마조차 이 엄청난 위험에 직면해 공포에 질렸다."[29] 걱정할 만한 충분한 이유가 있었다. 이 침략자를 몰아낼 책임이 있는 스틸리코는 그 일을 할 충분한 병력이 있었지만 당장은 아니었다. 그는 라인란트에서 병력을 빼내 올 필요가 있었고, 고용된 무력으로서 일자리를 호소하는 알란족과 훈족 중에서 용병 증원군을 불러 모아야 했으며, 대규모 군사 작전을 위해 이탈리아의 전체 군대를 끌어모아야 했다. 그가 라다가이수스와 겨룰 준비가 된 것은 406년 중반이었다. 고트족은 여섯 달 정도 마음껏 약탈을 자행할 수 있었으며, 라다가이수스는 남쪽으로 피렌체까지 이르러 피렌체를 포위하고 아사 직전까지 내몰며 유린했다.

고트족과 그들의 왕은 그 무례에 호되게 벌을 받았다. 조시모스는 이렇게 썼다. 스틸리코는 "그들의 전군을 철저히 격파했다. 아무도 빠져나가지 못했다. 그가 로마 아욱실리아로 편입시킨 소수만이 예외였다." 라다가이 수스는 생포되어 8월 23일 피렌체 성벽 밖에서 참수되었다. 스틸리코는 당연히 "이 승리에 매우 의기양양해졌고, 군대와 함께 귀환해 그런 피할 수 없었던 위험으로부터 기적적으로 이탈리아를 해방시킨 데 대해 모두의 칭송을 받았다."[30] 전투는 비교적 빠른 시간 내에 완승으로 끝났다. 그러나 유럽 전역에서 아주 많은 병력을 빼내 왔기 때문에 스틸리코는 제국 서부의 많은 지역을 방어가 허술하고 취약하게 만들었다. 그는 또한 로마의 문제의 근원을 처리하는 데는 손도 대지 못했다. 이 전쟁은 한 왕이나 한 민족을 상대로 한 것이라기보다는 인구 동태나 인간의 이동 자체에 대한 것이었으며, 이제 시작일 뿐이었다.

스틸리코가 라인강 지역에서 로마의 방어벽을 약화시킨 일의 영향은 그해가 가기 전에 나타났다. 406년 12월 31일, 반달족, 알란족, 수에비족이 뒤섞인 거대한 무리가 강을 건너 갈리아로 들어왔다.[31] 한겨울이라서 강이 얼었는지 그저 방어가 허술했는지는 지금 알 수 없다. 그러나 이 도하는 갈리아와 그 너머 브리타니아를 포함한 속주들을 혼란에 빠뜨렸다. 성서학자이자 교부教父였던 히에로니무스 성인이 쓴 한 편지에 따르면, 광포한 외지인들이 마인츠시를 약탈하고 그 과정에서 수천 명의 기독교도를 학살했다. 그들은 보름스를 포위해 함락시켰으며, 랭스, 아미앵, 아라스, 테루안, 투르네, 슈파이어, 스트라스부르, 리옹, 나르본을 유린했다. 히에로니무스는 이렇게 썼다. "바깥에서 온 칼날을 피한 사람들이 안에서 발생한 기근에 희생되었다. 앞으로 누가 (…) 로마가 영광을 위해서가 아니라 그저 살기 위해서 자기 영토 안에서 싸워야 했다는 사실을 믿을 수 있을까?"[32] 기독교도 시인 오리엔티우스도 거의 같은 어조다. "온 갈리아가 하나의 화장용 장작더미가 되어서 불탔다."[33] 3만 명의 전사와 10만 명이나 되는 다른 이주자가 이제 이 속주 안에서 활개를 치며 다니고 있었다. 라인강 국경은 무너졌고, 제대로 복구되는 날은 오지 않았다.

이 시점 이후로 사태가 빠르게 악화했다. 이탈리아와 갈리아의 위기는 심각한 불확실성을 제국 서쪽 변경 대부분에 확산시켰고, 브리타니아에서는 여러 달 동안 급료를 받지 못한 로마 군대가 거의 상시적인 반란 상태에 들어갔다. 406년에 두 명의 고위 장교가 스스로 황제임을 선언했다. 먼저 마르쿠스, 이어서 그라티아누스였다. 둘 다 불과 몇 달 '재위'하다가 부하들에게 살해당했다.

407년 초에 세 번째 찬탈자 황제가 자신의 행운을 시험했다. 콘스탄티누스 3세가 브리타니아 레기오를 장악한 뒤 자신이 이제 서방 제국의 지도자라고 선언하고 브리타니아에 있는 모든 군부대의 운명적인 철수를 시작했다. 이후 몇 달 동안 콘스탄티누스는 수천 명의 병사를 브리타니아에서 갈리아로 수송해 라인강 국경을 지키고자 애썼다. 브리튼인은 그네들끼리 살도록 남겨졌다. 명목상으로는 여전히 로마 제국의 일부였지만 사실상 버려져, 대담하게 북해를 건너오는 게르만 부족의 습격에 매우 취약한 상태가 되었다. 브리타니아가 더 이상 로마의 땅이 아니게 되는 시간이 빠르게 다가오고 있었다.

그러나 공격은 여전히 계속되었다. 408년에 훈족은 처음으로 제국을 직접 공격했다. 한때 용병으로서 스틸리코를 도왔던 울드(또는 울딘)라는 전사가 카스트라마르티스(오늘날의 세르비아와 불가리아 경계) 부근의 도나우강 하류를 건넜다. 그는 자신이 햇빛이 비치는 지구상의 모든 곳을 정복할 준비가 되었다고 선언했지만, 실제로는 자기 부하에게 배신당해 패배하고 사라졌다. 노예로 팔렸거나, 더 가능성이 높은 것은 그 자리에서 살해되었을 것이다. 그리고 그 일과는 상관없이 로마 제국은 이제 포위되어 있었다.

가장 위험한 이방인 지도자 가운데 하나가 알라리크라는 군 장교였다. 그는 소국의 왕으로서 스틸리코를 자주 괴롭히게 된다. 생애 초기에 알라리크는 로마인의 생활 방식에 편입되는 고트족의 모범 같은 존재였다. 그는 기독교도였다. 고트족의 군인 무리를 이끌었고, 로마 군대에서 복무하는 다른 비非로마인 병사도 이끌었다. 사실 그의 생애를 통해 그가 가장 원했던 것은 로마의 정치 및 군사 세계 안에서 합당한 자리를 차지하는 것이었던 듯하다.

그럼에도 불구하고 395년 무렵 그는 로마 지도자들과의 우호적인 관계를 깨고 지금 비시고트(서고트)로 알려진 고트족의 연합체 왕으로 선출되었다. 이로써 그는 휘하에 수만 명의 병력을 거느리게 되었다. 알라리크는 이를 두 차례(401~402년 및 403년)의 이탈리아 침공에 사용했다. 두 차례 모두 그는 스틸리코에게 패했다. 스틸리코는 폴렌초(폴렌티아) 및 베로나 전투에서 비시고트에 승리를 거두었다. 클라우디아누스는 알라리크가 스틸리코에게 패한 일에 관해 쓰면서 의기양양해했다. "알아두어라, 건방진 자들아. 로마를 무시하면 안 된다는 것을."[34] 그러나 마지막에 웃게 되는 것은 알라리크였다.

알라리크는 전투에서 패한 뒤 서방 제국과 화해한 듯했지만, 406년에 같은 민족인 라다가이수스가 자신의 고트족 대군을 이끌고 이탈리아에 침공했을 때 로마를 도우러 오라는 요구를 거절했다. 그리고 408년, 갈리아가 혼란스러워지고 브리타니아가 찬탈자 황제의 손에 넘어가자 알라리크는 기꺼이 이 싸움에 뛰어들었다. 아직 휘하에 수만 명의 군사를 부릴 수 있던 그는 서방의 호노리우스 황제 궁정(이때는 밀라노에서 동방에 좀 더 가까운 라벤나로 옮긴 상태였다)에 전갈을 보내, 당장 은 3000파운드를 주지 않으면 다시 이탈리아를 침공하겠다고 말했다. 원로원은 반발했지만, 제국 군대가 지금 극단적으로 펼쳐져 있어 더 이상 전선을 확대할 수 없는 상황임을 알고 있던 스틸리코는 그들을 설득해 알라리크의 요구를 받아들이도록 했다. 이 결정에 대한 불만이 광범위하게 퍼졌고, 람파디우스라는 원로원 의원은 "이건 평화가 아니라 예속"이라고 투덜거렸다.[35]

이런 불만이 모여 정치적 폭동이 일어났다. 408년 여름, 제국 전역에서 불길이 일어났고, 비시고트가 덮칠 기회를 노리고 있는 상황에서 원로원에 있는 스틸리코의 적들이 그를 상대로 움직였다. 스틸리코의 반달 혈통을 이용한 한 중상모략은 이 장군이 알라리크와 비밀 동맹을 맺고 있다고 주장하고, 그의 최종 목표가 최근 죽은 아르카디우스의 동방 황제 자리에 자신의 아들을 앉히는 것이라고 내비쳤다. 스틸리코는 개인적 권위가 급속하게 실추되면서 화를 피할 수 없었다. 408년 5월, 그에게 충성하는 장교 몇 명이 변란 와중에 살해되었다. 호노리우스는 곧바로 알라리크의 비시고트에 대한 지불을 취소했다. 석 달 뒤, 스틸리코는 라벤나에서 체포되어 수감되었다. 8월 22일, 반역죄로 처형된 그는 불평 없이 죽음을 받아들였다. 조시모스는 이렇게 썼다. 스틸리코는 조용히 "칼 앞에 목을 내밀었다. 그는 당시 권력을 잡았던 거의 모든 사람 가운데서 가장 온건한 사람이었다."[36] 알라리크는 손가락 하나 까딱하지 않고 자신의 가장 위험한 적을 제거했다. 그는 기회를 최대한 활용했다.

스틸리코가 처형되고 몇 주 되지 않아서, 알라리크와 비시고트족이 이탈리아로 행진해 들어갔다. 제국 중심부의 가장 값나가는 전리품을 차지하기 위해서였다. 숫자는 나아가면서 불어났다. 스틸리코가 죽은 뒤의 더 큰 보복에 이주민에 대한 외국인 혐오 공격이 포함되었기 때문이다. 로마 군대에 있는 수천 명의 이방인 병사는 심하게 학대당해왔고, 그 가족들도 학대당하거나 살해되었다. 이제 알라리크의 무리에 합류한 많은 사람에게 이 원정은 약탈만을 위한 것이 아니었다. 그것은 개인적인 일이기도 했다. 이에 따라 그들은 제국을 가장 아프게 상처 낼 전리품을 향해 곧장 나아갔다. 바로 로마 제국의 상징적인 심장인 로마시 자체였다.

11월, 알라리크는 우릅스 아이테르나(영원한 도시)를 포위했다. 모든 식량 공급을 끊고 배상금으로 시민들이 가진 금 전체를 요구했다. 70여만 명의 인구가 있는 로마는 식량 없이 오래 버티기 힘들었다. 두 달 뒤, 알라리크는 라벤나의 궁정으로부터 금 5000파운드와 은 3만 파운드, 그리고 그의 군대를 먹이고 입힐 물자를 내겠다는 약속을 받았다. 철군할 경우에 말이다. 이는 터무니없는 가격이었다. 그러나 이제 스물네 살인 호노리우스 황제는 스틸리코의 전략을 되살려 돈을 주는 수밖에 다른 방법이 없었다. 갈리아에서는 찬탈자 황제 콘스탄티누스가 매일같이 지원을 끌어모으고 있었다. 로마의 시골은 누더기가 되어 있었다. 앞으로 여러 해 동안 경제가 돌아가기 어려웠다. 위기는 곳곳에서 커져가고 있었다.

그러나 로마에서 돌아온 알라리크는 그가 완전히 이탈리아를 떠나는 화해 조건을 새로 내놓았다. 이것은 애초에 고트족이 도나우강을 건너왔던 문제로 되돌아갔다. 지금 동유럽을 훈족이 차지해 그들은 돌아갈 고향이 없는 것이다. 알라리크는 비시고트족이 대체로 오늘날의 오스트리아, 슬로베니아, 크로아티아에 해당하는 땅에 정착할 수 있도록 해주어야 한다고 요구했다. 또한 스틸리코의 후임으로서 로마의 고위 군 장교 자리도 요구했다. 그는 "황제를 상대로 무기를 들고 전쟁을 일으키는 모든 세력에 맞서 자신과 로마인 사이의 우호와 동맹"³⁷을 제안했다. 이것은 비합리적인 제안이 아니었다. 그러나 호노리우스는 창백해져서 협상을 거부하고 알라리크에게 대화를 통해 얻을 수 없는 것을 취해보라고 맞섰다.

409년, 알라리크가 다시 군대를 이끌고 로마로 가서 두 번째로 이 도시를 포위했다. 이제 그는 호노리우스를 폐위하는 것으로 위협하고자 했다. 로마 원로원을 협박해 다른 황제 아탈루스를 지명하도록 한 것이었다. 일종의 고트의 꼭두각시였다.

알라리크는 자신의 군대를 이끌고 잠시 로마를 떠나 다른 이탈리아 도시 몇 군데를 돌았다. 그곳에서 시민에게 아탈루스를 황제로 받아들이지 않으면 고트족의 날카로운 칼날을 맛봐야 한다고 충고했다. 그러나 호노리우스는 여전히 라벤나에 있으면서 타협을 거부했다. 콘스탄티노폴리스에서 자신을 도울 증원군을 보내 알라리크를 격파하고 복종시켜줄 것을 기다렸다. 이는 치명적인 오판이었다.

410년 8월, 알라리크는 아탈루스의 가짜 통치를 취소했다. 그는 로마로 돌아왔고, 본래 계획으로 돌아왔다. 스틸리코 참수 2주년이 되는 날 이방인들이 성문 밖에 있었다. 이틀 후인 410년 8월 24일, 성문이 활짝 열렸다. 속임수를 썼는지 단순히 협박을 했는지 모르지만 알라리크는 시민들을 설득해 부하들과 성안으로 들어갈 수 있었다.

로마 약탈이 시작되었다.

로마가 마지막으로 약탈당한 지 800년이 지났다. 그때는 세노네스인으로 알려진 갈리아의 켈트족이 도시 성벽 밖 몇 킬로미터 지점에서 벌어진 전투에서 로마 군대를 격파한 후 도시로 들어와 약탈했다. 서기전 387년 7월 그날의 무서운 기억은 로마의 민간 전승과 허구적 역사에 담겨 있다.

리비우스는 상당히 과장이 넘치는 구절에서 이를 이렇게 묘사했다. "자비라고는 보이지 않았다. 집은 약탈했고, 껍데기만 남은 집에는 불을 질렀다."[38] 사실 고고학 연구에서는 그해 큰불이 있었다는 증거를 보여주지 못하고 있다. 오히려 서기전 387년에 세노네스인이 와서 가져갈 수 있는 것을 가져갔고, 조금 뒤에 구원군에 의해 쫓겨간 듯하다.[39] 그럼에도 불구하고 이 도시가 한 번(그러나 딱 한 번이다) 약탈당했다는 것은 로마인에게 매우 중요했다. 이제 마침내 역사가 다시 한번 되풀이되려 하고 있었다.

410년 비시고트족의 약탈은 초토화는 아니었다. 알라리크와 그의 추종자 상당수가 기독교 신앙을 가지고 있어 그것을 보장했다. 그러나 분명히 열광적인 한바탕의 약탈이었다. 살라리아 문을 통해 로마로 들어간 고트족은 로마의 신전, 기념물, 공공건물, 개인 주택을 돌아다니며 값나가는 것을 가져갔지만, 대부분의 건물을 파괴하지 않았고 대부분의 사람을 괴롭히지 않았다. 보통의 민간인은 산피에트로 대성전과 산파올로 대성전 같은 큰 성당에 피난하도록 허락되었다. 이곳들은 기독교의 피난처로 지정된 곳이었다. 비시고트족은 포룸(광장)에서 난동을 부리고 원로원 건물을 불태우고 몇몇 큰 저택을 허물었지만, 로마의 다른 중요 건물은 대부분 온전하게 남았다. 2000파운드짜리 은제 성궤 같은 일부 고가의 물품은 약탈당했고, 부유한 시민은 협박을 당했다.

무시무시한 며칠이었다. 미쳐 날뛰는 이방인에 관해 떠도는 소문은 하나하나가 갈수록 더 흉흉했다. 이는 안티오케이아에서 글을 쓴 히에로니무스 성인 같은 사람의 기록에서 구체적으로 드러나는데, 그는 로마의 운명을 바빌로니아인의 예루살렘 파괴를 한탄한 기독교 성서 구약 〈시편〉 79편의 말을 빌려 묘사했다. "하느님, 이방인들이 당신의 땅을 침입하여 당신의 성전을 더럽히고 예루살렘을 폐허로 만들었습니다. 당신 종들의 시체를 공중의 새들에게 먹이로 주고 당신 백성의 살을 들짐승에게 주었습니다. (…) 예전의 자주적인 도시가 파괴되어 거리에는 살아 있는 것이 없고 집에는 그 시민들의 시체가 무수하게 놓여 있습니다."[40] 북아프리카에서 아우구스티누스 성인은 알라리크의 약탈을 여러 개의 설교 소재로 삼았고, 그것은 기념비적인 그의 《하느님의 도성》의 바탕을 이루고 있다. 이 책은 '영원한 제국'이라는 로마의 오랜 주장을 경멸하면서, 정말로 영원한 왕국은 오직 하늘에 만들어질 것이라고 주장했다.

이것은 신학이지 취재물이 아니다. 사실 큰 전략적 관점에서 보면 로마 약탈로 변한 것은 많지 않았다. 약탈 사흘 뒤 알라리크는 휘하의 비시고트족을 철수시켜 도시를 떠났다. 그들은 남쪽을 향해 시칠리아 방면으로 갔다. 가을쯤에 알라리크가 죽었다. 아마도 말라리아 때문이었을 것이다. 비시고트족의 지휘권은 그의 처남 아타울프가 이어받았다. 그 이후 플라비우스 콘스탄티우스라는 장군이 서방에서 서서히, 그러나 꾸준히 안정 비슷한 것을 가져왔다. 그는 아타울프를 설득해 비시고트족을 영구적으로 로마의 울타리 안에 편입시키고 갈리아 서남부 갈리아아퀴타니아를 본거지로 삼아 정착시키고자 했다. 또한 자칭 황제 콘스탄티누스 3세를 붙잡아 죽였다. 418년까지 로마시의 인구 약 절반이 떠나서 돌아오지 않았지만, 전체 서방 제국의 상황은 많이 개선되었다.

그럼에도 불구하고 히에로니무스와 아우구스티누스 같은 작가들의 격렬한 반응은 여전히 알라리크의 로마 약탈로 초래된 깊은 충격을 전하고 있다. 베를린 장벽 붕괴나 미국에 대한 9·11 테러 공격과 마찬가지로, 세계 초강대국에 대한 공격이라는 가공할 상징성은 당장의 물리적 손실보다 훨씬 심각했다. 알라리크의 고트족은 로마 제국의 심장부를 타격해 시간이 흐를수록 굳어지고 깊어질 뿐인 상처를 남겼다.

폭군의 등장

알라리크는 중심부를 타격했지만, 서방 제국은 주변부부터 분리되기 시작했다. 따라서 그를 대신해 떠오른 이방인 왕국들을 검토하려면 변경에서 시작해야 한다. 그리고 붕괴가 가장 빨리 일어난 곳이 바로 브리타니아로, 로마가 주요 속주 가운데 가장 마지막에 정복하고 가장 먼저 상실한 곳이다.

406~411년의 위기 동안에 브리타니아의 로마 방어 시설은 사라졌다. 그곳 군대는 찬탈 기도자 세 명을 배출했다. 마르쿠스, 그라티아누스, 콘스탄티누스 3세다. 그러나 실제로 이 속주의 군사 방어는 철저하게 해체되었다. 5세기가 시작되면서 브리타니아 병사의 급료가 많이 연체되었고, 아마도 매우 불만이 높아졌던 듯하다. 그러나 곧 팔자타령을 할 사람이 남아 있지 않게 되었다. 407년에 모든 병력이 이방인의 침입으로부터 갈리아와 라인 변경을 방어하고 콘스탄티누스의 제위 주장에 힘을 싣기 위해 철수했다. 곧 이어서 로마의 민간 관리들 역시 빠져나갔다.

410년에 라벤나에서 알라리크에게 포위된 호노리우스 황제가 브리타니아의 주요 로마 도시에 편지를 보내 전적으로 각자의 책임 아래 스스로를 방어해야 한다고 말했다는 약간의 증거가 있다(논쟁은 있다). 그가 정말로 그런 편지를 보냈다 해도 그것은 그저 현실을 이야기한 것일 뿐이다. 군대도 없고 제국 중앙과의 재정적·행정적 연결이 사라진 브리타니아와 로마 국가와의 연결은 거의 곧바로 끊어졌다.

440년대에는 로마적이라는 분명한 사회적 표지(호화로운 저택, 세련된 도시 생활, 상류층의 국제 문화에 대한 애착 정서)가 브리타니아에서 대부분 급속하게 사라졌다. 토지도 버려졌다. 교역망은 위축되고 사라졌다. 소도시도

쪼그라들었다. 속주가 분해되면서 정치 단위(조세 관할구와 행정 관내)도 대폭 축소되었다. 묻혀 있던 '혹은 보물'(1장 참조)의 은수저, 정교한 금 장신구, 산더미 같은 로마 주화는 로마의 지배 계급이 브리타니아에서 황급하게 철수했음을 입증한다. 브리튼제도 전역에서 부자 가족들은 가져갈 수 있는 것은 모두 가져가고 가져갈 수 없는 것은 버리거나 땅에 묻고 무너져 가는 나라를 떠났다.

브리타니아가 로마 제국으로부터 이탈하는 과정은 바다 건너 갈리아와 이탈리아의 혼란뿐만 아니라 제국에서 먼 바깥의 다른 유럽 지역으로부터 그곳 출신의 전사와 그 가족 상당수가 브리타니아에 도착한 일로도 가속화하였다. 브리타니아의 동쪽 해안은 (다소 부정확하지만) 오랫동안 뭉뚱그려 앵글로색슨족으로 알려진 픽트인, 스코트인, 게르만인 부족 습격자들에게 솔깃한 진입 지점이었다. 367~368년에는 '대음모大陰謀'로 알려진 여러 차례의 침략 위기가 있었다. 하드리아누스 장벽에서의 군사 반란 이후 북부 브리타니아의 비非로마 부족 연합이 자주 해안을 습격했는데, 이는 분명히 색슨족 및 속주 바깥의 다른 부족들의 연합이었다. 이제 그 통로가 다시 열려 있었다.

5세기 초부터 브리튼섬에는 북해 연안에서 온 전사 무리와 이주자 집단이 꾸준히 정착했다. 로마가 클라우디우스 시대에 상륙한 것이나 1066년에 노르만인이 보여주는 것 같은 조직적인 단일 군사 침공은 없었다. 침공은 여러 해에 걸쳐 단편적으로 시차를 두고 일어났다. 들어온 사람들에게 나중에 붙여진 이름 가운데는 색슨족, 앵글족, 주트족 같은 것이 있다. 그러나 5세기 브리튼인에게 종족 명칭보다 훨씬 중요했던 것은 눈에 보이는 현실이었다. 로마 관리와 군인이 남쪽 방향의 바다를 건너 사라졌고, 게르만계 이주자들이 새로운 언어, 문화, 신앙을 가지고 동쪽 방향에서 들어온 것이다.

발렌티니아누스 3세 치세인 450년 무렵의 어느 시기에 색슨족의 습격에 저항하려 애쓰던 족장들은 궁지에 몰린 채 서방의 로마 총사령관 아에티우스에게 〈브리튼인의 신음〉으로 알려진 편지를 보내 애걸했다. 아에티우스는 고풍스러운 전쟁 영웅으로, 제국의 명예를 위한 후위 투쟁에서 이방인과 싸우는 것이 특기인 사람이었다. 브리튼인은 이렇게 울부짖었다. "이방인은 우리를 바다로 몰고, 바다는 우리를 이방인에게로 몹니다. 이 두 가지 죽는 방법 사이에서, 우리는 살해당하지 않으면 물에 빠져 죽습니다."[41] 그러나 아에티우스는 그들의 구원 요청을 거부했다. 브리튼 섬은 이미 너무 멀어져 있었다.

〈브리튼인의 신음〉을 보존한 작가는 길다스라는 6세기 수행자였다. 이 혼란스러운 시기에 관한 그의 기록 《브리타니아의 몰락과 정복》은 침략해 온 색슨족과 원주민 브리튼인 사이의 엄청난 지배권 투쟁을 묘사하고 있다. 이 투쟁은 아마도 5세기 말 어느 시기에 일어났던 것으로 보이는 베이든 전투로 알려진 무력 충돌에서 절정에 달했다. 흔히 '아서왕'이 이 베이든 전투에서 결정적인 역할을 했다고 하며, 그는 때로 암브로시우스 아우렐리아누스라는 군인의 조카와 동일시되기도 한다. "아마도 모든 로마인 가운데서 유일하게 이 유명한 폭풍우의 충격으로부터 살아남은 신사"라고 길다스는 썼다.[42]

암브로시우스 아우렐리아누스가 '진짜' 아서였는지 아닌지에 관한 쓸데없는 논쟁으로 여기서 골머리를 썩일 필요는 없다. 중요한 것은 베이든 전투 이후(아니면 적어도 길다스의 시대에) 브리튼섬이 대략 동북-서남의 사선을 따라 나뉘어 있었다는 점이다. 그 선의 동쪽 지역에 있던 색슨계 왕국들은 북해를 건너 스칸디나비아 쪽으로 향하는 교역 및 문화적 연결망

속에 긴밀하게 연결되어 있었다. 다른 쪽에 있는 사람들은 브리튼해협과 아일랜드해, 그리고 내부를 향했다. 길다스는 이렇게 썼다. "지금까지도 우리나라의 도시들은 모두 이전처럼 사람이 모여들지 않고, 버려지고 무너진 채 아직 황량한 상태다. 우리의 대외적인 전쟁은 끝났지만 내부의 문제는 여전히 남아 있다."[43]

　결국 길다스는 로마인이 떠난 이후 브리튼인이 겪는 고통을 바로 신이 내린 벌이라고 보았다. 브리튼섬의 지배자들이 자기네가 겪는 모든 일을 당연하게 생각해야 한다고 그는 썼다. 그 이유는 이렇다. "그들은 무고한 사람을 약탈하고 겁을 준다. 그들은 죄를 짓고 도둑질한 자를 방어하고 보호한다. 그들은 아내를 여럿 두고 매춘과 간통을 하며, 가짜 맹세를 하고 거짓말을 하며, 도둑에게 상을 주고 포악한 사람을 용납하며 미천한 사람을 경멸한다."[44] 그가 생각하기에 색슨족은 악마였다. 물론 길다스가 성직자여서 어디서나 신의 분노와 인간의 죄악을 보는 경향은 있었다. (그의 가장 유명한 경구는 "브리타니아에는 왕이 있지만 모두 폭군이고, 법관이 있지만 모두 불공정한 사람들이다"[45]라는 것이다.) 그리고 그의 신경질적인 기록은 이방인 색슨족이 눈부시게 높은 문화를 가질 수 있다는 사실로부터 우리의 눈을 돌리게 할 수 있다. 예컨대 서퍽의 서튼후 배무덤 유적지에서 발굴된 유명한 투구 같은 것을 보라. 이 로마식 투구에는 섬뜩한 모습의 안면 보호 장구도 붙어 있다. 철과 청동으로 만들었고 용의 머리가 장식되어 있는데, 본래 이스트앵글리아왕 래드왈드의 것이었던 듯하다. 이것은 귀중한 예술 작품으로, 로마 병사 누구라도 가졌다면 자랑스러워했을 것이다. 그럼에도 불구하고 그 당혹스러운 인구 변동과 정치 재편의 시대를 연구하면서 길다스가 느꼈을 공포는 쉽게 이해할 수 있다.† 대량 이주는 옳든 그르든 공포와 혐오를 자극한다. 서로마 제국의 역사가 매우 분명하게 보여주듯이 그것은 세상을 뒤집어놓을 힘이 있기 때문이다.

브리타니아가 로마의 서방에서 이탈했지만, 제국의 다른 곳에서는 더욱 심각한 파열이 일어나고 있었다. 이 경우에 혼란의 주체가 된 것은 반달족이었다. 반달족은 훈족에게 터전에서 쫓겨나 406~408년 이방인의 라인강 대거 도하에 합류했다. 그러나 그들의 이동은 거기가 끝이 아니었다. 반달족은 라인란트에서 남쪽으로 밀고 내려가 갈리아의 로마 속주들을 소란케 하고 피레네산맥을 넘어 이베리아반도로 향했다. 그들은 이동하면서 비시고트족, 수에비족 같은 다른 이방인 부족들과 싸웠고, 428년 부유하고 강력한 도시 메리다에서 막혔다. 그러자 그들은 반도의 남쪽 끝으로 향했다.

이때쯤 반달족 이주자는 모두 5만 명 정도였다. 그 가운데 아마도 1만 명 정도가 노련한 전사였을 것이다. 그들을 이끈 것은 게이세릭이라는 지략이 있고 야망이 큰 장군이었다. 지적이고 여유 있는 성품의 게이세릭은 젊었을 때 말에서 떨어진 때문에 절뚝거리며 걸었다. 그가 항해와 해전에 깊은 애정과 지식을 가지고 있었던 것이 반달족에게는 결정적으로 중요한 일이 되었다.

429년 5월, 게이세릭은 부하들과 그들의 소유물을 실은 함대를 이끌고 지브롤터해협을 건넜다. 그가 바다를 건넌 이유에 대해서는 긴 논쟁이 있었지만, 북아프리카의 로마 총독 보니파키우스가 그곳에 들어오도록 허락했던 때문인 듯하다. 보니파키우스는 발렌티니아누스 3세 황제의 어머

† 현대의 논객과 정치가는 같은 방식의 수사修辭로부터 자유롭지 못하다. 우리 시대에 기성의 사회·문화 질서를 깨는 이주자를 바퀴벌레, 기생충, 강간범, 성도착증 환자로 보는 사람들을 떠올리기는 어렵지 않다.

니이자 라벤나 궁정의 막후 실세였던 갈라 플라키디아의 가까운 동맹자였다. 만약 보니파키우스가 허락한 일이었다면 그것은 그의 엄청난 실수였다. 반달족은 지중해 남쪽 해안에 도착하자 왼쪽으로 방향을 휙 틀어 경쾌한 약탈 여행을 시작해 경로에 있는 모든 주요 도시를 약탈했다.

반달족의 역사에 지대한 관심을 가졌던 그리스 역사가인 카이사레이아의 프로코피오스에 따르면 보니파키우스는 자신의 잘못을 깨닫고 이를 만회하려 했다. 프로코피오스는 이렇게 썼다. 보니파키우스는 반달족을 "리비아에서 내보내기 위해 끊임없이 간청하고 모든 것을 약속했다. (…) (그러나) 그들은 그의 말을 호의적으로 받아들이지 않았으며 오히려 자기네가 모욕당하고 있다고 생각했다."[46] 430년 6월, 그들은 항구 도시 히포레기우스(오늘날의 알제리 안나바)에 도착해 그곳을 포위했다.

히포레기우스의 시민이었던 아우구스티누스 성인은 반달족이 도착했을 때 병상에 누워 있었다. 그는 그들이 나타나자 이중으로 낙담했다. 그들은 이방인이었을 뿐만 아니라 아리우스파 기독교도였다. 아우구스티누스 자신이 믿는 니카이아파(니케아파)가 아니었다.[†] 그는 같은 성직자 한 사람에게 편지를 써서, 반달족이 지나가는 경로에 있는 사람들이 취해야 할 최선의 행동 방침은 위험한 것이 지나갈 때까지 피해 있는 것이라고 주장했다.[47] 그러나 아우구스티누스는 자신의 생각을 실천하지 않았다. 그는 430년 여름 이방인들이 아직 히포레기우스성 밖에서 진을 치

[†] 게르만계 이방인은 대부분 아리우스파 기독교도였다. 아리우스파는 예수 그리스도의 본질에 관한 삼위일체설을 거부했다. 성자聖子는 동시에 만들어진 별개의 존재였다. 니카이아파 기독교도는 그렇게 생각하지 않았다. 〈니카이아 신경信經〉은 이렇게 이야기한다. "나는 한 분이신 하느님을 믿는다. 그분은 전능하신 아버지이시며, 하늘과 땅, 보이고 보이지 않는 만물의 창조주이시다. 그리고 나는 한 분이신 주 예수 그리스도를 믿는다. 그분은 하느님의 외아들이시며, 모든 세대 이전에 아버지에게서 나셨다." 이 신조는 325년 니카이아 공의회에서 공식화되었고, 거기서 이름 붙었다.

고 있을 때 죽었다.

　도시는 431년 8월 함락되었고, 게이세릭은 그곳을 자신이 세운 새로운 이방인 왕국의 수도로 삼았다. 현대의 알제리·튀니지·리비아 해안을 따라 있던 로마의 식민지들을 차지해 만든 왕국이었다.[48]

　히포레기우스는 불과 몇 년 동안만 반달의 수도였다. 반달이 439년 북아프리카 해안의 최대 도시 카르타고를 점령했기 때문이다. 이 점령은 식은 죽 먹기였다. 명목상으로 반달과 로마는 그해 휴전 중이었다. 그러나 10월 19일 카르타고 주민 대부분이 전차 경기장에서 오락을 즐기고 있는 동안 게이세릭이 군대를 성내로 진입시켰다. 이 공격은 예고되지 않았고, 예측되지 않았고, 저항받지 않았다. 그것은 믿을 수 없을 정도로 뻔뻔스러웠다. 하지만 통했다. 단 하루 만에 이 강력한 도시가 제국에서 잘려 나갔다. 로마 공화국은 그곳은 얻기 위해 서기전 264년에서 서기전 146년까지 카르타고와 전쟁을 했는데 말이다.

　이는 자존심에 상처가 난 것으로 그치는 문제가 아니었다. 로마의 전체 경제는 카르타고의 곡물 수출에 의존했다. 이제 이것이 끊겼다. 반달족은 카르타고와 북아프리카의 상당 부분을 로마의 통제로부터 떼어내 서방 제국의 생명의 근원을 베어냈다. 그리고 그 이후 몇 년간 그들은 자기네의 남부 지중해 왕국의 장악력을 공고히 할 수 있었다. 게이세릭은 함대를 건설하고 강화했으며, 남부 지중해 해안선 통제를 통해 해적 대책이라고 할 수 있는 것을 구축할 수 있었다. 그리고 이로써 지역 해운을 집어삼키고 서유럽의 건강한 경제에 필수적인 붐비는 교역망을 혼란에 빠뜨렸다.

　그는 시칠리아를 습격하고 몰타섬, 코르시카섬, 사르데냐섬, 발레아레스제도의 통제권을 장악했다. 그는 심지어 455년에는 군대를 이끌고 곧장 로마까지 가서 우릅스 아이테르나를 포위함으로써 알라리크를 흉내

냈다. 로마 포위는 이 세기에 두 번째였다. 그는 이 모험에서 주머니를 두둑이 채운 채 돌아왔다. 프로코피오스는 이렇게 썼다. 게이세릭은 "매우 많은 양의 금과 기타 제국의 보물을 배에 싣고 카르타고로 돌아갔다. 청동 제품이나 그 밖의 궁궐에 있는 것들을 그냥 놔두지 않았다. (…) 그는 카피톨리누스의 유피테르 신전 또한 약탈하고 그 지붕 절반을 떼어냈다."[49] 아마도 가장 추잡한 일이겠지만, 그의 약탈품 가운데는 서방 제국 황후 리키니아 에우독시아와 그의 두 딸도 포함되어 있었다. 그들은 이후 7년 동안 카르타고에 명예로운 포로로 남아 있게 되는데, 그동안 딸 하나는 게이세릭의 아들이자 후계자인 후네릭과 결혼했다.

로마의 입장에서 이는 재앙이나 마찬가지였다. 반달의 입장에서 이는 가장 허황된 꿈을 이루는 승리였다. 게이세릭은 한 왕국을 건설했고, 477년 그가 죽은 뒤 이는 후네릭에게, 그리고 그 뒤 반달 왕가의 왕들에게 계승되었다. 동방 황제들이 460년과 468년에 자기네 해군 함대를 보내 카르타고를 재점령하고 뱀의 머리를 베어내는 데 도움을 주고자 했다. 그러나 실패했다. 서방의 로마는 난타를 당하고 결정적으로 약화되었다.

당연히 반달족 정복의 피해자 쪽에 있던 사람들은 자신의 시대에 대해 신랄한 기록을 남겼다. 쿠오드불트데우스라는 성직자가 특히 격렬한 비판을 했다. 카르타고의 주교이자 아우구스티누스 성인과 편지를 주고받는 사람이었던 쿠오드불트데우스는 아리우스파 신앙에 대한 자신의 혐오를 공개적으로 밝힌 뒤 체포되어 부서질 듯한 배에 태워지고 돛이나 노도 없이 바다에 내쳐졌다. 그는 결국 나폴리로 떠밀려 갔고, 그곳에서 타향살이를 하게 되었다. 쿠오드불트데우스는 자신의 편지에서 반달족을 이단자, 마귀, 늑대로 묘사했다.[50]

쿠오드불트데우스의 말은 공정한 것일까? 분명히 반달족은 북아프리카를 정복하는 동안 많은 피를 흘리게 한 사납고 포악한 점령자였다. 그런데 폭력과 유혈은 점령 세력이 늘 하는 일이었다. 서기전 146년 스키피오 아이밀리아누스가 이끈 로마 군대는 전혀 문명인답지 않게 카르타고를 대했다. 그들은 도시를 태워 잿더미로 만들었고, 시민들을 집째로 태워버렸다. 주변의 모든 지역을 점령하고 5만 명이나 되는 사람을 노예로 잡아갔다.

마찬가지로 로마 황제들이 기독교로 개종하기 전에 그들은 이 속주에서 열심히 기독교 박해의 판을 벌였다. 그 가운데 하나가 180년의 이른바 스킬리움의 순교자들이다. 그들은 기독교를 믿었고 당시 황제였던 마르쿠스 아우렐리우스에게 복종한다는 맹세를 하지 않아 처형되었다. 반달족은 니카이아파 기독교도를 박해하는 데 단호하면서도 철저했지만, 반달 치하 북아프리카를 집어삼킨 폭력은 이방인에게만 국한된 것은 아니었다. 이는 그저 누구나 하는 방식이었을 뿐이다.

사실 더 나아갈 수도 있다. 북아프리카의 반달 왕국은 해적이나 악마의 나라가 아니라 사실상 매우 안정된 정치체였다는 증거가 좀 있기 때문이다. 모든 사람이 그 지배자들을 폭군으로 보지는 않았다. 반달족이 카르타고와 로마 사이의 필수적인 곡물 공급 사슬을 끊었다 해도 전면적인 경제 봉쇄에 들어간 것은 아니었다. 인기 있는 '붉은 도기' 항아리 운송은 지중해 일대에서 계속되었다. 반달족은 제국 방식의 독자적인 주화를 주조했고, 분명히 (그들보다 훨씬 많은 수의) 현지 주민과 원만히 지내 대중 반란을 피했다.[51] 그들이 로마 정부의 내부 구조를 깨부순 것 같지는 않으며, 남아 있는 반달 시기 모자이크는 뛰어나고 화려한 물질문화를 가졌음을 시사한다. 본래는 보르드제디드Bord-Djedid에서 발굴되었지만 지금은 영국박물관에 전시되고 있는 한 작품은 큰 성곽 도시 밖에서 말을 달리고 있는 북아프리카 기병을 묘사하고 있다.

반달족과 그들의 대로마 관계에 대해 상세하게 쓴 프로코피오스조차 이 이방인들이 살아가는 법을 알았음을 인정했다. 그의 기록은 길게 인용할 가치가 있다.

우리가 알고 있는 모든 민족 가운데서 반달 민족이 가장 호화롭다. (⋯) 반달족은 그들이 리비아를 점령한 이래로 모두 매일 목욕을 즐겼으며, 땅과 바다에서 나는 가장 맛있고 훌륭한 모든 것을 가득 차려놓고 식사를 즐겼다. 그리고 그들은 아주 흔하게 금제품을 착용하고 (비단옷을) 입으며, 그런 차림으로 극장이나 전차 경기장, 그리고 기타 오락 장소에서 시간을 보냈다. 특히 즐긴 것은 사냥이었다. 그리고 그들은 무용과 무언극 등 눈과 귀로 즐길 수 있는 모든 것을 갖고 있었다. 이것들은 음악과 관련된 것이거나 남자가 관심을 가질 만한 것이었다. 그리고 그들 대부분은 물과 나무가 많은 정원에서 살았다. 그들은 잔치를 매우 자주 열었으며, 온갖 형태의 성적 쾌락을 추구하는 것이 그들 사이에서 대유행이었다.[52]

반달족이 고조된 관능과 성적 자유의 상태에서 산 기간은 길지 않았고, 이는 앞으로 볼 것이다(3장 참조). 그러나 그들은 그렇게 산 동안 자기네가 파괴한 로마 제국 사람보다 더 로마적으로 꾸몄던 것으로 보인다.

아틸라에서 오도아케르로

포에니 전쟁이 끝난 뒤의 어느 시기에 카르타고를 잃고 북아프리카에 안정을 해치는 새 왕국이 들어서며 겪은 어려움은 서방의 로마에 중대한 문제로 다가왔을 것이다. 5세기 중반에는 더욱 그랬을 것이다. 바로 이 시기에 라벤나의 황제들은 불안정한 변경에 또 다른 경쟁 국가가 등장한 문제를 처리해야 했기 때문이다. 오래가지는 않았지만 파괴적이었던 훈족 아틸라의 왕국이었다. 아틸라는 정말로 실제보다 과장된 인물로 오늘날에도 악명이 높은데, 430년대 중반에 훈족의 지휘권을 잡았다. 카르타고가 반달족에게 함락되기 직전이었다. 그리고 그는 20년 치세 동안에 서방 로마 제국을 멸망의 길로 더욱 깊숙이 끌고 갔다.

그리스 외교관이자 역사가인 프리스코스에 따르면 아틸라는 키가 작은 사람이었다. 크고 거무스름한 얼굴에 코는 납작하고 눈은 가늘었다. 성근 수염은 반백이고, 자랑스럽게 신하들을 거느리고 다녔다. "이리저리 눈알을 굴리고, 그렇게 그의 오만한 권력이 몸의 움직임에 나타났다." 그는 신중하고 냉정한 지도자였지만, 화가 나면 포악했다. 프리스코스는 아틸라의 명성만으로도 대부분의 사람을 두렵게 하기에 충분했음을 주목하며 이렇게 말했다. "그는 온 민족을 뒤흔들기 위해 태어난 사람이었고, 온 세계에 내리는 천벌이었다."[53] 서방 황제 발렌티니아누스 3세는 더 나아갔다. 아틸라는 "온 지상을 노예로 만들고 싶어 하는 만국의 폭군이다. (…) 그는 전쟁에 이유를 묻지 않고, 자신이 하는 일은 무조건 옳다고 생각한다. (…) 모든 사람이 그를 싫어하는 것은 당연하다."[54]

아틸라는 406년 무렵에 태어났다. 루가라는 훈족 지도자의 아들이었다 (루가의 동생 문주크의 아들이라고도 한다). 루가는 435년 죽었는데, 아마도 벼락을 맞고 죽은 듯하다. 당시 훈족은 이미 두 세대 동안 캅카스와 헝가리 대평원 사이에서 활동하고 있었으나, 아틸라가 성년이 되었을 때 그들은 더 이상 떠돌아다니는 유목민이 전혀 아니었다. 그 부족들은 라인란트에서 흑해에 걸쳐 뻗어 있는 지역에 정착하게 되었다. 그들은 반半정주적인 궁정에서 다스리는 단일 왕조의 지배를 따르기 시작했다. 그 궁정은 왕(그가 어디에 있든)의 말안장 주변이 아니라 일련의 건물에 위치했다. 훈족 왕국의 중심은 헝가리 대평원이었다. 훈족 전쟁 조직이 의존했던 많은 수의 말을 먹이기에 충분할 만큼 큰 유럽 유일의 목초지였다.[55]

그러나 발렌티니아누스가 말했듯이 훈족은 이 평원만으로 충분치 않았다. 그들의 정치 체제는 고정된 땅덩어리를 손에 넣는 것보다 다른 집단을 자기네의 지배에 복종하도록 강요하는 데 바탕을 두고 있었다. 따라서 그들이 팽창하고 자기네 이웃을 지배하고 그들에게서 공물을 받고자 했을 때 많은 게르만계 민족이 훈족의 권위를 받아들여야 했다. 고트족, 알란족, 사르마트족, 수에비족, 게피드족과 스키리, 헤룰리, 루기 같은 부족이다. 5세기 중반에 이르면 훈족은 로마인에게 상당히 성가신 존재가 되었다.

본래 훈족이 동방에서 흥기했던 것은 뛰어난 기마술과 합성궁이라는 형태의 우월한 군사 기술에 바탕을 두었기 때문이었다. 이것들은 그들이 몰아냈던 유목 민족을 상대로는 야전 전술상 큰 이점을 지니고 있으나, 성곽 도시를 차지하고 있는 민족인 제국 세력을 상대로는 유용성이 떨어졌다. 제국의 군대는 목재 또는 돌로 쌓은 요새를 점유하고 있었다.

그러나 대략 아틸라가 즉위할 무렵에 훈족은 치명적인 새 전투 기술을 추가로 장착했다. 바로 포위전 공병술이다. 그들이 비록 이웃하고 있는 땅의 거대 세력(주로 사산 왕조 페르시아와 로마)이 지닌 자원을 따라갈 수는 없었지만, 그들은 매우 심각한 위험 세력이었다. 그들은 그저 말을 타고 습격하는 것보다 훨씬 큰 피해를 주는 원정을 할 수 있었다. 훈족은 도시를 점령하면 동시에 수백 수천의 포로를 잡아 훈족의 영토로 끌고 가서 노예로 삼거나 많은 돈을 받고 돌려주었다.

5세기 초에 오랫동안 훈족이 로마 군대와 협력 관계에 들어간 적이 있었다. 용병으로서 자기네의 군사적인 능력을 판 것이다. 그러나 440년대에 아틸라가 동부 로마 도시들을 상대로 약탈군을 보내기 시작했다. 그 기병들(그리고 포위전 공병들)은 싱기두눔(베오그라드), 나이수스(니시), 세르디카(소피아) 같은 도시를 불태우고 거리에 시체를 쌓아놓은 뒤 산 자들을 줄줄이 묶어 끌고 갔다. 넓은 지역에서 주민이 사라졌다. 특히 발칸반도가 그랬다. 그곳에서는 아틸라가 총 10만 명에서 20만 명의 포로를 잡아간 듯하다.[56] 그가 요구한 평화의 대가는 금이었다. 그리고 많이 요구했다. 특히 수입이 많은 해에는 아틸라와 그 군대가 개인의 몸값과 공식적인 평화 협정으로 로마 금화 9000파운드까지 벌었다. 많은 로마 속주의 평화 시 조세 수입을 가뿐하게 넘는 액수였다.[57] 그는 또한 로마 군대의 명예 장군 신분으로 동방 황제들로부터 매년 급여 봉투까지 뜯어냈다.[58]

아틸라는 훈족의 단독 지배자가 된 뒤 오래지 않아 공격의 초점을 동방 로마 제국에서 서방 제국으로 옮겼다. 450년에 그는 라벤나의 발렌티니아누스 3세 궁정과의 우호 관계를 깨고 라인강을 건너 갈리아 일대에서 광란을 시작했다. 이는 너무도 충격적이어서 1500년 이상 동안 대중의 기억 속에 악명을 남겼다.† 이 침략의 구실은 나중에 이야기된 바에 따르면 발렌티니아누스의 누이 호노리아가 직접 아틸라에게 보낸 호소였다. 호노리아는 자신의 시종 하나와 밀회했다는 이유로 형을 선고받았고, 아틸라에게 이 치욕적인 수감에서 구해달라고 부탁한 것이었다. 그것이 사실인지 아닌지는 알 수 없다. 그와 상관없이 아틸라는 451년 초 고트족, 알

---

† 1차 세계대전 때 독일이 프랑스를 약탈하고 그 황제 빌헬름 2세가 공개적으로 아틸라를 찬양했는데, 독일을 '훈the Hun'이라는 별명으로 불렀던 것에는 다 그럴 만한 이유가 있었다.

란족, 부르군트족 등 여러 민족으로 이루어진 대군을 이끌고 북프랑스로 쳐들어갔다. 그들은 라인강을 건너 루아르강까지 가면서 내내 광란을 벌였다. 한 후대의 기록은 이렇게 적었다. 훈족은 "칼날로 사람들을 베고, 성스러운 제단 앞에서 주님의 사제마저 죽였다." 오를레앙에 도착했을 때 "그들은 그곳을 차지하기 위해 충차衝車를 동원해 세게 쳤다."⁵⁹

로마의 명예에 대한 모욕은 이루 헤아릴 수 없었고, 아틸라를 멈추게 하는 것은 엄청난 노력을 기울인 뒤에야 가능했다. 강력한 장군 아에티우스가 이끈 로마와 비시고트 동맹군이 451년 6월 20일 피비린내 나는 전쟁터에서 희귀한 승리를 거둔 것이다. 카탈라우눔 평원 전투로 알려진 교전이었다. 프로스페르Prosper d'Aquitaine는 이렇게 썼다. "그곳에서 죽은 모든 사람의 수는 이루 헤아릴 수 없었다. 어느 쪽도 포기하지 않았기 때문이다."⁶⁰ 그러나 로마와 고트 군이 약간의 우세를 보여 아틸라 원정군의 동력을 깨뜨림으로써 그들을 동쪽 라인강 건너로 돌려보냈다. 그러한 굴욕에 익숙지 않았던 이 훈족 지도자는 원정 기간의 종료를 선언하고 수치심에 못 이겨 처음으로 자살을 생각했던 듯하다. 그러나 그는 서방 제국과 다시 만나야 했다. 452년, 그는 다시 공격에 나섰다. 이번에는 이탈리아반도였다.

극심한 기근으로 약화된 이탈리아는 아틸라에 저항할 형편이 아니었다. 프리울리, 파도바, 파비아, 밀라노 등 도시들이 모두 그의 포위전 도구들과 칼 아래 함락되었다. 아드리아해의 가장 꼭대기에 있으며, 이탈리아에서 가장 부유하고 가장 유명한 도시 가운데 하나인 아퀼레이아는 공격을 당해 초토화되었다. 이 약탈은 이 지역에 깊고도 오랜 영향을 주어 장기적으로 새 도시 베네치아가 들어서는 결과를 낳았다.

이탈리아의 모든 것이 훈족 앞에 놓여 있는 듯이 보였는데, 로마의 주교였던 교황 레오 1세가 성스러운 위엄을 최대한 발휘해 아틸라가 떠나도록 설득했다(나중의 전승이 그랬다). 이 기적적인 만남에 대해 한 기록은 이렇게 전했다. 레오가 아틸라를 만났을 때 아틸라는 교황의 멋진 예복을 가만히 훑어보고 "깊은 생각에 빠진 듯했다. 그리고, 아, 갑자기 주교의 옷차림을 한 사도 베드로와 바울로가 나타나 레오 옆에 섰다. 한 사람은 오른쪽, 한 사람은 왼쪽이었다. 그들은 칼을 들어 그의 머리 위로 뻗으며 그가 교황의 명령에 복종하지 않으면 죽이겠다고 위협했다."[61] 엄청난 허풍이었다. 이보다 더욱 가능성이 높은 것은 파괴된 이탈리아에 약탈할 자원이 줄고 아틸라의 병사들 사이에서 전염병이 돌았으며 후방 훈족의 본거지를 동로마 군대에게 빼앗길 염려가 생겨 그가 이제 본거지로 돌아갈 때가 되었다고 인정한 것이다.

453년, 아틸라가 죽었다. 분명히 자신의 피에 질식되어 죽은 것이다. 일디코라는 아름다운 여성과 결혼한 날 밤에 엄청나게 폭음을 하고 마찬가지로 엄청나게 코피를 흘린 때문이었다. 진실이야 어떻든 아틸라가 손을 댔던 훈족의 제국은 놀랄 만큼 빠르게 스스로 무너졌다. 그러나 이는 로마에 좋기만 한 소식은 아니었다. 서방 제국을 괴롭혔던 폭군이자 골칫덩이가 죽은 것은 사실이다. 그러나 통일 국가를 이루었던 훈족이 붕괴한 것은 엄청난 파급효과를 가져왔다. 그것이 이제 훈족의 지배에서 풀려난 보다 큰 게르만계 미정착 부족민들을 유럽 전역에 흩어놓았기 때문이다. 역사는 반복되고 있었다. 아틸라 사후 20년 동안 불안정하고 떠돌아다니는 이주민 집단들이 다시 이동에 나섰다. 훈족은 사라져 더 이상 분명한 정치 및 군사 단위로서 활동하지 않았다. 그러나 그들의 유산은 여전히 살아 있었다.

아틸라 사망의 후폭풍을 감당하는 것은 쉬워 보이지 않았다. 그리고 이는 그 일이 라벤나의 새로운 정치적 위기와 동시에 일어났다는 사실로 인해 어려움이 더욱 가중되었다. 454년 9월, 카탈라우눔 평원 전투를 승리로 이끌었던 아에티우스가 살해되었다. 살해자는 다름 아닌 발렌티니아누스 3세 황제였다. 그 휘하 최고의 장군이자 30년을 복무한 노병이 제위를 노린다고 생각하도록 궁중 파벌들이 부추겼기 때문이다. 발렌티니아누스는 돈 문제를 상의하던 중 자신의 칼로 아에티우스를 난도질해버렸다. 나중에 발렌티니아누스는 근신들의 칭찬을 기대하고, 그들이 생각하기에 이것이 잘한 일이냐고 물었다. 한 사람이 대답했다. "잘한 일인지 아닌지는 모르겠습니다. 다만 폐하께서 당신의 왼팔로 오른팔을 잘라내셨다는 것은 알겠습니다."[62]

복수는 참으로 빨리 찾아왔다. 455년 3월, 발렌티니아누스는 아에티우스를 애도하는 그의 경호병 두 명에게 살해되었다. 그들은 궁술 대회 때 매복해 있다가 그를 습격했다. (프리스코스는 황제의 치명상에서 흘러나온 피에 벌 떼가 몰려들어 피를 빨았다는 말을 들었다.[63]) 그리고 그렇게 정변과 역정변의 연쇄가 시작되었다. 20년 사이에 아홉 명이 서방 황제 자리에 올랐다. 그 가운데 침상에서 죽은 사람은 별로 없었고, 라벤나 궁정의 정치는 실력자들(대표적인 사람이 게르만계 태생의 플라비우스 리키메르다)의 투쟁으로 점철되었다.

그들은 권좌를 유지하면서 한편으로 무너져가는 제국 곳곳에 침입하는 이방인에 대처했다. 아프리카에는 반달족이 있고, 비시고트족과 수에비족은 아퀴타니아, 이베리아, 남부 갈리아를 떼어 가고, 프랑크족(5장 참조)과 부르군트족 같은 신흥 세력 또한 진격하고 있어 리키메르 같은 장군들이 할 일이 많았다. 그러나 그것은 또한 지는 게임의 정의 자체였다. 서방에서 로마는 이제 1000여 년 전에 차지했던 것보다 적은 영토를 지배해, 알프스산맥과 시칠리아섬 사이의 이탈리아반도와 갈리아 및 달마티아 일부에 불과했다. 조세 및 공급망은 흐트러졌다. 군대는 쪼그라들고 재정 지원이 부족했으며 시스템이 작동하지 않았다.

서방 세계에서의 가장 강력한 정치적 충성의 끈은 이제 더 이상 이질적인 여러 민족과 그들의 황제(또는 추상적인 제국 체계) 사이에 있지 않았다. 그것들은 이제 부족, 장군, 일시적으로 세력을 잡은 군벌에게 향했다. 여러 속주의 지주들은 로마가 자기네의 생명을 지켜줄 군사력과 자기네 재산을 지켜줄 법과 자기네를 이웃과 묶어줄 귀족문화를 제공한다고 생각했기 때문에 로마 제국에 공물을 바쳤다(그리고 관직을 가졌다). 이제 이 모든 것이 깨졌다. 로마의 일체성(집단 정체성)은 박살 나버렸다. 끝이 보였다.

서로마의 마지막 황제는 전통적으로 로물루스 아우구스투스라고 인식되어왔다. 별명이 아우구스툴루스('꼬마 황제')다. 그는 꼭두각시 지배자로, 그 아버지(한때 다름 아닌 아틸라의 비서로 일했던 오레스테스 장군이다)의 화신으로 제위에 오르던 475년 10월에 나이가 열다섯쯤이었다. 로물루스 같은 어린 황제는 그의 시대 같은 격동기에 동네북이기 십상이었다. 게다가 그에게는 이 자리에 대한 권리를 주장하는 경쟁자가 있었다. 전 달마티아 총독이라는 율리우스 네포스였는데, 그는 동방의 황제 제논에게 임명되었다. 이 불운한 10대의 어린 황제는 단지 열한 달 동안 제위에 있다가 이방인 위기로 퇴위했다.

이번 선동자는 헤룰리·루기·스키리의 고트 부족민 연합이었다. 그들은 붕괴한 훈족 제국에서 풀려나 로마 군대에 흡수되어 있었다. 복무에 대

유럽과 지중해 세계
(476년경)

한 보수를 더 받아야 한다고 생각한 그들은 476년 오도아케르라는 지도자 아래 반란을 일으켰다. 오도아케르는 약삭빠르고 지략이 있는 장교로, 키가 크고 수염이 무성했으며 자신이 큰일을 할 사람이라고 믿으며(젊은 시절 가톨릭 성자 노리쿰의 세베리누스와 만난 이후 간직해온 생각이었다) 두각을 나타냈다.[64]

476년, 오도아케르가 상당한 규모의 부대를 이끌고 라벤나를 향해 진군했다. 9월 2일, 그들은 파비아 전투에서 아우구스툴루스의 아버지 오레스테스를 격파하고 그를 처형했다. 이틀 후, 열여섯 살의 황제가 강제 퇴위되어 친척들과 함께 물러나 살도록 보내졌다.

이제 그 대신에 오도아케르가 이탈리아를 지배했다. 황제는 아니고 렉스rex, 즉 왕이었다. 그는 로마의 최고 권력이 콘스탄티노폴리스에서 나오는 것임을 분명하게 인정했다. 그러나 동방 황제 제논은 이를 기특하게 생각하지 않고 새 체제 인정을 거부했다. 이탈리아와 그 주변 지역의 지배자가 된 오도아케르는 알고 보니 집요한 사람이었다. 그는 관심을 서로마의 남은 부분을 지키는 것으로 한정하고, 마지막 남은 강력한 황권 주장자 율리우스 네포스 살해를 방조했다.

율리우스 네포스가 죽은 뒤 오도아케르는 황제의 상징물인 왕관과 외투를 콘스탄티노폴리스로 보내 또 다른 서방 황제를 세우는 것이 물리적으로 불가능함을 표시했다. 그 이후 이 칭호는 망각 속으로 빠져들어 갔다. 이것은 역사적인 사건이었지만, 이전 70년 동안에 걸쳐 일어났던 로마의 연결망, 권력 구조, 정치 단위의 점진적인 쇠락의 논리적인 결과일 뿐이었다.

종국

493년, 오도아케르왕은 이미 15년 이상 이탈리아를 통치하고 있었다. 그의 치세 이전에 재위했던 어느 시시한 서방 황제들에 비해서도 단연 긴 기간이었다. 그러나 권력을 유지하는 것은 쉽지 않았고, 콘스탄티노폴리스와의 관계는 불편과 걱정 사이에서 흔들거렸다. 그는 끊임없이 변화하고 대량 이주와 정치적 확실성 붕괴가 뒤얽혀 압박을 가하는 가운데서도 예외적으로 잘 버티며 살아남았다. 그러나 결국 자신을 만들어낸 세력들의 희생물이 되고 말았다.

가격한 사람은 또 하나의 고트족 지도자였고, 아마도 불가피한 일이었을 것이다. 5세기 말에는 다양한 부류의 고트족이 유럽 전역에 퍼져 있었다. (410년 알라리크의 지휘 아래 로마를 공격했던 분파인) 비시고트는 툴루즈를 수도로 해서 정력적으로 왕국을 건설했다. 그 최대 판도는 프랑스 중부 루아르강에서 이베리아반도 남쪽 끝까지 이르렀다. 그들로부터 동쪽 멀리 발칸반도에는 고트족의 다른 중요한 분파가 어슬렁거렸다. 오스트로고트(동고트)로 알려진 여러 게르만계 부족의 느슨한 연합체다. 5세기 말에 그들의 지도자는 티우다레익스(테오도리쿠스)였다.

티우다레익스는 매우 전통적이고 고전적인 양육을 받았다. 그는 대략 아틸라가 죽을 무렵인 454년 훈족 제국 안의 고트족 유력 가문에서 태어났다. 그러나 대략 훈족이 붕괴하던 시기에 일곱 살쯤이던 티우다레익스는 콘스탄티노폴리스로 보내졌다. 공식적으로 인질이었고, 동방 제국과 오스트로고트 사이의 평화 협정에 대한 인적 담보였다. 그러나 적국 수도에 있는 동안 티우다레익스는 고급 교육을 받았다. 그것이 그를 학식 있고 세련된 젊은 귀족으로 만들었다. 이방인으로 태어났지만 다른 모든 측면에서 그는 거의 로마화되어 있었다.

열여섯 살 때쯤 콘스탄티노폴리스 생활을 마감한 티우다레익스는 오스트로고트 동포에게로 돌아갔고, 470년대 초에 그들의 왕이 되었다. 처음에 그는 이 문제로 다른 고트 민족 집단 출신의 경쟁자('사팔뜨기' 티우다레익스)와 다툼을 벌였는데, 그를 물리치고 죽였다.

그 뒤 480년대에 그는 동방 제국 황제 제논과 계속 전쟁을 벌였다. 그절정은 487년이었는데, 티우다레익스가 군대를 이끌고 콘스탄티노폴리스를 포위했다. 자신에게 많은 것을 베풀었던 도시였다. 이때 제논은 티우다레익스로 인해 매우 지쳐 있었지만, 또한 기회를 발견했다. 이탈리아로부터 오도아케르왕이 동로마 땅으로 공격해 들어오고 있었다. 제논은 두가지 문제를 한 방에 풀기로 결정했다. 그는 티우다레익스와 평화 협정을 맺고 그를 서방으로 보냈다. 그에게는 간단한 거래 조건을 제시했다. 티우다레익스가 오도아케르를 쫓아낸다면 그는 이탈리아를 차지할 수 있었다. 이방인을 이방인에게 맞서게 하는 이이제이以夷制夷 전략이었다.

489년 여름, 티우다레익스와 오도아케르 사이의 잔인한 전쟁이 벌어졌다. 그해 8월 말 이손초 강변(거의 1500년 뒤에 1차 세계대전에서 10여 차례의 끔찍한 전투가 벌어진 곳이다)에서 벌어진 한 초기 전투에서 오도아케르의 군대가 매복해 티우다레익스의 병사들을 기다렸지만, 패배하고 흩어져다시 이탈리아로 쫓겨갔다. 490년, 오도아케르는 파비아에서 티우다레익스를 포위했다. 이후 두 지도자의 군사들은 거듭 충돌했다. 서서히, 그러나 확실하게 전세는 티우다레익스의 우세 쪽으로 기울었다.

493년에 그는 오도아케르를 다시 라벤나로 몰아붙였고, 그곳에서 마지막 포위전을 전개했다. 몇 달 동안 철저한 봉쇄 끝에 겨울이 시작되었고, 그와 함께 전쟁은 교착 상태에 빠졌다. 계속 싸우기가 어렵게 된 오도아케르가 종전終戰을 청했고, 두 지도자는 왕국을 둘이서 나누어 갖자는 협정에 합의했다.

493년 3월 15일, 이 치열한 전쟁이 행복하게 끝난 일을 축하하는 성대한 잔치가 벌어졌다. 오도아케르가 즐기는 마지막 잔치였다. 오도아케르가 연석에 앉자 티우다레익스의 부하들이 그를 체포했다. 매복에 당하고 수적으로도 밀렸던 그는 자신을 방어할 수 없었다. 그저 티우다레익스가 칼을 뽑아 들고 자신에게 다가오는 모습을 공포에 질려 바라볼 뿐이었다. 안티오케이아의 요안네스라는 후대의 그리스 역사가는 이렇게 썼다.

티우다레익스가 쑥 앞으로 나와 칼로 (오도아케르의) 쇄골을 내리쳤다. 오도아케르가 외쳤다. "하느님, 살려주세요!" 그 일격은 치명적이었다. 칼은 오도아케르의 몸을 꿰뚫고 등 아래쪽으로 나왔다.

티우다레익스는 쓰러진 적수에게 경멸을 보냈다. "이 악당은 몸에 뼈도 없군."[65] 그런 뒤에 그와 그 부하들은 라벤나 성내로 향했다. 오도아케르의 가족과 일당을 잡아 죽이기 위해서였다. 몇 시간 안에 변란은 마무리되었다. 이 전쟁은 3년 반이 걸렸지만, 티우다레익스는 이제 이탈리아의 왕이었다.

493년 이후 오스트로고트족은 라벤나와 북부 이탈리아의 몇몇 다른 도시 일대에 정착했고, 이후 30여 년에 걸쳐 티우다레익스는 가장 웅대한 로마의 전통을 따라 대담한 새 국가 건설 사업에 착수했다. 그의 이탈리아 원정은 가차 없었고, 그가 마지막으로 왕권을 거머쥐는 과정에서는 피가 튀고 무자비했다. 그러나 티우다레익스는 이미 손아귀에 든 이탈리아 지도층에게 더 피를 흘리게 할 생각은 없었다. 그는 자신의 새 왕국의 귀족과 관료를 숙청하는 데 반대했고, 콘스탄티노폴리스에 사절을 보내 그곳에 있는 황제의 관점에서 자신의 정통성을 확인했다. 자신이 로마에서 교육받은 것을 강조하고, 자신의 왕정을 "하나뿐인 제국의 모방"이라고 불렀다.[66] 497년 무렵, 그의 열렬한 추종은 열매를 맺었다. 제논의 후계자 아나스타시우스 1세는 조심스럽게 그의 왕권을 승인했다.

콘스탄티노폴리스와의 여러 가지 사소한 다툼이 기다리고는 있었지만, 티우다레익스는 자신이 로마의 기성 세력에게 받아들여질 수 있음을 금세 확신했다. 따라서 그는 로마적인 것을 최대한 모방하는 일에 나섰다. 그는 아리우스파 기독교도였지만 니카이아파 주교와 로마 교회를 수용하고 존중하기 위해 많은 노력을 기울였다. 그가 많은 서방의 신생 이방인 국가(특히 프랑크인과 부르군트인의 왕국)의 관행처럼 자신의 법을 만들기보다 로마 법전에 따를 것임을 강조했다.

그는 군사 원정과 결혼 동맹으로 북아프리카의 반달족과 평화를 확보했으며, 사방으로 뻗어가는 비시고트 왕국과 긴밀한 정치적 유대 관계를 확립했다. 그곳에 511년 자신이 보낸 왕(외손자 아말라레익스)을 받아들이도록 해, 대서양에서 아드리아해까지 뻗치는 거대한 범汎고트 왕국을 꾸려냈다.

티우다레익스는 '대왕'이라는 별호를 가질 운명이었고, 자신이 알았던 대로의 삶을 살았다. 수도 라벤나 같은 시범 도시들에서 그는 방어 성벽, 거대한 궁궐, 대성당, 영묘靈廟, 공공건설에 막대한 투자를 했다. 모두 명장名匠을 동원해 장식했다. 오늘날에도 라벤나를 방문하면 이 오스트로고트왕의 놀라운 예술적 식견을 느낄 수 있다. 산타폴리나레누오보 대성당의 모자이크 장식(상당 부분이 티우다레익스의 발주로 만들어졌다)은 숨이 멎을 듯하다. 이들과 티우다레익스 영묘 같은 이 도시의 다른 기념물은 이 새로운 이방인 시대의 놀라운 영광에 대한 증거다.

티우다레익스는 남의 눈을 의식하며 이전 로마 황제들을 본보기 삼아 자신의 왕정을 펼쳤다. 그러나 그의 왕국은 로마 제국이 아니었다. 서방에서 상황은 완전히 바뀌었다.

티우다레익스가 얼마나 통이 크고 전통을 존중하며 행동했든 상관없이, 그리고 그가 30년 이상 재위했다는 사실에도 상관없이, 526년 이 오스트로고트왕이 죽었을 때 세계는 급격하게 변해 있었다. 지배자와 지주의 민족 정체성이 바뀌었을 뿐만 아니라, 그들의 정치적 식견과 행정 체계 역시 변했다. 제국은 콘스탄티노폴리스에 존속했지만, 그곳에는 다가올 수백 년 동안 여러 가지 새로운 문제(새로운 종교, 새로운 기술, 새로운 연결망, 새로운 질병)가 모습을 바꾸어 다시 나타났다. 그러나 서방에서는 왕과 왕국이 빠르게 황제와 제국을 대체해, 우리가 그것을 다시 살피게 될 때 이제까지처럼 떠돌아다니는 이방인과 어린 황제의 세계보다는 눈에 띄게 더 '중세적'으로 보일 시대를 맞아들이고 있었다.

370년 훈족이 볼가강을 건너고 난 뒤 100여 년 동안은 정말로 이상스럽고 요동치는 시기였다. 기후 변동과 인간 이주의 압도적인 힘에 모든 것이 뒤집어지고 움직이기 시작했다. 기회, 야망, 개인의 작용이라는 통상적이고 임의적인, 우연한 역사의 동인動因에 더해진 것이었다. 당시 사람들에게 삶은 당혹스럽게 느껴질 수 있었고, 그러므로 4~6세기의 작가들이 나중에 중세 서방 전역에서 널리 유행하게 되는 은유에 의지하게 되는 것은 아마도 놀라운 일이 아닐 것이다. 바로 '운명의 바퀴' 비유다. 암미아누스 마르켈리누스가 4세기의 사건들을 이런 방식으로 보았고, 이 시기 다른 쪽 끝의 다른 유명한 작가(그는 티우다레익스 시대에 라벤나에서 일하며 살고 있었다)도 마찬가지였다.

아니키우스 만리우스 세베리누스 보에티우스(보통 보에티우스라고만 부른다)는 마지막 서방 황제인 어린 아우구스툴루스가 오도아케르에 의해 자리에서 쫓겨나기 전해에 이탈리아의 뼈대 있는 로마인 가정에서 태어났다. 보에티우스는 머리가 좋았고 완벽한 귀족의 자격을 갖추었으며, 스물다섯의 나이에 로마를 흉내 낸 티우다레익스의 왕국에서 원로원 의원이 되었다. 25년 뒤인 522년, 이제 중년의 보에티우스는 행정 관료의 최고 위직인 마기스테르 오피키오룸(민정총리)에 올랐다. 그러나 그렇게 높이 올랐으니 떨어지는 폭도 컸다.

523년, 티우다레익스는 삶의 막바지에 다가서고 있었고, 왕국에는 문제가 진행 중이었다. 동방 황제 유스티누스 1세와 갈등이 생겼고, 콘스탄티노폴리스와 접촉하고 있다는 그곳 원로원의 반역자들에 대한 소문이 따라다녔다. 열띤 논쟁 과정에서 보에티우스는 국가의 적들을 옹호했다는 죄목으로 기소되었다. 그 결과 그는 체포되고 투옥되고 재판을 받고 사형을 선고받았다.

보에티우스는 일생 동안 넓은 범위의 주제에 관한 글을 썼다. 그의 관심 범위는 수학, 음악, 철학, 신학 등에 미쳤다. 그러나 그는 자신의 가장 유명한 작품을 자신의 범죄에 대한 처형을 기다리며 감옥에서 썼다. 그의 《철학의 위안》은 세속적인 문제를 신학적인 맥락에서 다루고자 했다. 보에티우스와 철학을 의인화한 필로소피아 부인 사이의 대화 형식으로 쓰인 이 글은 덧없는 인생의 영고성쇠 뒤에서 작동하는 더 고차원적인 힘이 있음을 받아들이도록 독자에게 요구한다. 그는 사색 과정에서 '운명의 바퀴'라는 관념에 주목한다. "따라서 이제 당신이 운명의 여신의 지배에 몸을 맡긴다면 여신의 방식을 순순히 따라야 한다. 당신이 만약 운명의 여신이 돌리는 바퀴를 멈추게 하려 한다면 당신은 온 세상 사람 가운데 가장 우둔한 사람이다."[67]

이 위대한 철학자는 자신의 작품을 마무리 짓고 곧 무서운 고문을 당한 뒤 몽둥이에 맞아 죽었다. 오스트로고트의 위대한 왕 티우다레익스 역시 그로부터 2년도 되지 않아 숨을 거두었다.

그들 앞에, 낯선 신세계가 열리고 있었다.

3장

동로마인들

헛되고 헛되다. 모든 것이 헛되다.

— 반달의 왕 겔리메르

에페소스의 요안네스는 소아시아의 이교도에게 세례를 베풀기 위해 황제가 파견했다. 그러나 그가 막상 가보니 그곳은 죽음의 지역이었다. 마을마다 병자와 이재민이 거리에서 비틀거리고 있었고, 그들은 배가 부어오르고 눈이 충혈되었으며 입에서 고름이 새어 나왔다. 커다란 집에는 온 가족과 그 하인이 모두 죽어 아무 소리도 들리지 않았고, 방마다 시체가 들어 있었다. 뒤틀린 시신이 묻히지 않고 널브러진 채 그 몸통이 한낮의 열기 속에서 썩고 터졌으며 그 살을 배고픈 개들이 일부 뜯어먹었다. 크고 작은 길이 텅 비었고, 통상적인 교역과 통행도 뚝 끊겼다. 황량한 마을에는 농작물과 과일을 수확할 일손이 전혀 없었다. 가축들은 돌보는 사람이 없어 제멋대로 시골을 떠돌아다녔다.

삶은 공포의 연속이었다. 세상에 종말이 온 것 같았다. 요안네스는 길을 가다가 팔에 직접 만든 인식표를 두른 사람들을 만났다. "나는 어느 동네에 사는 아무개의 아들 아무개입니다. 내가 죽으면 제발 자비와 호의를 베풀어, 우리 식구들이 와서 나를 묻도록 우리 집에 알려주세요."[1] 그는 대도시에서는 매일 수천 명(심지어 수만 명)이 죽어 그 시체가 무더기로 쌓였다가 공동묘지로 간다는 이야기들을 들었다. 요안네스는 구약의 선지자 예레미야의 〈애가哀歌〉를 본떠 자신이 목격한 공포스러운 일을 기록했다. 그는 이렇게 썼다. "사신死神이 우리의 창문으로 들어왔다. 현관으로 들어왔다. 그래서 우리의 집을 황폐하게 만들었다."[2] "이제 그들은 모두 죽었다. 주님의 이름을 기억하지 않았기 때문이다."[3]

요안네스가 자신의 글에서 그려낸 세상의 종말과도 같은 장면은 역사에 기록된 첫 세계적 전염병 유행의 최전선에서 보내온 기록이었다. 이 질병은 페스트균 박테리아로 인해 생긴 선腺페스트의 일종으로, 작은 포유동물 사이를 뛰어다니는 벼룩과 곰쥐, 사람을 통해 확산되었다. 이것은 6세기 중반에 알려진 세계인 세 대륙 모두에 급속히 퍼져 사하라사막 이남의 아프리카, 서아시아, 중국, 중앙아시아, 지중해 연안, 서북 유럽을 황폐화했다. 카이사레이아의 프로코피오스는 이렇게 썼다. 이 질병은 "섬이건 동굴이건 산등성이건, 사람이 사는 곳이라면 예외가 없었다. 그리고 어느 지역을 감염자 없이 또는 대수롭지 않게 지나갔더라도 나중에 다시 돌아왔다."[4] 현대의 고고학 연구는 페스트균이 먼 서쪽의 브리타니아, 갈리아, 히스파니아, 남부 게르마니아까지 퍼졌음을 확인했다.[5] 확산된 어느 곳에서든 증상은 겨드랑이와 사타구니의 림프절이 크고 검게 부어오르고, 섬망이나 혼수상태에 빠지며, 토혈吐血을 하고, 임신한 여성의 경우에는 유산을 하는 등으로 나타났다.

정확한 수치는 결코 알 수 없을 테지만, 이 무서운 질병(그것이 발생한 시기의 동로마 황제 이름을 따서 '유스티니아누스 전염병'으로 불렸다†)은 아마도 수백만 명, 어쩌면 수천만 명의 목숨을 앗아갔을 것이다. 그 가운데 상당수는 541년에서 543년 사이에 일어났다. 최근에 일부 역사가들은 에페소스의 요안네스 같은 작가들이 이 유행병의 확산과 치명률, 중요성을 과장했다고 주장했다. 학자들은 전체 사망자 수에 관해 좀 더 회의적인 주장을 폈다.[6] 그들의 주장은 일리가 있어 보인다. 그럼에도 불구하고 6세기에 살았던 많은 사람이 자기네가 엄청난 역사적 중요성을 가진 시대를 산다고 느끼고 있었다.

그들은 옳았다. 유스티니아누스 전염병이 그 자체만으로 세계를 변화시킨 것은 아니었다. 그러나 그것은 이 책의 이전 장이 끝난 520년대에서 다음 장이 시작되는 620년대 사이에 일어난 변화와 개혁, 재편과 선두 경쟁이라는 더 큰 이야기에서 중요한 부분이었다. 그것은 로마 제국 후기의 형성에 이바지한 100년이었으며, 지중해 동부와 서부 사이의 관계 형성에 이바지한 100년이었으며, '그리스어권'과 '라틴어권' 사이의 문화적 균형 형성에 이바지한 100년이었으며, 로마 제국과 페르시아 제국 사이의 지역적 관계 형성에 이바지한 100년이었으며, 입법과 큰 종교와 도시 계획과 위대한 예술가의 탄생에 이바지한 100년이었다. 첫 번째 세계적 유행병과 아울러 세계적 기후 충격에 시달렸던 이 시기에 이후 1000년 가까운 기간 동안 지중해 세계에 영향을 미칠 정치 현실과 사고 유형이 만들어졌다.

이 모든 것을 이해하기 위해서는 6세기의 동방 로마 제국의 탄생(또는

---

† 시적인 표현에 대해 엄격한 공정성을 요구하고 이 질병에 단일 지배자의 이름을 붙이지 말아야 그것을 더 잘 이해할 수 있다고 생각하는 일부 현대 역사가들은 '유스티니아누스 전염병' 대신 '중세 초 유행병(EMP)'으로 부른다. 예컨대 Horden, Peregrine, 'Mediterranean Plague in the Age of Justinian' in Maas, Michael (ed.), *The Cambridge Companion to the Age of Justinian* (Cambridge: 2005), p. 134를 보라.

재탄생)에 초점을 맞출 필요가 있다. 이때가 역사가들이 일반적으로 로마와 로마 제국을 더 이상 이야기하지 않고 동로마 제국을 언급하게 되는 시기다. 동로마는 동방과 서방 사이의 완충 지대 역할을 한 그리스어 사용자들의 후계 국가이며, 수백 년을 지속한 뒤 십자군에게 유린당하고 그 뒤 오스만에 먹혀버렸다. 오스만의 침략은 중세의 종말을 알리는 사건이었다. 우리를 이 여행으로 데려다줄 최적의 인물이 바로 유스티니아누스다.

흔히 최후의 진정한 로마인으로 묘사되는 유스티니아누스는 비방을 많이 받았다. 이방인의 정복 이후 자신의 제국을 재건하려 하면서 남을 짓밟는 일을 서슴지 않았기 때문이다. 작가 프로코피오스는 그를 가면을 쓴 악마라고 불렀다. 1조†나 되는 사람의 피를 손에 묻혔다는 것이다. 유스티니아누스는 "로마 땅의 부를 기꺼이 떨어버리고 모든 사람을 가난하게 만든 장본인이었다."[7] 많은 사람이 이에 동의할 것이다. 그러나 다른 사람, 특히 유스티니아누스와 직접 맞닥뜨리지 않은 사람들에게 유스티니아누스는 아우구스투스나 콘스탄티누스와 같은 반열로 언급되어야 할 성스러운 황제였다. 그들에게 그는 자신의 시대의 한계를 멀리 벗어나 엄청난 빛을 발하는 거인이었다. 너무도 강렬해서 수백 년 뒤 단테 알리기에리는 그를 전형적인 로마인으로 '천국'에 배치했다. 비길 데 없는 입법자이자 찬란하고 최고의 재능을 지닌 황제로서, 그는 내세에서 햇빛처럼 밝고 눈부신 빛에 둘러싸여 나타나게 된다.[8]

---

† 글자 그대로 '1만의 1만 배의 1만 배'다. 당연히 이를 정확한 사망자 수를 이야기하는 것으로 받아들일 수는 없다. 큰 수치를 그럴듯하지 않은 것에서 불가능한 것으로 부풀리는 프로코피오스의 재능은 역사 기록자가 시적인 과장을 예술 형식으로 삼았던 중세에도 타의 추종을 불허했다.

유스티니아누스와 테오도라

527년 8월 1일, 나이 든 로마 황제 유스티누스가 발에 생긴 궤양으로 사망했다. 재위 9년 만이었고, 콘스탄티노폴리스의 황제 자리는 생질이자 양자인 유스티니아누스에게 물려주었다.

권력 이동은 매끄러웠다. 유스티누스는 이미 유스티니아누스를 공동황제로 지명했고, 유스티니아누스는 동방 속주들에서 업적을 내기 시작했다. 불안정한 도시들의 폭동을 진압하기 위해 법적인 명령인 칙령을 내려보냈고, 예루살렘에 교회들을 건설했으며, 526년 봄의 대규모 지진 피해를 당한 시리아의 도시 안티오케이아의 복구와 인도적 구제에 자금을 지원했다. 이에 앞서 유스티니아누스는 집정관이라는 고위직에 있으면서 자신의 재임을 드러내기 위한 방대한 민간 사업을 지원했다. 유스티니아누스가 공식적으로 제위에 오르기 전에도 많은 사람이 그를 제국의 실권자라고 생각했다. 527년 이후에 그는 실권자가 되었다.

유스티니아누스는 단독 황제가 되었을 때 40대 중반이었다. 라벤나에 있는 산비탈레 성당 중앙 제단에 있는 금색 섞인 유명한 모자이크를 보면 유스티니아누스는 얼굴이 둥글고 약간 불그스름하며 눈꺼풀이 두껍고 눈이 갈색이다. 입은 자연스럽게 오므리고, 귀 위로 깎은 머리칼 가닥 사이에는 진주를 끼웠다. 이는 안티오케이아 출신의 그리스 역사 기록자 요안네스 말랄라스의 묘사와 일치한다. 그는 유스티니아누스가 베데리아나(현재의 북마케도니아 소재)에서 태어났으며, 잘생겼다고 말했다. 키가 약간 작고 머리가 벗어지기는 했지만 말이다.

유스티니아누스는 외숙과 마찬가지로 발칸반도 출신의 시골뜨기였지만 라틴어를 사용했고, 제국이 종교적으로 칼케돈파와 합성론파(=단성론파)로 갈려 있고 황제들이 이 두 경쟁 진영의 이쪽 또는 저쪽에 줄을 서도록 강력한 요구를 받는 시기에† 칼케돈파 기독교를 신봉했다. 말랄라스는 유스티니아누스가 "도량이 넓은 기독교도"[9]였다고 생각했다. 그러나 40년 가까운 그의 치세 동안에 달리 생각하는 사람도 많았다.

이 황제에 대한 가장 찐득한 아첨꾼(이자 가장 강력한 비방꾼)은 역사 기록자인 카이사레이아의 프로코피오스였다. 여러 해 동안 믿음직한 제국 행정 요원이었던 프로코피오스는 유스티니아누스의 전쟁과 대민 행정에서의 업적에 관한 역겨운 기록 몇 가지를 썼다. 역사 이야기와 뻔뻔한 선전을 섞은 것들이었다. 그러나 그가 자기 주인을 혐오하게 된 시기에, 그리고 550년대에 쓰인 《비사祕史》라는 제목의 재기 넘치는 소책자에서 프로코피오스는 과거의 친구보다 더 악독한 적은 없음을 보여주었다.

그는 유스티니아누스의 통통한 뺨에 어떤 자연스러운 정감이 있지만 사실 유명한 도미티아누스 조각상(서기 1세기의 이 악명 높은 폭군이 암살된 뒤 만들어졌다)을 닮았다고 이기죽거렸다. 이 비교는 완전한 심술이었을 뿐만 아니라 정치적으로 타격을 입히려는 의도도 있었다. 프로코피오스는 이어 유스티니아누스에 대해 이렇게 썼다. "가식적이고 교활하고 위선적이고 기질상 비밀이 많고 표리부동하고, (…) 믿을 수 없는 친구이자 냉혹한 적이며, (…) 살인과 약탈에 매우 몰두했다. 다투기를 좋아하고 무엇보다 혁신가이며, (…) 무언가 좋은 것을 언급만 해도 본능적인 반감을 가지고 재빨리 흉계를 꾸며 그것을 실행한다." 프로코피오스는 이렇게 결론지

---

† 이 분열은 교회사 속의 다른 많은 분열과 마찬가지로 그리스도의 본성에 초점을 맞추었다. 구불구불 복잡한 이야기를 단순화하면 칼케돈파는 그리스도가 인간과 신의 두 본성을 지니고 그것을 하나의 존재 속에서 결합했다는 451년 칼케돈(현재 이스탄불의 한 구역이 된 도시다) 공의회의 결론에 동의했고, 합성론파는 그리스도가 단 하나의 본성, 즉 신성神性만을 지닌다고 생각했다.

었다. "조물주가 다른 모든 사람이 지닌 나쁜 성향을 모두 거두어다 이 사람의 영혼 속에 처박은 듯했다."[10] 이것은 자극적인 스케치였다. 그러나 이는 프로코피오스가 유스티니아누스의 아내이자 황후인 테오도라에 대해 쌓아놓은 비방에 비하면 아무것도 아니었다.

테오도라도 유스티니아누스와 마찬가지로 황궁에 도달하기까지 사회에서 오랜 과정을 밟아 올라왔다. 아버지는 곡예단의 곰 조련사였고, 어머니는 배우였다. 테오도라는 어려서부터 10대까지 공연장 연기자였고, 비방자의 말이 믿을 만하다면 훨씬 처참했다. 산비탈레 성당 모자이크에서 남편의 반대편에 있는 테오도라는 우아하고 날씬하며 자기瓷器와 같은 안색이다. 입은 작고, 검은 눈은 보석이 잔뜩 박힌 관 아래서 고요하게 응시하고 있다.

말랄라스는 테오도라가 자비롭고 독실한 성격이라고 했다.[11] 그러나 프로코피오스는 테오도라가 한때 항문성교를 전문으로 하는 꼬마 매춘부, 더러운 농담을 지껄이고 여러 부류의 남자들에게 몸을 파는 입이 험한 10대의 거리 여자, 거위가 자신의 속바지에서 보리를 쪼아 먹도록 훈련시킨 저속한 무용수였으며 마침내 부패한 제국 관리의 정부가 되었다는 소문을 즐겁게 되뇌었다. 그런 재주가 있어 유스티니아누스에게 뽑혔다는 것이다.[12]

이 가운데 상당수는 여성혐오에서 나왔고, 또 일부는 테오도라가 합성론파를 신봉하는 데 대한 혐오감에서 나왔고, 나머지는 개인적인 앙심에서 나왔다. 분명히 유스티니아누스는 낮은 사회적 신분 출신의 테오도라와 결혼하기 위해 제국의 법을 바꾸도록 강요했다. 그러나 프로코피오스의 사악한 인신공격은 테오도라가 평생에 걸쳐 제국의 통치에 중요한 역할, 특히 제국 전역에서 영적이거나 때로는 물리적인 다툼을 벌인 신학적 분파를 다루는 데서 유스티니아누스를 도왔다는 사실을 무시했다. 프로코피우스는 오늘날의 재능 있는 선정적 언론인처럼 성性과 비방과 냉소가 언제나 자발적인 독자를 끌 수 있음을 알고 있었다. 그들에게는 진실보다 외설이 더 중요한 것이다. 유스티니아누스와 테오도라는 성과와 명성이 정말로 너무 달콤해 무시할 수 없는 부부였다.

법전과 이단

527년 여름 유스티니아누스와 테오도라가 권좌에 올랐을 때 제국은 산적한 문제에 직면해 있었다. 콘스탄티노폴리스가 서방을 집어삼킨 이방인 위기를 견디고 살아남아 훈족과 고트족의 공격에 저항했지만, 그리고 제국의 재정은 여전히 꽤 건실했지만, 유스티니아누스는 치세 첫 10년 동안 두 개의 전선에서 큰 전쟁을 벌이게 된다. 그를 완전히 거꾸러뜨릴 수 있는 위협이었던 국내의 반란을 진압하는 일과 수도의 상당 부분을 재건하는 일이었다.

그러나 유스티니아누스는 즉위하면서 자신이 직면한 가장 시급한 과제가 사법 개혁이라고 생각했다. 그는 열정적인 입법자였고, 그의 통치 철학은 그의 법조문 가운데 하나에 나오는 금언에 요약되어 있다. "황제는 무기로 영광을 더해야 할 뿐만 아니라 법으로 무장해야 한다. 전시에나 평화시에나 좋은 통치를 펼치기 위해서다."[13] 그가 생각하기에 법의 완결성은 독실함 및 그의 지배에 대한 신의 인가와 긴밀하게 연결되어 있었다. 이에 따라 유스티니아누스는 통치를 시작하고 여섯 달이 되기 전에 전체 로마법 체계에 대한 개혁과 재정리를 명령했다.[14]

이 거대한 업무를 수행하도록 유스티니아누스가 지명한 위원회는 트리보니아노스라는 젊고 활기 넘치는 그리스인 법률가의 지휘 아래 소집되었다. 그와 함께 콘스탄티노폴리스의 가장 예리한 몇몇 법조인이 작업에 나섰으며, 그들은 함께 엄청난 분량의 제국 법률을 재검토했다. 아우구스투스까지 거슬러 올라가는 역대 황제가 제정한 법률 모음이다.

이들 법률가는 유스티니아누스가 즉위한 지 불과 20개월 만에 이 법률들을 《유스티니아누스 법전》으로 알려진 로마법의 단일 확정본으로 요약하고 편집하고 정리했다. 이 법전은 529년 4월 7일 반포되었으며, 제국의 모든 속주에 전달되어 그곳에서 자동적으로 다른 모든 법전을 대체했다. 그것이 완벽하지는 않았다. 모순점을 해소하기 위해 534년 12월에 2판이 나왔다. 이것 또한 하나의 로마법으로 확정되어 완벽하게 규정되고 영원 불변하는 것은 아니었다. 법은 본질상 끊임없이 진화하는 것이다. 유스티니아누스는 성격상 열심히 새로운 법령들을 반포했고 그것을 학자들이 수집해 《신법령》으로 정리했다.

그럼에도 불구하고 《유스티니아누스 법전》은 경이적인 성과였다. 그것은 12권으로 이루어져 민사, 교회, 형사, 공공에 관한 법을 망라했다. 그것은 명료화와 행정 간소화의 단련이었으며, 중세의 헌정 개혁에 금과옥조를 제공했다. 프로코피오스는 이렇게 썼다. "법이 필요 이상으로 많아져 모호해지고 서로 모순되어 혼동이 일어나는 것을 발견한 그는 수많은 말장난을 덜어냄으로써 본뜻을 보존했다."[15] 말장난을 일삼는 역사 기록자의 이야기라는 점을 감안하면 참으로 대단한 칭찬이었다.

그러나 《유스티니아누스 법전》은 그의 재위 초 사법 개혁 가운데 하나일 뿐이었다. 그것이 반포된 이듬해 트리보니아노스에게 또 다른 거대한 작업이 주어졌다. 구체적인 로마법의 세목을 정리한 그는 이제 고전적인 대법률가들의 저작 모음에 들어 있는 법학을 이해하기 위해 전문가 명부를 작성했다. 가이우스, 파피니아누스, 울피아누스, 파울루스 등 제국 시대의 대법률가 대부분은 기독교 공인 이전 시기에 살고 글을 썼다. 따라서 그들의 이야기는 자주 모순을 일으킬 뿐만 아니라 반종교적인 이야기도 서슴지 않았다. 그들은 기독교도가 아니었기 때문에 당연히 기독교적 정서가 결여되어 있었다. 그리고 유스티니아누스는 신앙이 없는 사람을 좋아하지 않았다. 이에 따라 트리보니아노스가 맡은 일은 고대의 위대한 저작들을 전능한 신에 비추어 합리화하고 개선한 로마 법학의 단일 표현을 만들어내는 것이었다.

이 사업은 두 단계로 나타났다. 이른바《50개의 판결》과 이어서 533년 12월에 나온《요람》(또는《총람》)이다. 그리고 여기서도 트리보니아노스는 잘 해내, 관료주의적 어수선함에 대한 말끔한 해법을 황제에게 제공했다. 여러 세대 동안 로마인은 복잡하고 느리고 타락한 고풍의 법령에 대해 불평해왔다. 이제 그것이 모두 정리되었다.

《요람》이 나온 직후에 뒤따라 나온 유스티니아누스 사법 개혁의 마지막 결과물은《유스티니아누스법 원리》였다. 이는 사실상《요람》의 색인 격으로, 베이루트와 콘스탄티노폴리스의 제국 공식 법학교에서 법률 훈련생들이 사용하도록 만들어진 것이었다. 이것은 새 법에 대한 실용적인 입문서 역할을 했으며, 갓 입문한 젊은 법률가가 바로 유스티니아누스가 원하는 대로 생각하도록 보장했다.《유스티니아누스 법전》가운데 하나는 이런 내용이다. "우리 신민은 살아서나 죽어서나 우리가 영원히 보살펴야 한다." 이것은 장례를 규정하는 법의 전문前文이다. 그러나 이 말은 황제의 포부에 대한 일반적인 진술로 쉽게 읽힐 수 있다. 과거든 현재든 미래든 로마인의 삶의 모든 측면에 자신의 흔적을 남기겠다는 것이다.

그리고 그것을 칼뿐만이 아니라 말을 통해서도 하겠다는 것이다.

물론 6세기에 일어난 로마법의 개혁이 바탕 없이 이루어진 것은 아니었다. 서방의 이방인 왕국(프랑크족·부르군트족·비시고트족의 왕국들)에서 다른 지배자들이 수시로 자기네의 법전을 만들도록 주문했다. 그러나 그것은 성공적이고 지속적인 로마 체계 전체에 대한 정밀 작업에 비하면 정말로 시시한 것이었다.

콘스탄티노폴리스와 동방 제국에서 유스티니아누스의 사법 개혁은 입법의 새로운 시대와 특히 법학사상의 '그리스' 시대가 열리는 표지였다. 그리고 유스티니아누스 시대에 만들어진 로마법은 서방에서 토대의 위치를 차지하게 된다. 12세기에 그것은 볼로냐, 파리, 옥스퍼드 같은 곳에 생겨난 중세 대학에서 숭배될 정도로 높은 평가를 받았다(11장 참조). 후대인 19세기 《나폴레옹 법전》(1804년의 프랑스 민법 대개혁)은 명백히 유스티니아누스의 사례를 본뜬 것이었다.[16]

사실 현대 세계에서 성문법(예컨대 영국의 법체계를 지배하고 있는 불문법과 반대되는 것이다)을 가지고 있는 모든 나라는 유스티니아누스와 트리보니아노스의 덕을 입고 있다고 주장할 수 있을 것이다. 본래 이런 것까지 의도하지는 않았을지라도 그것은 엄청난 공적이었다. 유스티니아누스는 5년 남짓한 집중적인 통치 활동을 통해 제국의 법체계를 다시 짜고 1500년이 지난 현재까지도 확인할 수 있는 방식으로 법 관념을 개조했다. 그리고 그는 막 시작을 했을 뿐이었다.

새 황제 유스티니아누스는 트리보니아노스가 자신의 사법 개혁 작업을 지휘하고 있는 동안에 이단, 비정통, 불신앙, 성적 방종 등 복잡한 문제에도 관심을 돌렸다.

여기서도 해야 할 일이 많았다. 그가 맞닥뜨린 가장 처리하기 어려운 과제 가운데 하나는 제국 교회 안의 분열과 이단이라는 난제를 헤쳐나가는 것이었다. 그가 즉위할 무렵, 5세기 이방인 침공 시기에 서방 제국을 괴롭혔던 아리우스파와 니카이아파 사이의 다툼은 칼케돈파와 합성론파 사이의 또 다른 논쟁으로 확전되어 있었다. 이들은 그리스도의 정확한 본질과 신의 인성人性 및 신성神性의 균형에 관해 생각이 달랐다.[17]

이 두 집단 사이에 있었던 문제는 오늘날 전문적인 교회사가가 아니라면 알 수 없는 일일 것이다. 그러나 6세기에는 그것이 대중 봉기를 일으키고 국제적 외교 위기를 불러오기에 충분한 문제였다. 주교들이 신도들의 생각과 다른 견해를 밝혔다가 군중들에게 살해되었다. 이 문제를 둘러싸고 로마 교회와 콘스탄티노폴리스 교회 사이의 공식적인 분열이 484년에서 518년까지 이어졌다(콘스탄티노폴리스 총대주교 아카키오스의 이름을 따서 '아카키오스 분열'이라 한다). 그리고 제국의 수도는 굳건한 칼케돈파였지만, 그 바깥의 광범위한 지역은 확고부동한 합성론파였다. 제국의 곡창인 이집트도 후자였다. 신앙 문제 때문에 이 지역을 잃는다는 것은 바람직한 일이 아니었다. 그러나 그것은 현실이었다.

이런 점에서 유스티니아누스는 재위 내내 칼케돈파와 합성론파 사이에서 줄타기를 해야 했는데, 아내 테오도라가 열렬한 합성론파였고 그 종파 사람들을 보호하기 위해 노력한 데서 도움을 받았다. 황실이 어느 한쪽으로 치우치지 않았다는 인상을 준 것이다. 그러나 유스티니아누스는 로마법 개혁에서 보여준 것처럼 진정으로 확실하게 이 문제를 꽉 장악하지는 못했다. 기껏 말할 수 있는 것이라고는 이 논쟁이 또 다른 기독교 세계의 분열로 악화하는 것을 그가 피했다는 정도다.

그러나 다른 곳에서는 유스티니아누스의 억압 본능과 정통 추구가 보다 깊숙하게 느껴졌다. 그는 성적 일탈에 특히 까다롭게 굴었다. 부도덕한 행위는 유스티니아누스의 깔끔한 성격에 거슬렸다. 그리고 걱정할 그런 일이 많은 듯했다. 이 황제가 특별히 걱정한 것으로 남색男色과 소아성애小兒性愛 등이 있었고, 그런 사람이 걸리면 가차 없이 처벌했다.

요안네스 말랄라스는 로마 성직자의 규범을 높이기 위한 한 맹렬한 운동의 세부 내용을 기록했다. 528년의 일을 그는 이렇게 썼다. "여러 속주 출신의 주교 일부가 (…) 동성애 행위로 고발되었다. 그 가운데는 로도스의 주교 이사야와 (…) 마찬가지로 (트라케의 주교) 알렉산드로스도 있었다." 이 두 성직자와 기타 사람들은 콘스탄티노폴리스로 소환되어 시 행정관으로부터 신문을 받았다. 유감스럽게도 그들에게는 좋은 핑곗거리가 없었다. 행정관은 "이사야를 심하게 고문하고 그를 추방했으며, 알렉산드로스는 성기를 절단한 뒤 들것에 태워 조리돌렸다." 다른 용의자들은 성기에 뾰족한 밀짚을 꽂아 광장에서 공개 망신을 주었다. 이것은 로마인의 잔인한 오락일 뿐만 아니라 제국의 방침이었다. 유스티니아누스는 그 후 어디서든 동성애자와 "남색으로 드러난 자"를 거세한다는 포고를 내렸다. 많은 사람이 고통스럽게 죽었다. 말랄라스는 이렇게 썼다. "그때 이후로 동성애 욕망으로 고통받는 사람들 사이에서 공포심이 생겨났다."[18] 이것은 편견에서 나온 잔혹한 시범이었고, 중세 내내 지속되었다.

마지막으로, 성적 일탈과 함께 영적 타락이라는 골치 아픈 문제도 있었고, 특히 거창한 기독교 제국(교리 논쟁은 있지만)에 구식 우상숭배의 거점이 일부 끈질기게 남아 있었다. 313년 콘스탄티누스의 밀라노 칙령에서 종교적 관용을 이야기한 지도 이제 오랜 시간이 흘렀고, 옛날 신들에 대한 사랑은 로마인으로서의 삶과 맞춰나가기가 더욱 어려워졌다. 363년 죽은 율리아누스 이후 우상숭배를 받아들인 황제는 아무도 없었다. 올림

픽 경기는 390년대 테오도시우스 1세의 시대 이후 금지되었다. 기독교도가 아닌 사람은 군대나 제국 관청에서 복무하는 것이 금지되었다. 앞서 보았듯이 법률을 개정하면서 트리보니아노스의 목표 가운데 하나는《요람》에 수집된 이교도 법률가의 저작에 분명하게 기독교 냄새를 더하는 것이었다. 이는 단순히 겉을 꾸미는 것만이 아니었다. 이교도 신앙이 주변으로 밀려날 뿐만 아니라 불법이 되는 시기가 빠르게 다가오고 있었다.[19]

유스티니아누스 치세 첫 10년 동안에 만들어진 많은 법 가운데 하나가 이교도가 학생을 가르치지 못하게 하는 칙령이다. 이는 그 자체로는《유스티니아누스 법전》에 취합된 다른 반이교도 입법 모음에서 눈에 띄는 것이 아니다. 그러나 한 중요한 기관에 끼친 영향은 곧 분명해졌다. 요안네스 말랄라스는 그 의미를 설명했다. 529년의 일을 다루면서 그는 이렇게 썼다. "황제는 칙령을 선포하고 이를 아테나이에 보내 아무도 철학을 가르치거나 법률을 해석하지 못하게 하라고 명령했다."[20] 또 다른 역사 기록자 아가티아스는 아테나이 학당의 마지막 교장이 이 학교와 도시에서만이 아니라 제국 자체에서 추방되었다고 썼다. (531년에 그와 몇몇 동료 교사는 페르시아로 망명했다.) 이것은 단순한 이주가 아니었다. 유스티니아누스의 강요는 사실상 (플라톤과 아리스토텔레스의 도시인) 고대 그리스 수도의 이 유명한 학교가 문을 닫게 한 것이었다. 이 학교는 학생들이 여러 세대 동안 고전철학과 자연과학의 지식을 전수받던 곳이었다.

아테나이 학당의 폐교는 중요했다. 그것이 동방 제국의 모든 비기독교적 지식을 일거에 없애버린 것은 아니었다.[21] 그것이 곧바로 고전 시대와 유럽 및 서방에서의 기독교 패권 시대 시작 사이의 지적 장벽을 허물어버린 것도 아니었다. 그러나 그것은 중요하면서도 상징적이었다. 페르시아와 다른 동방의 학문은 융성한 데 반해(바그다드와 다른 서아시아 수도의 도서

관은 아리스토텔레스와 다른 비기독교 석학의 저작 사본을 보존하고 전파했다), 유스티니아누스의 치세 그리고 6세기 전체의 기독교 세계에서는 스스로 눈을 가리는 모습이 나타났기 때문이다. 세세한 교리는 점점 크고 엄청난 중요성을 지닌 것으로 생각된 반면에 비기독교적인 것은 무엇이든 점점 미심쩍은 것으로 간주되었다.

로마 제국은 한때 고전 지식을 그 방대한 영토에 퍼뜨리는 거대 전파자였다. 그러나 서방에서는 그것이 산산이 부서졌고, 동방에서는 갈수록 교리에 집착하면서 그것이 시대를 가로지르는 지식의 전달을 적극적으로 막는 방해물이 되었으며, 고대의 지식이 제국 전체에 전파되는 길을 막기 시작했다.

중세에 붙은 '암흑시대'라는 딱지를 떼어내기가 그렇게 어려운 것으로 드러난 이유 가운데 하나는 (6세기에서 문예부흥이 처음 시작된 13세기 말까지의 사이의) 수백 년 동안 서방에서 고대 세계의 과학적이고 이성적인 통찰이 잊히고 억압되었기 때문이다. 이것은 그저 서서히 진행된 불운한 문화적 치매 증상이 아니었다. 이것은 유스티니아누스 같은 동방 황제들의 의도적인 정책의 결과였다. 그들은, 귀중한 지식의 보호자를 자처했지만 불행하게도 기독교도가 아니었던 이들을 자기네 세계에서 쫓아내기를 일삼았던 것이다.

폭동과 쇄신

제국의 개혁 규모와 유스티니아누스가 자신의 치세 초기에 변화를 추구한 속도를 감안하면 그의 즉위 5년 이내에 그의 지배에 대해 대중 반란이 크게 일어난 것은 아마도 놀라운 일이 아닐 것이다. 그것은 532년 새해 벽두의 쌀쌀한 시기에 콘스탄티노폴리스의 거리에서 일어났으며, 원인은 이 도시 정치 특유의 것이었지만 그 물리적 영향은 매우 오래 지속되었고 오늘날 이스탄불에서도 볼 수 있다. 따라서 동로마에서 새로운 시대를 만든 유스티니아누스 치세의 첫 시기를 벗어나기 전에 이른바 니카 반란에 대해 살펴야 한다. 동로마를 무정부 상태 가까이까지 몰고 갔던 폭력의 분출이다.

6세기 초에 콘스탄티노폴리스와 기타 동방 제국의 큰 도시들에서 가장 큰 인기를 얻고 있던 대중오락의 형태 가운데 하나가 마차 경주였다. 수도에서는 경기가 히포드로모스에서 벌어졌다. 황제의 대궁전 바로 앞에 있는 종합운동장 안의 U자 모양의 커다란 경주로다. 여기에서는 관중석 가운데 하나의 꼭대기에 있는 네 개의 거대한 청동 마상馬像†이 그 아래에서 벌어지는 오락이 무엇인지를 보여주었다. 경기에서는 기마 팀들이 그야말로 목이 부러질 정도의 속도로 요란하게 주로를 질주했다. 경기는 재미있고 위험한 경쟁으로, 가장 빠르고 가장 기술이 좋은 스타 전차꾼과 입에 거품을 무는 팬의 무리를 만들어냈다.

시간이 지나면서 전차 경주 열성 지지자들이 패를 짓게 되었고, 콘스탄티노폴리스에는 네 개의 무리가 있었다. 녹색단, 청색단, 적색단, 백색단이었다. 그리고 단연 크고 강력한 것이 녹색단과 청색단이었다. 그 열성 단원들이 히포드로모스에 무리 지어 앉았고, 종교적·정치적 문제에 '공동' 보조를 취해 제국의 행정 속에서 자기네의 집단적인 목소리에 힘이 실

---

† 이 말들은 지금 베네치아의 산마르코 대성당에 전시되어 있다. 4차 십자군의 콘스탄티노폴리스 약탈 이후 가져왔다. 8장 참조.

리기를 기대했다. 히포드로모스 단원은 거만한 자존심, 폭력성, 복장과 머리 모양의 일체성 등에서 오늘날 유럽 축구장의 훌리건과 비슷하다.† 그들은 격해지기 쉬워서 자기네가 경멸당하거나 무시되었다고 생각하면 흥분해 폭력을 휘두르기 십상이었다.

유스티니아누스는 외숙의 궁정에서 일을 도우며 출세한 젊은이로서 청색단의 유명한 지지자였다. 그러나 황제가 되자 자신의 자세를 바꾸려 하고 있었다. 모든 응원단을 경멸하게 된 것이다.[22] 이 두 접근법에는 모두 문제가 있었다. 황제가 한 집단을 지나치게 편애하면 경쟁 집단 사이의 반감을 부채질한다. 그러나 완전히 지지를 유보하면 흔히 각 집단을 서로 뭉치게 한다. 이것이 유스티니아누스가 531~532년 겨울에 만들어놓은 상황이었다. 이 때문에 그는 거의 제위를 잃을 뻔했다.

문제는 1월 콘스탄티노폴리스 도시 행정관이, 경기 후 폭동을 일으켜 여러 사람의 죽음을 초래한 녹색단과 청색단 사람들을 어설프게 교수형에 처하면서 불타올랐다. 녹색단원 한 명과 청색단원 한 명의 살인 혐의가 인정되어 사형이 선고되었으나 처형 중 교수대가 부러져 죽음을 면했다. 이들은 도망쳐 잠시 인근 교회로 피신했지만 곧 다시 근위병에게 잡혀 프라이토리움(법무관청)이라는 도시 행정관의 관저에 수감되었다. 다른 상황이라면 이는 그저 처형일의 해프닝에 불과했을 것이다. 그러나 이것이 전면적인 공공질서 붕괴로 비화했다.

---

† 630년대 히포드로모스 단원 사이에서는 콧수염과 턱수염을 길게 기르고 머리칼은 위를 짧게 깎고 뒤는 길게 기른 '숭어' 머리, 그들의 사회적 지위에 비해 너무 비싸고 화려한 고급 '디자이너' 옷과 손목 부분이 꼭 붙고 어깨가 터무니없이 넓은 키톤이 유행했다. 이는 '훈족'풍으로 알려졌다. 기질상으로 그들은 옮겨 다니는 1990~2010년대의 영국 축구장 훌리건과 비슷하다. 요즘 축구장 관중석에서 볼 수 있는 훌리건은 보통 1000달러짜리 스톤아일랜드 윗도리를 걸치고, 머리칼은 박박 민다(나중에는 '대안우파'형 깎기도 나왔다).

요안네스 말랄라스에 따르면 죄수들은 사흘 동안 시 당국의 감시를 받았다. 그동안 내내 녹색단과 청색단은 그들의 석방과 사면을 요구했다. 1월 13일 화요일, 유스티니아누스가 전차 경주 몇 게임을 보려고 히포드로모스 황제석에 모습을 드러냈다. 그날 하루 종일 청색단과 녹색단은 한목소리로 황제에게 자비를 보여달라고 요청했다. 유스티니아누스는 전혀 관심을 보이지 않았다. 법과 질서에 꼬장꼬장한 평소의 모습 그대로였다. 그러자 (거부보다 더 나쁜 것은 무시밖에 없다는 말처럼) 경주가 끝날 즈음에 응원단이 직접 황제에게 대들었다. 말랄라스는 이렇게 썼다. "마귀가 그들 안의 나쁜 생각을 재촉했다. 그들은 서로를 향해 '자비로운 청색단, 녹색단 만세!' 하고 외쳐댔다." 그런 뒤에 그들은 히포드로모스 주위의 거리로 쏟아져 나가 ('승리'를 의미하는 말로, 전차 경주 때 많이 나오는 구호인) 그리스어 단어 '니카'를 외쳤고, 건물들에 불을 질렀다. 밤이 되면서 불길이 프라이토리움을 삼켜버렸다. 두 죄수는 풀려나 군중 속으로 사라졌고, 이후 그들의 소식은 들리지 않았다.

'니카' 반란자들은 이제 그들의 목적을 이루었다. 그러나 이제 그들이 지녔던 본래의 불만에 보다 일반적인 여러 가지 다른 불평거리가 더해졌다. 대부분은 높은 세금, 부패, 종교의 파벌주의처럼 역사 속에서 도시 주민들이 늘 품는 불만이었다.[23] (프로코피오스에 따르면 그들은 도시 행정관인 카파도키아의 요안네스를 특히 싫어했는데, 그는 협잡으로 날을 보냈으며 점심시간에는 토할 때까지 잔치를 벌였다.[24]) 그러나 폭도들이 처음부터 그 문제를 들고 나온 것은 아니었다 해도, 그들은 분명히 위험했다. 그리고 그들의 피가 거꾸로 솟았다.

니카 반란은 유스티니아누스에게 최악의 시기에 터졌다. 그는 자신의 대규모 법률 개혁과 이교도 및 이단에 대한 싸움 외에도 페르시아의 새 대왕 호스로 1세와 매우 민감한 협상의 한가운데에 있었다. 서아시아의 국경에서 터진 두 제국 사이의 피비린내 나는 전쟁을 끝내기 위한 협상이었다. 따라서 외교 정책은 중차대한 시기를 맞고 있었고, 보통 사람들이 그의 고압적인 지배에 분노해 로마의 수도를 불길 속에 빠트리는 것은 시기적으로도 좋지 않았다.

그러나 엎질러진 물이었다. 1월 14일 수요일 아침, 유스티니아누스가 새로운 전차 경주일을 발표했다. 폭도들이 다시 선량한 자세로 돌아가기를 바란 것이었다. 그러나 이는 혼란에 더욱 활기를 제공하는 역할만 했다. 폭도들은 진정을 하고 경기를 즐기기는커녕 히포드로모스에 불을 지르고 여러 제국 관리를 해임하라고 외치기 시작했다. 법률 개혁을 주관하고 있는 트리보니아노스도 그 관리들 가운데 하나였다. 유스티니아누스는 마지못해 동의했다. 그러나 그것은 도움이 되지 않았다. 이제 폭동은 통제 불능의 상태가 되었고, 수습 방도는 쉽게 잡히지 않았다.

이후 닷새 동안 유스티니아누스의 수도 치안은 마비되었다. 수요일에 그는 묵인에서 복수로 옮겨 갔다. 그는 (강인한 정신의 소유자로, 최근 페르시아와의 전쟁에서 두각을 나타낸) 자신의 군대의 샛별인 벨리사리오스라는 장군을 보내 그가 이끈 고트족 용병 무리와 함께 폭동 지도자들을 깨부수도록 했다. 요안네스 말랄라스는 이렇게 썼다. "싸움이 벌어졌고, 많은 응원단원이 죽었다. (그러나) 군중은 분노해 다른 장소에 불을 지르기 시작했으며 닥치는 대로 죽이기 시작했다."[25] 72시간 동안 불길이 콘스탄티노폴리스 중심부 상당 부분을 휘감았다. 이전 황제 아나스타시우스 1세의 조카 두 사람(히파티우스와 폼페이우스 형제)이 각기 자신을 유스티니아누스를 대신하는 황제라고 선언했다. 벨리사리오스를 지원하기 위해 트라케에서 병력이 몰려왔지만 1월 17일 토요일 밤이 될 때까지도 도시는 여전히 혼란에 빠져 있었다.

사태는 이튿날 절정에 이르렀다. 동이 트고 얼마 지나지 않아 유스티니아누스가 시커멓게 탄 히포드로모스에 나타났다. 손에는 복음서가 들려 있었다. 야유를 당하고 궁으로 돌아온 그는 함대를 이끌고 도시에서 달아나려 했다. 프로코피오스에 따르면, 테오도라가 구원하러 왔다. 테오도라는 황제를 꾸짖으며 이렇게 말했다. "황제였던 사람이 달아난다는 것은 견딜 수 없는 일입니다." 그러면서 자신은 "나를 만나는 사람들이 나를 황후라고 부르지 않는 나날을 살기를 원치 않는다"라고 덧붙였다.[26] 유스티니아누스는 경청했다. 그러고는 선택지가 사실상 하나밖에 남지 않았음을 깨달았다. 극단적인 조치만이 이제 자신의 백성들을 따라오게 만들 수 있었다. 수천 명의 폭도가 히포드로모스 안에 모여 있었고, 그들은 그곳에서 히파티우스의 이름을 연호하고 있었다. 싸움판은 마련되었다. 벨리사리오스는 돌격을 이끌 준비가 되어 있었다.

그 일요일에 제국 군대가 히포드로모스로 달려가니 그곳에는 수만 명의 시위자가 모여 있었다. 병사들은 그들을 도륙하라는 명령을 받았다. 그리고 그 일은 쉬웠다. 병사들은 "활을 쏘기도 하고 칼을 휘두르기도 하면서"[27] 경기장 양쪽에서 몰아붙였다. 프로코피오스에 따르면 2000명이 체포되었고, 3만 명의 시민이 살해당했다. 이 수치가 사실이라면 콘스탄티노폴리스 주민의 대략 7퍼센트가 하루 동안에 살해당한 것이다. 그리고 과장이라 하더라도 이는 여전히 엄청난 유혈 사태였고, 황제 권력의 (그리고 그가 잔인할 수 있다는) 무시무시한 경고였다. 폭도가 내세웠던 히파티우스는 체포되어 이튿날 살해되었고, 그의 시신은 바다에 던져졌다. 그로부터 거의 일주일 동안 콘스탄티노폴리스는 봉쇄 상태에 놓였고, 필수 음식점을 제외한 모든 가게가 문을 닫았다.

한편 치욕에서 벗어난 유스티니아누스는 제국의 인근 도시들에 전갈을 보내 자신의 승리를 알리고 콘스탄티노폴리스를 이전보다 더 큰 규모로 재건하겠다고 약속했다. 그는 아무런 친구도 얻지 못했다. 그러나 그는 살아남았다.

니카 반란의 무시무시한 폭력으로부터 주의를 돌리기 위해 유스티니아누스는 역사 속의 다른 여러 독재자가 했던 일을 했다. 그는 다시 영광을 찾을 수 있는 길을 닦기로 결정했다.

니카 반란으로 가장 참혹한 피해를 당한 건축물 가운데 하나가 도시의 대성당이었다. 하기아소피아(신의 지혜)에 바쳐진 곳이었다. 메세(중앙 대로)라는 거리 주위에 늘어선 콘스탄티노폴리스의 제국 및 민사 중심지에 있는 가장 중요한 지형지물이었다. 히포드로모스도 있던 이 지역은 폭도의 방화 피해를 가장 심하게 당한 곳이었고, 유스티니아누스는 이곳을 재건하는 것이 가장 중요하다고 판단했다. 대성당은 멋지고 거대한 목조 지붕의 건물로, 5000제곱미터의 땅을 길쭉하게 깔고 앉았다. 그러나 이제 목조 지붕은 완전히 파괴되었고, 프로코피오스에 따르면 전체 성당은 "시커먼 폐허 더미로 놓여" 있었다. 그러나 잿더미 속에 커다란 기회가 있었다. 프로코피오스는 이렇게 썼다. "황제는 비용 문제는 전혀 고려하지 않은 채 건설 작업을 시작하도록 강력하게 밀어붙였으며, 전 세계에서 모든 기술공을 끌어모으기 시작했다."[28] 그의 계획은 세계에서 가장 큰 성당을 건설하는 것이었다.

이 일을 이끌도록 유스티니아누스가 고용한 사람들은 세계 최고의 인재였다. 그 가운데 한 사람이 아르키메데스 저작들을 연구한 기하학 및 역학 교수인 밀레토스의 이시도로스였다. 그는 에우클레이데스 같은 고대의 천재들에 비견될 권위를 가졌다고 하며, 포물선을 그리기 위한 특수 컴퍼스를 발명했다. 트랄레스의 안테미오스도 있었다. 그는 렌즈, 프리즘, 기계 공구 전문가였으며, 그의 형제자매 가운데는 놀랍게도 문학 교수와 유명한 법률가와 유명 물리학자가 있었다. 현대 역사가들은 이시도로스와 안테미오스를 모두 크리스토퍼 렌 및 레오나르도 다빈치와 비교했다.[29] 이것이 공정한 평가든 아니든, 그들이 만든 새 하기아소피아 대성당은 틀림없이 걸작이었다. 프로코피오스는 이렇게 썼다. "황제가 자신의 가장 중요한 사업에 전 세계에서 가장 적합한 사람들을 골랐다는 점에서 그의 안목에 놀라지 않을 수 없다."[30] 532년에서 537년 사이의 5년 동안에 이시도로스와 안테미오스가 만들어낸 하기아소피아 대성당은 역사상 가장 중요한 건물들과 어깨를 나란히 하고 있다.

새 성당은 콘스탄티노폴리스의 하늘을 향해 우뚝 솟아 있었다. 이것은 본래의 대성당과 거의 비슷한 공간에 자리 잡았는데, 이전 것은 길고 좁았지만 새로 지어진 것은 통합적인 설계에 따라 건설되었고 정방형에 더 가까웠으며 헤아릴 수 없을 만큼 거대한 돔을 얹었다(로마 판테온 신전의 것보다 더 컸다).

프로코피오스에게는 하기아소피아의 이 거대한 돔이 너무도 우아해서 "하늘에 걸려" 있는 것처럼 생각되었다. 또한 그 아름다움은 그것과 맞물려 있고 놀라운 내부 모습의 배열(모두 꼼꼼하게 위치를 잡은 창들로 들어오는 자연광을 받았다)을 연출하는 다른 작은 돔들과의 관계로 극대화되었다. "이 모든 세부는 공중에서, 그리고 옆의 것에 일부만 기댄 채 믿을 수 없는 기술로 서로 맞춰져 전체 속에서 단일하고 가장 비범한 조화를 만들어냈다. 그러나 보는 사람들로 하여금 그 가운데 어느 한 부분에 시선을 머물러 유심히 살피지 못하게 하고 각 부분이 눈길을 끌어 참을 수 없이 자신을 향하게 만든다." 프로코피오스의 건축에 관한 글들에는 유스티니아누스에 대한 아첨이 듬뿍 묻어 있지만(비난을 퍼붓는 그의 폭로서 《비사》와 달리 이는 공식 선전이었기 때문이다), 이 경우는 과장이 정당화되었다.

성당 내부에서는 마르마라섬의 채석장에서 떼어 온 백색 프로콘네소스 대리석('프로콘네소스'는 마르마라의 옛 이름이다)의 천연 무늬가 모자이크 장식과 관심을 끌기 위해 경쟁한다. 돔의 내부는 금색 모자이크가 빽빽하게 뒤덮고 있었고(유리 조각을 두들겨 편 금박으로 엮었다), 이것은 표면 전체가 귀금속으로 뒤덮인 듯한 인상을 주었다.[31] "성당을 장식한 기둥과 돌의 아름다움은 이루 다 설명할 수 없다. 꽃이 가득 피어 있는 풀밭에 왔다고 상상하면 될 것이다. 기도를 하기 위해 이 성당에 들어오면 (…) 마음이 고양되어 신이 있는 곳으로 올라가 그분이 멀지 않은 곳에 있다고 느끼게 된다." 물론 초월은 쉽게 얻어지는 것이 아니었다. 하기아소피아의 내성소內聖所만 해도 4만 파운드어치의 은장식과 공예품이 들어갔다. 그러나 그 효과는 엄청났다.

하기아소피아는 황제의 로마법 개혁의 특징을 이루었던 것과 같은 정력과 속도로 추진된 단일한 도시 재생 사업의 핵심이었다. 그리고 콘스탄티노폴리스의 쇄신은 또 제국 규모의 기념비적 건설 사업의 한 부분일 뿐이었다. 그 건설 사업에는 에페소스의 4복음서 저자 조각상이 올려져 있는 네 개의 거대한 돌기둥 같은 경이로운 작품과 황제의 탄생지를 기념하고 새로 만든 유스티니아나프리마 대주교관구의 웅장한 본거지를 제공하기 위해 지금의 세르비아에 건설한 도시 같은 것이 포함되었다.

이런 경이로운 사업들은 후대에 이르기까지 찬미되었다. 하기아소피아가 완공된 지 400년쯤 뒤에(이때는 돔이 지진으로 부서져 더욱 거대한 높이로 다시 만들어진 뒤였다) 키이우에서 두 외교관이 업무차 콘스탄티노폴리스를 찾았다. 그들에게 이 성당을 둘러볼 기회가 주어졌다. 이곳은 당시 세계 최고의 기독교 유물들을 잔뜩 모아놓은 곳이었다.[32] 그리고 그들은 자신의 눈을 의심할 수밖에 없었다. 사절들은 놀라움에 싸여 그리스인이 종교 면에서 불가르인이나 게르만인보다 훨씬 뛰어나다고 칭찬하는 편지를 써서 고국으로 보냈다. 하기아소피아에서 본 것에 대해 그들은 이렇게 말했다. "우리는 천국에 있는지 지상에 있는지 알 수 없었습니다. (…) 우리는 그 아름다움을 잊을 수 없습니다."[33]

반달족 격파

하기아소피아를 재건하는 것은 니카 반란의 치욕을 씻기 위해 유스티니아누스가 찾아낸 가장 직접적이고 분명한 방법이었다. 그러나 그가 보인 반응은 이것만이 아니었다. 530년대 초에 황제는 본국에서 아주 멀리 떨어진 곳에서 자신의 오랜 치세 중의 뛰어나다고 생각하게 되는 업적을 확보했다. 바로 반달족의 손에 있던 북아프리카를 정복(어쩌면 재정복이라고 해야 할지 모르겠다)한 것이었다. 이 속주와 유명한 그 수도 카르타고는 이방인 이주의 소란 속에서 로마의 손아귀로부터 뜯겨 나갔다. 따라서 반달족의 지배하에서도 계속 번영을 누린 그곳을 탈환한 것은 수익성 높은 사업이기도 했고, 로마의 자존심을 과시하는 것이기도 했다.

유스티니아누스의 카르타고 사업이 전략적이고 현실적인 측면에서 가능해진 것은 532년 9월 그가 페르시아 대왕 호스로 1세와 조약을 맺기로 합의했기 때문이었다. 새 대왕은 531년 가을에 권좌에 올랐다. 나이가 열여덟 살쯤이었다. 그는 흔들리는 내부에서 지위를 굳건하게 하기 위해 시간이 필요했고, 이 때문에 아르메니아 부근에서 4년 동안 벌어지고 있던 로마와 페르시아 사이의 격렬한 전쟁을 끝내는 데 동의했다. 유스티니아누스의 사절들이 호스로와 맺은 협정은 '항구적인 평화'로 알려졌다. 이 명칭은 과장되고 부정확한 것이었으며, 전쟁을 끝내는 대가로 유스티니아누스는 호스로에게 1만 1000파운드의 금을 주도록 되어 있었다. 그럼에도 불구하고 유스티니아누스는 이를 통해 서방의 전쟁에 전념할 여유를 얻었다.

그는 곧바로 일을 시작했다. 페르시아와의 전쟁이 중지되고 아홉 달밖에 지나지 않은 533년 여름에 콘스탄티노폴리스 앞바다에 거대한 침공 함대가 집결했다. 그 수송선들에는 보병과 기병 합쳐 1만 5000명이 승선했다. 여기에 노를 이용하는 드로몬이라는 전함 92척이 더해졌다. 지휘는 벨리사리오스가 맡았다. 페르시아에서 전투를 지휘하고 히포드로모스에서 니카 반란을 진압할 때 활약했던 장군이다. 이것은 무시무시한 무적함대였다.

533년 여름, 벨리사리오스는 이 함대를 이끌고 콘스탄티노폴리스를 출항해 반달의 영토로 향했다. 1500킬로미터쯤 떨어진 곳이었다. 벨리사리오스는 2주 뒤 시칠리아섬의 항구에 들어갔고, 카르타고에서 온 최신 정보를 검토했다. 소식은 희망적이었다. 당시 반달의 왕은 겔리메르라는 사람이었다. 그는 3년 전 육촌인 힐데릭을 쫓아내고 반달 왕위에 올랐다.

겔리메르가 찬탈을 할 때 유스티니아누스는 그 부당성을 훈계하는 편지를 썼다. 이에 대해 겔리메르가 보낸 답장에는 빈정거림이 들어 있었다. 그는 자신에게 충분한 권리가 있음을 말하고 유스티니아누스에게 참견하지 말라고 충고했다. 겔리메르는 이렇게 썼다. "자기 왕국을 다스리는 사람은 남의 문제를 자신의 문제로 만들지 않는 것이 좋소. (당신이) 우리에게 맞서려 한다면 우리는 총력을 기울여 대항할 것이오."³⁴ 그러나 533년 겔리메르의 대항력은 너무도 미약했다.

반달왕은 벨리사리오스가 올 것을 전혀 생각지 못했다. 그는 카르타고에 있지 않았고, 그의 최강 병력 상당수는 사르데냐 원정에 나가 있었다. 시칠리아에서 이 소식을 들은 벨리사리오스는 곧바로 지중해를 건너 튀니지에 도착했고, 9월 초 카르타고로 진군했다. 그는 아드데키뭄 들판에서 반달군을 격파하고 적장인 겔리메르의 동생 암마타스를 죽였다.

9월 14일, 벨리사리오스가 반달 수도에 입성했다. 그는 비르사 언덕 꼭대기에 있는 겔리메르의 궁궐로 들어가 왕좌에 앉았고, 겔리메르의 요리사가 전날 준비한 점심을 가로채 먹었다.³⁵ 점심이 나올 때 그곳에 있었던 프로코피오스는 이렇게 썼다. "그날, 그 시대의 어느 누구도, 그리고 정말로 그 이전 시대의 어느 누구도 얻을 수 없었던 명성이 벨리사리오스의 차지가 되었다."³⁶ 프로코피오스에게 과장 벽癖이 있음을 인정하더라도, 벨리사리오스는 대단한 일을 해냈다. 콘스탄티노폴리스의 유스티니아누스는 카르타고 함락 소식이 들어오자 너무 흥분해 자신의 이름을 반달리쿠스와 아프리카누스로 지었다.

그리고 더 큰 승리들이 이어졌다. 잠시 동안 겔리메르는 제국의 점령군에 대한 저항 전쟁을 이끌며 북아프리카 시골 농민이 로마인의 머리를 자신에게 가져오면 금을 주었다. 그러나 유격전은 곧 끝났다. 12월에 반달족은 트리카마룸에서 벌어진 두 번째 전투에서 패했다. 겔리메르는 고대 도시 메데우스 부근의 산악 은신처로 달아났다. 이곳에서 그는 벨리사리오스의 군대에 포위되었고, 추위와 싸우며 몇 달 고립된 끝에 굶주림을 이기지 못하고 항복했다.

반달의 겔리메르왕은 포로가 될 즈음에는 아무 생각이 없는 상태가 되어 있었다. 산속의 포위를 푸는 마지막 협상 때 그는 원하는 것이 빵 한 조각과 눈을 씻을 솜, 애가哀歌를 부를 때 쓸 악기뿐이라고 말했다. 나중에 꼼짝없이 사로잡힐 것이 분명해졌을 때 그는 이렇게 썼다. "나는 더 이상 숙명에 저항하거나 파멸을 피할 수 없으며, 그저 운명의 여신이 적절하다고 이끄는 곳으로 곧바로 따라갈 수밖에 없다."[37] 운명의 여신은 그가 벨리사리오스의 손을 통해 콘스탄티노폴리스로 가는 것이 적절하다고 판단했다. 그는 전쟁 포로로 유스티니아누스에게 바쳐졌다.

534년 여름, 아프리카 원정의 마침표를 찍기 위한 공식 개선식이 히포드로모스에서 열렸다. 프로코피오스는 이 원정이 티투스와 트라야누스 시대 이래 가장 큰 것이었다고 말했다. 최고의 순간은 겔리메르에게 시민들 앞에서 행진을 시킨 것이었다. 2000명의 반달족 포로가 함께했는데, 모두 헌칠했다. 황제의 발아래 끌려온 겔리메르는 왕의 옷을 벗었고 꿇어 앉았다. 그러나 이 치욕스러운 순간에도 이 반달 지배자는 냉정을 유지했다. 프로코피오스는 이렇게 썼다. "겔리메르는 히포드로모스에 도착해 황제가 높다란 옥좌에 앉아 있고 사람들이 그 좌우에 서 있는 것을 보았다. 그는 자신이 고약한 상황에 처해 있음을 알았으나 눈물을 흘리거나 울부짖지 않았다."[38] 그는 구약 〈전도서〉의 앞부분에 나오는 전도자의 말을 거듭거듭 되뇌었다.

"헛되고 헛되다. 모든 것이 헛되다."[39]

이 알쏭달쏭한 행동은 유스티니아누스로 하여금 자비를 보여주도록 설득하기에 충분했다. 겔리메르는 용감하게 자신의 목표를 추구해 대중을 즐겁게 한 덕분에 보조금을 받고 가족과 함께 소아시아로 물러나 오랫동안 살았다.

한편 그의 휘하에 있던 전사들은 동로마 군대에 편입되어 동쪽의 페르시아 변경으로 보내졌다. 페르시아와의 '항구적인 평화'가 선전되었던 것에 비해 그리 항구적이지 않음이 드러난 것이다. 그리고 굴욕을 당하는 이방인의 모습은 유스티니아누스의 선전에서 핵심적인 요소가 되었다. 이 모습은 황궁 주 출입구 천장의 찬란한 모자이크 벽화에 정교하게 그려졌으며, 여러 해 뒤에 그의 수의 장식에도 짜 넣어졌다.

여기에는 충분한 이유가 있었다. 로마령 북아프리카를 재정복한 것은 대단한 성과였다. 그것은 점령한 동로마 정권에, 그리고 칼케돈파와 합성론파 사이의 지속적인 균형 형성에 상당한 정책적 복잡성을 야기했다 (분명히 아리우스파를 이 속주에서 쓸어내야 했기 때문이다). 남쪽의 모로(무어) 부족의 침입 역시 상시적인 군사적 경계를 필요로 했다. 그러나 반달족이 북아프리카와 동부 지중해 사이의 교역망을 다시 활성화했다는 것이 이를 상쇄했다. 이 효과는 오랫동안 지속되어, 동로마는 8세기 말까지 카르타고에서 활동하게 된다.

그리고 가장 즉각적으로는 반달 원정이 중부 지중해의 추가 정복에 대한 지침이 되었다. 유스티니아누스의 다음 목표물은 <u>오스트로고트</u> 치하의 이탈리아였다. 그곳에 있는 로마의 '또 하나의' 수도가 카르타고와 마찬가지로 이방인의 손아귀에 들어 있었다.

그러나 옛 로마 제국의 재건은 결국 그리 쉽지 않았다. 그 속주 가운데 하나에서 정권을 교체하는 일에 비길 것이 아니었다. 비용이 많이 든다는 이유뿐만이 아니었다. 로마를 재정복한다는 유스티니아누스의 꿈은 수많은 이방인 군대보다도 더 완강하고 치명적인 적이 등장함으로써 복잡해졌다.

그것은 페스트균이었다. 선페스트를 일으키는 세균 말이다.

'신의 가르침'

유스티니아누스는 치세 첫 10년 동안 동로마 제국을 개혁하고 재건했으며, 그 방식은 그의 사후 수백 년 동안 유지되어 제국의 역사에서 독특한 새 '동로마' 시기의 바탕이 되었다. 그리고 그는 느슨해지는 기미를 드러내지 않았다. 황제는 겔리메르를 격파하고 반달 치하에 있던 북아프리카를 점령한 뒤 벨리사리오스를 다시 서방으로 보냈다. 벨리사리오스는 이번에는 라벤나의 오스트로고트족을 상대하게 되었다. 그들이 지금 이탈리아의 왕들이 되어 로물루스와 율리우스 카이사르와 아우구스투스의 나라를 지배하고 있었다. 늘 그렇듯이 벨리사리오스는 훌륭한 성과를 거두었다. 먼저 시칠리아를 휩쓴 뒤 이탈리아 본토에 눈길을 주었다. 그러나 그즈음에 불길한 징조가 나타났다. 그것은 단순히 로마 제국만이 아니라 바로 우주 전체가 새롭고도 낯선 상태로 빨려들어 감을 시사하는 듯했다.

첫 조짐은 536년에 나왔다. 갑자기 모든 분위기가 바뀔 듯했다. 온 세계에서 햇빛이 희미해지고 하늘이 시커멓게 어두워졌으며 기온이 뚝 떨어졌다. 일식 때 나타나는 현상과 비슷했다. 그러나 일식과 달리 이 이상한 광경은 몇 분 사이에 지나가지 않았다. 1년 반이나 지속되었다. 그것은 가장 "무서운 징조"였다고 프로코피오스는 썼다. "이해 내내 태양은 달처럼 빛을 내되 밝지가 않았"기 때문이다.[40] 짙은 어둠은 아마도 거대한 화산 분출의 결과였을 것이다. 북아메리카였을 수도 있고, 아이슬란드였을 수도 있고, 태평양 한가운데였을 수도 있다. 그것이 재와 먼지를 품은 거대한 구름을 만들어냈을 것이다.

이어서 539년(또는 540년)에 또 하나의 거대한 화산 분출이 있었다. 아마도 현대 엘살바도르의 일로팡고였을 것이다.[41] 이런 자연적인 폭발이 한데 합쳐져 수천억 세제곱미터의 돌을 토해내고 100만 톤 이상의 유황과 재를 지구의 하늘로 뿜어 올렸다. 이로 인해 인류 역사상 가장 격심한 지구 환경 위기 가운데 하나가 발생했다. 그 결과, 세계의 기후는 자그마치 10년 동안이나 변화했다. 기온이 전 세계적으로 섭씨 2도 이상 떨어져 여름이 사실상 사라졌다. 아일랜드에서 중국까지 농작물이 시들어 수확을 하지 못했다. 농업 생산이 격감했다. 나무도 잘 자라지 않았다. 어떤 경우에는 나무가 생겨나자마자 죽었다.

프로코피오스는 이때가 역사 속에서 제국의 부가 크게 줄어든 시기였다고 확신했다. 그는 이렇게 썼다. "이 일이 일어난 이후로 전쟁과 전염병과 기타 죽음을 초래하는 어떤 일로부터도 자유롭지 못했다."[42] 첫 번째 떼죽음은 사람이 만든 것이었다. 우중충한 하늘 아래서 벨리사리오스는 동로마 군대를 이끌고 이탈리아를 파괴하며 북쪽으로 나아가 레조와 나폴리를 점령한 뒤 피를 흘리지 않고 말을 탄 채 로마로 들어갔다. 로마 시민들은 그에게 저항하지 않는 쪽을 선택했다. 540년 5월, 그는 싸우면서 왕도 라벤나까지 나아갔고, 결국 정전 협정이 이루어졌다. 이에 따라 이탈리아는 포강ℼ 이북의 오스트로고트와 그 이남의 동로마로 나뉘었다. 오스트로고트왕 비티게스는 왕위를 빼앗기고 콘스탄티노폴리스로 잡혀갔지만, 그 백성들은 놀라우리만치 평화롭게 복속했다.

그러나 자비를 베푼 것은 필요에 따른 일이었다. 그해 6월에 호스로 1세가 이끄는 페르시아군이 동로마령 시리아를 침략해 큰 도시 안티오케이아를 불태우고 약탈하면서 많은 인명 피해가 났기 때문이다. 로마와 페르시아 사이의 또 다른 전쟁 주기가 모습을 드러낸 것이다. 나중에 가서야 분명해지는 사실이었지만, 동방 제국은 양쪽 전선의 충돌로 쇠약 국면으로 접어들기 직전이었다. 이탈리아에서의 전쟁은 560년대까지 이어졌고,

페르시아와의 전쟁은 두 세대나 더 계속되었다.

그리고 이 모든 일이 벌어지는 와중에 전염병이 나타났다. 이 질병이 처음 어디서 발생했는지 정확하게 집어낼 수는 없지만, 아마도 (지금의 중국과 키르기스스탄·카자흐스탄을 나누는) 톈산산맥에서 처음 시작되어 실크로드의 교역 간선로를 따라 서쪽으로 이동한 듯하다. 따라서 그것은 6세기에 결코 알 수 없는 병은 아니었다. 로마 세계에서의 발병은 520년대에 이미 시작되었다. 그러나 전염병이 강력하고 국지적인 현상을 넘어서는 경우는 드물었는데, 그러다가 웬일인지 520년대에서 540년대 사이에 아마도 동남아프리카의 지금의 잔지바르에 있던 상아 시장 부근에서 이 질병이 치명률이 매우 높은 변종으로 돌연변이를 일으켰다. 그런 뒤에 감염이 쉬운 환경 조건을 만났다. 536년의 기후 위기는 사람과 쥐 개체를 약화시키고 보통 때보다 더 가까이 살게 함으로써 감염을 부추겼다.[43] 그리고 이는 오래전에 구축되고 흥성을 누리던 지중해 일대의 교역망을 따라 급속하게 퍼졌다.

541년 7월, 이집트 삼각주의 소도시 펠루시움(현재의 텔 엘파라마) 주민이 무더기로 죽기 시작했다. 그들의 겨드랑이와 살이 부어오르고 시커메졌으며, 악몽 같은 광적인 환상이 고통스러운 그들의 눈에 어른거렸다. 이 질병은 진원지가 된 이 도시에서 두 방향으로 급속히 퍼졌다. 하나는 동북쪽으로, 상선과 상인 행렬이 팔레스티나 해안에서 시리아와 소아시아 쪽으로 향했다. 또 하나는 서쪽으로, 북아프리카의 붐비는 항구들을 통했다. 그것은 2년 가까이 확산에 확산을 거듭했다. 그 확산 방식에 대해 당대인들은 겁을 먹었고, 역사가들은 오랫동안 당혹스러워했다.†

---

† 쥐-벼룩-사람 사이의 감염 경로에 의존하는 (그리고 사람에서 사람으로는 사실상 확산되지 않

텅 빈 거리, 체액이 포도의 즙처럼 새어 나오는 시체 더미, 닫힌 가게와 굶주린 아이들, 허깨비를 보고 미쳐서 헛소리를 하는 병자, 자살 충동에 사로잡혀 감염되려고 하는 비탄에 빠진 유족들, 유산한 어머니들, 구천을 떠도는 수많은 혼령. 프로코피오스, 에페소스의 요안네스, 시리아 학자인 에바그리오스 스콜라스티코스 같은 사람들이 목격한 섬뜩한 장면들은 세계를 고통에 빠뜨리며 서로 다른 장소에서 서로 다른 시기에 터져 올랐다.

넉 달 동안의 절정기에 하루 1만 명이 이 전염병으로 죽었다고 프로코피오스가 말했던 콘스탄티노폴리스에서는 유스티니아누스도 감염되어 넓적다리의 벼룩 물린 자리가 위험할 정도로 부풀어 올랐다. 조금 지나서 그는 회복되었고, 수도 콘스탄티노폴리스도 어느 정도 정상에 가까운 모습을 되찾았다.

543년 3월 23일, 황제는 '신의 가르침'이 끝났다고 선언했다. 그러나 이 것은 대유행병에 관해 어느 정도의 권위를 가지고 발표되는 모든 정치적 성명에 통상 수반되는 동일한 희망적 사고였다. 선페스트는 실제로 540년대 내내 계속해서 지중해 세계를 휩쓸고 소용돌이쳤으며, 749년까지 전 세계에서 여러 차례 재발했다.

이 전염병이 돈 기간 동안 모두 합쳐 얼마나 많은 사람이 죽었는지는 지금도 역사학계에서 여전히 토론이 벌어지는 주제다. 대부분은 대체로 추정치로서, 최대 1억 명까지 여러 견해가 있다. 그러나 경제 붕괴는 현실이었다. 곡물 가격이 크게 출렁거렸고, 예비 노동력이 사라져 임금이 크게

는 것으로 보이는) 선페스트가 어떻게 그렇게 파괴적인 속도로 전 세계에 확산될 수 있었는지에 관해서는 풀지 못한 의문이 많다. 특히 동력에 의한 대량 수송이 없었던 시대에 말이다. 이에 대해서는 일반 독자용으로 Horden, Peregrine, 'Mediterranean Plague in the Age of Justinian', Maas, Michael (ed.), *The Cambridge Companion to the Age of Justinian* (Cambridge: 2005), pp. 134-160에 잘 요약되어 있다.

올랐으며, 상속 제도가 허물어졌고, 건설이 거의 전면 중단되었다. 이것이 유스티니아누스의 군사적 모험으로 이미 부담을 느꼈던 재정 체계에 압박을 가중시켰다. 세율이 뛰어올랐고, 이는 여러 해 동안 높은 상태를 유지했다.[44]

그리고 이 모든 것이, 안티오케이아의 요안네스 같은 목격자들의 기록이 보여주고 있는 무서운 일들과 함께 발생했다. 이 생존자들의 겁에 질린 증언은 대유행병이 대중의 마음에 남긴 상처를 너무도 암울하게 보여준다.

모든 것이 무너지다

547년, 라벤나의 산비탈레 대성당이 공식 봉헌되었다. 팔각형의 배치에 테라코타와 대리석으로 지어진 이 땅딸막하고 인상적인 성당은 20년 이상의 작업 끝에 완성된 것이었다. 기초는 이미 티우다레익스의 딸이자 오스트로고트의 섭정 여왕이었던 아말라순타 치세에 놓였다. 그러나 라벤나 대주교 막시미아누스가 산비탈레 성당을 봉헌할 때 오스트로고트는 라벤나에서 쫓겨나 일시적으로 이탈리아 도처에 물러나 있었던 듯하다.

이에 따라 영광스러운 이 새 성당을 장식한 근사한 모자이크 가운데 가장 눈에 잘 띄는 곳은 동로마 황제 유스티니아누스와 황후 테오도라의 초상 차지가 되었다. 유스티니아누스는 벽에서 위협적으로 빛을 뿜고 있고, 그 옆에는 이방인 용병들과 근엄한 표정의 몇몇 성직자(일부는 삭발을 했고, 일부는 삭발이나 면도를 하지 않았다)가 있다. 한편 테오도라는 자신의 시종들을 거느렸다. 두 명의 남자 성직자는 황후가 물을 뿜어내는 성수반聖水盤

쪽으로 황금으로 된 고급 그릇을 바치는 것을 돕는 모습이고, 옆에서는 얌전한 여성들이 이를 지켜보고 있다. 여성들은 모두 아름다운 옷을 입고 머리에 쓰개를 했다. 오늘날에도 이 성당 방문자들은 스스로 더 많은 것을 알고 있다고 생각하면서도 그 정치적 서사의 힘에 압도되어, 유스티니아누스와 테오도라의 초상화의 순수한 장엄성에 도취됨을 느낄 수 있다.

547년 라벤나에서 이 그림들을 볼 수 있도록 한 것만으로도 대단한 성과였다. 이 로마의 수도를 오스트로고트에 빼앗긴 지 50여 년이 지났지만, 황제는 그곳을 수복할 수 없다고는 결코 생각지 않았다. 훌륭한 전사 벨리사리오스(그도 이 대성당 모자이크의 유스티니아누스 옆에 모습을 보인다)가 그 공격을 이끌어 시칠리아에서 라벤나까지 줄곧 전투를 벌이며 진격했다. 라벤나는 540년 함락되었다.

사실 이탈리아를 얻기 위한 전쟁은 전혀 끝난 게 아니었다. 산비탈레 성당이 봉헌되는 순간에도 벨리사리오스는 이탈리아의 다른 쪽에서 바쁘게 움직이며 로마를 놓고 바두일라(토틸라)라는 결연하고 강력한 오스트로고트왕과 싸우고 있었다. 어떻든 이 시기는 유럽에서 동로마의 운세 회복을 경축하는 순간이었다. 또한 서방에서 로마 제국 비슷한 것을 복원하기 위한 첫걸음이기도 했을 것이다.

산비탈레 성당 봉헌이 중요한 일이긴 했지만(그리고 그 안의 동로마 모자이크는 아직도 이탈리아 전역에서 가장 놀라운 광경 가운데 하나지만), 얼마 지나지 않아 비극이 이어졌다. 이듬해 6월에 테오도라가 죽었다. 아마도 암이었던 듯하다. 테오도라는 쉰 살쯤이었고, 황후의 죽음에 이제 예순다섯을 넘긴 유스티니아누스는 무척 슬퍼했다. 두 사람은 진정한 정치적 동지였고, 그들이 니카 반란 때 사라질 위기에서 벗어난 것은 테오도라 덕분이었다. 테오도라는 히포드로모스의 지저분한 변두리에서 보낸 야생의 나날들로부터 아우구스타(황후)의 자리까지 매우 놀라운 과정을 거쳐왔다. 제국 궁정에서 청원자들이 청원을 제기하기 전에 그 발에 입맞춤을 해야 하는 위치였다.[45] 유스티니아누스는 그 장례식에서 눈물을 흘렸다. 그의 눈물이 그저 남에게 보여주기 위한 것이 아니라 진짜 슬픔에서 나온 것임은 쉽게 알 수 있었다.

그리고 이는 단지 개인적인 비극에 그치는 것이 아니었다. 돌이켜 생각해보면 테오도라의 죽음은 유스티니아누스의 운수가 전환점을 맞이했음을 표시하는, 적어도 그 전환점과 일치하는 것이었기 때문이다. 포괄적인 법률 개혁, 니카 반란의 극복, 하기아소피아 건설, 아프리카와 이탈리아 재정복 등 그의 치세 전반기에 어렵사리 얻은 성공은 과거의 일이 되었다. 이제 앞에는 성공보다 어려움이 더 많이 기다리고 있었다.

유스티니아누스가 직면한 가장 심각하고 가장 다루기 어려운 문제 가운데 일부는 종교와 관련된 것이었다. 그는 애를 써봤지만 6세기 내내 제국과 교회를 괴롭힌 격렬한 신학 논쟁을 헤쳐 나갈 만족스러운 길을 찾지 못했다. 칼케돈파와 합성론파 사이의 분열은 테오도라가 죽은 뒤 그 어느 때보다 화해가 어려워졌다. 테오도라가 후자를 강력하게 지원함으로써 제국 궁정 안에서 세력 균형을 이루어, 유스티니아누스가 자신의 종교 정책에서 어느 정도의 대비책을 마련할 수 있도록 했기 때문이다. 이제 황후가 죽자 그는 위험스러울 만큼 허약해졌다.

게다가 그의 여러 정책도 새로운 종교적 문제들을 야기했다. 옛 로마의 영토를 수복하려는 그의 시도가 그 한 예다. 동로마 군대가 들어간 거의 모든 곳에서 파벌주의가 고개를 들었다. 그리고 카르타고 같은 이방인의 땅에 대한 권리를 주장하면서 유스티니아누스는 점점 더 아리우스파와 니카이아파 기독교 사이에서 분출된 심각한 분열에 노출되었다.

유스티니아누스는 결코 이 문제들에 눈을 감고 있지 않았다. 그러나 도무지 이를 해결할 방법이 없었다. 그리고 종교적 치유를 위한 그의 중요한 시도(553년 초여름 콘스탄티노폴리스에서 열린 5차 공의회, 즉 콘스탄티노폴리스 2차 공의회로 알려진 교회 집회)는 돈만 많이 든 실패작으로 유명했다. 서방의 주교들은 거의 참석하지 않았고, 결국 공의회는 교회의 참담한 분열과 그리스도의 정확한 본질에 관한 공통된 입장에 합의가 불가능할 듯하다는 사실을 강조하는 역할만을 했다. 또한 콘스탄티노폴리스와 로마의 교회가 그들을 길러낸 두 로마 제국과 매우 비슷하게, 각자의 방향으로 나아가는 미래를 암시하기도 했다. 한 세대 뒤, 유명한 학자인 세비야의 이시도로는 5차 공의회의 정당성을 전면 부정했다. 이시도로는 유스티니아누스를 폭군이며 이단이라고 보았다. 6세기 신학에서 노력은 점수를 받을 요소가 아니었다.

외교 정책에서도 상황이 더 나았던 것은 아니다. 이탈리아에서는 라벤나의 산비탈레 성당 봉헌 이후 평화 회복과 반도 전체의 재합병이 이어지지 않았다. 그 대신에 폭력과 오스트로고트의 저항이 절정을 이루었다. 오스트로고트왕 바두일라는 알고 보니 결코 만만치 않은 사람이었다. 그를 직접 본 프로코피오스는 그가 기마 기술이 엄청나게 뛰어나며, 보통 뺨 부분을 금색으로 칠한 투구를 머리에 쓰고 말을 타고 전투에 나서 창을 이 손에서 저 손으로 능숙하게 옮겨 잡으며 "어려서부터 정밀하게 무용 기술을 배운 사람처럼" 말 위에서 회전한다고 말했다.[46]

550년 1월, 바두일라가 압도적인 승리를 거두었다. 그의 병사들은 곧바로 로마로 휩쓸고 들어가 자기네 손에 잡히는 모든 사람을 죽였다. 프로코피오스는 "대학살이 벌어졌다"라고 회상했다. 그는 이어 바두일라가 로마에서 나가는 모든 주요 통로에 노상 장애물을 설치했으며, 이를 이용해 이 길로 도망치려는 동로마 병사들을 붙잡아 죽였다고 말했다. 오스트로고트는 여러 차례 유스티니아누스의 장군들을 격파했고, 동로마는 그들의 발호를 막기 위해 수만 명씩 부대를 계속해서 이탈리아에 투입해야 했다.

바두일라는 552년에 가서야 결국 격파되었다. 554년에 유스티니아누스는 〈국사조칙國事詔勅〉으로 알려진 칙령을 반포했다. 이탈리아가 제국의 한 속주이며 그 수도를 라벤나로 한다는 내용이었다. (사르데냐, 시칠리아, 코르시카 등 섬나라에는 별도의 통치 조직을 설치했다.)

그러고서도 이탈리아는 여전히 불안정했다. 오스트로고트는 파괴되었지만, 이탈리아의 시골 지역 상당수도 마찬가지였다. 전투 과정에서 수천 명이 죽었다. 도시는 포위 공격으로 허물어졌다. 귀족의 영지는 약탈당했다. 노예는 달아났다. 이탈리아는 전쟁 발발 이전에 비해 상당히 빈곤해졌다. 동로마군은 매우 완강하게 승리를 추구했기 때문에 결국 전리품의 가치를 떨어뜨렸다. 따라서 이탈리아가 명목상 그들의 차지가 되었지만 이 영토에 대한 동로마의 통제는 기껏해야 누더기일 뿐이었다. 따라서 여기에 들어선 것은 거의 2000킬로미터 떨어진 콘스탄티노폴리스에서 권력을 투사하고자 하는 정부였다.

한편 알프스산맥 너머에서는 랑고바르드족(그들 가운데 일부는 동로마군에서 용병으로 일하고 있었다)으로 알려진 이방인 집단이 이제 독자적인 이탈리아 침공을 계획하기 시작했다. 〈국사조칙〉 반포 30년 이내에 유스티니아누스가 어렵사리 얻은 이탈리아 땅의 상당 부분이 상실되었다. 식민지 역시 또 다른 세력의 위협이 가해지면서 방어에 취약해졌다. 동로마 제국은 10세기까지 이탈리아와 그 주변 섬에 대한 관심을 유지하지만, 유스티니아누스의 시대 이후 옛 로마 제국의 양쪽 절반을 재결합시킨다는 전망은 세대가 지날수록 희박해졌던 듯하다.

유스티니아누스가 이탈리아에서 오스트로고트를 분쇄하는 데 그렇게 어려움을 겪었던 이유 가운데 하나는 그의 치세 내내 동쪽에서 페르시아가 산발적으로 말썽을 일으켰기 때문이다. 그쪽에서 주로 그를 괴롭힌 것은 페르시아왕 호스로 1세였다.

호스로는 온갖 것에 호기심을 가진 매우 지적이고 현명한 지배자였다. 특히 철학에 깊은 관심을 가졌고, 사법 개혁을 엄격하게 추진했다. 페르시아의 지배 종교는 자라수슈트라(조로아스터)교였지만, 그는 자기네 제국을 주요 도시에서 급증하고 있는 기독교도 주민뿐만 아니라 다른 이교도(아테나이 철학 학당의 토착 종교를 믿는 학자 같은 사람)의 안식처로 만드는 일의 가치를 이해하고 있었다.

유스티니아누스와 마찬가지로 호스로도 건설에 열심이었고, 자신의 왕국 주위에 거대한 방어 성벽을 건설한 것으로 유명했다. 그의 대표적인 업적은 어느 모로 보더라도 하기아소피아만큼이나 찬란한 타크카스라 궁궐이었다. 그 특징적인 건축 방식은 놀라운 벽돌제 돔이었다. 그 외로운 옛 터는 한때 강성했던 도시 크테시폰(현대의 이라크에 있었다)에서 유일하게 볼 수 있도록 남겨진 유적이다. 호스로의 건축 사업은 중요했다. 이들은 그의 자의식의 연장이었기 때문이며, 그는 자신을 새로운 쿠루시(키로스) 대왕이라고 생각했다.†

유스티니아누스가 호스로와 벌인 전쟁의 상세한 내용은 여기서 다룰

---

† 제국을 건설하고 하카마니시(아케메네스) 왕조를 창설한 쿠루시 2세는 당시 세계에서 사상 최대의 제국을 건설해, 영토가 북인도에서 소아시아까지 뻗쳐 있었다. 서기전 530년 그가 죽을 때 그는 '온 세계의 왕'으로 알려졌다.

문제가 아니다. 다만 두 이웃 제국이 자리와 우위를 차지하기 위해 경쟁한 오랜 역사적 경향 외에, 동로마와 페르시아가 모두 자기네의 국경을 따라 이어진 수익성 높은 실크로드 교역로에 경제적 관심을 품어왔음을 이야기하면 충분하다. 그 경제적·지리적 현실이 530년대에 그들이 맺었던 '항구적인 평화'가 10년도 이어지지 못한 가장 큰 이유였다.

540년에 호스로는 시리아를 침략하고 수만 명의 포로와 노예를 잡아 끌고 가서 노예로 삼았다. 그 이후 끝이 없어 보이는 전쟁과 평화의 주기가 반복되었다. 545년에 정전했다가 548년에 깨졌고, 551년에 정전했다가 554년에 깨졌다. 562년에 '50년 평화' 협정을 맺었지만 결국 헛수고가 되었다. 줄곧 이런 식이었다. 두 제국은 국경 부근에서 아라비아의 경쟁 부족들 사이에 전쟁이 벌어지면 자기네 편을 지원했으며, 흑해 동쪽 해안에 있는 라지카(에그리시)로 알려진 세모꼴의 땅 같은 민감한 국경 지점을 놓고 직접 충돌했다. 숨 쉴 틈이 거의 없었으며, 전쟁으로 인해 동로마에 부과된 재정적·군사적 요구는 끝이 없는 듯했다.

540년대에 유스티니아누스는 그의 수도 한복판 아우구스타이온(지금 이스탄불의 아야소피아 광장)으로 알려진 광장에 자신을 기념하는 거대한 돌기둥을 세웠다. 하기아소피아와 대궁전 사이에 있는 이 광장에는 벽돌과 청동으로 만든 뾰족한 기둥 위에 말을 탄 모습으로 묘사된 이 황제의 청동 조각상이 있었다. 왼손에는 (지구 위에 십자가가 올려진) 구체球體를 들고 있고, 오른손을 들어 동쪽(페르시아 쪽)을 향해 인사하고 있다. 프로코피오스는 이렇게 썼다. "그는 손가락을 펼쳐 그곳에 있는 이방인에게 고향에 남아 있으라고 명령한다."[47]

깃털을 잔뜩 꽂은 관은 고대 신화의 아킬레우스를 나타내기 위한 뻔한 시도다. 그러나 이런 식의 시각적 선전의 온갖 허세에도 불구하고 유스티니아누스는 결국 페르시아 문제가 교회를 둘러싼 논쟁들만큼이나 다루기 어려운 문제임을 절감하게 된다. 동로마와 페르시아는 끝없이 전쟁을 벌일 운명인 듯했다. 적어도 이 지역에 어떤 다른 강국이 나타나기 전까지는 말이다. 그리고 우리가 다음 장에서 보게 되는 것처럼 한 나라가 나타나는데, 유스티니아누스는 그것을 보지 못한다.

불행하게도 이 모든 것이 유스티니아누스 자신에게 타격을 주었다. 그역시 다른 여러 유명한 지배자와 마찬가지로 생전에 자신의 성과가 삐걱거리고 무너지는 것을 보는 불행을 겪게 되었다. 557~558년에 몇 차례의 크고 작은 지진이 일어나 하기아소피아의 돔이 무너져 내렸다. 1년 뒤, 슬라브족의 이방인 연합(쿠트리구르라는 부족)이 도나우강 건너로부터 제국의 방어선을 넘어와 콘스탄티노폴리스 자체를 위협했다. 그들은 격퇴되었지만 수도에는 공포감이 분명히 감지됐고, 유스티니아누스는 나이가 들어 은퇴한 벨리사리오스를 불러내 쿠트리구르족 기병들을 쫓아내게 해야 했다. 그것이 이 노장의 마지막 공적이었다. 도시를 구하고 2년 뒤에 벨리사리오스는 황제에 맞서는 음모에 연루되었고, 굴욕적인 공개 재판을 받아야 했다. 벨리사리오스는 범죄 혐의에 대해서는 용서를 받았지만, 565년 봄 명성에 금이 간 상태에서 죽었다.

황제는 벨리사리오스가 죽고 얼마 되지 않아 죽었다. 565년 11월 14일이었다. 그는 당당하고 장려하게 궁궐에 모셔졌고, 후계자로는 생질인 유스티누스 2세가 지명되었다. 그의 상여는 그의 멋진 모습으로 장식되었다. 이방인들이 두려운 눈빛으로 바라보고 있는 가운데 겔리메르를 발로 짓밟고 있는 모습이었다. 이 사람이 530년대의 황제였다. 로마의 영광을 되찾기 위해 필사적이었지만, 그의 노력에도 불구하고 역사의 물결은 뒷걸음질 쳤다. 그러나 겔리메르가 경고했듯이, 지상의 왕에게 만사는 헛된 것이었다. 그리고 유스티니아누스가 죽자 그의 업적 상당수는 녹아 없어질 위기에 처했다. 불확실한 560년대에 유스티니아누스의 전성기는 오래전의 일처럼 느껴졌을 것이다.

유스티니아누스 이후

어느 시대였더라도 유스티니아누스의 치세는 흉내 내기 어려웠을 것이다. 그리고 그의 가까운 후계자들은 그가 남긴 유산을 처리하기 위해 고생을 했다. 그의 생질인 유스티누스 2세는 13년 동안 재위했고, 그 기간 동안 위기에 빠진 제국 재정을 떠받쳤으나 폭군이며 구두쇠라는 평판을 얻었다.

그는 이탈리아의 랑고바르드인과 도나우강을 건너오는 부족들의 습격, 끊임없는 페르시아 국경의 문제 때문에 고생했다. 마침내 그리고 아마 당연하게도 유스티누스는 정신이상이 생겼고, 페르시아 전선에서의 처참한 패배(호스로가 동로마의 중요한 국경 성채 다라를 점령했다) 이후 몰락했다. 유스티누스는 574년부터 578년에 죽을 때까지 간헐적으로 정신병이 발작했고, 동로마의 권력은 그의 아내 소피아와 근위대장이자 유스티누스의 양자인 티베리우스(2세) 사이에서 불안정하게 공유되었다.

티베리우스는 결국 스스로 황제 자리에 올랐다. 그러나 유스티누스보다 썩 나은 성공은 보여주지 못했다. 그가 남긴 최대의 역사적 유산은 아마도 그가 그리스어 사용자였다는 사실일 것이다. 그는 라틴어를 알아들었지만, 그럼에도 불구하고 그에게 그것은 외국어였다. 그의 치세 이후 그리스어는 궁정과 제국의 언어가 된다. 동로마가 '옛' 로마 및 서부 지중해 세계와의 문화적 연계를 더 많이 포기하게 되면서다. 그에게서 눈에 띄는 또 다른 요소는 그가 이상한 방식으로 죽었다는 것이다. 그는 582년 8월 독이 든 오디를 먹고 죽었다(그렇게 전한다).

티베리우스의 후계자는 그의 사위 마우리키우스로, 죽은 벨리사리오스와 같은 뛰어난 장군이었다. 마우리키우스는 《전략가Strategikón》라는 중요한 군사 저작의 저자다. 이 책은 1000년 가까이 서방 전역의 장교 지망생에게 필독서가 되었다. 마우리키우스는 전투 계획을 세울 줄 알았다고 할 수 있다. 20년의 치세 동안에 여러 차례 그것을 보여주었기 때문이다.

마우리키우스는 페르시아에서 큰 성공을 거두었다. 그는 페르시아 계승 분쟁에 끼어들어 호르미즈드 4세를 쫓아내고 그 아들 호스로 2세를 대신 내세웠다. 마우리키우스는 정식으로 호스로를 양자로 들이고 페르시아와 새로운 '항구적' 평화에 합의했다.

그러나 이탈리아에서는 일이 그렇게 잘 풀리지 않았다. 그곳의 동로마 영토는 이제 '라벤나 총독관구'가 되어 있었다(마찬가지로 카르타고 부근의 동로마 영토는 '아프리카 총독관구'로 편제되어 있었다). 그곳에는 랑고바르드인들이 꿈쩍 않고 자리 잡고 있었다. 마우리키우스는 자주 교황 그레고리우스 1세와 사이가 틀어졌다. 교황은 전체 교회의 '총괄' 지도자임을 주장하는 콘스탄티노폴리스 총대주교에 대해 분개하고 있었다.

그리고 마우리키우스는 발칸반도에서는 재위 기간 내내 아바르인을 저지하려고 애를 썼다. 602년, 그가 그들을 도나우강 너머로 영구히 몰아낸 것으로 보였다. 그러나 이것조차도 생각했던 만큼의 성공은 아니었다. 마우리키우스는 자기 병사들이 도나우강 북쪽에서 겨울을 나야 한다고 고집했으며, 오랫동안 군대 봉급 지불을 억제해왔다. 이 두 가지가 어우러져 군대의 폭동이 일어났다. 지휘자는 포카스라는 장교였다.

11월에 반란 병사들이 콘스탄티노폴리스로 진격했고, 일반인들도 반란을 일으키자 마우리키우스는 도주했다. 그는 나중에 붙잡혀 아들들과 함께 살해되었다. 그의 시신은 훼손되고 대중에게 전시되었다. 이는 제국 정치에 무서운 폭력이 새로 끼어든 것이었으며, 이것이 동로마의 특성 같은 것이 된다. 세습 군주제가 살해를 당해 힘을 잃은 것이다. 포카스는 8년 동안의 매우 무능한 통치 끝에 610년에 그 자신도 쫓겨나 살해되었다.

포카스를 죽인 이라클리오스(헤라클리우스)는 어떤 의미에서 유스티니아누스의 진정한 상속자였다. 이는 우선 그가 약간 비난받는 결혼을 했기 때문이다. 그의 두 번째 아내는 생질 마르티나로, 불법적인 근친 간의 결혼이었다.

그는 30여 년 동안 재위하면서 100년 가까이 전에 시작된 여러 가지 성가신 싸움들을 마무리 지었다. 그의 치세에 이탈리아를 향한 동로마의 야심은 정복을 꿈꾸던 데서 보유 영토를 유지하는 것으로 조용히 수준을 낮추었다. 발칸 전선은 강화되었다. 북아프리카는 확보되었지만, 약간의 동로마 세력이 진출했던 비시고트족의 이베리아는 포기해 마침내 옛 히스파니아에 대한 로마의 관여가 종식되었다. 그리고 페르시아 문제는 제국에 유리한 쪽으로 요란하게 마무리 지었다. 양쪽 모두가 치명상에 가까운 대가를 치른 뒤에 나온 결론이었지만 말이다. 다시 말해, 이라클리오스의 치세 이후 로마 정권에서 콘스탄티노폴리스 정권으로의 제국의 영토 변화가 마무리되었다. 이 나라는 이제 그리스어를 사용하는 국가로서 동부 지중해 지배에 초점을 맞추었다. 권력은 콘스탄티노폴리스에 집중되었고, 그 가장 중요한 지리정치학적 경쟁자는 남쪽과 동쪽에 있었다. 이후 대략 850년 동안 그런 형국이 지속되었다.

그러나 여기에는 마지막 반전이 하나 있었다. 이라클리오스 치세의 결정적인 싸움은 페르시아와의 전쟁이었다. 그의 찬탈 직후 동로마는 붕괴의 위기에 처해 있었다. 610년대 동안에 호스로 2세는 자신을 왕위에 올려준 것이 동로마라는 사실을 짐짓 모른 체하며 군대를 보내 로마의 영토를 야금야금 침범했다. 그들은 메소포타미아, 시리아, 팔레스티나, 이집트와 소아시아의 상당 부분을 점령했다. 614년 예루살렘시가 함락되었을 때 페르시아는 기독교의 가장 귀중한 유물을 가져갔다. 예수가 처형되어 죽은 성십자가聖十字架 잔편이었다.

더욱 고약한 것은 그들이 동방에서 일으킨 혼란으로 인해 아바르족 같은 슬라브계 부족들이 발칸반도로 쓸고 들어올 수 있었다는 것이다. 이듬해에는 페르시아인들이 보스포로스해협에서 군사훈련을 하는 모습이 목격되었고, 이라클리오스는 제국의 수도를 카르타고로 옮기고 콘스탄티노폴리스는 내버려둔다는 자포자기적인 계획을 세우고 있었다. 동로마가 그렇게 멸망에 가까이 다가선 적은 없었다. 이라클리오스가 비싼 대가를 치르면서 자포자기적인 평화를 청하지 않았더라면 615년에 모든 것이 끝났을 것이다.

그러나 끝나지 않았다. 도시의 파멸을 막은 이라클리오스는 이후 7년 동안 군대를 재건해 다시 호스로와 싸울 준비를 했다. 620년대에 그는 이를 실천했고, 엄청난 결과를 가져왔다. 군대가 그리스도의 성상聖像이 들어간 깃발을 들고 행진하게 해서 자신의 재정복 전쟁에 명백하게 종교적 성격을 부여한다는 그의 방침은 수백 년 뒤 십자군 운동에서 떠들썩하게 재연된다. 그리고 십자군 운동 때 일어난 것과 똑같이 그리스도는 그들에게 눈부신 성공을 허여한 것처럼 보였다.

동로마군은 네 차례의 원정을 통해 아르메니아와 메소포타미아에서 상대인 페르시아를 격파했다. 이라클리오스는 628년 니네베 전투에서 요란한 승리를 거둔 후 크테시폰까지도 점령할 수 있는 상황을 맞았다. 그는 성십자가를 되찾았고, 이는 자랑스럽게 예루살렘으로 되돌아갔다. 그해에 호스로 2세가 궁정 정변으로 전복되고 살해당했다. 음모를 이끌었던 그의 아들 카바드 2세는 곧바로 평화를 청하고 자기 아버지가 점령했던 모든 땅을 돌려주었다. 이로써 마침내 일종의 항구적인 평화가 이루어졌다. 600년 동안 간헐적으로 일어났던 로마와 페르시아 두 제국 사이의 전쟁은 호스로 2세의 죽음과 함께 끝났다.

이라클리오스는 새로운 형태의 칭호를 채택했다. 그는 이제 아우구스투스로 불리지 않고 바실레프스로 불렸다. 페르시아의 샤한샤흐(왕중왕)에 상당하는 권위를 지닌 그리스어였다. 동로마의 모든 황제는 이 전통을 따르게 되었다.

그러나 페르시아를 상대로 거둔 승리가 굉장하고 전면적이었다고는 하지만, 이것이 동로마 제국이 쉽게 지역 패권을 다시 쥘 수 있다는 말은 아니었다. 이라클리오스는 자신이 이룬 모든 성과에도 불구하고 자신이 어느 모로 보나 유스티니아누스와 마찬가지로 영원히 굴러가는 운명의 바퀴에 취약하다는 사실을 마침내 깨달았기 때문이다. 겔리메르가 경고한 대로 헛된 것이었다. 만사가 헛된 것이었다. 페르시아가 격파되자마자 새로운 세력이 고개를 들었다.

아라비아인이 오고 있었다.

4장

아라비아인들

❦

알라후 아크바르!
— 이슬람교의 전통적인 구호이자 전투 함성으로, '신은 가장 위대하다'라는 의미

634년에서 636년 사이의 어느 해† 한여름에 '사이풀라흐'(신의 칼)가 다마스쿠스 동문 밖에 도착했다.[1] 그 칼의 이름은 할리드 이븐알왈리드였고, 그는 강인한 장군이었다. 전투 경험이 많은 노병이었고, 사막 전투와 전리품에 끌리는 바가 많은 사람이었다. 그는 최근 아라비아반도에서 튀어나온 한 군대의 최고위급 장교였다. 이 군대가 무장한 것은 예리한 칼과 강력한 새 신앙밖에 없었다. 할리드는 이슬람교도였다. 쿠라이시 부족의 일

---

† 초기 이슬람 정복 전쟁 속의 사건들이 언제 발생했는지 정확하게 알기는 어렵다. 그런 논의가 거의 무용하다고 할 정도다. (이 책을 포함해) 어떤 설명이 의존하는 자료들은 줄줄이 모순적이고 불충분하며 현대 역사가들이 기대하는 사건의 산뜻한 연결 같은 것에는 무관심하다. 이 장에 나오는 이야기의 거의 모든 문장은 논란의 여지가 있으며, 많은 경우 날짜와 사건에 대한 서로 다른 추측에는 깊은 신학적 함의(그것이 아직도 학자들과 오늘날의 신자들에게 자극을 주고 있다)가 있음을 전제로 해야 한다. 이 '공익광고'에 실망해서는 안 된다. 정치적 이슬람교의 기원과 이슬람 정복 전쟁을 둘러싼 길고도 원한에 찬 다툼은 여러 가지 측면에서 이 중세사의 흐름을 그렇게 흥미롭게 (그리고 오늘날 그렇게 중요하게) 만드는 요소다.

원이었고, 이슬람교의 첫 신도 가운데 하나였다. 사실 그는 신(알라)의 말을 계시받은 선지자 무함마드로부터 직접 자신의 별명을 부여받았다.

무함마드는 632년 6월 8일에 죽었다. 그리고 할리드는 이제 군의 고위 지휘권을 무함마드의 속세 계승자인 할리파khalifa(칼리프)이자 신도들의 지도자(아미르 알무미닌이라 했다)인 아부바크르에게 의존했다. 그는 상인 출신의 호리호리하고 나이 지긋한 사람으로, 볼이 패고 듬성한 반백의 수염을 지니고 있었다.[2] 할리파는 할리드를 승진시키면서 이 장군이 지난 10년 동안 충성스럽게 복무한 것을 인정했다.

할리드는 이슬람교가 초기에 아라비아반도 서부에서 정치 세력이자 영적 운동으로 성장할 때 무함마드의 반대편에 섰지만(심지어 선지자에게 뼈아픈 군사적 패배를 안기기도 했다), 620년대에 개종하고 이후 뛰어난 활약을 펼쳤다. 아라비아반도 안에서 그는 경쟁 부족들 및 다른 할리파 지망자들과 싸웠다. 그 밖에서는 이라크를 공격하고 페르시아 부대에 승리를 거두었다.

다마스쿠스에 가기 위해 그는 자신의 부대를 이끌고 건조한 시리아사막을 건너는 지옥 같은 6일 동안의 행군을 했다. 이 행군에서 충분한 물을 수송하는 유일한 수단은 스무 마리의 살찌고 늙은 암낙타에게 많은 양의 물을 억지로 먹인 뒤 되새김질을 하지 못하도록 이 동물들의 입을 묶어놓은 것이었다. 그런 뒤에 행군 도중 하루에 몇 마리씩 낙타를 잡아 그 위에서 물을 회수했다.[3] 이제 할리드는 다마스쿠스 성문 밖에 서서 이제까지 만난 적 가운데 가장 위험한 적을 향해 무기를 겨누고 있었다.

다마스쿠스는 동로마 치하 시리아에서 중요한 도시 가운데 하나였다. 사막 끝에 있는 훌륭한 제국의 보루이고, 기독교 성서에 나오는 가장 오래된 몇몇 도시만큼이나 오래된 도시이며, 도로와 괜찮은 수로가 이리저리 뻗쳐 있는 곳이고, 앗샤리 알무스타킴(곧은 거리)으로 알려진 넓은 대로가 뻗어 있는 곳이고, 여기저기에 교회가 있는 곳이고, 세례자 요한의 머리라는 대단한 기독교 유물이 있는 곳이었다.

다마스쿠스의 튼튼한 돌 성벽은 본래 2~3세기의 역대 로마 황제들에 의해 네모꼴로 만들어졌으며, 가장 긴 쪽이 1500미터이고 가장 짧은 쪽은 그 절반이었다. 이 성벽에 뚫려 있는 일곱 개의 성문은 철저하게 경비되었고, 동북쪽 구석에 있는 요새에는 이라클리오스 황제의 명령에 따라 이곳을 지키도록 되어 있는 그리스인 및 아르메니아인의 수비대가 있었다. 이 도시에는 또한 최근 요르단강 유역에서 아라비아인에게 궤멸당한 동로마 야전군 잔여 병력이 피신해 있었다. 그들은 재편성을 위해 그곳으로 달아났다. 할리드는 다마스쿠스를 점령하려면 강인함뿐만 아니라 지혜도 필요했다.

처음에 이 도시를 점령할 가능성은 높아 보이지 않았다. 아라비아인은 가장 실력 있는 장군들과 야전에서 단련된 노련한 병사들을 투입했다. 그 가운데 하나가 아므르 이븐알아스였다. 그는 어느 모로 보나 할리드만큼 전투로 단련되었고, 다마스쿠스 서쪽 바브투마(사도 토마의 문) 문 바깥 지역을 맡았다. 그들은 도시 북쪽의 바르자라는 작은 마을의 도시로 향하는 길목에 장애물을 설치했다.

그러나 아라비아 장군들은 대형 포위전 장비나 새로운 무기를 갖고 있지 않았다. 심지어 사다리를 얻기 위해 인근 수도원을 습격해야 했다. 이런 상황에서 한 도시를 점령할 수 있는 유일하게 그럴듯한 방법은 주민을 겁먹게 하고 굶주리게 하고 넌더리를 내게 해서 항복하게 하는 것이었다. 이는 통상 봉쇄를 가한다는 얘기다. 도시로 들어가는 모든 성문을 차단하고 사절 외에는 아무도 드나들지 못하게 하는 것이다. 가장 결정적으로 이는 포위된 사람들의 마음속으로 들어갈 길을 찾는다는 얘기다. 그들이 살아서 달아날 수 있는 기회가 공격자에게 저항하는 쪽이 아니라 그들을 들어오게 할 경우에 많아진다는 점을 설득하는 것이다.

할리드와 아므르, 그리고 그 동료 장군들이 다마스쿠스를 얼마나 오래 포위하고 있었는지에 관해서는 몇 가지 추측이 있을 뿐이다. 넉 달에서 1년 이상까지 여러 가지 설명이 있다. 틀림없이 이라클리오스 황제가 보내는 구원군을 기대할 수 없다고 시민들이 확신할 만큼 긴 시간이었을 것이다. 이라클리오스는 아라비아에 (시리아 남부의 중요한 도시 부스라를 빼앗긴 것을 포함해) 몇 차례 패배한 뒤 일시적으로 일어난, 그러나 그들의 자원과 노력과 통일성이 곧 붕괴할 것으로 예상되는 적에게 지나친 정력을 쏟는 것을 경계했다. 아라비아인은 페르시아인이 아니었다. 그들이 결국 세계를 집어삼킬 찰나에 있는 것처럼 보이지는 않았다.

유감스럽게도, 그들은 그런 순간에 있었다.

7~8세기 이슬람 정복전쟁의 많은 부분이 그렇듯이, 다마스쿠스 포위전에 관한 당대(그리고 당대에 가까운 시기)의 기록은 뒤엉켜 있어 정리하기가 어렵다. 그러나 약간의 확신을 가지고 말할 수 있는 것은 오랜 기다림 끝에 할리드 이븐알왈리드와 아라비아군이 다마스쿠스인의 저항을 하나도 남지 않을 때까지 줄여갔다는 것이다.

한 이야기에 따르면 할리드는 첩보망을 만들어 도시의 동로마 총독이 아들의 생일을 축하하는 큰 잔치를 여는 것을 알아냈다. 잔치가 한창일 때 할리드의 부하들이 밧줄을 던지고 갈고리를 잡아 동문 부근의 성가퀴를 기어 올라갔다. '알라후 아크바르'(신은 가장 위대하다)를 외치고, 유명무실한 보초 하나를 벤 뒤 안으로 들어갔다. 또 다른 이야기에서는 포위에 지친 시민들이 "아므르가 지키는 성문"에서 협상을 개시하고 "항복에 동의"함으로써 그런 침입을 미연에 방지했다고 한다. 두 이야기는 모두 사실일 수 있다.[4]

어떤 일이 일어났든, 635년(어쩌면 636년)에 이 도시는 공식적으로 이슬람교도에게 넘어갔다. 여기에는 도시 중심부의 유개有蓋 시장에서 평화 회담을 열어 꼼꼼하게 논의한 경제적 조건이 붙어 있었다. 10세기 초에 기념비적인 이슬람의 역사를 쓴 역사 기록자 앗타바리는 이렇게 썼다. "다마스쿠스는 정복되었고, 그 주민들은 지즈야를 지불했다."[5] (그가 말한 지즈야는 인두세였다. 유대교와 기독교, 기타 일신교 신자가 평화롭게 살며 자기네 종교를 믿을 수 있게 해주는 대신 물리는 세금이었다.) 아라비아인의 사기는 크게 올라갔다. 동로마인의 자존심 손상은 분명했다. 그리고 더 많은 일이 기다리고 있었다.

이라클리오스는 그저 아라비아인의 위협을 무시하고 그 위협이 사라지기를 바라고만 있을 수는 없다는 사실을 깨닫자 시리아에 군대를 보냈다. 후대의 기록은 그 수를 15만이라고 했다(2만 명 정도였을 가능성이 더 높다).[6] 이 군대는 그리스인, 아르메니아인, 기독교도 아라비아인이 뒤섞여 있었다. 그들 상당수는 서로 이야기할 수도, 그럴 의사도 없었다. 언어와 종파, 정치적 견해가 서로 달랐기 때문이다.

아라비아인은 비슷한 수의 병사를 이 지역에 급파했고, 두 대군은 야르무크강 부근에서 충돌했다. 오늘날의 시리아, 요르단, 골란고원의 민감한 경계 지역에 있는 곳이었다. 이 장기전은 몇 주 동안에 걸쳐 일어났다. 아마도 636년 8월이었을 것이다.

이 전투의 중요한 순간에 할리드(그는 이번에도 전장의 고위 장교 가운데 하나였으나, 새 할리파 우마르에게는 총애받지 못하고 있었다)는 병사들을 고무하기 위해 감동적인 연설을 했다. 그는 병사들에게 이것이 "신의 전투 가운데 하나"라고 말하고 "진실하게 노력해 자신의 일 속에서 신을 찾으"라고 요구했다. 그러고는 병사들이 알라의 이름으로 생명을 얻게 될 것임을 믿으라고 했다.[7]

이 이슬람교도 특유의 열정에 대한 호소는 할리드의 영리한 기병 전술, 동로마의 고질적인 내부 불화, 전염병 발생, 거대한 모래폭풍과 어우러져 신흥 세력인 아라비아인에게 큰 승리를 안겼다. 4000킬로미터쯤 떨어진 곳에서 20년 뒤에 글을 쓴, 동방 사정에 정통한 한 프랑크족 역사 기록자는 야르무크 전투에서 "이라클리오스의 군대가 신의 칼에 박살 났다"[8]라고 탄식했다. 신은 한쪽 편을 들었고, 그 선택은 이슬람 군대 쪽인 듯했다.

다마스쿠스 포위전과 야르무크 전투를 바탕으로 아라비아인은 동로마령 시리아, 팔레스티나, 이집트를 놀라울 정도로 빠르게 정복했다. 638년 예루살렘이 소프로니오스 총대주교를 통해 항복했다. 그는 평화로운 방식으로 도시의 통제권을 넘겼지만, 나중에 설교에서 그 운명에 대해 슬퍼했다. 그는 신도들에게 "복수심에 불타고 신을 증오하는 사라센인"이 온 것은 기독교도가 죄를 지은 데 대해 신이 노했다는 보다 분명한 증거라고 말했다.[9]

그러나 기독교도 무리가 자기네 주인을 달래기에는 분명 너무 늦었다. 641년, 이슬람 군대가 잇단 포위전 끝에 전략적으로 중요한 항구 도시 카이사레이아를 점령했다. 수비군 7000명 가운데 상당수가 콘스탄티노폴리스로 철수할 수 없었고, 도시가 함락된 뒤 처형되었다.[10] 그해에 이라클리오스가 죽었다. 대략 결정적인 야르무크 전투가 벌어지던 시기에 그는 매우 예언적인 말을 한 것으로 밝혀졌다. "시리아여, 고이 잠들라."[11]

632~642년 아라비아인의 시리아 정복은 그 시기의 가장 놀라운 성과 가운데 하나였다. 우선 그것은 동로마 제국의 동쪽 날개를 최종적으로, 그리고 영구히 잘라버렸다. 700년 가까이 로마 영토였던 곳이었다. 동로마의 국경은 이제 소아시아 동쪽 끝의 아마누스산맥(현재의 누르산맥)으로 후퇴했다. 중세 시기에 이르면 그 너머로 진출하는 일이 거의 없다.

그러나 더욱 중요한 것은 세계를 휩쓸게 되는 이 신흥 세력의 첫 번째 주요 성과 가운데 하나가 시리아라는 것이다. 이 신흥 세력은 중국 국경과 유럽의 대서양 연안까지 뻗어나가 1200만 제곱킬로미터가 넘는 지역을 아우르는 이슬람 국가를 건설하게 된다. 무함마드가 죽은 뒤로부터 우마이야 할리파국이 붕괴한 750년까지의 사이에 아라비아 군대는 중앙아시아로부터 서아시아와 북아프리카를 거쳐 비시고트족의 이베리아반도와 심지어 프랑스 남부까지 모든 곳에 나타났다. 그들은 이슬람 통치 기구를 강요하고 생활, 교역, 학습, 사고, 건축, 예배 등 모든 분야에서 새로운 방식을 도입했다.

그들이 건설한 이 거대한 할리파국의 수도는 바로 다마스쿠스가 될 터였고, 그 용의 눈동자는 중세 전 세계 건축 가운데 최고 걸작 가운데 하나인 우마이야 이슬람 대사원이었다. 예루살렘에서는 쿱밧 앗사흐라('바위의 돔')가 옛 유대교 제2신전 터에 건설되었다. 그 환한 돔은 이 도시의 유명한 하늘선 위의 상징적인 명물이 되었다. 그 밖의 곳에서도 카이로(이집트), 카이라완(튀니지), 바그다드(이라크) 같은 새로운 대도시가 아라비아군의 요새 도시에서 성장했으며, 메르브(투르크메니스탄), 사마르칸드(우즈베키스탄), 리스본(포르투갈), 코르도바(에스파냐) 같은 정착지가 주요 상업 및 교역 도시로 탈바꿈했다.

이슬람 정복전쟁으로 세워진 이 할리파국은 새로운 정치 연맹만이 아니었다. 그것은 구체적이고 분명한 신앙 제국이었다. 로마 제국의 경우보다, 심지어 콘스탄티누스의 개종과 유스티니아누스의 개혁 이후의 로마 제국보다 더 분명했다. 또한 이라클리오스 치세 말기 동로마의 모든 유대인을 강제로 기독교로 개종시킨다는 칙령이 반포된 이후의 로마 제국보다도 더했다. 이 할리파국 안에서는 오래된 언어인 아라비아어와 새로운 종교인 이슬람교가 정복자들의 핵심적인 정체성이었으며, 시간이 지나면서 피정복민의 삶에도 더욱 핵심적인 요소가 되었다.

7~8세기에 세계 규모의 다르알이슬람('이슬람의 집')이 만들어진 것은 중세의 나머지 기간과 오늘날의 세계에도 실로 심대한 영향을 미치게 된다. 에스파냐와 포르투갈(그리고 나중에 시칠리아도)을 제외하고 중세 초 이슬람 군대가 점령했던 거의 모든 주요 영토는 이슬람 정체성과 이슬람 문화를 보유했고 아직도 보유하고 있다. 더 크고 더 세계적인 이슬람 도시들에서 번성했던 과학적 발명과 지적 탐구의 정신은 중세 말의 문예부흥에서 핵심적인 역할을 하게 된다.

중세 이슬람교 형성기에 생겨난 분열은 중세 내내 서아시아를 괴롭혔고, 현대 세계에서도 계속 외신을 타고 있다. 순나파(수니파)와 시아파 분열의 뿌리는 초기 할리파 시대까지 거슬러 올라갈 수 있으며, 8세기에 나타난 아라비아인과 페르시아인 사이의 분열은 사우디아라비아와 이란 사이의 지리정치학적 경쟁으로 오늘날의 서아시아에서도 계속되고 있다. 이슬람교도, 유대교도, 기독교도 사이의 갈등과 공존의 복잡한 유산은 부분적으로 중세 초 이슬람 정복전쟁 과정에서 생겨났다. 신앙의 렌즈를 통해 굴절된 전투는 계속해서 일어났고, 흔히 1500년 전 전투가 벌어졌던 바로 그 장소, 팔레스티나, 예루살렘, 시리아, 이집트, 이라크, 이란, 리비아 같은 곳에서 일어났다.

예를 하나만 들어보자. 다마스쿠스시는 630년대에만 포위된 것이 아니었다. 그곳은 1120년대 2차 십자군 병사들에게 공격당했고, 1400년에 몽골족과 튀르크족 이슬람교도들에게 포위당했고, 1840년대와 1860년대에 종교적 대량 학살을 겪었고, 1920년대에 프랑스의 폭격을 당했고, 현재의 시리아 내전에서 여러 파벌이 치열한 전투를 벌였다. 이들 충돌 가운데 마지막 것에서는 야르무크 수용소로 알려진 다마스쿠스의 한 지역에서 악명 높은 전투가 벌어졌다.

이것은 믿기 어려운 유산이다. 그러나 이것이 전부가 아니다. 무엇보다도 이슬람 정복전쟁은 이슬람교가 세계 주요 종교로 성장하는 발판이 되었다. 2015년 현재 세계의 이슬람교도 수는 18억 명인 것으로 보도되었다. 그 가운데 약 80~85퍼센트가 순나파, 15~20퍼센트가 시아파다. 서아시아에서는 이슬람교가 단연 지배적인 종교다. 그러나 이슬람교는 북아프리카 및 동아프리카에서도 최대 종교이며, 영국과 유럽 대륙에서는 제2위, 미국에서는 제3위의 종교다. 모두 합쳐 세계 인구의 4분의 1이, 630년대에 할리드 이븐알왈리드와 아므르 알아스와 그 동료들이 다마스쿠스 성벽 앞에 서 있을 때 고백한 신앙(어떤 형태의 변형이든)을 가지고 있다.

신앙의 탄생

마카(메카)시는 서부 아라비아반도를 대략 절반 내려간 곳의 뜨거운 계곡에 있다. 히자즈로 알려진 지역에 속한다. 이 도시는 해안에서 80킬로미터쯤 떨어져 있고, 사라와트산맥이 아라비아반도의 거대한 사막으로부터 보호해주고 있다.[12] 마카는 겨울철에는 온화하지만, 긴 여름 동안에는 지독하게 더워서 낮 기온이 섭씨 45도를 넘어가기도 한다.

그러나 중세 초에는 제대로 된 농업을 불가능하게 했던 이 찌는 듯한 기후에도 불구하고 지리와 영성靈性은 오랫동안 이 도시를 중요하게 만들었다. 7세기에 마카의 경제는 번영을 누렸다. 큰 상인단 여정의 기착지였기 때문이다. 이 길을 따라 흔들거리는 낙타들과 그 주인들이 터벅터벅 걸으며 홍해의 붐비는 항구와 더 북쪽의 북적거리는 시장 사이에서 상품을 실어 날랐다. 향료, 향신료, 노예, 동물 가죽 등 모든 것이 이곳을 통과해 야스립(현재의 마디나(메디나)) 같은 아라비아반도의 큰 오아시스 도시로 갔고, 그 너머의 페르시아 및 동로마의 부유한 시장으로 갔다.

7세기 마카에서 가장 성공한 사람들은 단순한 상인이 아니었다. 분주한 상인 겸 투자자 계층이었다. 지리와 그들이 즉시 동원할 수 있는 재정이 제공하는 기회를 이용하는 방법을 알았던 원原자본가였다. 그러나 그들 아래에는 불만을 품은 하층 계급이 있었다. 사업과 투자의 이익에서 배제된 그들은 커져가는 부자와 가난뱅이 사이의 간격을 점점 더 인식하고 있었다.[13]

그러나 통과무역이 마카의 유일한 이점은 아니었다. 그곳은 카아바 순례의 장소이기도 했다. 구약 성서에 나오는 족장 아브라함이 검은 화산암으로 처음 지은(또는 전승에 그렇게 나오는) 입방체의 신전이다.[14] 순례자는 카아바 주위에 안치된 신상의 신에게 경의를 표하고, 또한 그 동쪽 모퉁이에서 오랫동안 숭배된 '검은 돌'을 보기 위해 먼 길을 왔다. (하늘에서 땅으로 떨어진 운석이라는 전승이 있는) 이 성스러운 돌은 카아바 자체보다도 더 오래된 것이었다.

카아바에서 숭배된 모든 남녀 신 가운데 가장 중요한 신은 알라흐(알라)

였지만, 7세기 초에는 다른 신도 그곳에서 숭배되었다. 그 가운데 후발이 중요한 신이었고, 마나트, 알라트, 알웃자 등 세 여신도 마찬가지로 중요했다.[15] 심지어 카아바 안에는 동정녀 마리아와 예수의 그림도 있었다. 전승의 역사를 보면 이 장소 안과 주변에는 360개나 되는 신상이 있었다.

이 숫자를 글자 그대로 받아들여도 되는지는 알 수 없다. 우리가 말할 수 있는 것은 중세 초 아라비아반도가 풍성한 종교와 신의 도가니였다는 것이다. 일부 도시와 지역(특히 지금 우리가 예멘이라 부르는 지역 같은 곳)에는 아라비아인 유대교도와 기독교도의 공동체가 번성했다. 그러나 더 많은 곳에서는 토착 다신교가 일반적이었다. 그리고 토착 일신교 신도라고 할 만한 사람도 있었다. 기독교나 유대교 성서의 신과는 다른 유일신을 믿는 사람이다. 사막의 선지자, 신비주의자, 수행자, 은자가 넘쳐났고, 일부는 초기 기독교 '사막 교부敎父'의 전통을 따랐다. 사막 교부는 햇볕이 쨍쨍한 사막에서 금욕 생활을 해서 신에게 근접하고자 했던 사람이었다.[†]

요컨대 아라비아반도의 종교는 다양했고 변하고 있었으며 매우 지역적이었다. 그리고 이는 너무도 당연했다. 아라비아 사회는 기본적으로 부족적이었으며, 몇몇 지역적 초강대국(동로마, 조로아스터교의 페르시아, 기독교의 에티오피아 등이다)이 인접해 있음에도 불구하고 어느 나라도 아라비아인을, 일정한 '국가' 신앙이 확산되도록 후원하거나 강제할 수 있을 만큼 긴 기간 동안 지배하지 못했다. 동로마와 페르시아는 기껏해야 아라비아반도 북부의 두 부족 집단인 라흠 왕국과 가산 왕국을 대리전에 동원할 수

[†] 세 아브라함계 거대 종교(유대교, 기독교, 이슬람교)가 모두 사막과 깊은 연관이 있음은 흔히 지적되었다. 이들을 뭉뚱그려 '사막 종교'로 표현할 수 있다고 할 정도다. 유일신 관념은 고대 이집트 아케나톤(아멘호테프 4세, 재위 서기전 1351?~서기전 1335?)의 시대 사막으로까지 거슬러 올라갈 수 있다.

있었을 뿐이었다. 이는 예속이지 식민화가 아니었다. 아라비아반도는 변화가 내부에서 생겨날 운명이었다.

5세기 중반 이후 마카의 중심 부족은 쿠라이시 부족이었다. 그리고 이 부족에서 570년 무렵에 무함마드가 태어났다. 그는 상당히 부유한 하심 가문에서 태어났지만 어린 시절에 간간이 가까운 사람을 잃었다. 여덟 살 때는 이미 아버지 압둘라흐와 어머니 아미나가 죽은 뒤였다. 그 이후 그를 기른 것은 할아버지였으며, 나중에는 하심 가문의 지도자인 백부 아부탈립에게 양육되었다.

무함마드는 두 살쯤 되었을 때 바다위(베두인)족의 수양아들로서 그들과 함께 사막에서 살았다.† 어느 날 그의 수양 형제가 보니 온통 하얀색의 옷을 입은 천사들이 나타나 무함마드의 심장을 꺼내 눈으로 그것을 닦은 뒤 이제 깨끗해진 그것을 다시 몸속에 넣었다.[16] 그 이후 무함마드의 젊은 시절에 신비주의자와 수행자가 그에게 큰 인물이 될 운명을 타고났다고 예언하곤 했다. 적어도 나중에 그가 갑자기 큰 인물이 되고 난 뒤에 사람들이 들었던 이야기는 그랬다.

그러나 무함마드는 생애의 비교적 늦은 시기까지 큰 인물이 되지 못했다. 나이 마흔 살쯤 될 때까지(대략 609/610년 무렵) 상인으로 일했고, 그 무렵에 꿈, 환상, 천상 존재의 방문을 경험하기 시작했다.

전환점은 그가 마카 교외 히라산의 한 동굴에 있을 때 찾아왔다. 그곳은 그가 명상과 반성을 위해 때때로 즐겨 찾는 곳이었다. 어느 날 그곳에 있을 때 천사 지브릴(기독교의 가브리엘)이 그를 찾아왔다. 천사는 그에게 직

---

† 이는 당시 쿠라이시 가문의 전통적인 관습이었다. 어린아이의 건강을 증진하고 사막의 정신을 고취하기 위해 일시적으로 유목민에게 맡겨 기르게 했다. Lings, *Muhammad*, pp. 23-24를 보라.

접 이야기를 하고 그 내용을 암송하도록 했다. 무함마드는 자신이 알라흐의 선지자 겸 심부름꾼으로 선택되었음을 알게 되었다. 예수, 솔로몬, 다윗, 아브라함, 노아, 모세를 거쳐 첫 인간인 아담까지 거슬러 올라가는 긴 줄의 마지막 사람이었다. 이는 엄청난 소식이었지만, 그는 처음의 두려움과 혼란을 이겨냈다. 천사의 다음 방문은 3년 뒤에 있었고, 그때부터는 정기적으로 신의 말을 받기 시작했다. 어떤 때는 말의 형태를 띠기도 했고, 어떤 때는 울리는 소리 형태여서 해독이 필요했다. 천사는 그에게 세정洗淨 의식을 보여주었고, 알라흐에게 기도하는 가장 좋은 방법도 알려주었다. 이것이 새 종교인 이슬람교의 기본적인 의식이었다.

무함마드에게 내려진 계시는 그가 아라비아어로 암송했고, 결국《쿠르안》《쿠란》)으로 묶였다. 나중에 이 선지자의 말은《하디스》로 알려진 그의 생각과 행동에 대한 구전 기억과 함께《순나》로 편집되었다. 그것이 이슬람 법전과 도덕 체계 형성에 기여했다.

물론 새로운 종교에는 추종자가 있어야 한다. 무함마드는 결코 중세 초 아라비아반도에서 유일한 선지자가 아니었으며, 그가 이제 전파에 자신의 삶을 바치게 된 신앙이자, 의례를 기반으로 한 이 유일신 신앙은 여러 부족 사이에서 숭배되고 있는 수많은 신앙 체계와 종교 가운데 단지 하나일 뿐이었다. 따라서 그의 노력은 다른 사람에게 자신을 따라 올바르게 알라흐를 숭배하도록 설득하는 것이었다.

무함마드는 영리하고 지적이며 신뢰성, 신중, 자제력을 갖춘 사람으로 유명했기 때문에 자기 가족과 친구를 설득해 자신의 대의를 받아들이게 하는 데 별 어려움이 없었다. 그가 처음 끌어들인 사람은 아내 하디자, 사촌 알리, 친한 친구 아부바크르, 양자 자이드 등이었다. 그러나 다른 아라비아인(쿠라이시 가문 사람 포함)은 조금 더 설득이 필요했다. 알라흐 하나 외에 다른 모든 신과 우상을 거부해야 한다는 무함마드의 말은 경제의 상당 부분을 다신교 순례 여행자에게 의존하는 도시에서 상업적으로 바람직한 이야기가 아니었다. 몇 년 전 무함마드는 성스러운 '검은 돌'을 당당한 모습으로 재건된 카아바의 새로운 위치에 놓는 데 중요한 역할을 했다. 이제 그는 카아바가 상징하는 모든 것을 손상시킬 가능성이 있는 새 종교를 전도하고 있었다.

무함마드의 대중 전도 이력은 613년에 본격적으로 시작되었다. 반응은 엇갈렸다. 그가 신의 자비, 기도, 일신교를 옹호하자 마카의 보통 사람들, 특히 곤궁하고 생활고에 시달리는 가난뱅이(다른 부류가 배제되는 것은 아니지만)와 히자즈에 널리 퍼져 있는 아라비아인은 그의 말을 기꺼이 들어주고 곧바로 개종했다. 반면에 마카의 가장 힘 있고 영향력 있는 집단들은 이 선지자를 기껏해야 성가신 존재로, 그리고 아마도 공공질서에 명백히 위험한 존재로 생각했다. 다른 대★선지자이자 전도자였던 나사렛의 예수가 600년 전에 보여주었듯이, 빈곤과 사회 불평등이라는 주제 주위에 종교 교리를 세우려고 하는 카리스마 있고 독실한 개인은 아주 금세 부유하고 힘 있는 적을 많이 만들게 된다. 무함마드는 곧 자기 부족으로부터 따돌림을 받게 되었다.

첫 번째 위기는 619년에 찾아왔다. '슬픔의 해'다. 이해에 아내 하디자와 백부 아부탈립이 죽었다. 두 사람이 죽으면서 하심 가문과 더 넓게는 쿠라이시 부족 안에서 무함마드의 입지가 심하게 손상되었다. 이후 3년 사이에 그 위험은 현실이 되었다. 우선 무함마드와 이슬람교도들은 들볶이고 희롱당했으며, 나중에는 노골적으로 학대당했다. 고문을 당하다가 죽기도 했고, 어떤 사람은 히자즈를 아주 떠나 홍해 건너 에티오피아에 피난처를 찾아 이주하기도 했다.

(이슬람교 역사에서 창립 연도이자 이슬람력이 시작되는) 622년, 무함마드 역시 마카를 떠났다. 그에게 야스립에서 온 부족 장로들이 찾아왔다. 그들은 이슬람 공동체 전체를 자기네 도시로 옮기도록 요청했다. 그곳에서 그들은 명예로운 지위를 얻게 되었고, 무함마드는 토착 부족들과 이 도시의 상당 규모의 유대인 주민들 사이의 오랜 다툼을 해결하는 일을 맡게 되었다. 이에 따라 그와 그 추종자들은 6월에 마카를 떠나 암살 음모를 간신히 피했다. 그들은 여드레 동안 약 320킬로미터의 거리를 이동해 야스립(나중에 마디나†로 개명되었다)에 도착했다. 이것이 히즈라(헤지라)로 알려진 일이다.

그는 '마디나 헌법'으로 알려진 합의안을 만들었다. 그곳의 대립하는 파벌들을 신앙으로 묶어 움마('공동체')에 통합하는 것이었다. 신앙을 혈연보다 위에 두고, 부족에 대한 충성심 위에 두고, 모든 것 위에 두었다. 그는 곧 이 도시의 지도자가 되었고, 단순한 부족 동맹의 연합체를 훨씬 넘어서는 영적이고 법적인 정치체를 만들기 시작했다. 그것은 초기 형태이긴 했지만 첫 이슬람 국가였다. 이 국가 안에서 정치적 연대, 일신교, 종교적 순종은 같은 것이었다. 이슬람교는 모든 것을 알려주었다. 그것은 삶의 완벽한 방법이었다. 중세 초 이슬람교의 역사에서 점점 더 분명해지는 이 절대성은 매력이 되고, 힘이 되고, 아직 그 가르침에 복종하지 않는 사람들에 대한 본질적인 위협이 되었다.

이슬람교도들이 마디나에 도착했을 때 그들에게는 예루살렘을 향해 기

---

† '선지자의 도시'라는 뜻의 마디낫 안나비 또는 '개명된 도시'라는 의미의 알마디나 알무나와라를 줄인 것이다.

도하는 관행이 있었다. 그러나 그 뒤 곧 무함마드는 그 방향을 조정했고, 추종자들은 마카 방향을 향해 기도하는 관행을 시작했다.

그들은 또한 마카로 향하는 무역을 노려, 상인단 행렬을 털어 생계를 꾸렸다. 이는 살아나가는 데 불안정한 방식이었고, 624년 3월 한 대규모 상인단 습격이 전면적인 전투로 비화했다. 바로 바드르 전투로, 그들은 훨씬 우세한 세력을 맞아 예상을 뒤엎은 대승을 거두었다. 전투는 더 이어졌다. 모든 것이 그들의 뜻대로 되지는 않았다. 그들은 625년 우후드 전투에서 마카 사람들에게 패했고, 627년 한다크('참호') 전투에서 마디나를 거의 잃을 뻔했다. 그러나 620년대가 끝나가면서 무함마드는 마카로 돌아가 자신의 전도 초기에 그곳에서 자신에게 쏟아졌던 모욕에 복수할 생각을 할 수 있을 만큼 충분한 추종자와 전사와 동력을 확보했다.

630년, 그는 1만 명의 부하를 거느리고 자신이 전에 살던 도시로 행군했다. 그 도시로 휩쓸고 들어가 카아바에 있는 신상들을 부숴버리고 정치적 통제권을 장악했다. 무함마드에게 오랫동안 저항했던 쿠라이시 부족과 기타 마카 사람들은 이제 이슬람교로 개종했다. 소수의 완강한 불신자만이 저항했고, 그들은 처형되었다.

무함마드는 곧바로 온 히자즈와 그 너머의 부족들을 개종시켰다. 그의 군사 행동은 동력을 갖췄고 전술적으로 예리했으며, 그의 종교적 메시지는 순수하고 명료했다. 사람들은 이슬람교도가 이제 아라비아반도 서부의 무역로와 필수적인 시장을 장악하고 있음을 실제로 인식했다. 이 모든 것이 그의 성공을 뒷받침한 주요 요인이었다. 632년 무함마드가 죽었을 때 그는 불가능한 것을 이룬 듯했다. 아라비아인은 움마 안에서 영적으로나 정치적으로나 통합을 이루게 되었다.

그들의 통합은 아무도 예상하지 못할 정도로 오래 지속될 운명이었다.

'올바르게 인도된' 할리파

아라비아어를 쓰는 사막의 사람들이 자기네의 기원에 대해 서로 말할 때 그들은 자기네 계보를 아브라함까지 거슬러 올라간다. 그들은 하가르(하갈)의 자손이었다. 아브라함과 그 아내 사라의 여종 하가르 사이에서 낳은 아들 이스마엘의 후손이다. 당시 이스마엘의 존재 자체는 좋고 나쁜 측면이 뒤섞여 있었다. 사라의 극단적이고 지속적인 적의를 불러일으켰기 때문이다. 그러나 그는 또한 아라비아 민족의 조상이 되었다(그렇게 전한다). 아브라함의 두 번째 아들 이사악의 자손들과는 뚜렷이 구별되는 민족으로, 이사악은 이스라엘 열두 부족의 족장으로 추앙받았다.

어떤 의미에서 이 모든 것은 고대의 역사였다. 그러나 또 다른 의미에서 그것은 매우 중요했다. 구약은 이스마엘의 삶을 잊을 수 없는 말로 예언했다. "네 아들은 들나귀 같은 사람이라, 닥치는 대로 치고받아 모든 골육의 형제와 등지고 살리라."[17] 이 묘사는 그의 자손들에게도 그대로 적용될 수 있을 것이다. 7세기 아라비아의 이슬람교도는 이슬람의 깃발 아래 뭉쳐 그 이웃들을 정복하는 데 나섰다.[†]

632년 무함마드가 죽고 마디나에 묻힌 뒤 그가 남겨놓은 움마의 통일성은 극심한 도전을 받았다. 선지자의 오랜 친구 아부바크르가 그 후계자임을 주장했다. 그러나 많은 아라비아 부족은 자기네의 충성심이 신의 심부름꾼인 무함마드를 향한 것이었지 그 대체자에게 자동으로 넘어가는 것은 아니라는 생각을 갖고 있었다. 무함마드의 사례에서 자극받은 다른

[†] 비슷한 정서는 1970년대 이래 영국 축구 팬에게 익숙한 밀월 축구단의 응원 구호에서도 볼 수 있다. "아무도 우릴 좋아하지 않지만 / 우린 상관없어."

선지자들은 자기네가 신과 특별한 관계라는 독자적인 주장을 내놨고, 따라서 자기네 부족 집단이 특별하다고 했다. 그 결과로 릿다('배교') 전쟁으로 알려진 짧은 유혈 충돌이 일어났다. 아부바크르는 어쩔 수 없이 배교한 아라비아인에게 이슬람 군대를 보내 그들을 강제로 신앙과 신도 무리로 돌아오게 해야 했다.

릿다 전쟁은 대략 아홉 달 동안 지속되었고, 반도 일대에서 전쟁을 하는 동안 할리드 빈알왈리드와 아므르 이븐알아스 같은 지휘관들은 자기네의 진정한 열의를 보여주었다. 1년이 되지 않아 이슬람 장군들은 반역한 부족들을 물리치고, 저항하는 아라비아의 도시들을 다시 복종시켰다. 승리는 움마의 통일성이 선지자의 지도력과 그의 생존 기간을 넘어서 지속될 것임을 보장했다. 그것은 또한 이슬람 군대 조직에 이례적인 동력과 자신감을 불어넣어 북방의 쇠퇴하는 제국들의 땅으로 넘쳐 들어가게 만들었다.†

아라비아반도 밖으로 정복해 나가는 경로는 지리에 의해 분명하게 규정되었다. 이슬람교도들이 팽창하면서 향할 자연스러운 곳은 시리아사막 광역권의 주변부에 있는 지역이었다. 바로 시리아 남부와 이라크다.

633년, 이슬람 군대가 두 지역을 향해 들어갔다. 그들은 처음에 동로마와 페르시아 파견군의 저항을 받았다. 그러나 두 제국은 수십 년에 걸친 서로 간의 전쟁 과정에서 구조적으로, 그리고 물리적으로 피폐해 있었다. 동로마 황제들은 자기네 병사가 매우 부족해 군대의 대부분을 튀르크인

---

† 릿다 전쟁은 이슬람의 역사에 또 다른 중요한 결과를 가져왔다. 아라비아반도 중부 야마마에서 벌어진 한 전투에서 하피즈ḥāfiẓ 수십 명이 살육되었다. 그들은 6000여 편의 운문으로 이루어진 《쿠르안》 114개 수라(장)의 모든 단어를 암기하는 학자였다. 어쩔 수 없이 아부바크르는 무스하프로 알려진 무함마드의 계시의 정본定本을 만들도록 승인했다. 이후 시기인 칼리파 우마르와 우스만 통치하에서 이 책과 사본들이 만들어졌으며, 그 아라비아어가 표준화되었다.

가운데서 모집하지 않을 수 없었다. 튀르크인은 6세기 이후 카스피해 주변 지역에 나타난 스텝의 새로운 유목 세력이었다.[18] 반면에 이슬람교도들은 전투에 단련되었지만 아직 전투에 지치지는 않았다. 그 군대는 신속히 정렬해 양 제국 방어막을 뚫고 들어갔다. 635~636년에 시리아 다마스쿠스가 이슬람교도의 손에 들어갔다. 648년이 되면 레반트의 거의 모든 해안 지역과 그 내륙의 사막 지역이 정복되었다.

그것으로 끝이 아니었다. 시리아 남부를 정복한 아므르 이븐알아스는 639년 군대를 이끌고 무리를 지어 시나이반도를 건넜고, 이집트로 들어가 나일강 삼각주를 향했다. 3년이 되지 않아 해안에 있는 수도 알렉산드리아를 포함한 이집트의 모든 주요 도시가 이슬람교도의 손에 들어왔다. 641년, 아므르는 알푸스타트(대략 '천막 도시'라는 뜻)라는 새로운 주둔 도시를 건설하고 그곳에 이집트 최초의 이슬람 사원을 건립했다. 이곳이 이슬람교도가 새로 정복한 지역의 수도가 되는데, 오늘날 카이로의 교외에 해당한다. 지중해의 곡창인 이집트는 이제 더 이상 동로마에 식량을 공급하지 않고, 마디나에 있는 할리파에게 복종하게 되었다.

한편 이라크에서는 침공이 동시에, 대략 비슷한 속도로 진행되었다. 636년(연대에 논란이 있어 그 뒤일지도 모른다), 이슬람 군대가 알카디시야에서 벌어진 사흘 동안의 전투에서 전투 코끼리를 동원한 페르시아의 대군을 격파했다. 이듬해 초에는 페르시아의 수도인 크테시폰으로 진군해 들어갔다. 그들이 이 도시에 접근할 때 마스코트로 알무카라트라는 훈련된 사자를 둔 페르시아의 한 분견대로 인해 잠시 지체됐는데, 이 동물에게는 안타까운 일이었지만 그 이와 발톱은 하심 이븐우트바라는 이슬람 전사를 당해내지 못했다. 그는 자신의 칼로 사자를 죽였고, 이후 이 칼잡이는 '강자'라는 영광스러운 이름으로 불렸다.[19]

사자가 쓰러진 뒤 도시 역시 쓰러졌다. 잠시 투석기로 포격을 가한 뒤 도시 방어군과 벌인 치열한 전투, 그리고 티그리스강을 건너는 용감한 상륙 공격 끝에 637년 봄 크테시폰의 양쪽 중심부가 이슬람교도에게 점령되었다. 그들이 사산 왕조 대왕들의 거대한 백궁白宮에서 발견한 보물은 너무 많아서 거의 헤아릴 수 없을 정도였다. 금과 은이 가득 담긴 커다란 바구니, 보석, 왕의 의관衣冠, 한때 동로마 황제 이라클리오스의 것이었다가 7세기 초 동로마-페르시아 전쟁에서 노획한 갑주甲冑 같은 것이었다. 노획물은 이렇게 다시 노획물이 되었다. 가장 좋은 것은 마디나에 있는 할리파 우마르에게 보내졌다. "그것에 대해 이슬람교도가 보고 유목 부족민이 듣도록 하기 위해서."[20] 크테시폰의 거대한 타크키스라궁은 이슬람 사원이 되었다.

아라비아의 전쟁 조직은 계속 굴러갔다. 크테시폰 함락 직후에 벌어진 잘라울라 전투에서 전에 사자를 죽였던 하심 이븐우트바가 다시 한번 페르시아 군을 패주시켰다.

사산 왕조는 이제 궁지에 몰려 있었다. 치명타는 642년에 나왔다. 새 대왕 야즈데게르드 3세는 630년대에 엄청난 패배를 당한 이후 고심해서 자기네 군사력을 재건했다. 그러나 그의 새 군대는 옛 군대와 같은 길을 갔다. 나하완드 전투에서 수만 명의 페르시아인이 이슬람교도의 칼날 아래 쓰러졌고, 그 여파로 야즈데게르드의 나라가 붕괴했다. 나하완드에서의 승리 소식을 전하는 한 편지는 이렇게 시작한다. "기뻐하십시오, 신자들의 지도자여! 이 승리로 신께서는 이슬람교와 당신의 백성에게 영광을 주셨고, 이로써 그분께서는 불신자와 그 불신의 옹호자들에게 굴욕을 안기셨습니다."[21] 이를 읽고, 그리고 많은 이슬람교도가 순교자로서 쓰러졌다는 것을 알고 우마르는 울음을 터뜨렸다.

우마르는 634년 아부바크르가 죽자 두 번째 알홀라파 앗라시둔(올바르게 인도된 할리파, 정통 할리파)†이 되었다. 쉰세 살쯤 된 그는 그가 지닌 체력, 강인함, 교양으로 유명했다. 그는 직접 이슬람 군대를 이끌지는 않았으나, 매우 경쟁력 있는 최고사령관으로서 마디나에서 수백 킬로미터 떨어진 곳에 군사 전략을 지시할 수 있었다. 그는 자기네 장군들이 이슬람 국가를 확장하는 더 큰 목표를 달성할 가장 효과적인 수단을 찾을 것으로 믿었다.

할리파로서 그는 자신의 대중적 이미지를 꼼꼼하게 살폈다. 그는 소프로니오스 총대주교로부터 예루살렘을 넘겨받기 위해 그 도시에 들어설 때 긴 여행으로 때가 묻은 누더기를 입고 나타났다. 자신의 수수한 외관이 화려한 총대주교와 뚜렷한 대비를 이루도록 한 것이다.

그러나 우마르는 단순히 카리스마가 있고 능력이 좋아서 성공한 것이 아니었다. 그는 또한 정복으로 만들어지고 충원된 조직의 최고경영자이자 영적 지도자로서, 그 시대에 완벽하게 맞추어나갔다. 이슬람교도가 무함마드와 아부바크르의 지휘하에 아라비아반도에서 지배권을 확장하고 공고하게 하는 동안 이슬람교로의 개종은 정복의 필수 조건이었다. 그러나 그들이 아라비아어 사용 지역 너머로 나아가게 되자 이슬람교도들은 이 방식을 그대로 반복하고자 하지 않았다.

그들은 사막 유목민이 사는 지역에 밀고 들어가거나 동로마 및 페르시아의 대도시 밖에 기병과 포위전용 투석기를 배치하면서, 자기네가 모든 남녀와 아이를 개종시키거나 그들 앞에서 죽여버리겠다고 작정한 독단적

---

† 알홀라파 앗라시둔을 '라시둔'으로 약칭하는데, 이는 우마이야 이전 초기의 공식 명칭이지만 많은 시아파 이슬람교도에게는 사용되지 않았다. 그들은 아부바크르, 우마르, 우스만이 적법하지 않다고 생각했다.

인 군대로서 온 것은 아님을 분명히 했다. 그들의 유일한 요구는 해당 지역이 빨리 항복하고 이슬람 지배층의 통치에 복종하라는 것뿐이었다. 기독교도나 유대교도 같은 다른 일신교 신자가 이슬람교도가 되기는 기대하지 않았다. 그리고 어떤 경우에는 개종을 적극적으로 억제했다. 그들이 이슬람교 신자가 아니라 이교도여야 더 많은 세금을 낼 것이라는 생각에서였다. 그들은 군 복무가 면제되었고, 오직 지즈야라는 인두세만 내면 됐으며, 자기네 지역을 질서 있고 개명開明된 방식으로 스스로 다스릴 수 있었다.

한편 정복군을 이루는 이슬람교도 병사는 대체로 대중과 분리되어 군사 도시에 주둔했으며, 세금에서 나오는 급료(아타)를 받았다. 그러나 그들에게 경작지나 몰수된 재산이 제공되지는 않았다. 단기적으로는 주민과의 긴장을 줄이는 데 도움이 되었고, 장기적으로는 이슬람 군대가 로마와 같은 방식으로 몇 세대를 거치면서 현지 주민과 뒤섞이지 않는다는 뜻이었다.

저항 없이 복속한 피정복민에 대한 이 관용의 뿌리는 물론 그들의 독창이 아니었다. 이것은 기본적으로 로마 공화국과 로마 제국 초기에 그 장군들이 제공한 방식이었다.[22] 현지 관행을 실용적으로 받아들이는 것(적어도 단기적으로)은 언제나 장기적인 반란을 유발하지 않고 군사적 팽창을 추구하는 효과적인 방법이었다. 그러나 7세기에 종교적 관용을 베풀겠다고 제안하는 것은 특별한 매력을 지닐 수 있었다. 동로마 기독교 세계에 소용돌이친 파괴적인 종파 폭력을 감안하면 예수의 영적 본질과 인간적 본질을 조화시키는 일에 대한 복잡한 논쟁에 거의 무관심한(불신자를 박해하기보다는 세금을 물렸다) 새 지배 권력의 도래는 다행스러운 구원으로 받아들여질 수 있었다.

그러나 이는 이슬람 정복전쟁이 전적으로 따스하고 평화적이었다는 말이 아니다. 이슬람 군대에 저항한 도시와 부족은 질서 있는 방식으로 그 집단에 받아들여질 권리를 빼앗겼다. 무함마드는 아라비아반도에서 전쟁을 하는 동안 유대계 바누쿠라이자 부족의 남자 수백 명을 참수하고 그 부족의 여자와 아이를 모두 노예로 삼는 일을 승인했다.[23] 이슬람교도와 그들에 맞선 여러 제국 사이에 벌어진 많은 전투 역시 피비린내 나는 일이었으며, 이런 일에 관한 기록 역시 수천, 수만, 심지어 (거짓말 같게도) 수십만 명의 전사가 한꺼번에 살해당한 이야기로 넘쳐난다. 앗타바리는 페르시아에서 벌어진 한 전투 이후 이렇게 썼다. 이슬람 "군대의 풋내기들이 시체를 조사하러 갔다. (…) 그들은 숨이 붙어 있는 이슬람교도에게는 물을 주고, 숨이 붙어 있는 다신교도는 죽였다. (…) (한편 일부는) 달아난 페르시아인을 쫓아갔다. (…) 그들은 모든 마을, 모든 숲, 모든 강둑에서 도망자를 죽이고 난 뒤 낮 기도 시간에 맞추어 돌아왔다."[24] 이것은 전쟁의 방식이었고, 부분적으로 이슬람의 방식이었다. 무함마드가 관용과 평화를 설교한 사례가 많지만 우마르 할리파 시절에 편집한 《하디스》에는 전쟁과 폭력을 옹호한 놀라운 언설도 들어 있다. 그 하나에는 무함마드가 이렇게 말한 것으로 되어 있다. "알라흐께서는 그분의 대의를 따르는 무자히드(성스러운 전사)가 살해당하면 그를 천국에 받아들이도록 보장하신다. 살아남는다면 그분께서는 전사에게 보상과 전리품을 안겨 안전하게 집으로 돌아가도록 해주신다."[25] 지하드('분투') 개념은 모든 이슬람교도에게 이슬람의 대의를 위해 치열한 노력을 기울이도록 요구했다. 중세에는 아주 흔히 이것이 내세에서의 보상을 기대하고 무기를 들어 다른 사람을 죽이는 일을 의미했다.

피트나

이슬람 정복전쟁의 폭력적이고 거친 부분은 644년 두 번째 할리파 우마르가 노예가 된 페르시아 병사 피루즈 나하반디(아부 룰루아라고도 한다)에게 살해되면서 드러났다. 피루즈는 마디나에 있는 선지자의 사원 알마스지드 안나바위에서 아침 기도를 할 때 광란을 벌여 양날의 칼을 가지고 일곱 명에게 치명상을 입혔다. 그 가운데 한 명이 바로 우마르였으며, 그는 몸통을 여섯 번이나 찔렸다. 《하디스》에 보존된 기록에 따르면 우마르는 칼날이 몸에 박힐 때 "이 개가 나를 죽였다(먹었다)"라고 말했다.[26] 그는 이 상처로 나흘 동안 버티다가 죽었다.

그 나흘 동안에 우마르는 임종 침상에 누워 여섯 명의 최고위 이슬람교도 비상 회의를 소집했다. 모두가 사하바(선지자의 '동반자')였다. 무함마드 생전에 그를 만나고 추종했던 사람의 집단으로, 엄선되었지만 서서히 그 수가 줄고 있었다. 우마르는 그들에게 그 가운데 한 명을 자신의 후계자로 선택하도록 지시했다.

그들이 선택한 사람은 우스만으로, 쿠라이시 부족의 명가 우마이야 씨족(우마이야가는 쿠라이시 부족 안의 큰 집단인 압드샴스 가문의 일파였다) 출신의 상인이었다. 우스만은 중키에 땅딸막하고 털북숭이였으며, 밖굽이무릎이었지만 천연두 흉터 자국이 있는 잘생긴 얼굴이었다.[27] 그는 초기에 이슬람교로 개종한 사람으로 신도 사이에서 명망이 있었고, 60대 중반의 나이에 매우 부유했다. 다만 우마르와 같은 군사적 명성은 없었다. 그는 훌륭하고 믿을 수 있는 후보자였다. 그러나 우스만을 선출할 때 회의에서는 무함마드의 사촌 알리의 권리 주장을 무시했고, 이 결정은 결국 이슬람교의 역사와 더 넓은 세계에 엄청난 영향을 미치게 된다.

우스만이 할리파로 있던 12년 동안 이슬람 군대는 계속해서 동쪽과 서쪽으로 더 멀리 밀고 나갔으며, 서방에서 전투력을 발전시켰다. 640년 대 말에 그들은 아르메니아와 소아시아 동부로 원정했다. 동방에서 그들은 해체되는 페르시아 제국의 영토로 더욱 전진해 651년에는 그 영토 거의 대부분이 이슬람교도의 통제하로 들어왔고, 지금의 아프가니스탄 국경 부근을 경계로 삼았다. 한편 서방에서는 4만 명의 군대가 북아프리카로 쳐들어가기 시작해 아프리카 총독관구의 동로마 영토를 빼앗았으며, 며칠의 행군으로 카르타고에 도달할 수 있는 지점까지 나아가는 데 성공했다.

전투는 육지뿐만 아니라 공해에서도 벌어졌다. 동로마 및 페르시아와의 전쟁 동안에 등장한 뛰어난 장군 가운데 한 사람이 무아위야 이븐아비수피얀이었다. 키가 크고 머리가 벗어진 인물로, 시리아 정복을 앞장서 이끈 뒤 20년 동안 그곳 총독을 지낸 뛰어난 군 장교였다. 무아위야는 시리아의 긴 해안선을 마음대로 할 수 있었기 때문에 베이루트에서 팔레스티나를 거쳐 이집트의 알렉산드리아에 이르는 지중해 동부의 여러 훌륭한 군항을 이용할 수 있었다. 무아위야는 할리파와 마찬가지로 우마이야 가문 출신이었고, 이제 우스만의 지원을 업고 강력한 동로마 함대에 맞설 이슬람 해군 건설을 빠르게 추진했다.

640년대 후반과 650년대에 이슬람의 배는 키프로스섬을 정복하고 크리티(크레타)섬과 로도스섬을 습격했다. 654년(또는 그 무렵), 그들은 바로 콘스탄티노폴리스를 향해 출항했다. 소아시아의 리키아 해안 앞바다에서 그들은 콘스타스 2세 황제가 지휘한 동로마 함대를 상대로 매섭고도 많은 피를 흘린 해전을 벌여 승리를 거두었다. 이것이 포이닉스 전투('돛대 전투'라고도 알려졌다)로 불린 충돌이다. 승리 후 이슬람교도들이 동로마 제국의 펄떡이는 심장을 공격하는 전면적인 시도에 나서지 못한 것은 오로지 무시무시한 폭풍우(그리고 치열한 전투에서 입은 심한 손실) 때문이었다.

이 모든 것이 꾸준한 성장의 시기를 장식했다(적어도 표면적으로라도). 그러나 겉만 보아서는 우스만의 통치하에서 모든 것이 잘 돌아가지 않았음을 알 수 없다. 이 할리파는 《쿠르안》의 '공인' 판본 편집 등 중요한 몇몇 영적이고 내부적인 개혁을 지휘했지만, 번개 같은 속도로 결집한 할리파국에는 심각한 긴장과 파벌 대립이 배태되기 시작하고 있었다. 656년 여름, 그것들이 폭발했다.

우스만의 통치에 대한 반대는 개인에 대한 반대와 정치에 대한 반대가 반반이었다. 이슬람 국가가 성장하면서 영향력과 보상이 쿠라이시 부족의 손에 지나치게 집중되고 있다는 불만의 소리가 울려 퍼지기 시작했고, 그런 불만은 이집트와 이라크에서 가장 크게 들렸다. 물론 이것은 미묘한 문제였다. 쿠라이시 부족은 무함마드의 출신 부족이기도 했지만, 초기에 그를 가장 반대한 사람들이기도 했다. 그들은 할리파와 할리드 이븐알왈리드나 시리아 총독 겸 해군 제독 무아위야 급의 장군들을 배출했다. 그들은 이슬람 귀족(그런 것이 있다면)이었다.

그러나 수십 년에 걸친 끊임없는 군사적 정복에 전력을 다해 참여했던 다른 아라비아의 부족은 자기네가 자신들의 투자에 대한 정당한 보상을 받지 못했다고 생각했으며(옳든 그르든), 우스만 치세에 쿠라이시 출신 고관들이 정복된 땅에서 무엇이든 자기네 멋대로 할 수 있도록 허용된 듯한 오만에 분개했다. 이런 측면에서 가장 강한 불만은 쿠르라로 알려진 부족에게서 터져 나왔다. 그러나 그들은 혼자가 아니었다.

무지였는지 무능력이었는지 몰라도 우스만은 650년대에 제국 안에서 큰 반란이 싹트고 있다는 조짐에 주의를 기울이지 못했다. 그가 655년 무렵 불만에 응답하고 분쟁을 해결하기 위해 행동을 취하기 시작했을 때는 이미 너무 늦어 있었다. 656년 봄, 시위자들이 이집트에서 마디나로 와 우스만의 집 밖에서 시위를 벌이기 시작했다. 6월이 되자 대규모 군중이 사실상 관저를 차단해 이를 포위하고 담장에 돌을 던지며 우스만의 머리를 요구했다.[28]

6월 17일, 그들은 그것을 받아냈다.[29] 반란자 무리 몇 명이 우스만의 관저 경내로 뚫고 들어가 삼엄한 경비를 피해 할리파의 방에서 그와 대면했다. 싸움 끝에 그들은 우스만을 제압하고 때리고 칼로 찔러 죽였다. 그들은 우스만의 아내 중 하나를 심하게 공격했고 그가 달아나려 하자 싸우는 과정에서 그 손가락 두 개를 베고 엉덩이를 더듬었다.[30] 반란자들은 그 뒤 우스만의 집을 약탈하고 그의 하인과 나머지 아내 가운데 일부를 공격했다. 며칠 뒤 우스만의 시신을 매장하려고 할 때 마디나는 여전히 소란에 빠져 있었고, 군중이 조객弔客에게 돌을 던지겠다고 위협했다. 치유될 수 없는 간극이 만들어졌다.

우스만의 할리파 자리는 엄청나게 독실하고 올곧은 무함마드의 사촌 알리가 이어받았다. 그는 검증된 전사이자 선지자 집안의 가까운 친척으로, 무함마드와 함께 자랐고 그의 딸 파티마와 결혼했다. 알리는 널리 존경받는 인물이었고, 나무랄 데 없이 성스러운 성격이었다. 카아바 바로 그 안에서 태어났다는 차별성이 있었고, 이슬람교도 가운데 최고의 이슬람교도라는 명성을 쌓았다. 고풍의 미덕을 지닌 본보기라는 얘기다. '시아'로 알려진 그 추종자들은 선지자가 그들에게 전한 가치를 설명하고 옹호하는 그의 능력에 매료되었다.

우스만이 선출될 때 알리는 무시되었다. 그러나 이제 마침내 그의 시대가 왔지만, 그는 이슬람 세계를 초기인 630년대와 640년대 황금기의 순수로 되돌릴 능력이 전혀 없는 듯했다. 알리가 우스만의 죽음을 방조하지는 않았지만, 그는 곧바로 진정시키는 인물이 아니라 분열을 일으키는 인물이 되었다. 움마의 통일성은 이제 급속하게 무너졌고, 1차 피트나('내란')로 알려진 내전에 불이 붙었다.

알리가 할리파로 재위하던 4년 반의 짧은 기간 동안 그는 불만을 품은 우스만파를 상대로 하는 싸움에 끊임없이 휘말렸다. 우스만파 지도자는 무함마드의 아내 아이샤와 약삭빠르고 노련한 시리아 총독 무아위야 같은 존경받는 이슬람교도였으며, 특히 아이샤는 직접 낙타를 타고 전투에 나서 병사들을 이끌기도 했다(656년 11월 이라크 바스라 부근에서 벌어진 전투로, 아이샤가 낙타를 탄 일로 인해 '낙타 전투'라는 이름이 붙었다).

이 전쟁은 상당 부분 이라크에서 벌어졌기 때문에 알리는 할리파의 본영을 마디나에서 에우프라테스(유프라테스)강 기슭의 둔병 도시 쿠파(현대의 이라크)로 옮기지 않을 수 없었다. 이 도시의 쿠파 대사원大寺院에서 661년 1월 말에 다름 아닌 알리가 살해되었다. 범인은 하리지파로 알려진 급진적이고 근본주의적인 종파 소속이었는데(그들은 알리가 원칙을 너무 훼손했다고 생각했다), 알리가 있는 곳으로 뛰어들어 가 끝에 독을 바른 칼로 그를 찔렀다.

나중에, 알리가 자신의 죽음을 예측했다거나 측근에게서 그런 예언을 들었다는 얘기가 돌았다. 그러나 그나 다른 누구도 그의 피살이 1000년 이상 세계 역사에 유산을 남기리라는 예측을 했다고는 상상하기 어렵다.

알리가 피살된 뒤의 혼란스러운 몇 달 동안 무아위야는 죽은 알리의 세력과 싸워 그들을 꼼짝 못하게 하고, 알리의 장남 하산(선지자 무함마드의 외손자)을 윽박질러 많은 양의 금을 받고 할리파 승계권을 포기하게 했다.

하산은 이렇게 권력에서 강제로 밀려났고, 661년 여름 무아위야는 이슬람 세계 주요 지역 지휘관에게 충성 서약을 요구해 예루살렘의 성지에서 그것을 받았다. 그는 이제 할리파가 되었다. 역사에서 그의 씨족(이전 할리파인 우스만도 그 씨족이었다)인 우마이야가에서 이름을 따 우마이야 왕조로 부르게 되는 왕조의 첫 지배자였다. 무아위야가 이슬람 치하 시리아의 지도자에서 모든 이슬람교 신도의 지휘자로 오르면서 '올바르게 인도된' 할리파의 시대는 종말을 고하고 우마이야 왕조 시대가 시작되었다.

우마이야 왕조는 100년도 못 되는 기간 동안 권력을 행사했지만, 이 시기는 흥미로운 전환기였다. 이슬람 세계의 수도가 마디나에서 다마스쿠스로 옮겨 갔고, 이슬람교도 거주지의 경계가 서방 이방인이 사는 남프랑스까지 멀리 뻗쳤다. 그리고 계속 팽창하는 이 거주지 안에서 문화혁명이 일어났다. 아라비아어와 이슬람교는 그들이 권리를 주장한 사회들로 스며들었고, 한편으로 할리파국은 신정神政적 성격을 줄이고 보다 세속화했다. 우마이야 왕조는 이슬람 정복전쟁을 항구화하며 정복된 여러 나라로 하나의 진정한 제국을 건설한 당사자였다. 그러나 동시에 그들은 이슬람 세계를 찢어놓을 분열의 단초를 열었다.

그 뿌리에는 우마이야 왕가의 권력 장악과 이후의 유지 확보가 움마의 조직에 깊은 선을 그었다는 사실이 있다. 알리파派는 알리가 살해된 것을 잊을 수도 없고 잊고 싶지도 않았다. 무아위야 재위기에 이들 '알리계'는 자기네가 불법 정권이라고 보는 것을 상대로 반란을 선동했다.

680년 무아위야의 지배가 끝나자 2차 피트나가 터졌다. 이번에 권력을 놓고 다툰 것은 무아위야의 아들이자 후계자로 지명된 야지드와 알리의 살아남은 차남 후세인이었다. 무아위야가 할리파 자리를 자신의 아들에게 물려주겠다는 의사를 발표했을 때 후세인은 충성 서약을 거부했다.

그는 아라비아에서 이라크까지 장거리 시위행진을 시작했으며, 도중에 사막에서 벌어진 전투에서 살해되었다. 그의 잘린 머리가 전리품으로 다마스쿠스로 보내졌다. 다시 한번 우마이야가가 승리를 거두었다.

이 피비린내 나는 연극 공연은 우마이야 왕조의 생존을 보장했지만, 또한 이슬람 세계 내부의 분열을 확고하게 해서 1300년 이상 이어지도록 했다. 1차 및 2차 피트나에서 형성된 종파와 파벌은 순나-시아 분할을 만들어냈다.†

시아파 이슬람교도는 우마이야 할리파국의 적법성이나 더 나아가 아부 바크르, 우마르, 우스만 정권의 적법성까지도 받아들이기를 거부했다. 대신에 그들은 알리가 무함마드의 정당한 계승자인 첫 번째 이맘이라고 주장했다. 이는 다시 하산과 후세인, 그리고 그 이후에는 무함마드로부터 내려온 더 많은 이맘의 혈통을 통한 또 다른 계승도를 암시했다. 이제 이것은 단지 왕가의 분쟁으로 그치는 것이 아니었다. 이슬람의 역사에서 시아 체제는 움마를 조직화하는 상당히 다른 방식을, 그리고 지도자에 대한 다른 가치 체계를 제기했다.

순나-시아 분열은 중세 말기, 특히 (나중에 살펴볼) 십자군 운동기에 엄청나게 중요해진다. 그러나 이 분열은 그보다 훨씬 오래 지속되었다. 20세기에 부분적으로 순나-시아의 선을 따라 되살아난 악성 파벌주의가 세계 지리정치학에 영향을 미치기 시작했다. 이는 서로 연결된 이란-이라크

---

† 순나파 이슬람교도는 알리를 네 번째이자 마지막 라시둔으로 생각한다. 그러나 시아파 이슬람교도에게 그는 그들 종교의 역사에서 그보다 더 큰 중요성을 지니는 인물로, 무함마드에 이어 두 번째로 중요한 사람이다. 이슬람 초기 역사를 이렇게 본다면 알리는 선지자를 직접 잇는 후계자가 되어야 한다. 아부바크르, 우마르, 우스만의 치세는 합법적이지 않은 것이 된다. 알리는 무함마드 직계의 첫 계승자로, 첫 이맘으로 알려졌다. (더구나 신비주의 수피 교단은 거의 대부분 알리를 창시자로 생각한다.)

전쟁, 미국이 주도한 페르시아만 전쟁, (1979년 이후 서아시아의 지역 패권을 놓고 사우디아라비아와 이란을 서로 다투게 한) 장기간의 '이슬람 냉전'에서 한 몫을 했다. 그리고 파키스탄, 이라크, 시리아에서 벌어졌던 다른 고통스럽고 치명적인 갈등에서도 마찬가지다.[†] 이 모든 것이 7세기 권력자들의 권모술수로까지 거슬러 올라갈 수 있다는 것은 놀라운 일이다. 그러나 너무도 흔히 사실로 드러나지만, 중세는 여전히 오늘날의 우리 곁에 있다.

우마이야 왕조

691년, 예루살렘의 거대한 석조 기단 위에 이례적인 건물이 세워졌다. 수백 년 전 유대교의 제2신전이 있던 자리였다. 그 유명하고 성스러운 신전 단지는 서기 70년의 포위전 이후 폐허가 되었다. 로마의 장군(그리고 미래의 황제) 티투스가 유대인의 반란을 진압하기 위해 예루살렘에 와서 무력 충돌과 방화를 유발해 도시 전체를 쑥밭으로 만들었다. 신전 상실은 유대인에게 세상의 종말에 가까운 재앙이었다. 그것이 파괴됨으로써 반란은 허사로 돌아갔고, 유대인은 서아시아 일대에 널리 흩어졌으며 유대인의 문화적 기억에는 지워지지 않을 오점이 남았다.

그리고 그것은 재건되지 않았다. 중세 초에 남아 있는 것이라고는 거대한 기단뿐이었다. 한쪽에는 옛 도시가, 다른 쪽에는 감람산이 있었다. 유

[†] 일부 유명 언론인은 최근, 2008년 무렵 이후의 미국의 서아시아 정책이 미국 정부의 뿌리 깊은 이란에 대한 의구심의 연장으로서 분명하게 반시아파적이라고 보고 있다. 예를 들어 Hersh, Seymour, 'The Redirection', *The New Yorker* (February 2007); Nasr, Vali, 'The War for Islam', *Foreign Policy* (January 2016); Erasmus, 'Why Trump's pro-Sunni tilt worries human-rights campaigners', *The Economist* (May 2017)를 보라.

대교의 예언에 따르면, 언젠가 새로운 구세주가 지상에 오고 종말의 날이 가까워지면 제3신전이 마침내 세워질 것이었다. 그러나 7세기에 종말의 날은 좀 멀어 보였다. 예루살렘은 우마이야 왕조의 지배하에 있었고, 이 지배 왕조는 신전산神殿山에 자기네의 거창한 흔적을 남기려 하고 있었다. 그들이 그곳에 만든 구조물이 쿱밧 앗사흐라였다.

쿱밧 앗사흐라는 아름답고 우아한 팔각 사당이었다(지금도 마찬가지다). 이슬람교도에게 알하람 앗샤리프('고결한 성소')로 알려진 신전산에는 이 것 외에 두 개의 우마이야 건조물이 더 있다. 크고 길쭉한 이슬람 사원 알 악사와 쿱밧 앗실실라('사슬의 돔')로 알려진 좀 작은 기도원이다. 쿱밧 앗 사흐라는 이 세 건조물 가운데서 가장 눈부신 것으로, 현대에 들어서 초국 가적인 아라비아 형제애의 상징이라는 중요한 지위를 얻어, 이슬람 세계 안팎 많은 곳의 장식품, 패물, 엽서, 싸구려 벽걸이 인쇄물에 나오게 되었 다. 그것은 자유의 여신상이나 에펠탑처럼 금세 알아볼 수 있다.

그 꼭대기에 올려진 돔은 금색의 반구半球다. 가장 높은 곳의 높이는 25미터다. 햇빛을 받아 빛을 내, 예후다산맥(헤브론산맥) 사이로 낸 길을 따라 접근하는 여행객은 예루살렘 몇 킬로미터 바깥에서도 볼 수 있다.[31] 그 안에 있는 누런 석회암(그것을 넣고 기리기 위해 사당을 만든 것이다)은 621년 무함마드가 천사 지브릴과 함께 천국으로 가기 위해 하늘로 올라갈 때 출 발한 지점이라 해서 숭배되었다. 종교적인 모자이크 글귀와 7세기에 쓰이 던 쿠파체(이 장 앞에서 나온 이라크의 유명한 둔병 도시 쿠파의 이름을 딴 것이다) 아라비아 문자로 쓰인 《쿠르안》 인용구가 내부의 240미터 둘레에 가득하 ·다. 그러나 이 돔을 장식한 모자이크 세공과 장식 모티프는 동로마 예술의 영향이 분명하다. 또한 글귀에는 '이사 이븐마리암'(마리아의 아들 예수)도 공손하게 언급된다. 그를 신의 아들로 생각해서는 안 된다는 단서가 붙어 있기는 하지만 말이다.

이 돔은 흔히 이슬람 사원으로 오해되기도 한다. 그렇지 않다. 그러나 그것은 분명히 7세기 예루살렘의 소용돌이치고 경쟁하던 문화 조류들에 대한 증거를 풍부하게 담고 있는 이상하고 신비한 건물이다.

오늘날 우리가 쿱밧 앗사흐라에서 보게 되는 거의 모든 것은 16세기 오스만의 장식물과 20세기 후반에 이루어진 재건 작업이 뒤섞인 것이지만, 실질적인 구조는 여전히 690년대에 우마이야 할리파 압둘말리크가 주문한 그대로다.[32] 이 사당 건립 비용은 이집트 속주 연간 수입의 일곱 배였다고 한다. 그러나 이것이 단순히 무분별한 낭비는 아니었다. 그런 기념비적 건조 사업에 퍼부은 막대한 비용, 장식에 들어간 관심과 기술, 그것을 건설하려는 충동 자체는 우마이야 할리파국의 분명한 존재 증명이었다. 그들은 중요한 90년 동안 역사를 써 내려갔으며, 그동안에 다르알이슬람은 군사 조직에서 제대로 된 중세 초 제국으로 변모했다. 마주친 다른 문화의 여러 요소를 받아들였지만 그 자체로서 매우 특이한 제국이었다.

1차 피트나가 무아위야의 승리로 끝난 뒤 할리파국의 중추는 성스러운 도시 마디나와 마카에서 이슬람 지배하의 시리아 수도 다마스쿠스로 옮겨 갔다. 이 물리적 이동은 중요한 심리적 이동 또한 드러냈다. '올바르게 인도된' 할리파 치하에서 움마의 최고지도자는 당연히 정치·군사의 최고 사령관이면서 동시에 이슬람의 역사적인 심장부에 단단히 뿌리 박은 영적 안내자였다. 그러나 우마이야 할리파가 아라비아반도를 떠나자 이 두 가지 역할은 그리 쉽게 결합되지 못했다. 할리파는 종교적 위엄을 갑자기 벗어버리지 못했다. 그러나 이전보다 훨씬 더 황제처럼 보였다.

제국과 닮아간 것은 부분적으로 바깥의 영향 때문이었다. 시리아에서 우마이야는 동로마와 직접 접하고 있었다. 우마이야 할리파가 옛 로마 국가의 옆에 자리 잡게 되자 그들의 지배는 로마의 종교적 제국이라는 분명한 특색을 받아들이게 되었다. 그러나 과정이 순탄하지는 않았다. 우마이야는 로마를 모방하려는 의욕이 강했기 때문에 660년대에서 710년대 사이에 반복적으로 옛 로마 국가를 대대적으로 탈취하려 했다. 그 결과로 서아시아와 남부 지중해 일대에서 광범위한 전쟁이 벌어졌고 100여 년 동안 지속되었다.

두 강대국은 아라비아인이 이끄는 군대가 마그레브(현대의 알제리와 모로코)로 밀고 들어가면서 북아프리카에서 자주 충돌을 빚었다. 그리고 그들은 소아시아 주변의 공해에서도 여러 차례 전투를 일으켜 두 번에 걸쳐 요란스럽게 콘스탄티노폴리스 포위전을 벌이기까지 했다. 이 전투들은 세계를 놓고 전개하는 전쟁이나 마찬가지였다. 우마이야가 서방 세계의 가장 거대한 도시이자 펄떡이는 심장인 콘스탄티노폴리스를 이슬람권에 편입하려고 애썼기 때문이다. 이 충돌의 결과는 수백 년에 걸쳐 동유럽과 발칸반도의 지리정치학의 모습을 규정하게 된다.

무아위야는 670년대 초에 콘스탄티노폴리스에 대한 첫 번째 직접 공격에 나섰다. 이 장군 출신의 할리파는 포이닉스 전투(돛대 전투) 이후 20년 동안 아라비아의 배가 빠르고 위험하기로 악명이 높은 그리스 배에 맞먹는다는 것을 입증하기 위해 줄곧 열심이었다. 이에 따라 그는 해마다 배를 보냈고, 주로 기독교도 선원을 승선시켜 이슬람교도 지휘관 밑에서 싸우게 했다. 그들은 에게해의 섬과 항구를 공격해 동로마 수도 주변의 해로를 위협하고, 콘스탄티노폴리스에서 마르마라해 바로 건너편에 있는 키지코스에 지휘소를 설치했다. 그리스 역사 기록자인 '증성자證聖者' 테오파네스에 따르면, 그들은 이 기지를 이용해 "매일 아침부터 저녁까지 무력 충돌"

을 일으켜 끊임없이 동로마의 방어막을 갉아먹었다.[33]

그러다가 677년 가을에 전면 공격이 개시되었다.

그것은 장대하고 격렬한 충돌이었다. 동로마 제국은 한때 난공불락이었던 로마 국가의 뒷물결일 뿐이었다고 하지만, 670년대에 그들은 비밀 무기를 가지고 있었다. 콘스탄티노스 4세(재위 668~685) 황제를 위해 일하던 군사 기술자들(남부 시리아 출신의 칼리니코스라는 과학자가 이끌고 있었다)이 로마 화염, 해전용 화염, 인공 화염, 그리스 화염(이 이름이 가장 유명하다) 등 여러 가지 이름으로 알려진 치명적인 유성油性 젤리를 완성했다.[34]

특수하게 설비된 동로마의 화공선 뱃머리에 장착한 분출공에서 화염방사기와 같은 방식으로 압력을 가해 이 소이액燒夷液을 분사하면 그것이 닿는 모든 것이 기름투성이의 불덩이로 바뀐다. 그리스 화염은 공중에서도 타고 물 위에서도 타, 오직 모래로 덮거나 식초로 희석해야만 끌 수 있었다. 이것은 단일 전투 과정에서 함대 전체를 없애버릴 수도 있었다.

그리스 화염은 판도를 바꾸는 무기 체계였으며, 동로마 국가에서 500년 가까이 철저하게 지키게 되는 군사 비밀이었다. 너무도 철저했던 탓에 그것을 제조하고 사용하는 방법이 결국 잊히게 되었다. 그러나 그사이에 이것은 중세 전투에서 가장 악독한 혐오물 가운데 하나로 악명을 높이게 되었다. 1차 세계대전 때의 독가스, 베트남 전쟁에서 사용된 네이팜탄, 또는 최근 시리아 내전에서 민간인을 상대로 전개된 백린탄 같은 것에 해당한다고 할 수 있다.

그 시험장이 우마이야와의 전쟁이었다. 678년, 동로마는 그리스 화염으로 이슬람 선박을 공격해 그들을 콘스탄티노폴리스 해상 방어선 밖으로 쫓아버렸다. 그들의 돛대에서는 연기가 났고 돛은 불에 탔다. 쫓겨가던 그들은 소아시아 해안 앞바다에서 강력한 폭풍우를 만났고, 최대 3만 명의 병사가 익사했다. 함대가 "산산조각이 나고 전멸했다"라고 테오파네스는 썼다.[35] 동로마로서는 대성공이었고, 전쟁의 역사에서는 중요한 순간이었으며, 이슬람교도에게는 상당한 굴욕이었다.

680~692년의 2차 피트나는 우마이야가 동로마와 벌이던 팔씨름을 중단시켰다. 그러나 영원히는 아니었다. 한 세대 후인 717년, 할리파 술라이만이 다시 한번 이슬람교도를 위한 큰 전리품으로 콘스탄티노폴리스를 노렸다. 동로마 제국 내부의 정정 불안과 음모에 고무된 술라이만은 엄청나게 거대한 도시의 육지 쪽 성벽으로 육군을 대거 보냈고, 재건된 이슬람 함대는 바다에서 다시 한번 운과 기술을 시험하게 되었다. 두 번째 콘스탄티노폴리스 포위전에 관한 기록은 첫 번째 포위전에 비해 더욱 극적인 장면을 묘사하고 있다. 육상에서는 식량 부족과 질병이 아라비아 군대를 찢어버렸다. 테오파네스는 이렇게 주장했다. "그들은 자기네가 끌고 갔다가 죽은 동물들을 모두 먹었다. 말, 당나귀, 낙타 같은 것 말이다. 심지어 그들은 죽은 사람도 솥에 삶아 먹고 자기네의 대변도 발효시켜 먹었다고 한다."[36] 이것은 실상에 대한 보고라기보다 상상이 가미된 모략 같아 보인다. 그러나 상황은 분명히 끔찍했다. 그리고 육상에 굶주림이 지배했다면, 바다에는 그리스 화염이 다시 한번 불을 밝혔다. 테오파네스는 이렇게 썼다. "불이 우박처럼 (아라비아인의 배에) 떨어졌고, 바닷물을 끓게 만들었다. 그들의 배는 용골의 수지樹脂가 녹아버려 물속 깊이 가라앉았다. 승무원과 모든 것이 함께 가라앉았다."[37] 동로마의 수도는 무사했다. 다시 한번.

우마이야는 또다시 동로마를 완전히 쓸어버리는 데 고통스럽게 가까이 다가섰다. 그들은 이번에도 콘스탄티노폴리스 성문 앞에서 쓰러졌다. 717~718년의 포위전은 그곳을 할리파의 것으로 만드는 대신, 음모를 꾸미는 동로마 장군인 이사우리아의 레온이 현직 황제 테오도시오스 3세를 몰아내고 자신이 즉위하는 일을 돕는 데만 성공했을 뿐이었다. 이 경험은 소아시아에서 가졌던 우마이야의 야심을 영원히 좌절시켰고, 이를 돌이켜 본 많은 역사가가 두 번째 포위전의 실패를 서방 역사의 전환점으로 보았다. 이슬람 군대의 첫 번째 발칸반도 확산이 멈춘 순간이기 때문이다. 이후 콘스탄티노폴리스는 중세 말까지 기독교도의 손에 남았고, 이슬람교도는 15~16세기에 이르러서야 오스만의 정복으로 옛 로마 영토에 뛰어들어 동유럽에 진출했을 뿐이다(15장 참조).

'만약' 우마이야가 동로마를 차지했다면 어떻게 되었을까를 묻는 가정 게임은 기독교 교회 뾰족탑이 아니라 이슬람 사원 뾰족탑이 곳곳에 있는 중세 유럽이라는 또 다른 현실로 이어진다. 717~718년에 실제로 일어난 사건들은 흔히 세계가 그런 운명에 빠지는 것을 막았다고 이야기된다. 그들이 무슨 일을 하고 하지 않았는지는 알 수 없다. 그러나 분명한 것은 우마이야 할리파국과 서아시아 이슬람교도의 모습이 677~678년과 717~718년의 두 차례 콘스탄티노폴리스 포위전 실패로 결정되었다는 것이다.

따라서 이슬람 세력은 7세기 말과 8세기 초 우마이야 할리파들의 치세에 소아시아와 발칸반도로 팽창하지 못한 대신 동쪽과 서쪽으로 뻗어나갔다. 이슬람 군대는 페르시아를 점령한 뒤 결국 지금의 파키스탄·아프가니스탄과 '마와라 안나흐르'(강 건너 지역), 즉 중앙아시아의 '-스탄'들인 우즈베키스탄, 타지키스탄, 투르크메니스탄, 키르기스스탄으로 나아갔다.

그들은 또한 북아프리카로 진군해 마침내 698년 동로마령 카르타고를 침략함으로써 동로마의 이 지역 지배를 끝냈다. 그리고 그들은 더 밀고 나아가 알제리를 거쳐 현재의 모로코로 향했다. 이 대륙의 서해안까지 간 것이다. 711년에는 지브롤터해협을 건넜고 이베리아반도를 가로지르기 시작했다. 현재의 에스파냐와 포르투갈에 도착한 그들은 수백 년 동안 알안달루스로 알려진 속령을 만들었다.

앗타바리에 따르면, 불운한 할리파 우스만은 콘스탄티노폴리스를 점령하는 유일한 방법이 먼저 이베리아반도를 점령하는 것이라고 주장한 적이 있다.[38] 그러나 그러한 원대한 전략적 사고가 711년 우마이야의 이베리아 침략의 바탕에 있었을 가능성은 높지 않아 보인다. 훨씬 개연성이 높은 것은 우마이야에게 북아프리카를 가로지른 뒤 끝없이 펼쳐져 있는 사하라사막보다는 온화하고 비옥한 남부 유럽이 추가적인 팽창에 더 유망해 보였으리라는 것이다. 그리고 틀림없이 그 일이 수월해 보였을 것이다.

옛 로마의 속주 히스파니아는 비시고트족의 손에 있었다. 그리고 비시고트족은 이방인 이주 시대에 성공을 거두기는 했지만 지역의 주요 강국으로 도약하지는 못했다. 모로코 사람들은 여러 세대 동안 배를 타고 해협을 건너가 비시고트 영토에서 약탈을 했다. 그리고 이제 모로코 병력으로 보강한 우마이야 군대가 같은 길을 따를 것이라고 생각할 이유는 충분했다.

결국 그들은 그 길을 따라 전속력으로 질주하면서도 같은 방식을 많이 따르지는 않았다. 우마이야 군대는 원기왕성한 무사 이븐누사이르 장군의 지도 아래 3년이 되지 않아 비시고트족을 이베리아에서 몰아냈다. 이른바 《모사라베† 연대기》의 저자가 보존한 한 충격적인 기록은 이렇게 회

---

† 모사라베는 이베리아 남부의 기독교도 주민이었다. 그들은 아라비아어 사용 등 여러 가지 아라비아의 관습을 받아들였지만, 이슬람교로 개종하지 않고 그 대신 지즈야를 납부하며 계속해서 기독교의 신을 숭배하는 쪽을 택했다. 다만 그 전례典禮는 이베리아 특유의 것이어서 때때로 중세 로마 교황의 반감을 샀다.

상한다. 무사는 "멋진 도시들을 불바다로 만들어 파괴하고, 일족에서 나이 들고 힘 있는 사람들을 십자가에 달아 죽이며, 젊은이와 아이를 칼로 도살했다."[39] 711년 과달레테 전투에서 비시고트왕 로데릭이 죽고 그의 왕국은 침략자들의 손에 넘어갔다. 《모사라베 연대기》는 이렇게 울부짖었다. "온몸을 다 동원해 말하더라도 인간의 본성은 스파니아의 파멸과 참으로 그 모든 것에 일어난 엄청난 재난을 결코 이야기할 수 없을 것이다."[40] 714년, 비시고트의 마지막 왕 아르도가 베지에(오늘날의 프랑스)에서 바르셀로나 사이의 한 줄기 땅으로 쪼그라든 초라한 왕국에서 권좌에 올랐다. 그는 그 자리에 7년쯤 붙어 있었고, 720년(또는 721년) 무렵 그가 죽으면서 비시고트도 끝났다.

300년 된 지배 세력의 이런 급속한 몰락이 그들 지배의 취약성에 기인한 것인지 아니면 단순히 공격해 온 이슬람교도를 당해낼 수 없어서였는지는 논란거리다. 그리고 8세기 연대기 자료의 엉성함을 감안하면 대답하기 쉽지 않은 문제다. 그러나 그들이 아라비아인의 칼날 아래 사라져간 유일한 정권은 아니었으며, 그들의 퇴각은 이베리아반도 역사의 급변을 드러내는 것이었다.

그리고 720년대가 되자 우마이야 왕조는 5세기 거대 로마 제국 붕괴 이래 가장 넓은 땅덩이를 통제하게 되었다. 그들은 또한 이를 변모시키는 일에도 나섰다. 그런 측면에서 변화의 큰 지렛대는 언어와 건축이었다. 그리고 가장 영향력이 컸던 두 인물은 5~6세기 우마이야 할리파였던 압둘말리크(재위 685~705)와 그 아들 알왈리드(재위 705~715)였다.

아버지인 압둘말리크는 2차 피트나의 와중에 할리파가 되었다. 이슬람 세계 각지의 주들이 공공연한 반란을 일으켰던 때다. 그의 최우선 과제는 여전히 팽창하고 있는 이슬람 세계 일대에서 우마이야 왕조 권력의 통일

성과 안정성을 회복하는 일이었다. 그가 이를 위해 택한 방법은 권력을 중앙으로 모으고 '제국주의화'하는 것, 그리고 다마스쿠스에 있는 그의 궁정과 긴밀하게 소통할 수 있는 강력한 지방 총독을 임명하는 것이었다. 그런 총독은 이라크에서 우마이야 왕가의 권력을 유지하는 데 필수적이었던 최고의 능력자 알하자즈 이븐유수프와 압둘말리크의 동생으로 푸스타트에서 안정되게 이집트 문제를 처리하고 있는 압둘아지즈 같은 사람이었다. 압둘말리크는 인재의 적재적소 임용과 더불어 우마이야 왕가 권력의 이미지와 현실을 온 나라 보통 백성에게 각인시키기 위한 혁명적인 조치들도 취했다. 이슬람교 신자뿐만 아니라 비이슬람교도에게도 마찬가지였다.

압둘말리크의 보다 중요한 개혁 가운데 하나는 이슬람 주화 도입이었다. 초기 이슬람교도가 아라비아반도 밖으로 나가면서 그들은 자기네가 정복하게 되는 곳의 유용한 상업 및 통화 체계를 망가뜨리지 않도록 조심했다.[41] 그러나 690년대가 되자 상황이 달라졌다. 압둘말리크는 나라 안의 이전 동로마 및 페르시아 각 주 주조소에 새로운 우마이야 제국의 본질을 알리도록 디자인된 여러 가지 주화를 만들도록 명령했다.

우마이야 통제하의 주조소는 동로마의 솔리두스(콘스탄티누스 대제의 시대 이래 지중해 일대에서 익숙한 통화였다) 금화 대신에 이제 디나르로 알려진 주화를 만들기 시작했다. 이렇게 설계된 첫 주화는 할리파가 황제와 유사한 광채를 뿜으며 서 있는 모습을 담고 있었다. 압둘말리크가 동로마 황제보다 더 황제답고자 애쓰고 있다는 징표였다. 그러나 697년이 되자 우상을 새기지 말라는 무함마드의 언명에 반하는 이 도상은 폐기되고, 《쿠르안》에 나오는 운문이나 기타 종교적인 문구가 쿠파체로 새겨진 디나르화가 주조되어 나왔다. 알라흐의 이름을 칭송하고 그의 자비와 동정심을 찬

양하는 것이었다.[42]

주화 제작은 상업을 위한 것이었을 뿐만 아니라 언제나 정치 선전의 도구이기도 했다. 이슬람 세계 각지에서 이제 위협을 통해 옛날 금화가 다마스쿠스로 회수되어 디나르화로 변신했다. 이는 순수하고 경건하며 화폐에 대한《쿠르안》의 명확한 입장과 일치하는 것이었다. "물건을 재되 넉넉하게 재며, 무게를 달되 저울의 균형을 이루게 하라."[43] 동시에, 조금 덜 급하게 하기는 했지만 은화와 동전(디르함) 역시 새로 디자인되고 새로 주조되고 새로 유통되었다. 은화는 이슬람 세계 전역에서 주조되었지만, 금화는 다마스쿠스에서 엄격하게 통제했다. 따라서 디르함은 흔히 그것이 유통되고 있는 지역에서 유통되는 주화의 무게와 모양에 맞추었다. 그러나어느 곳에서든 장식의 근본적인 변화는 같았다. 예전의 이교도 왕들의 모습은 사라졌다. 그 대신에 무함마드의 계시를 선전하는 함축적인 아라비아어 문구가 매일 상인과 장꾼의 손을 거쳐 갔다. 이베리아의 타호강 기슭부터 아시아의 인더스강 유역까지 마찬가지였다.

이런 변화는 무無에서 이루어진 것이 아니었다. 할리파 압둘말리크가이슬람 주화를 처음 새로 만들었을 때 그 주화에 새겨진 말들은 이를 사용하는 대부분의 사람에게(심지어 교육받은 사람에게도) 낯설었다. 앞서 말했듯이 초기 할리파들은 정복된 지역의 통화 체계를 그대로 두었다. 그들은대중에게 이슬람교를 강요하지도 않았다. 이슬람교도는 이교도에게 세금을 물리고 자기네는 새로 건설한 둔병 도시에 따로 사는 것을 선호했다. 그 결과 움마가 세계 각지로 널리 퍼져나갔지만 아주 깊이 들어가지는 않았다. 압둘말리크는 이를 변화시키는 일에 나섰다. 그는 전통적인 방식으로 중산층에 주목했다.

700년 무렵에 압둘말리크는 우마이야 세계의 모든 공무원이 하나의 언어, 즉 아라비아어만 사용해야 한다는 명령을 내렸다. 할리파국 주민의 대다수를 이루는 비아라비아인이 사용하는 가장 공통된 언어는 그리스어와 페르시아어였다. 압둘말리크는 스스로 원하는 언어를 사용하는 사람들을 상대로는 아무런 규정도 만들지 않았다. 그러나 그는 자신을 위해 일하는 사람은 더 이상 그렇게 할 수 없다는 포고를 내렸다. 서기, 중간 관리자, 정부 관료로서 벌이가 되는 일자리를 얻었던 기독교도, 유대교도, 자라수슈트라교도는 갑자기 양단간에 선택을 해야 하는 상황이 되었다. 아라비아어를 알고 있거나 아주 빨리 배우지 않으면 일자리를 잃게 되었다.

이 단순한 행정적 변화는 사실 이슬람 세계의 역사에서 요란스러운 문화적 중요성을 지닌 순간이었다. 한 줌의 일신교 지배층이 다스리는 옛 로마 및 페르시아 영토의 단명한 연방이 아니라 영속하는 이슬람 세계가 있을 것임을 확실히 했기 때문이다. 1장에서 보았듯이 위풍당당한 로마 제국이 수백만 제곱킬로미터의 지역을 한데 묶은 것은 부분적으로 라틴어가 기본적인 의사소통뿐만 아니라 문화적 담론의 공통 언어였기 때문이다. 압둘말리크는 이제 아라비아어를 비슷한 도정에 올려놓았다.

그는 아라비아어를 할리파국 전역의 통용어로 강제함으로써 그것을 기록과 연구의 세계 공통어로 변모시켰다. 아라비아어는 모든 면에서 라틴어 및 그리스어만큼 유력한 세계어가 되었다. 그 결과로 이 언어는 공무원에게만큼이나 학자에게도 유용해졌다. 중세 동안에 아라비아의 학자들은 고전 세계 전역의 수많은 문헌을 수집하고 번역하고 보존했으며, 아라비아어를 사용하는 이슬람 세계는 서방의 가장 선진적인 지적·과학적 공동체였던 그리스와 라틴 세계의 위치를 물려받았다. 이는 우마이야 할리파국 관료에게 아라비아어를 강제한다는 690년대 압둘말리크의 결정이 없었다면 가능치 않았을 것이다.

거기서 그치지 않았다. 아라비아어는 행정과 연구의 도구 이상이었다. 예컨대 라틴어와 달리, 아라비아어는 신이 직접 사용한 말이었다. 《쿠르안》은 무함마드에게 아라비아어로 계시된 것이었고, 아라비아어로 보존되었다. 초기 이슬람교도는 아라비아인이었고, 그들은 당연히 아라비아어 사용자였다. 630년 무함마드가 마카를 점령했을 때 카아바에서 울려 퍼진 이래 이슬람 사원에서 들을 수 있는 아잔(예배 초대)은 경쾌하고 음악적인 아라비아어로 만들어졌다. 이슬람교를 처음 믿었던 사람들의 언어를 빼고 이 종교를 생각하는 것은 불가능하며, 이 나라와 접촉하고자 하는 모든 사람에게 이 언어가 일단 의무화되자 얼마 지나지 않아 신앙도 따라가게 되었다. 8세기 초 이후 이슬람교도가 점령한 모든 지역에서 아라비아어가 퍼지고 점차 개종이 뒤따랐다. 이런 변화는 중세에 할리파국이었던 거의 모든 지역에서 21세기에도 여전히 보고 느끼고 들을 수 있다.†

705년 압둘말리크가 죽고 그 아들 알왈리드가 자리를 이어받았다. 그에게는 새 디나르 금화가 가득 찬 금고가 맡겨져 있었다. 그의 아버지는 중앙집권화를 위해 노력해 조세 수입과 새로운 정복에서 얻은 전리품을 다마스쿠스로 보내는 데 매우 효율적인 재정 체계를 만들어냈다. 사실 이 수입의 상당 부분은 다르알이슬람의 국경을 동쪽과 서쪽으로 더 밀어내고 지중해의 험한 바다에서 동로마 화공선과 싸울 대규모 육군 및 해군 상비군을 유지하는 데 필요했다.

---

† 이에 대한 두드러진 예외가 이란이다. 여기서는 페르시아어가 압둘말리크와 그의 우마이야 왕조 후계자들이 원했던 것보다 근절하기가 훨씬 어려웠음이 드러났다. 이란은 중세 초에 오랫동안 이슬람교로 개종하는 기간을 거쳤지만, 이란인은 확고부동하게 페르시아의 언어와 페르시아의 문화에 매달렸다. 그들은 확실히 새로운 형태의 비아라비아적 이슬람교를 만들어냈고, 그것은 현대의 아프가니스탄, 파키스탄, 인도, 튀르키예를 포함하는 더 광범위한 지역의 이슬람교 전개에 크게 영향을 미쳤다.

그러나 이 막대한 비용을 제하고도 알왈리드는 매우 많은 잉여 예산을 쓸 수 있었고, 그는 이를 초기 중세 세계의 구조 안에 이슬람교를 뿌리내리려는 아버지의 정책을 발전시키는 데 사용했다. 압둘말리크는 690년대에 예루살렘에 쿱밧 앗사흐라를 짓도록 주문하면서 아들이 따라야 할 길을 제시했다. 그것은 황제를 흉내 냈지만 이슬람적 정취가 분명한 기념비적 건축물로서 선구적인 것이었다. 알왈리드는 이 생각을 받아들이고 추진했다. 이 과정에서 그는 지난 2000년 동안 상상해왔던 가장 이례적인 몇몇 건물을 만들어냈다. 그 상당수는 단순히 역사적 유물로서가 아니라 이슬람교도 숭배자가 신과 교감하고 서로 교감하고 그들의 과거인 중세와 교감하기 위한 살아 숨쉬는 건축물로서 아직도 남아 있다.

이 웅대한 사업의 한가운데에 마카 이외에 우마이야 세계에서 가장 중요한 세 도시에 지은 세 개의 이슬람 사원이 있었다. 다마스쿠스의 우마이야 사원, 예루살렘의 알악사 사원, 마디나의 알마스지드 안나바위(선지자 사원)가 그것이다. 마지막 것은 무함마드와 아부바크르 및 우마르 할리파의 무덤을 만들기 위해 광범위한 수리와 개조를 했다. 신도가 모일 수 있도록 한 이 세 개의 거대한 예배소는 이슬람 팽창사의 중요한 단계들에 대해 서로 다른 방식으로 이야기한다. 물론 우마이야 할리파의 부와 제국의 자신감을 보여주는 것은 물론이다.

706년 건설된 다마스쿠스의 우마이야 사원은 셋 가운데 현재 가장 변화가 적은 곳이다. 그리고 그 안에 들어가면 아직도 8세기 초에 그 설계와 목적과 이슬람 세계의 장식 양식이 어떻게 발전되고 있었는지를 알 수 있다. 이 사원은 본래 이교도 신인 하다드와 유피테르에게 바쳐진 신전이었다가 기독교의 세례자 요한을 위한 교회였던 자리(우마이야가 이를 사서 허물었다)에 세워졌다. 이 정화된 지점에 들어선 이 사원에는 미흐라브로 알려진 움푹 들어간 벽감(사원 벽에 마카의 방향을 가리키기 위해 설치한 것으로, 오늘날 전 세계의 이슬람 사원의 독특하고 필수적인 부분이다)이 처음 설치되었다. 그러나 이는 후대의 기념비적인 이슬람 사원이 아니라 동로마의 큰 교회를 더 연상시키는 모자이크로 장식된 건물 안에 설치되었다. 여기에는 사람을 묘사한 것은 전혀 없으나, 집, 궁궐, 예배소, 나무, 강, 잎 장식이 뒤얽힌 모습은 많다. 이는 지상과 천국을 동시에 나타낸 것으로 보이며, 당시의 기독교 전통을 대폭 차용한 이슬람 미술 양식을 암시하고 있다.[44]

우마이야 이슬람 사원이 이런 점에서 이국적이고 낯설어 보이기는 하지만, 그것은 또한 수백 년에 걸쳐 현지 양식을 흡수해 이슬람 특유의 요소와 융합한 여러 대형 이슬람 사원의 선구이기도 했다. 동방정교회의 대성당들을 떠올리게 하는 정교한 돔이 상당히 많은 중세 말 오스만 제국의 정교한 이슬람 사원들, 붉은 사암으로 인도와 페르시아 양식이 매끄럽게 혼합되어 만들어진 파키스탄 라호르의 거대한 무굴 시대 바드샤히 이슬람 사원 같은 건축물들, 1987년 신형식주의新形式主義 운동(이 운동으로 만들어진 미국의 유명한 자치체 건축물이 뉴욕의 세계무역센터WTC, 워싱턴시의 존에프케네디공연예술관(JFK센터), 로스앤젤레스의 더포럼The Forum 등이다)이 한창이던 1987년 인도네시아 자카르타에 세워진 초현대적 이스티클랄 사원 같은 것들이다. 이슬람의 독특하고 신중히 배제된 성격을 말해주면서도 자기네 주변 세계에서 자유롭게 차용하는 사원을 건설한다는 건축적 확신은 우마이야 시대, 특히 알왈리드 할리파의 치세로 곧바로 거슬러 올라갈 수 있다.

715년 알왈리드가 죽을 무렵에 우마이야는 가장 강대한 힘을 발휘하고 있었다. 비시고트 치하 이베리아의 정복은 순조로웠다. 대형 예배당들이 건설되었다. 거대한 공공사업 계획이 이슬람 세계 전역에서 진행되었다.

알왈리드는 도시에서는 새로운 도로와 운하, 가로등 건설에 투자했고, 농촌에서는 관개용 수로에 투자했다. 아라비아어는 기도할 때의 언어일 뿐만 아니라 상업 및 행정 용도의 언어로도 지정되었으며, 이슬람교도가 중세 세계 곳곳의 수많은 사람의 삶 속으로 뻗어나갈 바탕이 되었다. 콘스탄티노폴리스 첫 포위전의 짜증 나는 패배는 빠르게 멀어져가는 과거의 일이었고, 717~718년의 두 번째 포위전은 아직 나타나지 않은 미래의 일이었다.

이것은 엄청난 업적의 더미였고, 그 영향은 수백 년 동안 지속된다. 그러나 우마이야 왕조 자체의 치하에서는 오래가지 못했다. 35년 안에 왕조가 멸망하고 팽창의 한계가 찾아왔기 때문이다. 이제 살펴볼 것은 우마이야 왕조 말년의 모습이자, 이슬람 정복전쟁의 막바지 모습이다.

검은 기가 오르다

무함마드가 죽은 지 꼭 100년 뒤인 732년, 우마이야 전사들이 피레네산맥을 휩쓸고 넘어가 프랑크족의 땅을 습격했다. 그들은 아키텐 공국公國의 궁궐과 교회를 약탈했고, 가론강 기슭에서 벌어진 전투에서 프랑크 군대를 격파했다. 그들은 맹렬한 기세로 "남녀 노예, 700명의 미녀, 그리고 환관, 말, 약물, 금, 은, 꽃병"[45]을 탈취했다.

산을 넘어 돌격해 들어간 이슬람교도들은 긴 원정을 위해 스스로를 단련했다. 지도자인 압둘라흐만은 메로빙(메로베우스)으로 알려진 프랑크족 왕조가 지배하는 영토로 750킬로미터쯤 들어간 투르시 바로 외곽에 있는 거대한 대성당을 바라보았다. 이 성당은 오래전에 죽은 기독교 영웅 마르티누스 성인의 이름을 따서 생마르탱 성당으로 불렸다(안에 그의 무덤이 있다).

4세기에 살았던 마르티누스는 '그리스도의 병사'가 되기 위해 로마 군대를 그만두었으며, 그 뒤 성난 암소에게서 악마를 쫓아내고 발렌티니아누스 황제의 꽁무니에 불을 붙이는 기적을 행했다.[46] 이때 그의 외투는 성스러운 유물로 공경을 받았고, 그의 사당은 기독교도의 예배 장소였으며, 이 성당은 많은 약탈품 동산動産의 보관소였다.[47]

그러나 압둘라흐만은 이 대성당 문에 다다르기 전에 곤경에 빠졌다. 그것은 샤를 마르텔(카롤루스 마르텔루스)이라는 형태로 찾아왔다.

마르텔은 정식 왕은 아니었지만, 프랑크인 왕국의 지배 귀족 가운데 하나였다. 곧 보게 되겠지만 그는 나중에 페팽 3세(피피누스 브레비스)와 샤를마뉴(카롤루스 마그누스) 등 유명한 지배자가 탄생한 카롤링(카롤루스) 왕조의 건설자로 인식된다. 그러나 우마이야가 접근해 온 732년에 샤를 마르텔은 아우스트라시아의 총리에 해당하는 궁재宮宰 칭호를 갖고 있었다.[†] 그의 별명 '마르텔루스'는 '망치'라는 뜻이다. 그와 가까운 시대의 한 사람은 그를 "대담함을 무기로" 삼은 "강력한 전사"라고 표현했다.[48] 이때(10월의 어느 일요일이었다) 그는 투르를 방어하고 프랑크 왕국의 남쪽 땅을 정복으로부터 막기 위해 군대를 집결시켰다.

아키텐 공작으로부터 아라비아인들의 약탈 소식을 들은 마르텔은 투르와 푸아티에 사이의 노상에서 압둘라흐만을 찾아냈다. 이레 동안 접전이 없던 상태에서 그는 이슬람교도들을 전투로 끌어냈다. 전투가 시작되자

---

† 메로빙 프랑키아(프랑크 왕국)는 대체로 로마의 갈리아에 해당하는 지역인데, 큰 땅덩어리 세 개로 나뉘어 있었다. 네우스트리아, 아우스트라시아, 부르군트다. 아키텐 공국 등 다른 여러 곳이 왕국과 연결되어 있었다. 이에 관해 자세한 것은 5장을 보라.

병사들을 정렬시킨 마르텔은 그들에게 보행으로 빙하처럼 굳건하고 튼튼한 차폐벽을 치도록 명령하고 그들을 지휘했다. "그들은 칼을 마구 휘둘러 아라비아인을 베어 넘겼다. 아우스트라시아 병사들은 대장 주위에서 한 무리를 이루어 그들 앞에 있는 모든 것을 공격했다."[49] 샤를 마르텔의 승리를 돌아본 역사 기록자들은 중세 군대와 몰살에 관한 기록에 특징적인 희망적 사고, 시적 과장, 허장성세의 통상적인 조합을 과시하며 그가 이슬람 전사 30만에서 37만 5000명(거기에는 압둘라흐만도 포함되었다)을 죽였다고 보았다. 프랑크의 손실은 단 1500명으로 추산되었다.

투르 전투(푸아티에 전투로도 알려져 있다)는 당대인에게 잘 알려져 있었고, 1000년 이상 서방 작가들로부터 찬사를 받았다. 그 핵심적인 세부 사항과 본보기로서의 교훈은 그것이 마무리된 지 채 3년이 되지 않아 작가들에 의해 정리되었다. 그 가운데 한 사람이 '가경자可敬者' 베다인데, 그는 735년 5월 잉글랜드 재로에서 죽기 전 어느 시기에 완성한 자신의 《잉글랜드 교회사》에서 이렇게 썼다. "사라센의 무서운 전염병이 프랑키아를 덮쳐 비참한 살육을 초래했으나, 그들은 곧 그 나라에서 자기네의 사악함으로 인한 벌을 받았다."[50] 많은 다른 사람이 베다의 사례를 따랐다. 중세에도 그랬고 지금도 그렇다. 600년 이상 뒤 프랑스의 신성 왕권이 정점에 있던 13세기에 생드니의 역사가는 샤를 마르텔이 "기독교 신앙의 적들로부터 생마르탱 교회와 이 도시, 그리고 온 나라를" 구했다고 썼다. 1776년에서 1789년 사이에 《로마 제국 쇠망사》를 쓴 에드워드 기번은 압둘라흐만의 패배가 온 유럽을 이슬람화로부터 구했으며, 전혀 다른 역사가 펼쳐지는 것을 막았다고 보았다. 아라비아인의 정복이 폴란드와 스코틀랜드 하일랜드까지 미치는 역사, 《쿠르안》 해석이 이제 옥스퍼드의 학교들에서 교육되고 그에 대한 설교에서 무함마드 계시의 신성과 진실이 할례받은 사람들에게 설명되는"[51] 역사 말이다.

200년 뒤인 1970년대에 프랑스에서 샤를마르텔그룹이 결성되었다. 여러 차례의 폭탄 공격으로 알제리인의 프랑스 이민을 반대한 우익 테러 조직이었다. 21세기 미국에서는 샤를마르텔학회라는 조직이 백인 국가주의자들을 조직화하고 명백하게 인종주의적인 잡지를 발간했다. 이 잡지는 우생학과 인종 분리 같은 주제의 학술 논문을 가장한 글들의 발표 기회를 제공했다.[52] 이처럼 마르텔의 승리는 심지어 오늘날에도 역사적 전환점으로 생각되고 있다. 세계를 바꾼 전쟁, 무함마드가 죽은 다음 세기의 저지할 수 없어 보였던 이슬람 정복전쟁의 밀물을 중단시킨 순간이었다.

그러나 앞서 보았듯이 이는 물론 역사를 너무 단순하게 읽는 것이다. 우선 압둘라흐만이 애당초 프랑크인의 왕국을 정복하려 했는지조차 매우 불분명하다. 피레네산맥과 론강 사이에 있는 가장 중요한 지중해 항구들은 730년대에 이미 이슬람교도의 수중에 들어왔고, 본보기 폭력의 적절한 사용을 통해 평정되었다(주교들이 때때로 자기네 교회에서 산 채로 불태워졌고, 비시고트의 이베리아에서는 베르베르인 군대가 완강히 저항하는 기독교도를 삶아 먹었다는 소문이 퍼졌다). 일상적인 지즈야 부과도 있었다. 투르와 그 주변 지역은 좋은 약탈 무대였지만, 730년대에 이 지역이 이슬람교도의 완전한 정복 대상 목록에 올라 있었는지는 전혀 분명치 않다.

게다가 투르 전투 하나만으로 보면 할리파국 팽창의 역사적 전환점의 보다 설득력 있는 사례라 할 수 있는 이전의 두 패배와 함께 놓았을 때 이것은 아무것도 아니었다. 첫 번째는 앞서 이야기한 717~718년의 콘스탄티노폴리스 포위전 실패다. 두 번째는 717년의 악수(발환성撥換城) 전투로, 아라비아인이 이끌고 튀르크인과 티베트인이 뒤를 받친 군대가 오늘날 중국의 신장新疆 지역에서 당唐나라에 패배한 전투다. 이 패배를 기점으로 이슬람교도의 동진東進은 서서히 막을 내렸다. 750년대에는 이슬람 세계와 당나라 중국의 경계가 중앙아시아에 그어졌고, 두 강국은 그곳에서 실크로드 교역로를 나누어 가졌다. 8세기 중반은 이슬람 정복이 유럽뿐만 아니라 세계적으로도 지리적 한계에 다다른 시기였다. 732년 샤를 마르텔의 승리는 훨씬 더 큰 과정의 한 작은 부분에 불과했다.

사실 서유럽의 다가올 중세(그리고 그 안에서 이슬람교도의 위치)를 규정지은 가장 중요한 사건은 747년 6월에서 750년 8월 사이에 일어났다. 다마스쿠스에서 우마이야 왕조가 전복된 것이다.

이 혁명의 원인과 과정은 복잡하지만, 요컨대 할리파국 안의 다양한 반체제 집단(시아파와 움마의 여러 법적 특권에서 배제된 비아라비아인 이슬람 개종자 마울라 등)이 동부 페르시아 출신의 알 수 없고 비밀스러운 인물인 아부 무슬림 알호라사니의 지도 아래 단결했다. 그들은 동부의 도시 메르브에서 일어난 한 지역 반란으로 시작해 할리파국 전역에 전면적인 혁명 정신을 확산시키고 3차 피트나를 촉발시켰다. 3차 피트나는 750년 1월 할리파 마르완 2세가 자불카비르 전투에서 군사적 패배를 당함으로써 마무리되었다.

석 달 뒤 다마스쿠스가 함락되었고, 이후 왕가의 살아남은 사람들이 하나씩 추적당하고 암살당했다. 마르완은 이집트로 달아났다가 살해되었으며, 그 자리는 아불압바스 앗사파흐라는 요르단계 아라비아인이 물려받았다. '사파흐'라는 그의 별칭은 유혈자流血者라는 의미다. 앗사파흐는 이렇게 해서 압바스라는 이름의 새 왕조를 건설했으며, 그들은 무함마드의 숙부 알압바스의 후예를 자처하고 순흑기純黑旗를 자기네의 상징으로 삼았다.†

압바스 왕조는 자기네가 우마이야 왕조로부터 탈취한 이슬람 제국을 완전히 변모시켰다. 그들은 수도를 다마스쿠스에서 동쪽으로 800킬로미터 떨어진 바그다드라는 이라크의 새 도시로 옮겼으며, 포괄적인 정치적·법적 권한을 '아미르'라 불리는 할리파국 전역의 지역 지배자에게 위임했다. 압바스 왕조는 또한 비아라비아 이슬람교도를 대략 비슷한 조건으로 움마에 통합시키고자 노력했다. 그 결과로 그들의 시대에는 이슬람 세계 안에서 정치적 분열이 일어났다. 아미르들은 갈수록 더 할리파로부터 독립성을 확보했으며, 순나와 시아의 분리적 종파가 생겨났고, 이집트의 파티마나 현대 모로코의 알무라비툰 및 알무와히둔 같은 경쟁 왕조도 생겨났다. '올바르게 인도된' 할리파나 우마이야 왕조의 전성기 때처럼 그렇게 광대한 영토에 정치적·영적 권세를 휘두르는 일은 다시 일어나지 않았다.

그럼에도 불구하고 압바스 시대(1258년 할리파국이 몽골에 무너질 때까지 지속되었다. 9장 참조)는 이슬람의 황금시대로 알려지게 된다. 미술, 건축, 시, 철학, 의약, 과학 연구가 이 시기에 꽃을 피웠다. 8세기에 압바스 왕조는 중국의 당나라로부터 제지製紙 기술의 비밀을 훔쳤으며, 13세기에는 송宋나라로부터 화약 만들기의 비밀을 배웠다. 그들은 바그다드의 바이툴히크마('지혜의 집') 같은 거대한 도서관을 만들었다. 그곳에서는 수백만 쪽의 책이 사회 전반에 도움을 주기 위해 번역되고 필사되고 연구되었다. 중세 말 유럽 문예부흥의 진보 가운데 상당 부분은 바이툴히크마 같은 이슬람 기관에서 전 세계의 고전적 지식과 기술을 보존하지 않았다면 전혀 불가능했을 것이다.

---

† 순혹기는 지금 불길한 느낌을 준다. 이슬람국(ISIS, ISIL) 지도자 아부바크르 알바그다디의 단명한 '할리파국'이 이를 모방했기 때문이다. 이 조직은 알카이다에서 자라나 2013년에서 2019년 사이 시리아와 이라크 상당 부분을 야만적으로 통치한 이슬람 근본주의 집단이었다.

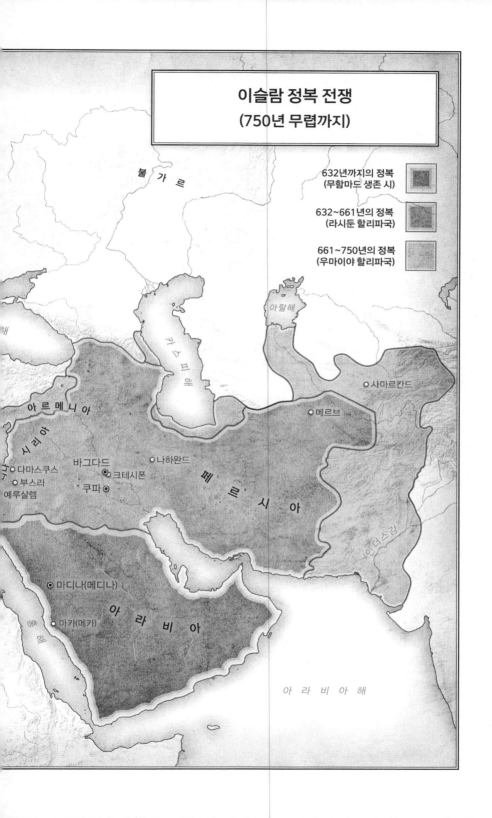

이슬람 정복 전쟁
(750년 무렵까지)

632년까지의 정복
(무함마드 생존 시)

632~661년의 정복
(라시둔 할리파국)

661~750년의 정복
(우마이야 할리파국)

불 가 르

아랄해

카스피해

사마르칸드

메르브

아르메니아

시리아

나하완드

페 르 시 아

다마스쿠스
바그다드
크테시폰
부스라
쿠파
예루살렘

인더스강

마디나(메디나)

아 라 비 아

마카(메카)

홍해

아 라 비 아 해

그러나 압바스 시대는 이슬람 세계의 무게중심이 수도와 마찬가지로 동쪽으로 이동한 시기이기도 했다. 할리파는 이제 지리적으로나 문화적으로 아라비아반도와 함께 처음 두 할리파국의 핵심을 이루던 옛 로마 영토에서 벗어난 곳에 자리 잡았다. 이에 따라 다르알이슬람의 변화는 한두 발 떨어져 있는 서방 세계에 영향을 미쳤다.

중세에 중요하고 지속적이었던 사실 가운데 하나는 동방의 이슬람 세계와 서방의 기독교 세계가 점점 더 서로에 대해 모르고 적대하게 되었다는 것이다. 이런 모습은 지금 우리가 다루는 이 시기에는 해당되지 않을 것이다. 우마이야 왕조는 서아시아 지역뿐만 아니라 서부 지중해 문제에도 투자하고 직접 관여했다. 이 이른바 문명 분기分岐는 오늘날 극우파와 전 세계의 다양한 종류의 극단주의자가 즐겨 인용하는 말이다. 그것은 적어도 일부는 8세기에 뿌리를 둔 사건들로 인해 생겨난 것이다.

이 모든 사실에도 불구하고 기억해두어야 할 것이 있다. 우마이야 할리파국은 750년에 멸망했지만, 우마이야 왕가 자체는 살아남았고 그 유산을 오늘날 서방의 한 특별한 지역에서 강력하게 느낄 수 있다는 것이다. 바로 에스파냐와 포르투갈 남부 지역이다. 그곳은 알왈리드 치세인 711~714년에 효율적으로 정복되었다.

압바스 혁명의 소란 와중에 옛 할리파 중 하나인 압둘말리크의 손자 하나가 다마스쿠스에서 달아났고, 그는 그를 우마이야 피살자 목록에 추가하고자 하는 암살 기도자들에게 바짝 쫓겼다. 그는 암살자들을 따돌린 후 객지에서 6년을 떠돌다 눈에 띄지 않게 북아프리카에서 긴 여행을 한 끝에 결국 이베리아 남부에 도착했다. 그곳에서 그는 스스로 할리파라고 선언하고 무더운 도시 코르도바에 독자적인 수도를 건설했다. 그곳은 이베리아에서 가장 더운 지역으로, 온도가 아라비아반도의 짜증 나는 열기와 맞먹었다. 이후 20년에 걸쳐 그는 이베리아의 이슬람 영토를 꾸준히 넓혀 코르도바 아미르국으로 알려지게 되는 나라로 편입시켰다.

바그다드, 그리고 이프리키야 지방(현대의 튀니지)의 도시 카이라완(10세기 초까지 압바스 할리파국의 일부로 남아 있었다)과 마찬가지로 코르도바는 중세에 학술과 이례적으로 풍성한 문화의 도시로서 엄청난 명성을 얻었다. 그 인구는 약 40만 명까지 불어났다. 코르도바를 콘스탄티노폴리스나 심지어 고대 로마와 같은 반열에 가뿐히 올릴 수 있는 규모였다. 이 도시의 종교 생활은 코르도바의 이슬람 대사원(메스키타)†을 중심으로 고동쳤다. 그것은 다마스쿠스에 있는 우마이야 제국의 보석에 맞먹는 규모로 건설되었는데, 로마의 석공예와 무어인의 장식 기술의 영향을 흡수했다. 건설자금은 비시고트 정복과 인근 프랑크인의 땅 습격에서 얻은 풍부한 약탈물로 댔다.

대략 서기 900년에서 1000년 사이의 100년 동안에 코르도바시와 그곳에서 지배하는 우마이야 잔당 아미르국은 서유럽에서 가장 발전하고 세련된 국가임을 강력하게 자처했으며, 남부 에스파냐 및 포르투갈 문화에 박힌 당시의 엄청난 유산은 아직도 감지된다.

지명 자체에서도 여전히 분명한 아라비아어의 영향이 보이는데, 리스본은 알우스부나, 지브롤터는 자발타리크, 말라가는 말라카, 이비사는 야비사, 알리칸테는 알라칸트로 모두가 이름에 강한 아라비아어의 냄새를 지니고 있다. 이베리아의 다른 여러 크고 작은 도시와 관광지의 이름도 마찬가지다. 그라나다의 화려한 알람브라 궁전은 가장 유명한 곳이지만, 지

---

† 지금은 가톨릭 대성당이다. 21세기에 에스파냐의 이슬람교도들이 그곳에서 예배를 드릴 수 있게 해달라고 청원했지만 실패했다.

금도 쓰이고 있는 에스파냐 왕궁인 세비야의 알카사르는 중세 말 이슬람 지배자의 성채가 있던 곳에 지어진 것이다. 한편 하엔의 아라비아 목욕탕은 이슬람 치하 이베리아의 유쾌하고 세련된 민간 문화를 암시한다. 옛 로마령 히스파니아에 충분히 비견할 수 있을 정도다.

중세 동안에 이베리아에는 이슬람교도가 진출해 있었고, 이슬람 지배가 11세기 이후 레콩키스타('재정복')로 알려진 서방의 성전에 지속적으로 감퇴되었지만, 마지막 이슬람 아미르가 본토에서 쫓겨나 모로코에서 망명 생활을 하게 된 것은 1492년 1월에야 이루어진 일이었다(15장 참조). 이베리아반도가 적어도 일부라도 다르알이슬람과 공식적으로 연결된 것은 700년 이상에 걸친 세월이었으며, 그 오랜 관계는 현대 에스파냐의 민족사와 문화사에 활기를 불어넣기도 하고 해악을 끼치기도 했다. 이는 전면적으로 상찬을 받을 일은 아니다. 에스파냐는 지금 가톨릭 교세가 강한 나라이고, 에스파냐의 이슬람 전통에 대해 불편하게 생각하는 사람이 많다.

중세 이베리아의 이슬람 지배자가 모두 도서관과 공중목욕탕을 짓는 두 가지 대의에 헌신하도록 지식인을 깨우친 것은 결코 아니다. 11세기에서 13세기 사이에 알안달루스를 통치했던 알무라비툰과 알무와히둔으로 알려진 베르베르인 왕조는 비이슬람교도에 대한 폭력적인 억압과 박해 상당 부분에 책임이 있는 엄격한 광신자였다.

아마도 진심은 북아프리카로 향하고 있었을 것으로 추측되는 이베리아의 이슬람교도 모로인(무어인)에 대한 일정 정도의 대중의 편견과 의혹은 에스파냐의 정치 담론에서 지속적인 특징이다. 지나간 중세에 대한 어렴풋한 기억이 종종 덜 먼 20세기 에스파냐 내전의 경과에 대한 회상과 뒤섞였다. 이 내전은 모로코에서 시작되었고 북아프리카 출신인 수만 명의 이슬람교도 병사들이 참여했다. 그들은 프란시스코 프랑코 장군 지휘하에 국민파 쪽에서 싸웠다.

이 모든 것은 복잡하고 미묘한 상황에 해당한다. 역사는 계속 우리 주위에서 소용돌이치며 태도, 믿음, 편견, 세계관을 만들어낸다. 그래서 7세기 히자즈의 한 동굴에서 계시된 신의 말이 스마트폰과 자율주행 자동차의 시대를 살고 있는 남녀의 일상생활에 아직도 영향을 미치고 있는 것이다.

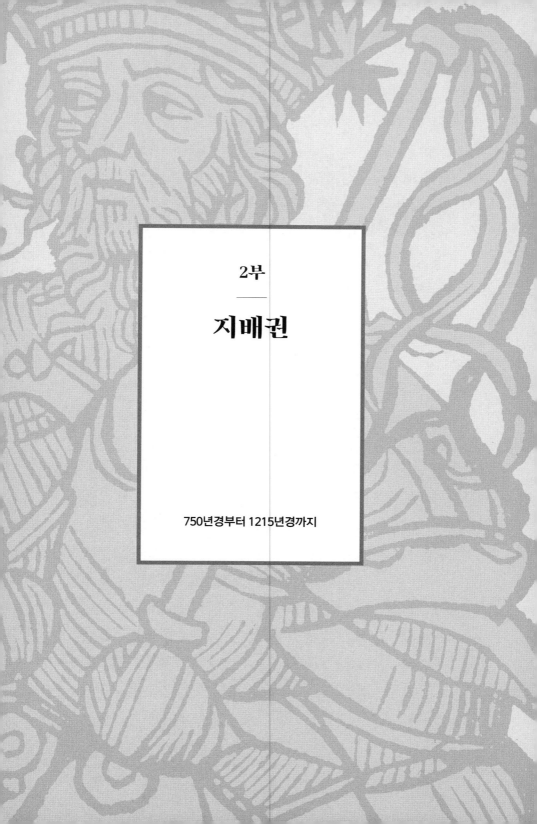

2부

—

지배권

750년경부터 1215년경까지

5장

프랑크인들

✤

아, 쇠다! 쇠 때문에 망했다!
— 프랑크 군대의 출현에 랑고바르드인이 토한 절망 어린 비명

751년 하반기†에 힐디릭(킬데리쿠스) 3세는 값비싼 이발을 했다. 11년 동안 그는 (이방인의 이주로 서방 제국이 무너진 뒤 갈리아의 옛 로마 속주들을 지배한) 프랑크인의 왕이었다.

힐디릭이 실제 권력을 행사한 적은 없었지만(한 역사 기록자는 경멸조로 그의 유일한 기능이 "옥좌에 편안히 앉아 (…) 왕이라는 이름과 통치한다는 외양에 만족하는" 것이라고 보았다), 그럼에도 불구하고 그는 위엄을 지닌 사람이었다. 그는 그것을 머리칼과 수염을 될 수 있는 한 길게 기르는 것으로 드러냈는데, 그것이 그의 가문인 메로빙 왕가의 전통 깊은 관습이었다.[1] 이렇게 헝클어진 머리칼을 좋아해서 메로빙 왕가는 '레게스 크리니티'('긴 머리

---

† 아니면 아마도 752년 초봄이었을 것이다. 이 사건의 시기 문제에 관한 간결한 설명은 Costambys, Marios, Innes, Matthew and MacLean, Simon, *The Carolingian World* (Cambridge: 2011), pp. 31~34 를 보라.

왕들')라는 이름을 얻었다. 그것은 단순한 특징이나 영양가 없는 별명 이상의 것이었다. 머리칼은 그들 권력의 필수불가결한 상징이었다. 구약에 나오는 삼손과 마찬가지로, 메로빙 왕가의 누군가가 머리칼을 짧게 깎았다면 그는 모든 권력을 빼앗긴 것으로 간주되었다.

따라서 751년에 힐디릭은 단순히 헤어스타일을 바꾼 것이 아니었다. 폐위 의식을 치른 것이었다. 그의 왕국은 혁명의 산통産痛을 겪고 있었고, 이것은 그 상징적인 정점이었다. 늙은 왕은 머리를 깎이고 생토메르에 있는 한 수도원으로 보내져 남은 생애 동안 가택 연금 생활을 하게 되었다. 프랑크 왕국의 북쪽 끝, 바다에서 멀지 않은 곳이었다. 그의 자리를 차지한 것은 그에게 치욕을 안기도록 명령한 바로 그 사람이었다. 바로 '꼬마' 페팽이다.

한 역사 기록자에 따르면 페팽은 "모든 프랑크인이 선택하고 주교들이 축성祝聖하고 위인들이 존경한 왕"²이었다. 이 작가는 자신의 판단을 프랑크 왕실 연감에 적었다. 그것은 페팽과 그 자손들이 주문하는 것이었으므로 가장 호의적이고 가장 알랑거리는 내용으로 채워질 수밖에 없었다.

그거야 어떻든, 751년이라는 해는 유럽 역사의 시작을 알리는 해였다. 프랑키아가 카롤링 시대로 들어가는 것이다. 카롤링 왕조는 그들의 족장인 페팽의 아버지 샤를 마르텔(카롤루스 마르텔루스)을 기려 붙인 이름이었다. 투르 전투에서 우마이야를 격파한 그 사람이다. 이 가문에는 유명한 샤를이 여럿 있었다. '대머리' 샤를, '뚱보' 샤를, '멍청이' 샤를 같은 사람들이었다. 그러나 가장 유명한 사람은 샤를마뉴(카롤루스 마그누스)였다.

40년에 걸친 재위 기간에 샤를마뉴는 지금 프랑스, 독일, 북이탈리아, 벨기에, 룩셈부르크, 네덜란드로 알려진 땅을 자신이 통치하는 유럽의 거대 국가로 통합했다. 800년에 이 유럽의 연합국은 교황으로부터 제국의 지위를 부여받았으며, 그 프랑크화하고 성화聖化하고 호전적인 성격은 샤를마뉴 자신에 의해 의인화되었다. 그는 영국의 전설적인 왕 아서만큼이나 영웅적이고 당당한 인물로 기억된다.[3] 샤를마뉴는 중세를 통틀어 가장 강력하고 영향력 있는 지배자 가운데 하나였다.

그리고 그는 이후로 줄곧 강력하게 느낄 수 있는(그리고 들을 수 있는) 유산을 유럽에 남겼다.[4] 그의 라틴어 이름 '카롤루스'는 현대의 여러 유럽 언어 속에 들어가 '왕'을 뜻하는 말이 되었다. 폴란드어의 크롤, 불가리아어와 체코어의 크랄, 헝가리어의 키라이 등이 그렇다.[5] 그리고 그의 정치적 업적 역시 마찬가지로 오래 지속되었다. 라인강 양쪽의 땅들을 오늘날의 프랑스와 독일을 중심으로 한 거대 국가로 통합하는 데는 엄청난 노력이 필요했다. 이를 하나로 유지하는 것은 샤를마뉴의 계승자 대부분의 능력을 넘어서는 일임이 드러났다. 또한 그 이후 정치인 대부분의 재능을 넘어서는 것이기도 했다.†

그러나 샤를마뉴가 강력하고 그의 제국이 멀리까지 뻗어나갔다고 해도, 카롤링 왕조의 프랑크가 이 시기에 두각을 나타낸 유일한 강대국은 아니었다. 8세기 이후에 스칸디나비아반도의 원기 왕성한 이교도 탐험가, 상인, 살인자의 무리가 역시 진군하고 있었다. 지금 우리는 이들을 뭉뚱그려 노르드인(바이킹)으로 알고 있다. 프랑크인과 노르드인은 북유럽과 서유럽이라는 같은 지역 안에서 자원과 권력을 다투면서 협력하는 것만큼이나 심하게 충돌할 수밖에 없었다. 그리고 결국 핵융합과 비슷한 과정을 거쳐 그들의 뜨거운 충돌은 제3의 민족을 만들어냈다. 중세사에서 독자적으로 중요한 역할을 하게 되는 그들은 노르만인으로, 이 책의 2부가 전개되면서 크게 다가올 것이다.

---

† 적어도 이 책을 쓰고 있는 현재 유럽연합(EU)이 예외일 수 있다.

메로빙 왕조와 카롤링 왕조

이 책 2장에서 처음 나온 프랑크인은 최소한 대여섯 무리의 게르만 전사 집단의 연합체였다. 그들은 대이동의 시대에 라인강을 건너 돌진했고, 로마령 갈리아로 들어간 뒤 단일 집단으로 뭉쳤다. 그들은 그곳에 정착한 뒤 로마 제국의 얼마 남지 않은 땅을 점차 떼어내 차지했다. 따라서 3세기의 로마 작가들은 프랑크인을 평범한 떠돌이 이방인으로 보았다.

그러나 수백 년 사이에 프랑크인은 출세를 했고, 그렇게 되자 그 시인들과 작가들은 거창한 탄생 설화를 꾸며냈다. 프랑크인의 주장에 따르면 그들은 청동기시대에 유럽에 정착했다. 그들의 조상은 트로야 전쟁 때 그곳을 떠나 서쪽으로 유랑한 전사의 무리였다.[6] 사실 여부야 어떻든, 460년 이후 그들은 무시 못할 존재였다. 그들은 라인강 서쪽에 정착해 이웃들(비시고트와 부르군트가 대표적이다)에게 끊임없이 자기네의 존재감을 알렸다.

7세기가 되면 그들은 브르타뉴반도와 지중해 연안의 아를-페르피냥 사이 연안 지대(오늘날의 랑그도크루시용의 아늑한 해변 지역)를 제외한 현대의 프랑스 전역을 점령했다. 프랑크인은 또한 라인강 동쪽의 멀리 바이에른, 튀링겐, 작센 일부 지역의 게르만 부족에게까지 공물을 받았다. 이 팽창의 상당 부분은 250년의 기간에 이루어졌는데, 이 기간 동안 프랑크인은 긴 머리 메로빙 왕조의 통치를 받았다.[†]

우리가 잘 모르는 메로빙 왕조의 첫 왕은 또 한 명의 힐디릭으로, 힐디릭 1세다. 이 힐디릭은 자신의 군사적 재능을 이용해 5세기 중반 루아르

[†] 메로빙 왕조는 신기한 기원설을 갖고 있었다. 그들은 자기네가 '퀴노타우루스'(거대한 바다코끼리를 닮은 환상의 괴물)에게 강간당한 여왕의 후예라고 주장했다. 프레데가리우스라는 사람의 이름으로 만들어진 연대기에는 이것이 "바다의 짐승"으로 묘사되어 있다.

강 북쪽 땅에서 많은 추종자를 모았다. 그는 비시고트인 및 작센인을 상대로 싸움을 벌였으며, 481년 죽었다. 그는 엄청난 보석 수집품과 함께 투르네에 묻혔다.

17세기에 힐디릭의 무덤이 열리자[†] 거기에는 많은 금화·은화와 화려하게 장식되고 황금 손잡이가 달린 칼, 수많은 금 장신구, 수백 개의 아름다운 장식용 금 고리, '칠리리키 레기스'(힐디릭왕)라는 말이 새겨진 의례용 도장 반지, 투척용 창과 도끼, 방패 파편, 최소 두 구 이상의 인간 유골이 들어 있었다. 그것은 (아마도 귀인의 장례에 희생으로 바쳐진 듯한) 전사와 여성, 값비싼 군마가 가득한 거대한 프랑크인 공동묘지 한가운데에 있었다.[7] 이 전체 묘지는 한때 말 그대로 기념비적인 묘지를 이루고 있었다. 왕릉 주위에 건설되어 몇 킬로미터 밖에서도 볼 수 있었다. 힐디릭 1세의 무덤은 프랑크인이 단순한 떠돌이 전사만은 아니었음을 보여준다. 그 지배자들은 5세기 말에 이미 왕으로서 갖추어야 할 모든 것을 갖추고 있었고, 사방으로 말을 타고 며칠 거리에 이르는 지역의 통치자로 자임했다.

메로빙 왕조의 권력은 5세기와 6세기에 정점이었다. 힐디릭 1세의 뒤를 이은 것은 흘로도빅(클로도베쿠스)이라는 강력한 왕이었다. 흘로도빅은 프랑크 부족을 정연한 정치·문화 단위로 한데 묶었다. 부르군트 공주 출신인 그의 아내 흐로디힐디(크로데킬디스)[††]는 그를 토착 종교에서 가톨릭으로 개종시켰다.

[†] 힐디릭 1세의 무덤은 중세 교회 부근의 한 건설 현장에서 일하던 한 농아인 석공이 우연히 발견했다. 안타깝게도 화려한 부장품은 지금 거의 사라졌다. 19세기에 이 저장물들은 파리에서 도난당했고, 금의 대부분은 녹여졌다.

[††] 지금은 클로틸드 성인으로 불린다. 신부와 입양 자녀의 수호 성인이다. 적그리스도의 본질에 관한 권위 있는 연구로 더 잘 알려진 작가이자 10세기 베네데토회 대수도원장 아드송 드몽티에앙데르의 칭송 전기에서 다루어졌다.

486년, 그는 수아송 전투에서 승리해 로마가 유지하고 있던 옛 속주에 대한 영향력을 끊어버렸다. 507년, 그는 부이예 전투에서 이베리아의 비시고트족을 격파함으로써 아키텐으로 알려진 갈리아 서남부 지역에 대한 그들의 영향력을 끝장냈다. 그 결과로 홀로도빅은 이후의 모든 프랑크 지배자에게 라허란던Lage Landen〔오늘날의 베네룩스 3국을 중심으로 하는 라인 강 하구 일대를 가리키는 역사적 명칭〕과 피레네산맥 사이의 모든 땅을 지배할 권리가 있다는 정서를 물려주었다.

그는 또한《살리 법전》(프랑크 왕국의 중심 부족인 살리족의 법전)을 승인했다. 507년에서 511년 사이에 반포된 법률문이다.《살리 법전》은 중세 초에 프랑크 법의 핵심 요소가 되며, 800년 뒤인 14세기에도 여전히 왕위 승계 분쟁에 인용되었다.[8] 홀로도빅의 치세는 (나중에 프랑스 국민의식이 되는) 프랑크인의 집단 정체성의 진정한 출발점이었다. 그는 흔히 진정한 첫 프랑스인으로 묘사된다.

그러나 홀로도빅 이후 메로빙 프랑크의 이야기는 정치권력에 반비례해 크게 늘어난다. 511년 홀로도빅이 죽을 때 그는 프랑크 왕국의 왕권을 네 아들에게 나누어주었다. 이 분할은 프랑크 영토의 각 주요 지역에서 강한 지도력이 발휘되도록 하려는 의도였지만, 분열에 기여하는 부분이 더 많았다. 그 결과로 메로빙 왕조는 250년 동안 프랑크인의 왕(더 정확하게 이야기하자면 복수의 왕이었다)으로 군림했지만, 홀로도빅의 자손 가운데 그의 이례적인 업적에 필적할 만한 사람은 거의 없었다.

실제로 7세기 말 이후 그들은 자기네의 정치적 무능력에 의해 규정되었다. 허약한 후대의 메로빙 왕들은 '루아페네앙'(나태한 왕들')이라는 조롱을 받았다. 프랑크 왕국의 주요 분국(아우스트라시아, 네우스트리아, 아키텐, 프로방스, 부르군트)에서 권력은 점차 마요르팔라티로 알려진 관리인 궁재宮宰

에게 위임되었다. 궁재는 군대를 지휘하고 군사 정책과 전략을 통제했으며, 분쟁을 해결하고 외교 문제를 처리했다. 그들은 실력자와 총리의 중간쯤이었고, 모든 포괄적인 정치권력이 그들의 손에 쥐어져 있었다. 여러 세대에 걸쳐 왕으로부터 빨아내 차지한 것이었다. 반면에 왕은 껍데기 지배자였다. 역사 기록자 아인하르트에 따르면 전형적인 루아페네앙은 이러했다.

(어디서 온 사람이든) 사절들의 이야기를 듣고, 그들이 떠날 때 답을 주었다. 누군가 가르쳐주거나 말하도록 주문한 내용으로 말이다. 그는 왕이라는 허울과 약간의 연금 외에 (…) 사유지 하나(그것도 소득이 보잘것없었다) 말고는 가진 게 아무것도 없었다. (…) 여행을 해야 할 때는 시골에서 하는 것처럼 멍에를 씌운 한 쌍의 황소가 끄는 수레에 타고 소치기에게 끌게 해서 다녔다.[9]

8세기 전반에 샤를 마르텔은 프랑크의 궁재 자리에 올라 이를 완전한 형태로 발전시키고 왕권으로서 공인받았다. 마르텔은 긴 생애에 걸쳐 네우스트리아와 아우스트라시아의 정치적 통제권을 장악했고, 이어 프랑키아의 다른 모든 지역을 '프랑크의 공작 겸 군주'인 자신의 독점적인 통제 아래로 끌어왔다. 역사 기록자 아인하르트는 마르텔의 업적에 대해 찬탄하며 이렇게 썼다. 그는 "공무를 훌륭하게 수행했다. (…) 프랑키아 전역을 지배한다고 주장하는 폭군들을 몰아내고 (…) 사라센인(우마이야를 의미)을 완전히 패퇴시켰다."[10]

반면에 메로빙왕 테우데릭 4세(명목상 마르텔은 자신의 권력을 그로부터 끌어왔다)는 루아페네앙의 전형이었다. 마르텔은 테우데릭이 16년에 걸친 전 재위 기간을 철저하게 여러 수도원에서 연금 상태로 보내도록 했다.

737년, 이 허수아비 군주가 죽었다. 마르텔은 굳이 그 후임을 세우려 애쓰지 않고 자신이 직접 왕에 준하는 권력을 행사하는 쪽을 택했다. 이에 따라 명목상 프랑크에는 몇 년 동안 왕이 없었다. 이것이 정확하게 메로빙 왕조의 끝은 아니었지만, 이를 통해 그들의 몰락은 크게 가속화했다.

743년 샤를 마르텔이 죽고 그의 아들들 및 친척들이 그 유산과 상속을 놓고 다투게 되자 불운한 힐디릭 3세가 테우데릭의 후계자로 점지되었다. 그러나 앞서 보았듯이 힐디릭 3세는 메로빙 왕조의 마지막 왕이 되었다. 751년, 그의 머리칼은 마르텔의 아들 '꼬마' 페팽의 명령에 따라 잘렸다.

그리고 이와 함께 왕조가 멸망했다.

'꼬마' 페팽이 궁재에서 왕으로 올라서는 것은 전혀 쉬운 일이 아니었다. 그의 문제는 두 가지였다. 우선 그의 아버지는 프랑크 땅에 대한 권력을 형인 카를로만과 나눠 가지도록 지시했다. 이 문제는 747년 카를로만이 정치에서 은퇴해 로마와 나폴리 중간에 있는 몬테카시노의 유명한 베네데토(베네딕투스)회 수도원에 들어가 살면서 대체로 해결되었다. 그러나 여전히 문제 하나가 남아 있었다. 페팽은 힐디릭을 제거하면서 우주의 질서를 건드렸다. 메로빙 왕조가 무용하기는 했지만, 그들의 왕권은 수백 년 동안 이어졌고 이는 신의 승인을 의미하고 있었다. 그들을 그냥 밀쳐놓는 것은 조금 모양이 빠졌다. 페팽은 인간의(그리고 신의) 눈으로 볼 때 자기 정권을 정당화할 방법을 찾을 필요가 있었다.

그는 하나의 해법으로 로마의 교황에 주목했다. 페팽은 힐디릭 제거에 나서기 전에 자카리아스 교황(재위 741~752)에게 편지를 보내 자신의 조치를 지원해달라고 요청했다. 페팽은 자카리아스에게 이렇게 썼다. "지금 프랑키아에 왕권을 지니지 못한 왕이 있다는 것이 옳은 일인지 모르겠습니다."

이는 다분히 유도 질문이었고, 페팽은 교황이 어떻게 답할지를 분명히 알고 있었다. 자카리아스는 랑고바르드인의 힘을 걱정하고 있었다. 이탈리아에서 그들의 영토 욕심은 교황과 통상적으로 그들을 지켜주는 속세의 힘인 동로마의 라벤나 총독에게 위협이 되고 있었다. 자카리아스는 랑고바르드인이 자기네를 목표로 움직일 경우 도움을 청할 수 있는 친구가 필요했다. 페팽은 그런 친구가 되기에 좋은 위치에 있었다. 따라서 자카리아스는 프랑크의 왕권에 관한 원론적인 질문에 유리한 답변을 할 수밖에 없었다. 그는 페팽에게 편지를 써서, 존재감 없는 지배자보다는 적극적인 지배자를 갖는 것이 훨씬 낫다고 말했다. "그는 교황의 권위를 동원해, 질서가 혼란으로 바뀌지 않게 하려면 페팽이 왕이 되어야 한다고 선언했다."[11]

공은 이제 굴러가고 있었다. 페팽은 교황의 외형적인 지원을 받게 되자 힐디릭의 뒤를 잇는 자신의 즉위식이 정치적인 축하의 문제가 아니라 분명하게 신학적인 색채를 띠어야 한다고 결정했다. 어린 시절 페팽은 파리의 생드니 대수도원에서 수행자들로부터 교육을 받았고, 그곳에서 성서의 역사에 관한 예리한 감각을 키울 수 있었다. 그래서 페팽은 751년 교황 특사인 마인츠 대주교 보니파키우스로부터 프랑크의 새 왕으로 대관될 때 구약의 왕들의 사례를 끄집어냈다. 보니파키우스는 그에게 성스러운 기름을 머리, 어깨, 팔에 부은 뒤 그를 옥좌에 올렸다.

이것은 일반적인 즉위식이 아니었다. 세례와 성직 서품이 뒤섞인 장엄한 공연이었다. 이는 페팽의 즉위를 프랑크 귀족뿐만 아니라 교회도 지지한다는 것을 널리 알렸다. 그리고 그 영향은 오래 지속되었다. 그 이후 프랑크왕은 주교나 대주교가 기름을 부어 '옹립되어'야만 받아들여지게 된다. 기독교 시대의 로마 황제나 이슬람 초기 할리파처럼 프랑크왕은 이제 자기네의 지배에 성스러운 성격이 있다고 주장했다. 왕이 스스로 신과 직접 접촉한다고 생각하기 시작하는 무대가 만들어졌다. 전능자에 의해 승인되고 보호받으며, 그들 자신을 신을 대리하는 사람으로 생각할 자격이 주어진 것이다. 그리고 동시에 교회에는 프랑크왕의 성과를 판단할 수 있는 권리가 주어졌다. 이 새로운 약정의 함의는 중세 내내 그리고 그 이후에도 느껴지게 된다.[12]

많은 지배자에게 성스러운 기름을 붓는 의식은 한 번으로 충분할 것이다. 그러나 페팽은 공연 취향이 있었고, 성스러운 기름 냄새를 즐겼다. 그래서 수아송에서 의식을 치르고 3년 후에 그는 한발 더 나아갔다. 이때 자카리아스 교황이 죽었고, 그의 후임 스테파누스 2세도 비슷하게 고분고분했다. 753~754년 겨울에 새 교황은 알프스산맥을 가로질렀고, 공현축일公現祝日인 1월 6일에 그는 엄숙한 위의를 갖추고 퐁티옹의 프랑크 궁정에 나타났다. 군사 원조를 청하기 위해서였다. 한 역사 기록자는 이렇게 썼다. "이를 통해 (랑고바르드의) 압박과 그들의 표리부동으로부터 벗어나기를 원한 것이었다."[13]

스테파누스는 교황의 위엄을 지키기 위해 십여 명의 사제를 이끌고 왔다. 그들은 모두 기도문을 외고 찬가를 불렀다. 페팽은 근엄하게 그들을 만났다. 교황 측의 한 역사 기록자는 이렇게 썼다. "여러 일행을 거느린 관대한 분(즉 교황)이 큰 목소리로 전능하신 신께 영광과 끝없는 찬송을 올렸다. 그리고 그들 모두는 찬송과 영적인 기도를 올리며 왕과 함께 궁궐을 향해 나아갔다."[14] 이 통속극 같은 만남 이후 몇 차례의 비슷하게 잘 연출된 의식이 이어졌다. 각각의 의식에서 교황과 왕은 번갈아 서로의 앞 땅바닥에 엎어져 흙 위를 기었다. 그 배경에서는 그들의 특사들이 흥정을 했다. 그리고 약간의 조정 끝에 로마 교황과 프랑크왕 사이의 또 하나의 광범위한 새 협정이 만들어졌다. 교황은 프랑크인을 세속의 보호자로서 의

지하고 새로운 카롤링 군주들 뒤에서 그들을 합법화하는 영향력을 발휘하게 된다. 그 대가로 페팽이 막대한 비용을 들이고 상당한 군사적 위험을 안은 채 남쪽으로 알프스산맥을 넘어와 교황을 그 적들로부터 구해준다면 말이다. 그것은 양쪽 모두에게 판돈이 큰 거래였다. 그러나 나중에 보니 서방 역사에서 엄청난 중요성을 지닌 순간이었다. 로마의 주교들이 더이상 동쪽의 콘스탄티노폴리스에 원조를 기대하지 않고 서쪽 이방인의 자손에게 기대게 된 순간이었다.[15]

이때 페팽의 아들 샤를(미래의 샤를마뉴)도 교황을 처음 만났다. 어린 샤를은 754년에 겨우 여섯 살 정도였다. 그러나 그는 교황과 왕의 화려한 행사에서 한가운데에 있었다. 우선 그는 1월 초 왕궁으로 오는 스테파누스 교황의 여정 마지막 160킬로미터를 영접 호송하는 호송대의 지휘를 맡도록 혹한 속에 파견되었다. 그리고 여섯 달 남짓 뒤인 754년 7월 28일, 교황이 방문의 하이라이트로서 생드니에서 자신의 아버지에게 또 한 번의 기름 부음과 대관을 할 때 참석했다. 세 번째 의식은 다소 과잉으로 느껴졌을 것이다. 다만 이번에는 페팽뿐만 아니라 샤를마뉴와 그 동생 카를로만(앞에 나온 페팽의 형 카를로만과 다른 사람), 그들의 어머니 베르트라다에게도 교황이 기름을 붓고 축복을 했다. 그것은 왕의 대관식 이상이었다. 신이 카롤링 왕가 전체를 인정한 것이었다. 이 카롤링 왕조의 첫 두 세대는 그들의 손으로 서유럽의 지도를 다시 그리게 된다.

'유럽의 아버지'

페팽은 교황으로부터 두 번째 대관을 받은 뒤 17년 동안 통치했다. 그 기간에 그는 꾸준히 카롤링의 영토를 확장했고, 교황과의 협정을 성실하게 이행했다. 스테파누스 교황의 방문 이듬해에 이 프랑크왕은 두 번 이탈리아로 진격했고, 두 번 모두 랑고바르드와 그 왕 아이스툴프를 매우 강력하게 응징했다. 역사 기록자 프레데가리우스는 이렇게 썼다. "그는 이탈리아 땅을 사방으로 광범위하게 파괴하고 불태워 이 지역을 초토화했다. 랑고바르드의 모든 요새를 무너뜨리고 많은 금은보화와 수많은 장비, 그들의 모든 천막을 빼앗아 가졌다."[16]

이 맹공격을 맞아 랑고바르드는 물러섰고, 아이스툴프는 자신이 정복한 땅을 포기하고 카롤링왕에게 매년 많은 세금을 내지 않을 수 없었다. 페팽은 자신의 승리를 즐겼고, 랑고바르드로부터 빼앗은 땅을 교황에게 제공해 교황이 지상의 영주가 될 수 있게 했다. 이것이 이른바 '페팽의 기증'으로 알려지게 되며, '교황령' 존재의 바탕이 된다. (오늘날 교황은 로마의 작은 바티칸 시국만을 통치하고 있다.) 굴욕을 당한 아이스툴프는 그 후 얼마 되지 않아 죽었다. 756년에 사냥을 나갔다가 말이 나무에 부딪치면서 목숨을 잃었다. 한편 페팽은 관심을 다시 프랑키아로 돌렸다.

롬바르디아 외에 페팽이 자신의 야망을 위한 목표물로 가장 적합하다고 생각한 두 지역은 아키텐과 작센이었다.

아키텐의 경우 페팽은 와이페르라는 반항적인 공작 때문에 골치를 썩이고 있었다. 15년 가까이 그와 싸우는 중이었다. 아키텐은 프랑크왕의 휘하에 들어오지 않았지만, 페팽은 그래야 한다고 생각했다. 그리고 그는 그 목표를 추구하기 위해 와이페르를 상대로 여러 차례 군대를 보냈다. 주로 방화와 포위전, 징벌적 약탈, 정규전 등이 동원되었다. 이것은 소모전이었고, 페팽은 단 한 차례 766년에 승리를 거두었다. 그가 보낸 무자비한 부대가 아키텐을 휩쓸어 촌민 가운데 누구도 목숨을 걸고 와이페르를 위해 일하지 못하도록 확실히 했다. 여기에 더해 공작의 가족 대부분이 생포되거나 살해되었다. 768년에는 와이페르 자신이 살해되었다. 암살자는 아마도 페팽의 돈을 받은 사람들이었을 것이다.[17] 어느 왕의 지배로부터도 독립적이라고 분명하게 주장할 수 있는 마지막 아키텐 공작이 죽었다.

작센에서는 사정이 달랐다. 작센은 침략군에게 군사적으로 특수한 어려움을 안겼다. 늪지대에다 길이 없는 지역이어서 체계적인 정복을 꾀하기 어려웠고, 부족 사회가 흩어져 있어 사람을 쉽게 죽이고 새로 세우는 와이페르 공작 같은 지배력 있는 사람이 없었다. 그래서 페팽은 새로운 접근법을 택했다. 작센을 정복하려 애쓰지 않는 대신 그곳을 추종자들이 편리하게 약탈할 수 있는 대상으로 삼았다.

초기 카롤링 시대의 전쟁은 아직 군벌 방식에 바탕을 두고 있었다. 그것은 연례적인 변경 지역 원정을 중심으로 한 것이었고, 금, 은, 물건, 노예를 얻을 수 있다는 희망으로 무기를 잡을 용의가 있는 지지자들이 상시로 몰려들 수 있어야 했다. 페팽은 이를 받아들였고, 해마다 프랑크 병사들을 보내 작센을 약탈했다. 그의 카롤링 왕국 변경을 작센 미개척지 깊숙이로 밀어 넣은 것은 아니지만 페팽은 분명히 그 주민과 그들의 부를 자기네 목적에 이용했다. 그리고 768년 잠깐 앓은 병으로 50대 중반에 죽을 때 그는 모든 방향으로 수백, 심지어 수천 킬로미터나 뻗어 있는 정치적 경계선 및 동맹국들과 함께 사방의 모든 땅으로 전개될 수 있도록 잘 조율된 전쟁 조직을 남겼다. 그의 아들 샤를마뉴는 이 유산을 받아 달려 나갔다.

역사 기록자 아인하르트는 샤를마뉴가 크고 힘이 세다고 묘사했다. 19세기에 그의 무덤이 발굴되었을 때 그의 키는 190센티미터로 측정되었다. 당시로서는 엄청난 키였다. 아인하르트는 이렇게 썼다. "그의 정수리는 둥글었고, 눈은 크고 빛났으며, 코는 보통보다 조금 컸다. 그는 멋진 흰머리에 명랑하고 매력적인 얼굴이었다." 그는 수영을 잘했고, 씻는 것을 좋아해 목욕을 하면서 일하는 경우가 많았다. 옷을 입을 때는 "아마포 셔츠와 아마포 속옷, 비단으로 장식한 튜닉과 긴 양말"을 즐겨 착용했다. "겨울에는 수달피나 흰담비 모피로 만든 재킷과 푸른 외투를 어깨와 가슴에 걸쳤으며, 언제나 칼로 무장했는데 그 칼에는 금 또는 은 손잡이가 있고 띠가 있었다." 그는 축제일이나 로마의 교황을 만나러 갈 때만 황금 예복과 보석을 착용했다. "다른 날에는 그의 복장이 보통 사람들과 그리 다르지 않았다." 그는 과시적으로 독실한 모습을 보였고, 글을 많이 읽고 표준에 맞는 글을 쓸 수 있었으며, 잠은 적게 자고 많이 먹었지만 술꾼은 아니었다. 따라서 그는 적어도 아인하르트의 호의적인 눈으로 보기에는 강력한 왕의 전형적인 모습이었다.[18] 그리고 768년 즉위할 때 그는 더할 나위 없는 유산을 물려받았다. 한 가지만 빼고.

그 한 가지 예외는 동생 카를로만이었다. 페팽은 옛 메로빙 가문의 관습에 따라 아들들 가운데 하나를 골라 왕으로 세우지 않았다. 대신에 그는 샤를마뉴와 카를로만이 공동 지배자가 되어서 자신을 승계하도록 했다. 이런 안배는 당연히 오래가지 못했다. 카를로만 역시 오래 살지 못했다. 그는 771년 묘하게도 코피를 흘리고 죽었다. 미심쩍은 일이었다.

샤를마뉴는 혼자서, 자기 마음대로 통치를 할 수 있게 되었다. 그는 동생의 아들들이 남아 있어 불편함을 느꼈지만, 그것도 몇 년뿐이었다. 아마 자기네도 '코피'를 흘리게 될까 두려워한 것이겠지만, 그들은 자기네 숙부를 피해 롬바르디아로 피신했다. 그곳 랑고바르드의 새 왕 다우페르(데시데리우스)는 자신이 통제할 수 있거나 적어도 맞먹을 수 있을 것이라고 생각하고 그들을 프랑크 지배자로 대신 내세우기 위해 교황의 지원을 얻어낼 요량이었다.

그러나 이는 매우 순진한 생각이었다. 샤를마뉴는 걱정을 하기는커녕 앞으로 나아가 자기 아버지가 시작한 일을 마무리 지었다. 773년과 774년에 그는 이탈리아로 들어가 랑고바르드를 격파하고 없애버렸다. 이름을 기억하기 쉬운 역사 기록자 '말더듬이' 노트케르는 군대를 이끈 샤를마뉴의 모습을 묘사한 짧은 글을 썼다.

그리고 쇳덩이 같은 샤를이 보였다. 쇠 투구를 쓰고, 손은 쇠 장갑으로 덮었으며, 단단한 가슴과 비현실적인 어깨는 쇠 가슴받이로 보호했다. 쇠 창은 왼손으로 높이 치켜들었고, 오른손은 언제나 뽑지 않은 칼 위에 놓여 있었다. (…) 그의 앞에 가는 모든 사람, 그의 곁에서 행군하는 모든 사람, 그의 뒤를 따르는 모든 사람, 그리고 군대의 모든 장비가 그를 모방했다. 가능한 한 가깝게 모방했다. 들판과 개방된 곳에는 쇠가 가득했다. 햇빛이 쇠의 반짝임으로 되튀어 나왔다. (…) 성안의 공포는 쇠의 밝은 반짝임을 이길 수 없을 듯했다. 시민 사이에서는 이런 당황스러운 외침이 터져 나왔다.
"아, 쇠다! 쇠 때문에 망했다!"[19]

776년에 다우페르는 생포되어 구금되었고, 카를로만의 아들들은 사라졌다. 정말로 쇠 때문에 망한 것이다. 샤를마뉴는 승리를 완벽하게 만들기 위해 자신을 롬바르디아의 새 지배자라고 선언했다. 그는 일상적인 행정을 맡았던 랑고바르드 공작들을 프랑크 백작들로 교체했다.[20] 이것은 이례적인 권력 장악이었다. 200년 동안 서방의 어떤 왕도 힘으로 다른 왕의 자리를 빼앗지 못했다.[21]

그러나 가능한 한 많은 서방의 땅을 지배하려는 샤를마뉴의 욕망은 결코 비밀이 아니었고, 그는 자기 아버지 페팽의 것만큼이나 멋진 대관식을 원했다. 랑고바르드와의 전쟁을 마무리하고 그는 랑고바르드의 유명한 '코로나페레아'(철관鐵冠)를 스스로 머리에 얹었다. 이 근사한 왕의 상징물은 금을 씌우고 석류석·청옥·자수정을 박았는데, 당시에도 최소 250년은 된 것이었다. 그 이름은 그것에 예수를 십자가로 처형하는 데 사용된 못 가운데 하나를 두드려 만들었다는 얇은 쇠테 또한 박혀 있다는 사실을 이야기하고 있다.† 이 왕관의 유래는 콘스탄티누스 대제 시절로 거슬러 올라가는데, 대제의 어머니인 헬레나의 주문으로 만들어졌다는 것이다. 따라서 전체적으로 말해서 그것은 놀라운 전리품이었다. 샤를마뉴의 부와 종교적 평판과 그의 권력의 범위를 늘려줄 수 있는 노획물이었다. 그리고 이것은 그의 야망의 끝이 아니었다.

이후 20년 동안 샤를마뉴는 작센의 이교도 부족들을 겨냥했다. 자기 아버지가 그랬던 것처럼 그저 약탈하러 가는 것이 아니라 정복하고 개종시키고자 했다. 772년에서 804년 사이에 그는 이들을 상대로 여러 차례 긴 전쟁을 치렀다. 비용도 많이 들었고, 피도 많이 흘렸다. 그러나 전쟁은 이교도인 작센 부족들의 거의 전면적인 복속으로 끝났다. 그들의 땅은 침략 당해 식민지가 되었으며, 이제까지 예수의 말씀을 들을 수 없었던 곳에 주교 관구가 만들어지고 대수도원이 세워졌다.

이것은 거대한 군사적 과업이었다. 특히 같은 시기에 샤를마뉴가 독립심이 강한 바이에른의 영주들, 동북 이베리아의 이슬람 치하 바스크인, 동유럽의 아바르·슬라브·흐르바티(크로아트)인과도 싸움을 벌이고 있었기 때문이다. 해마다 그는 프랑크 군대를 집결시켜 점점 확장되는 변경으로

---

† 코로나페레아는 오늘날 이탈리아 몬차의 산조반니 바티스타 대성당에 보관되어 있다. 이것은 중세에 여러 차례 복원 작업을 했는데, 샤를마뉴의 기술공들이 한 경우도 있었다. 1990년대의 과학적 검사를 통해 십자가 처형의 유물로 생각되었던 '쇠'테 부분은 사실은 얇은 은판이었음이 밝혀졌다.

진군시켰다. 해마다 그들은 많은 전리품을 안고 고국으로 돌아왔다. 그리고 그는 추종자를 충원하는 데 거의 어려움을 겪지 않았다.

샤를마뉴는 카리스마 있고 훌륭한 전략가였다. 그는 목표물을 꼼꼼하게 선정했다. 작센인은 이교도라서 공격을 당했다. 훈족과 비슷한 스텝 유목민 아바르족은 부유해서 공격을 당했다. 그리고 795년 이후 샤를마뉴는 히스파니아의 이슬람 지배자들과 대결할 때 피레네산맥을 가로질러 '히스파니아 변경구邊境區'를 설치함으로써 이슬람의 이른바 알안달루스 북쪽에 대한 계획을 막는 방파제 건설자를 자임했다.†

그렇다고 해서 샤를마뉴가 싸우는 족족 이겼다는 말은 아니다. 그러나 그가 패배한 경우들도 어찌 된 일인지 이상한 승리가 되어버렸다.

778년, 샤를마뉴가 이베리아에 머물다가 군대를 이끌고 프랑키아로 돌아오고 있었다. 이베리아에서 그들은 바르셀로나와 지로나를 휩쓸고 사라고사에서 긴 포위전을 펼쳤다. 샤를마뉴의 군대는 피레네산맥의 론세스바예스 고개에서 몰래 그 뒤를 추격한 적의 매복 공격을 받았다. 프랑크군은 기습에 허를 찔렸다. 그들의 보급품을 노획당했다. 그들의 후위는 포위당해 잘려 나가고 긴 시간의 싸움 끝에 살육당했다. "그 죽음에 대해서는 복수를 할 수 없었다"라고 아인하르트는 썼다. 공격자들이 어둠 속으로 재빨리 달아났기 때문이다.[22] 이 일은 굴욕으로 기억되어야 했다. 그러나 그렇지 않았다. 샤를마뉴 군대의 사망자 가운데 흐로딜란드(프랑스어로 롤랑)라는 장교가 있었기 때문이다.

---

† 여기서 샤를마뉴 자신은 반이슬람교도가 아니었음을 지적해둘 필요가 있다. 실제로 그는 바그다드의 압바스 할리파국과 우호적인 관계를 구축했다. 압바스는 9세기 초 그에게 신기한 선물인 아불압바스라는 아시아 코끼리를 보냈다. 이 코끼리는 '유대인' 이삭으로 알려진 외교관이 해로와 육로로 수백 킬로미터를 수송해 카롤링 궁정으로 가져왔다.

호로딜란드는 이 전투에 관한 역사 기록에서 언급할 가치가 별로 없는 사람이지만, 중세 동안에 그는 일종의 밈의 지위를 차지하게 된다. 그의 이름은 자신이 믿는 신과 신앙을 위해 영웅적으로 죽은 용감한 기독교도 기사의 대명사이자 전형이 되었고, 패배하는 이상을 위해 싸웠지만 그 때문에 더 큰 영광을 안고 떠올랐다.

11세기에 호로딜란드에 관해 만들어진 여러 음유시인의 노래 중 한 변형이 《롤랑의 노래》라는 운문으로 쓰였다. 오늘날 이 시는 지금 남아 있는 가장 오래된 프랑스 문학으로 추앙받고 있으며, 여기에 묘사된 세계가 카롤링 시대 프랑키아와 실제로 비슷한 점은 거의 없지만(십자군 운동 시대의 프랑스와 훨씬 더 가깝다), 이 이야기는 그와 전혀 관계없이 유명했다.

롱스보(론세스바예스의 프랑스어 명칭)에서의 절정의 순간을 묘사하면서 《롤랑의 노래》는 롤랑이 뿔나팔을 힘차게 불어 샤를마뉴에게 절망적인 곤경에 대해 경고했다고 말한다. 이 전사는 뿔나팔을 너무도 열심히 부는 바람에 관자놀이가 말 그대로 파열되어 입에서 피가 뿜어져 나왔다.[23] 《롤랑의 노래》 뒷부분에서 전우들이 모두 죽고 자신도 죽어가고 있을 때 롤랑은 젖 먹던 힘까지 다 짜내 그의 칼을 빼앗으려 하는 사라센 병사의 눈을 정신없이 두들겨 그를 땅바닥에 죽어 나자빠지게 한다. 마침내 롤랑 자신도 죽었으나, 그는 죄를 회개하고 대천사 가브리엘 및 미카엘의 손을 잡기 전에 마지막으로 "좋은 나라 프랑스, 가문의 조상들, 자신의 주인이자 자신을 발탁해준 샤를마뉴"[24]에 대해 생각한다.

말할 것도 없이 이 모든 것은 공상이다. 샤를마뉴나 불운한 실제의 롤랑도 롱스보 고개의 침울한 패배가 나중에 이런 극적인 장면에 대한 상상을 자극하리라고는 생각지 못했을 것이다. 유럽 문학의 초창기 작품이 되는 것은 고사하고 말이다. 그러나 어떻든 샤를마뉴에게는 비참한 패배조차

때로 승리의 씨앗을 품고 있었다.

8세기가 저물어가는 동안 이웃들에 대한 샤를마뉴의 가차 없는 연례 공격은 프랑크인 왕국의 영토와 프랑크왕의 권력을 이전에 없던 규모로 확대시키는 데 성공했다. 그는 의문의 여지 없이 서유럽에서 가장 힘센 지배자였다.

그는 바그다드의 압바스 할리파와 연락하며 선물도 주고받았으며,† 콘스탄티노폴리스의 제국 궁정과도 (늘 우호적이지는 않았지만) 친밀한 사이였다. 어느 시기에 그는 딸 호로트루드를 동로마 황제 콘스탄티노스 6세와 약혼시키기까지 했다. 하지만 모두에게 유감스럽게도 이 결혼은 이루어지지 않았다. (콘스탄티노폴리스의 정치는 여전히 감성적이지 않았고, 797년 황제의 어머니 에이레네는 아들을 폐위하고 눈을 멀게 해서 누구와도 결혼할 수 없게 했다.)

동로마와의 껄끄러운 관계에도 불구하고 샤를마뉴는 이제 국내에서 상승세를 타고 있었다. 그는 아키텐 같은 독립 의식을 지닌 영주들을 꺾고 프랑크 세계 안에 있는 모든 사람이 새로운 현실을 받아들이도록 강제했다. 분권화된 메로빙의 옛 지배 체제가, 정치 세계의 중심에 있는 단일한 왕에게 곧바로 초점을 맞추는 구조로 대체된 것이다. 중앙집권적인 전 유럽 연합이라는 이 새로운 현실을 거부하거나 왕에 대한 반역을 꾀하는 사람들은 야만적인 처벌을 받기 십상이었다. 당시 일반적이었던 신체 절단과 즉결 처형 등으로 말이다.

---

† '말더듬이' 노트케르는 샤를마뉴가 압바스로부터 코끼리 외에도 원숭이, 사자, 곰을 받았다고 전한다. 그 답례로 그는 이베리아 말과 노새, 호랑이를 쫓아버리는 사냥개를 보냈다.

한편 샤를마뉴는 라허란던, 현대 독일의 대부분, 이슬람 치하 이베리아로 가는 고개, 이탈리아의 대부분도 지배했다. 사실 이것은 규모 면에서 초기 이슬람 할리파국과 전성기의 로마에 견줄 수 있는 국가가 아니었다. 그럼에도 불구하고 약 250만 제곱킬로미터의 땅에 사는 주민들이 명목상으로 샤를마뉴의 명령에 따르고 있었다.

샤를마뉴는 자신의 권력이 미치는 범위와 분명한 기독교 왕정에 대한 자신의 개인적 헌신에 근거해 스스로를 새로운 콘스탄티누스 대제로 생각하기 시작했다. 그리고 자신의 권력이 정점에 가까워지면서 이에 대한 기념물을 건설하는 일에 나섰다. 가장 오래 남은 그의 작품은 그가 아헨에 건설한 거대한 새 왕궁이었다. 그 일부는 오늘날에도 남아 있으며, 샤를마뉴 왕국의 모습을 생생하게 보여주고 있다.

790년대에 공사를 시작한 아헨의 팔라티누스 예배당은 팔각형의 설계로 지어졌다. 그 반구형 지붕은 메츠의 오도가 설계했다. 그리고 이것은 8~9세기 프랑크 땅 전체에 건설된 수십 곳에 이르는 멋진 카롤링 시대의 모든 왕궁, 성당, 수도원을 능가하는 궁궐 단지의 핵심이었다. (이들 건축물 일부는 지금도 볼 수 있다. 잉엘하임의 제국 궁전 유적과 로르슈 대수도원 잔해 같은 것이다. 둘 다 현대 독일에 있다.) 오도는 아헨 궁궐을 설계하면서 의식적으로 유명한 로마 말기 건물들의 모습을 흉내 냈다. 예배당의 8면 벽은 라벤나의 산비탈레 대성당과 일치한다. 125미터 길이의 알현실은 현 독일의 서쪽 끝 도시 트리어에 있는 콘스탄티누스 대제의 알현실을 떠올리게 한다. 지붕을 인 긴 통로는 콘스탄티노폴리스의 동로마 황궁을 흉내 냈다. 오늘날 아헨에서 볼 수 있는 내부 장식은 20세기에 재건한 것이지만, 역사 기록자 아인하르트는 9세기로 넘어갈 무렵 그것이 어떤 모습이었는지를 기록했다. 그는 이렇게 말한다. 그것은 "매우 아름다운 교회였다. (…) 금·은과 등불로 장식되었고, 단단한 청동으로 만든 울타리와 현관이 있었다.”
이 멋진 것들 가운데 상당수는 수천 킬로미터 밖에서 들어온 것이었다. 샤를마뉴는 “기둥과 대리석을 다른 어느 곳에서도 조달할 수 없었기 때문에 이들을 로마와 라벤나로부터 가져오는 고생을 해야 했다.”[25]

아헨의 큰 명물 가운데 하나가 유명한 천연 온천이었다. 이 온천수는 오래전부터 토속 신 그라누스와 연결되어 있었고, 여기서 아헨의 라틴어 이름인 아퀴스그라눔이 나왔다. 샤를마뉴는 여기서 휴식하지 않을 때는 훌륭한 교회에서 자주 모습을 보였다. 높직한 어좌御座에 앉으면 아래쪽 제단이나 위쪽의 커다란 돔 안쪽 멋진 모자이크 그리스도상을 바라볼 수 있었다.[26]

그러나 아헨이 단순히 목욕하고 기도하고 콘스탄티누스 대제 흉내를 내는 곳만은 아니었다. 샤를마뉴의 학문 후원 속에서 그곳은 궁정의 중심이 되었다. 귀족들은 그곳에 얼굴을 내밀 필요가 있었다.

786~787년에 샤를마뉴는 직접 3500킬로미터 이상을 여행했다. 자신의 제국이 스스로 적절하다고 생각하는 대로 통치되고 방어되고 있는지를 확인하려는 노력이었다. 전례가 없는 여정이었다. 중세의 다른 어떤 지배자도 그에 필적할 여행을 한 사람은 없었을 것이다. 그러나 계속 그렇게 할 수는 없었다. 그 후 곧 샤를마뉴는 알려진 대로 산악 지역을 이슬람 교도에게 주어야 한다고 결정한다.[27] 그는 자녀가 많았고(두 번째 아내 힐데가르트 소생만 최소 아홉 명이었다), 일찍 낳은 아들들은 790년대에 이미 성년이었다. 그래서 샤를마뉴는 원정을 이끄는 군사적 책임의 상당 부분을 그들에게 맡기고, 한편으로 자신은 아헨 같은 주요 궁성에서 방문객을 맞았다.

이 좀 더 고정된 위치에서 그는 왕이 해야 할 일 가운데 보다 덩치 큰 것들에 집중할 수 있었다. 법을 만들고, 대형 교회 건축 운동을 후원하고, 보다 기독교적인 삶을 살도록 백성을 깨우치는 등의 일이었다. 마지막 것은 그가 종종 신실한 프랑크인에게 보내는 편지로 하는 일이었다. 샤를마뉴는 그들에게 이렇게 촉구했다. "모든 지혜를 동원하고 모든 기도를 통해 전능하신 신을 사랑하며, 신께서 좋아하시는 것이라면 언제나 그것을 행하라."[28]

이 편지들이 놀랄 만큼 독창적인 내용은 아니지만, 샤를마뉴가 썼다는 것이 중요하다. 샤를마뉴는 아헨 같은 궁성에서 내보내는 명령으로 통치하면서 세속의 정치와 프랑크 땅의 교회 개혁 양쪽을 모두 책임지고 있었기 때문이다. 이것은 왕의 의무를 상당히 확대한 것이었다. 그러나 이는 그 아버지 치세 동안에 카롤링 왕가와 로마 교회 사이에서 만들어진 관계의 필연적인 귀결이었다. 프랑크 왕은 교황을 통해 신으로부터 감화를 받았다. 샤를마뉴가 보기에 이것은 자신이 특별한 권위를 가지고 자기 신민의 영혼 하나하나를 감화시킬 수 있는 문제에 관해 이야기할 권한을 준 것이었다.

샤를마뉴는 그의 영토 곳곳에, 그리고 해외에 매우 열심히 증서, 편지, 명령(역사가들에게 '카피툴라레capitulare'로 알려진 문서들에 흔히 들어 있다)을 발급했기 때문에, 아헨에 있는 그의 궁정 기지는 지적 연구와 필사본 생산의 중심지이기도 하였다.

왕의 지인 가운데 가장 유명한 사람 중 하나가 요크의 알퀸으로 알려진 잉글랜드의 성직자이자 시인이자 학자다. 그는 철학적 논증부터 화장실의 악취에 관한 시에 이르기까지 모든 것에 손댈 수 있는 사람이었으며,† 한 역사 기록자로부터 세계에서 가장 똑똑한 사람 가운데 하나라는 평가를 받았다.[29] 알퀸의 지도 아래 아헨은 수사학, 종교학, 교양학을 가르치는 명문 학교가 되었으며, 교사인 그는 모든 학생에게 샤를마뉴를 '다위드 (다윗)왕'이라는 별명으로 부르는 자신을 따라 하도록 권장했다.

아헨에서 필사본을 만드는 일은 그것을 읽는 일만큼이나 중요했다. 그리고 9세기 초에 이 학교의 필사공들은 지식 보존이라는 거대한 사업을 시작했다. 고전 세계로부터 전해 내려온 정보를 보관하는 초대형 보관소를 만든 것이다. 9세기에 아마도 10만 권의 필사본이 그곳에서 만들어졌을 것이다. 키케로와 율리우스 카이사르부터 보에티우스까지 이르는 작가와 사상가의 문헌 사본으로 지금 잔존하는 가장 이른 시기의 것들을 보존한 것이었다.

중세의 '빅데이터'를 저장하고 정리하는 이 대단한 위업을 이루기 위해 아헨의 필사공들은 '카롤링 소문자체'로 알려진 새로운 서체를 개발했다. 이 서체는 매우 알아보기 쉽고 띄어쓰기가 잘되어 있으며 당시로서는 이례적으로 대·소문자와 구두점을 자유롭게 사용했는데, 드넓은 카롤링 영토 전역의 어느 곳에 있는 식자라도 읽을 수 있는 필사본을 만들려는 의도에서 설계되었다. 오늘날 특정 글자체와 코딩언어가 모든 주류 컴퓨터와 스마트폰에서 두루 읽힐 수 있도록 설계되는 것과 마찬가지였다.

그러나 아헨의 문서 필사자들이 알아보기 쉬운 서체로 유용한 책만 만들어낸 것은 아니었다. 그들은 또한 《대관식 복음서》 같은 대작도 만들었다. 로마풍 토가를 걸치고 발에는 가죽신을 신은 복음서 저자들의 전면 그

---

† 알퀸이 화장실용으로 만든 표지판은 인용할 가치가 있다. 그것이 기독교적 가르침을 담은 저속한 농담을 3단으로 표현했기 때문이다. "읽는 자여, 탐욕스러운 그대 배의 냄새 고약함을 생각하라. 그것이 그대가 이제 불쾌한 자기 배설물에서 맡는 냄새일 것이기 때문이다. 그런 까닭에 그대 배의 식탐을 채워주는 일을 집어치우라. 그리고 시간이 지나 건전한 생활이 그대에게 돌아오게 하라."

림으로 장식한 놀라운 피지皮紙 책이다. 이 책의 그림은 동로마 미술의 영향을 강하게 받았으며, 샤를마뉴의 주문에 따라 작업을 하러 서쪽으로 온 데메트리오스라는 그리스인 거장의 작품이었을 가능성이 매우 높다.

이 책은 매우 멋지게 만들어져 샤를마뉴의 가장 귀중한 소장품 가운데 하나가 되었다. 그는 죽은 후 이 책을 무릎 위에 올려놓은 채 앉은 자세로 매장되었다.† 분명히 샤를마뉴는 좋은 소비재와 신의 말씀을 귀하게 여겼다. 그러나 단순히 뛰어난 솜씨 외에, 샤를마뉴가 이 특별한 책을 자신의 가장 귀중한 보물로 여겼던 또 다른 이유가 있었다. 그는 800년 예수 탄생 기념일에 이 책에 손을 얹고 성스러운 맹세를 했던 것이다. 이날은 카롤링 지배의 정점으로 기록되며, 이후 1000년의 유럽 역사를 결정지은 날이었다. 이것은 그의 생애 세 번째의 큰 대관식이었고, 이 의식을 통해 샤를마뉴는 강력한 왕의 지위에서 완전한 황제로 격상되었다.

왕에서 황제로

799년 봄, 교황 레오 3세는 약간의 불운을 만났다. 레오는 4년 전, 독립 의식이 강한 하드리아누스 1세가 죽은 뒤 교황 자리에 올랐다. 샤를마뉴는 레오의 취임을 축하하기 위해 아바르인에게서 몰수한 막대한 금과 은을 선물로 그에게 보냈다. 그러나 재물이 문제를 일으켰다. 이 귀금속으로 레오는 자선 사업과 로마의 호사스러운 건설 사업을 후원할 수 있었지만, 이

---

† 오늘날 《대관식 복음서》는 오스트리아 빈의 호프부르크 궁전에 수장된 '황실 보물'의 일부다. 이 책은 1000년 무렵에 샤를마뉴의 무덤에서 꺼냈고, 16세기 초에 독일의 유명한 금 기술공 한스 폰로이틀링언이 만든 근사한 황금 표지로 장정되었다.

는 동시에 전임 하드리아누스와 가까웠던 사람들의 시샘을 불렀다. 이 무리는 로마에서 프랑크의 영향력이 강해진다는 생각에 진저리를 쳤다. 그들은 이 문제를 위해 무언가를 해야겠다고 결심했다.

799년 4월 25일, 레오가 시내 거리에서 행진을 이끌고 있었는데 불량배 몇 명이 그에게 달려들었다. 그들은 교황을 넘어뜨려 엎드리게 하고 예복을 벗긴 뒤 눈알을 파내고 혀를 잘라내려 했다. 이어 그들은 불운한 레오를 끌고 인근 수도원으로 갔다. 한 기록은 이렇게 말한다. "그들은 두 번째로 잔인하게 그의 눈과 혀를 더 뽑아내려 했다. 그들은 그를 몽둥이로 때리고 그를 난도질해 여러 가지 상처를 냈으며, 피에 흠뻑 젖은 초주검 상태에 그를 방치했다."[30] 그들은 레오가 폐위되었다고 공표했으며, 24시간 이상 고통스러운 상태로 감금했다. 그러다가 로마에 있던 프랑크 사절들이 이끄는 그의 지지자 일부가 그를 발견하고 구조했다.

이 일로 인해 레오는 심하게 상처를 입었고 매우 겁을 먹었으나, 다행스럽게도 (또는 누군가가 말했듯이 신의 기적적인 개입으로) 그는 죽지 않았고 영구하게 실명하지도 않았다. 그리고 그는 이동할 수 있게 되자 곧바로 북쪽의 알프스산맥을 넘어 당시 파더보른에 있던 샤를마뉴를 찾아갔다. 이곳은 아헨에서 동쪽으로 일주일 정도의 거리에 있었으며, 샤를마뉴가 작센인으로부터 정복한 지역에 있었다.[31]

레오의 수호자 선택은 합리적이었다. 샤를마뉴는 독실함과 기독교 개혁에 대한 관심으로 유명했을 뿐 아니라, 서방에서 가장 강력한 지배자였다. 〈샤를마뉴와 레오 교황〉(또는 〈파더보른 서사시〉)이라는 당대의 시를 지은 작가에 따르면 그의 별명은 '등대'와 '유럽의 아버지'였다.[32] 그의 전임 교황들이 자기네를 랑고바르드인으로부터 구해달라고 페팽을 찾아갔듯이, 레오 역시 이제 페팽의 아들에게 자신의 체면을 (그리고 자신의 교황 자리를) 되찾아달라고 사정했다.

레오는 파더보른에 도착해 큰 환영을 받았다. 샤를마뉴가 자신의 어린 시절이나 754년 스테파누스 2세 교황이 자신의 아버지를 만나기 위해 왔을 때를 상기할 만한 환영이었다. 샤를마뉴는 레오를 "얼마 동안 아주 정중하게 대하며" 머물게 했다고 한 연대기 작가가 썼다.[33] 〈샤를마뉴와 레오 교황〉의 작가는 보다 생생하게 묘사했다. "샤를은 레오를 자신의 거대한 궁전으로 초대했다. 그의 호화로운 궁정 홀은 화려한 태피스트리가 안에서 빛나고 있었고, 의자들은 자줏빛과 금빛으로 덮여 있었다. (…) 천장이 높은 홀 안에서 그들은 큰 잔치를 열었다. 황금 술잔에서 팔레르눔 포도주†가 흘러넘쳤다. 샤를왕과 세상에서 가장 높은 성직자 레오는 함께 식사하고 큰 술잔을 들어 거품이 이는 포도주를 쭉 들이켰다."[34] 재미있었던 듯하다. 그리고 샤를마뉴는 즐거워할 수 있었다. 그는 교황을 마음대로 주무를 수 있게 되었다.

좋은 술과 사교적인 말 외에 799년 파더보른에서 어떤 고단수의 정치적 작업이 샤를마뉴와 레오 사이에서 벌어졌는지에 관해서는 믿을 만한 기록이 없다. 그럼에도 불구하고 거래는 이루어졌고, 그것은 카롤링 왕가와 교황 사이의 약조를 상당히 확대했다. 이는 750년대 이후 카롤링 왕가가 프랑키아의 주인일 뿐만 아니라 중·서유럽 넓은 부분의 주인이기도 하다는 사실을 인정했다. 또한 동로마가 아니라 프랑크인이 이제 교황의 지상 수호자임을 인정했다. 그리고 그 대가로 샤를마뉴가 불신자(알안달루스의 이슬람교도, 아바르인, 작센인)를 상대로 한 그의 전쟁에서 얻은 전리품을

---

† 고대 로마에서 가장 유명한 포도주였다. 여기서는 아마도 레오 교황이 샤를마뉴에게 황제 지위를 부여하게 되는 것을 암시하기 위해 우의적으로 사용한 듯하다. 물론 레오가 이 프랑크왕을 감동시키기 위해 실제로 로마의 최고급 포도주 몇 병을 가져갔을 수도 있기는 하지만 말이다.

교회와 수도원 건설 사업을 후원하는 데 쓸 수 있도록 했다.

그것은 요컨대 샤를마뉴에게 그가 오랫동안 갈망해온 지위(그를 자신이 동경했던 콘스탄티누스 대제와 어깨를 나란히 할 수 있도록 만드는 칭호다)를 부여하는 거래였다. 샤를마뉴는 레오가 프랑크 병사들을 거느리고 로마로 돌아가 적들을 물리치도록 하는 데 동의했다. 그 대가로 샤를마뉴는 또 한 번의 대관식을 열게 되었다. 이번에 그는 왕이 아니라 "황제 겸 아우구스투스"로 올라섰다.[35]

이에 따라 800년 11월 말에 샤를마뉴는 로마로 들어가게 되었다. 교황은 최고의 구경거리를 베풀었다. 그가 도착할 때 레오는 시계 밖 20킬로미터까지 말을 타고 나가 그를 맞았으며, 그 후 산피에트로 대성당 계단에서 정식으로 그를 환영했다. 샤를마뉴는 몇 주 동안 도시에서 교황의 적들을 소탕하는 일로 바쁘게 움직였다. 마침내 예수 탄생 기념일에 그가 토가와 신발 등 로마식 정장 차림으로 산피에트로의 미사에 참석했다.[36] 레오는 공개적으로 그에게 황제의 관을 씌워주고 이어 그의 발에 절을 했다.

믿어지지는 않지만 역사 기록자 아인하르트는 나중에, 샤를마뉴가 레오의 계획을 알지 못했고 그런 높은 영예가 주어지자 놀랐다고 주장했다.[37] 말도 안 되는 이야기다. 아인하르트가 거짓말을 한 것은 샤를마뉴가 황제 칭호를 멋대로 차지한 것을 인정치 않는 동로마 독자들을 의식한 것이다. 실제로 샤를마뉴의 승격은 당황스러운 사건이 아니라 의도적이고 세심하게 계획되었으며 혁명적인 일이었다. 이것은 중·서유럽에서 수백 년 전 지상에서 사라진 제정帝政이라는 현상을 회복했다. 제정은 콘스탄티노폴리스에서마저 흔들리고 있었다. 동로마의 제위는 에이레네(재위 797~802)라는 여성이 차지하고 있었다(너무도 공포스러운 일이었다). 그해 예수 탄생 기념일에 산피에트로에서 일어난 일은 서로마 제국의 부활로 비쳐졌다.

아니면 적어도 샤를마뉴는 그렇게 생각했다. 806년 2월, 그가 자신의 제국을 세 아들 샤를, 페팽, 루이에게 물려줄 계획을 공식 발표하면서 자신을 이렇게 선포했다. "성부·성자·성령의 이름으로, 신에 의해 대관되어 로마 제국을 다스리는 가장 차분한 아우구스투스, 가장 위대하고 평온한 황제, 그리고 또한 신의 은총에 따라 프랑크인과 랑고바르드인의 왕이 된 샤를."[38] 400년 뒤인 '붉은 수염' 프리드리히 1세 치세에 교황에게서 공식 대관을 받은 황제들은 스스로를 '성스러운 로마 황제'로 부를 수 있다는 전통이 만들어졌다. 그리고 그런 형태로 그 자리는 19세기로 접어드는 나폴레옹 전쟁 때까지 지속되었다.

제국의 분열

샤를마뉴는 나이가 들면서 건강이 나빠졌고, 주위에서는 그의 죽음의 전조를 보기 시작했다. 아인하르트는 이렇게 회상했다. "세 해 잇달아 (…) 일식과 월식이 자주 일어났다. 그리고 태양에서 이레 동안 흑점이 보였다." 아헨 궁궐의 나무판자들이 으스스하게 삐걱거리는 듯했다. 마치 그 건설자가 병든 것을 그들도 알고 함께 고통을 느낀다는 듯이 말이다. 그가 묻히고자 하는 교회는 벼락을 맞았다. 샤를마뉴는 조짐들을 가볍게 일축하며 "그 가운데 어느 것도 자신의 일과 아무런 연관이 없다는 듯이" 행동했지만, 다른 사람들에게는 황제의 죽음이 임박한 듯했다.[39]

정말로 그랬다. 814년 1월 말, 재위 47년째인 샤를마뉴는 열이 났고 옆구리에 통증을 느꼈다. 그는 철저한 단식으로 이를 치료해보려 했지만, 그것이 사태를 더 악화시켰다. 1월 28일 아침 9시에 황제는 죽었고, 아헨에서 성대한 의식과 함께 매장되었다. 이탈리아 북부 보비오 출신으로 이름이 전해지지 않은 한 수행자가 이렇게 썼다. "프랑크인과 로마인, 모든 기독교도가 걱정과 함께 엄청난 애도에 휩싸였다. 젊은이와 늙은이, 점잖은 귀족과 귀부인, 모두가 자기네의 카이사르를 잃은 것을 애도했다."[40]

오래 살았던(출생 연도가 742년에서 748년 사이로 이설이 있으나 814년에 죽어 향년은 70년 전후다) 샤를마뉴는 자녀도 많았다. 그는 정실 네 명에 최소 여섯 명의 측실이 있어 그들에게서 열여덟 명 이상의 자녀를 보았다. 그 가운데 세 아들 샤를, 페팽, 루이는 적자嫡子였다. 그가 죽을 때 카롤링 영토는 이들 셋이 나누어 가질 것으로 예상되었다. 한 아들은 롬바르디아의 철관을 쓰고, 또 하나는 중·북부의 큰 왕국들인 아우스트라시아와 네우스트리아를, 또 한 아들은 아키텐과 히스파니아 변경구를 차지하는 것이다.

샤를마뉴가 이렇게 분배를 하면서 마음에 품었던 메로빙가의 구식 전망은 자기 아들들이 그 기독교 제국을 기독교식 평화와 화합의 정신으로 다스리리라는 것이었다. 전체 영토의 국경에서는 다양한 적에 대해 강력하게 대처하지만, 서로 간에는 혈연과 그들의 광역 유럽 사업에 대한 상호 존중을 바탕으로 평화롭게 지내며 결속하리라는 것이다. 이런 전망의 문제가 드러나는 데는 그리 긴 시간이 걸리지 않았다.†

---

† 비유가 정확하지는 않지만, 여기서 1차 세계대전 직전의 유럽 지도가 떠오른다. 대부분 서로 연관이 있는(그리고 참으로 거의 대부분이 샤를마뉴로부터 내려온) 왕들이 다스린 많은 수의 왕국이다. 이들은 자기네의 혈연이 자기네의 경쟁과 적대감을 압도하리라는 생각에 서로 망상을 하고 있었다. 이는 가장 유명하면서도 몹시 불행한 일이었던 1914년 9월의 이른바 '윌리-니키 전보'에서 드러났다. 친인척 간이었던 러시아 차르 니콜라이 2세와 독일의 카이저 빌헬름 2세가 서로 자기네의 개인적인 관계(두 사람은 러시아의 파벨 1세 및 프로이센의 프리드리히 빌헬름 3세를 공통 조상으로 하는 7~8촌 간이고, 니콜라이의 아내와 빌헬름이 모두 영국 빅토리아 여왕의 외손주로 이종사촌 간이었으며, 둘은 사적 통신에서 영어로 서로 '윌리', '니키'로 불렸다)를 언급하며 전쟁 종결을 이야기하려 했던 것이다. ("나는 우리의 오랜 우정을 들어, 형의 동맹들이 너무 멀리 나가지 않도록 제지하는 데 형이 할 수 있는 일을 해줄 것을 바랍니다. 니키가.")

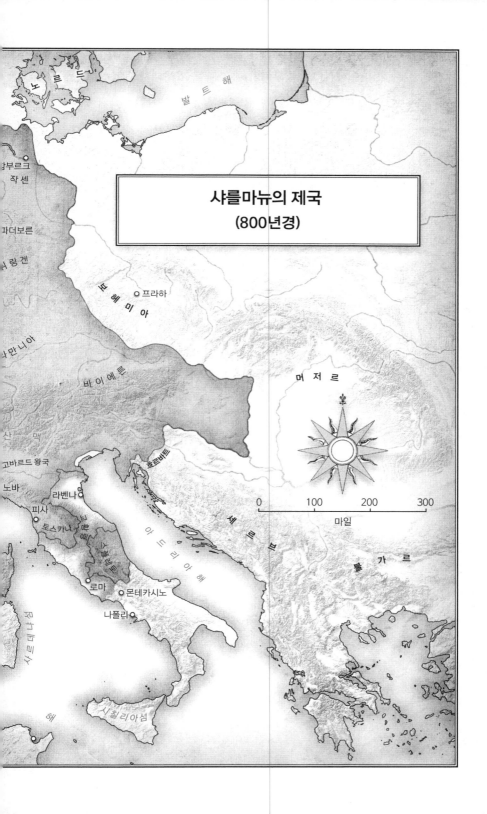

알려졌듯이 814년에 '경건자' 루이가 이 형제들 가운데서 유일하게 살아남았다. 그는 전해에 공동 왕으로 임명되어 계승을 예고했고, 이제 사방으로 뻗친 카롤링 제국 전체를 물려받았다. 롬바르디아만 예외였는데, 그곳은 형 페팽의 아들 베르나르에게 주었다. 그러나 루이는 불가피하게, 아버지가 모아놓은 것을 한데 묶는 데 애를 먹었다. 문제의 일부는 단순히 일 자체가 엄청나다는 데서 온 것이었다. 그렇게 방대한 영토를 다스리고 250만 제곱킬로미터를 공격으로부터 방어하는 일이었다. 그러나 더 많은 문제는 집안에서 생긴 일이었다. 재위 초부터 루이는 자신의 네 아들까지 포함해 남성 친척들의 야심을 충족시키는 방법을 찾는 데 골몰했다. 모두는 이제 제국 안에서의 몫을 주시하고 있었고, 참을성 있게 기다렸다가 받아먹을 자세는 되어 있지 않았다.

루이가 즉위한 지 3년도 되지 않아서 롬바르디아왕 베르나르(초명이 카를로만이었던 샤를마뉴의 아들 페팽의 서자)가 문제를 일으키기 시작했다. 발화점은 〈제국의 통치〉로 알려진 817년의 헌정 문서 발표였다. 루이는 여기에서 카롤링 제국의 위계를 분명히 하고 자신의 사후 그 통치를 위한 잠정 계획을 세웠다. 또한 때가 오면 베르나르가 루이의 맏아들 로테르가 최고통치자임을 인정해야 할 것임을 암시했다(명시하지는 않았다).

이것이 별로 비합리적인 것은 아니었다. 그러나 베르나르의 자존심을 긁었다.[41] 기분이 상한 베르나르는 범유럽 제국과 손을 잡는 것이 서로 도움이 되는 협력 관계가 아니라 독립과 굴종 가운데서의 양자택일이라고 생각하기 시작했다(브렉시트Brexit의 경우를 함께 보라). 곧바로 베르나르가 자신의 이탈리아 왕국을 떼어내 전면적인 자치로 누릴 수 있는 상상 가능한 모든 열매를 즐기려 한다는 소문이 났다. 이 소문이 루이의 귀에 들어가자 그는 베르나르를 체포하고 재판에 넘겨 사형을 선고했다. 루이는 사형을 시력상실형으로 감형함으로써 자신이 자비를 베풀었음을 보여주었지만, 이 형벌은 매우 잔인해 베르나르는 그 고통으로 인해 죽었다. 아마도 출혈과 감염과 충격이 복합되었을 것이다.

베르나르의 음모와 죽음은 가정된 공통의 가치와 〈제국의 통치〉에서 "서로 간의 형제애, (…) 공통의 행복, 영원한 평화"라고 한 것으로만 묶인 한 유럽 제국의 취약성을 드러낸 외에, 루이에게 비난이 쏟아지게 만들었다.[42] 822년 한여름에 루이는 교황 파스칼리스 1세가 참석한 카롤링 대가족 모임에서 공개적으로 자신의 죄를 고백하고 참회했다. 왕실 편인 프랑크의 연대기에서 참회를 묘사한 부분은 어떤 일이 일어났는지 자세한 내용에 대해 입을 꽉 다물고 있지만, 그저 베르나르를 죽인 일 이상에 대해 사죄했다고 강조했다. 그 필자는 이렇게 썼다. "그는 자기와 자기 아버지가 한 (…) 모든 일을 매우 세심하게 바로잡는 수고를 아끼지 않았다."[43] 그러나 사죄와 참회 의식이 바탕의 문제를 풀지는 못했다. 루이는 그가 한데 묶을 수 없을 정도로 너무 큰 제국을 물려받았다.

830년에서 840년 사이에 세 건의 큰 반란이 잇달아 일어났다. 루이의 아들들이 여러 가지 조합으로 손을 잡고 제국의 유산 가운데서 자기네의 지분을 늘리려 했다. 카롤링의 관습을 유지해 나가면서 여러 가지 잔인하고 살벌하며 수치스러운 행위들이 범해졌다. 눈을 망가뜨리고, 물에 빠뜨리고, 멀리 쫓아내고, 루이의 아내이자 황후인 주디트가 마녀이자 간통자라고 비난하고, 노골적인 자가 승진을 하는 일 같은 것이었다.

833년 6월, 알자스의 로트펠드에서 열린 모임에서 루이는 맏아들 로테르 때문에 곤란을 겪었다. 로테르는 자신이 카롤링 가족사를 세심하게 공부했음을 입증했으며, 최고지배자로서 자신을 지원해달라고 교황 그레고리우스 4세를 설득했다. 권력을 잡기 위한 로테르의 움직임은 루이의 지지자들을 두렵게 만들었으며, 한 사람도 남지 않고 모두 그를 버리고 그 맏아들에게 향하게 했다. 집단적으로 무골증無骨症에 빠진 이 모임에는 '거짓말 대회'라는 별명이 붙었다. 루이는 이제 감금된 신세가 됐고, 황제의 관은 로테르가 썼다. 그리고 아들은 통치를 시도해보면서 아버지를 유럽 곳곳으로 끌고 다녔다.

이 우스꽝스러운 사태는 그 자체의 부당성의 무게 때문에 무너졌다 (아마도 불가피했을 것이다). 루이는 1년 뒤 다른 가족 정변을 통해 권좌에 복귀했다. 그러나 샤를마뉴의 제국을 위한 조짐이 나타났다. 그 이전의 알렉산드로스 대왕의 경우와 마찬가지로 샤를마뉴는 한 사람의 정치적 자아의 연장으로서만 가능할 것임이 금세 입증되는 제국을 건설했다. 루이는 840년에 죽었고, 그때 그의 세 아들은 모두 살아 있었다. 또 한 차례의 내전을 치른 뒤인 843년 그들은 유럽이라는 꿈을 포기하기로 결정했다. 카롤링 제국은 베르됭 조약에 의해 공식적으로 분할되어 서프랑키아, 중프랑키아, 동프랑키아의 세 왕국이 되었다. (이것은 아주 개략적으로 각기 현대 프랑스, 북이탈리아와 부르고뉴, 독일 서부에 해당한다.)

9세기의 나머지 기간 동안에 서유럽은 더 쪼개졌다. 그리고 왕국들 사이에 간헐적인 전쟁이 벌어졌다. 각 왕국의 카롤링계 지배자가 샤를마뉴의 후예로서 자기네가 타고난 것보다 훨씬 강력하다는 환상을 가지고 있었기 때문이다. 9세기 말의 잠깐 동안 불운하고 게으르며 불행하게도 간질에 걸린 샤를마뉴의 증손자 '뚱보' 샤를 3세가 모든 프랑크인의 땅에 대한 권리를 주장했다. 그러나 888년 그가 죽자 제국은 무너져 동프랑키아, 서프랑키아, 부르고뉴, 프로방스, 이탈리아로 쪼개졌다.

중세 시기에 여러 사람이 이 모든 조각을 다시 붙이려는 꿈을 꾸었지만, 한 지배자의 손이 카롤링의 유산을 모두 그러쥐는 데는 거의 1000년의 시간이 다시 필요했다. 그 사람은 나폴레옹 보나파르트였다. 그는 또 하나의 매력적인 전사이자 영토 수집가였지만, 그의 이력은 샤를마뉴가 한 일을 돋보이게 하는 역할을 했을 뿐이었다. 유럽을 통합하는 것은 1000년에 한두 번씩밖에는 가능하지 않았으며, 통합된 경우에도 아주 오래 지속되지는 않았다.

노르드인의 도래

845년 봄, '경건자' 루이의 막내아들 '대머리' 샤를이 서프랑키아를 통치하고 있었다. 이때 라그나르라는 덴마크 군벌이 120척의 함대를 이끌고 센강으로 들어왔다. 이 라그나르가 덴마크 연대기와 아이슬란드 모험담, 그리고 대성공을 거둔 21세기 텔레비전 시리즈에 나오는 스타인 전설 속의 '털바지' 라그나르의 모델이라고 이야기되기도 한다. 신체가 우람하고 성적으로 강하며 매우 노련한 선원으로, 그는 난바다를 항해하고 강을 거슬러 올라 멀리 잉글랜드와 키이우루시(키예프루스)의 발트해 지역까지 갔다.[44] 사실이 그런지는 정확히 알 수 없다. 그러나 어떻든 845년 프랑크인을 공격한 라그나르는 매우 위험했다.

라그나르와 그 부하들은 강을 120킬로미터쯤 거슬러 올라간 뒤 날씬한 그들의 배를 양륙하고 습격과 약탈에 나섰다. 절망에 빠진 한 역사 기록자는 이렇게 썼다. "수많은 배가 센강을 저어 올라왔고, 전체 지역에서 폐해가 커졌다. 루앙은 초토화하고 약탈당하고 불태워졌다."[45] 지치려면 아직 먼(오히려 새로운 흥분을 맛보기 위해 속도를 올리고 있었다) 라그나르의 부하들은 강을 계속 올라가 부활절 무렵에 파리에 도착했다. 아마도 불과 수천 명의 주민이 사는 도시였을 파리는 아직 중세 후기처럼 중심 도시가 아니었다. 그러나 부유하기는 했다. 생드니 왕립수도원의 보물은 특히 매력적이었다. 그리고 라그나르가 할 줄 아는 것이 하나 있다면, 그것은 신의 집을 터는 것이었다.

'대머리' 샤를은 서프랑키아의 왕으로서 이 덴마크의 난동자들이 욕심을 채우는 것을 비켜선 채 허용할 수는 없었다. 덴마크인은 다른 노르드인(같은 개념인 '바이킹Viking'은 '해적'이나 '만灣 거주자'를 의미하는 말에서 나왔다)과 함께 이미 수십 넌째 카롤링을 위협하고 있었다. 그러나 근년에 그들이 프랑크 영토로 들어와 습격하는 범위와 규모가 확대되었다. 이에 따라 '대머리' 샤를은 군대를 소집해 이를 (센강 양안에 하나씩) 두 부대로 나눈 뒤 라그나르를 몰아내러 나갔다.

일은 계획대로 되지 않았다. 오래전에 랑고바르드인은 프랑크인을 보고 '고통'의 비명을 질렀지만, 라그나르와 노르드인은 이를 드러내며 으르렁거렸다. 그들은 프랑크 전사 한 부대를 고립시켜 포로로 잡고 그들을 배에 실어 센강 가운데 있는 한 섬으로 옮겼다. '대머리' 샤를과 나머지 그의 병사들은 그들을 볼 수는 있었으나 도울 수는 없었다. 라그나르는 섬에 올라가자 즉석에서 포로 111명을 교수형에 처했다. 노르드인을 쫓아낼 방법이 없고 그들이 거기 머물러 있으면 파리에 자기네의 흔적이 거의 남아 있지 않을 듯해서 '대머리' 샤를은 이제 그들을 물러가게 하기 위해 금과 은 7000파운드를 주기로 합의했다. 이것은 천문학적인 거금이었고, 그 규모만으로도 프랑크왕에게는 비참한 굴욕이었다.

샤를의 유일한 위안은 자신이 그런 공격으로 모욕을 당한 유일한 지배자가 아니라는 것이었다. 같은 해에 스칸디나비아 함대들은 루도비쿠스의 동프랑키아에 있는 함부르크, 로테르의 중프랑키아에 있는 프리슬란트, 아키텐에 있는 생트를 공격했다. 예전에는 프랑크인이 서방에서 가장 두려운 군대였다. 이제는 노르드인의 차례였다.

노르드인은 8세기 말에 지금의 스웨덴·노르웨이·덴마크에 있던 자기네 해안 정착지에서 튀어나왔다고 흔히 이야기된다. 그들이 서방 기독교 왕국들에 도착한 가장 유명한 기록은 브리튼섬에서 나왔다. 전사들은 793년 노섬브리아 해안 앞바다에 나타나 배에서 뛰어내린 뒤 린디스판섬을 약탈했으며, 수도원을 더럽히고 그곳에 있던 수도사들을 살해했다. 이 사나운 습격은 충격파를 일으켜 브리튼섬 밖으로 퍼져나갔다. 이 소식이 아헨에 있는 샤를마뉴의 궁정에 전해지자 요크의 알퀸은 노섬브리아왕에게 편지를 보내 이렇게 한탄했다. "커스버트 성인의 교회에 신의 사제의 피가 튀었습니다. 그 비품이 모두 뜯기고, 이교도들의 약탈에 노출되었습니다."[46] 그는 왕에게 왕과 귀족이 행실을 고쳐야 한다고 제안했다. 우선 더욱 기독교적인 이발과 복장을 해야 한다는 것이었다.

그러나 뭐든 그런 것을 하기에는 너무 늦은 상태였다. 노르드인은 자기네가 서방 세계에서 가장 강한 세력이라고 선언했다. 이듬해인 794년에 습격자들은 브리튼제도의 반대편 헤브리디스제도에 나타났다. 799년, 그들은 루아르강 바로 남쪽 누아르무티에섬에 있는 생필리베르 수도원을 습격했다.

60년 후 노르드인의 습격은 북해와 아일랜드해뿐만 아니라 멀리 리스본, 세비야와 북아프리카에서도 고통스러운 삶의 모습이 된다. 노르드인이 앵글로색슨인, 아일랜드인, 우마이야인, 프랑크인과 얽히게 되면서다. 860년에는 지금의 서북 러시아에서 나온 한 무리의 노르드 혈통 전사가 드니프로강과 흑해를 통해 배를 타고 콘스탄티노폴리스까지 가서 도시를 포위 공격했다. 극히 일부만을 드러내기는 했지만, 누아르무티에의 역사 기록자는 이 시기 전체에 대한 풍자시라고 할 만한 것을 썼다. "배의 수는 늘어나고, 끝없는 노르드인의 물결은 증가를 멈추지 않는다. (…) 노르드인 은 지나는 길에 있는 모든 것을 정복하고, 아무도 그들에게 맞설 수 없다."[47]

스칸디나비아 사람이 어떻게 마법을 부려 8세기 말에 나타난 것이 아 니었다. 1000여 년 전인 서기전 325년 무렵에 그리스 탐험가 피테아스는 당시 알려진 세계의 서북쪽에 있는 몹시 추운 곳에 가서 유명해졌다. 그는 드문드문 사람이 사는 '툴레'라는 곳에 발을 딛게 되었다. 아마도 노르웨 이나 아이슬란드였을 것이다(아닐 수도 있다).[48]

대략 비슷한 시기에 덴마크 부근에 사는 사람들은 갑옷식 판붙임 (clinker-built)을 한 배†를 건조할 능력이 있었다. 1920년대에 덴마크 알스 섬의 한 습지에서 인양된 이른바 요르트스프링 배는 이 고대 스칸디나비 아인들이 스무 명의 선원을 실은 배를 가지고 바다에 나갔음을 보여준다.

이후 수백 년에 걸쳐 북방 사람들은 알려진 세계 끄트머리에 뻔한 출 몰을 하는 데 그쳤다. 아우구스투스 시대에 로마 군대는 윌란(유틀란트) 반도를 정찰했다. 515년, 후글레이크(코킬라이쿠스)라는 덴마크 지배자가 라허란던에 있는 프랑크 영토를 습격했다. (후글레이크는 중세의 대서사시 《베어울프》에 나오는 예아트인의 왕이자 베어울프의 숙부인 히엘락왕의 모델이었 을 것이다.)

그러나 8세기까지도 어렴풋한 노르드인의 모습은 고작 그 정도였다.

---

† 판자를 겹쳐 선체를 만드는 배다. 하나의 통나무를 파내는 것인 이전의 카누 만들기 기법에 비해 상당히 진보한 것이다.

희소하고, 멀고, 순식간에 지나갔다. 북방 세계가 궁극적으로 실크로드와 이어지는 교역망에 연결되었다 해도, 이 연결은 비교적 약했고 5~6세기의 이방인 이주로 심하게 방해받았다. 또한 지리 자체도 고립의 요소였다. 중세 초에 기독교 세계와 이슬람 세계가 모두 북방 세계를 건드리지 않았음은 인상적이다. 북방은 제1천년기로 접어들 때까지도 여전히 사막 일신교 및 그들의 성서·말씀 숭배와 분명하게 단절되어 있었다. 독자적인 과정을 개척할 수밖에 없었던 노르드인의 문화는 매우 유별났다. 북극 주변의 독특한 풍광과 지형 조건의 영향이 들어가 있었다.

노르드인의 세계관은 특히 기후의 영향을 받았다. 아마도 530~540년대에 세계적 기온 급락과 흉작을 초래한 대규모 화산 분출의 충격 때문에 노르드인의 창세와 종말 이야기에는 나무의 생명과 임박한 핌불베트르('혹독한 겨울')의 도래가 한가운데에 있었다. 그때가 되면 지구는 얼어붙고 모든 생명이 끝장난다. 노르드인은 다양한 여러 신을 찬양했다. 오딘, 울르, 발드르, 토르, 로키 같은 신이다.

그들은 자기네의 삶이 요정, 난쟁이, 괴물뿐만 아니라 (발키리아로 알려진 여성이나 필기아 같은) 다른 초자연적인 존재에 의해서도 영향받을 수 있음을 알았다. 그들은 다양하고 때로 극단적인 자연 세계의 모든 곳(그들은 '다른 것'과 분명하고도 깊숙이 서로 연결되어 있었다)에서 마법적이고 신비로운 것을 찾아냈다.[49] 그리고 그들은 이 보이지 않는 세계와 봉헌할 음식물을 남겨두는 것부터 인간 희생 의례를 치르는 일에 이르기까지, 유럽·서아시아의 기독교도·이슬람교도·유대교도에서 따르는 제도화하고 전례적인 것과는 매우 다른 방식으로 소통했다.

역사가들은 여러 세대 동안, 노르드인이 왜 갑자기(두 세대 동안에 걸쳐) 상대적인 고립을 깨고 뛰쳐나와 서방을 공포 속에 몰아넣었는지 (그리고 식민화했는지) 골똘히 생각했다. 정치적 격변, 문화 혁명, 기후 변화, 인구학적 압박 등이 모두 원인으로 거론되었다.[50] 큰 질문이 모두 그렇듯이 이것 역시 간단하게 답할 수 없다. 그러나 이곳에서의 우리의 목적상 그것은 스칸디나비아 세계 안에서 경제 상황과 유행 기술이 변화하고 있는 바로 그 순간에 프랑크 세계와 그 기성 체제가 무너졌다고 하면 될 것이다.

5세기 무렵부터 스칸디나비아의 선박 기술이 발전했다. 아마도 길고 피오르(협만峽灣) 천지인 수천 킬로미터의 노르웨이 서해안을 비롯한 북해 주변의 무역 기회로 인해 추동되었을 것이다.[51] 선박은 더 크고 더 빨라졌다. 강한 용골과 강력한 돛을 장착했고, 길이 20미터 이상의 깊고 평평한 선체로 24시간 교대로 일할 수 있을 만큼 많은 선원을 한꺼번에 실을 수 있었다.[52]

동시에 젊은 노르드인 남성에게 외지로 나가서 돈을 벌어야 한다는 문화적 압박도 커지고 있었다. 아직 남성이 복수의 여성에게 장가들 수 있도록 허용되는 (그리고 아마도 여자 아기를 죽이는) 사회에서 남성은 그럴듯한 결혼을 하고 자신의 사회적 지위를 과시하기 위해서는 '신붓값'을 치러야 했다. 이 돈을 마련하는 가장 좋은 방법은 무역과 해적질(또는 둘을 어느 정도 섞는 것)이었다.

그리고 이런 상황에서 유럽에 카롤링 왕조가 불러온 광범위한 변화가 일어났다. 샤를마뉴 치하에서 프랑크인은 점점 더 노르드인에게 관심의 대상이 되었다. 우선 샤를마뉴가 작센을 상대로 전개한 원정은 프랑크의 국경을 북쪽으로 밀어 올렸고, 결국 노르드인의 땅과 접하게 되었다. (810~811년 이후 제국의 북쪽에는 '덴마크 변경구'가 설치되었는데, 이는 북방 이교도와의 사이에서 군대가 배치된 완충지 노릇을 했다.)

또 하나, 카롤링 왕조는 수도원과 기타 기독교의 성소를 건설하고 재산을 늘렸다. 많은 양의 동산이 수행자의 손에 들어갔다. 그들은 육체적으로 사회에서 가장 약한 사람이었다. 게다가 많은 수도원이 해안이나 강가에 있었다(루아르강 하구의 모래톱에 자리 잡은 누아르무티에의 생필리베르 수도원이 대표적이다). 아니면 세속 사회와 멀리 떨어진 곳에 있었다. 수도사들이 의도적으로 사회의 폭력으로부터 고립을 선택한 것이다(적어도 그들은 그렇게 생각했다).

지중해 바깥에서 가장 좋은 배를 가지고 있는 매우 기동력 있는 전사 집단의 사회에게 이 과일은 너무 낮게 달려 있었고 충분히 익은 것으로 보였다. 요크의 알퀸은 그들의 흉악함을 고대의 고트족 및 훈족과 비교했다.[53] 830~840년대에 프랑크 지배자들이 서로를 해치는 내전으로 빠져들고 결국 한때 빈틈이 없었던 제국이 세 갈래로 분할되면서 과일을 딸 시기가 무르익었다.

노르드인에서 노르만인으로

9세기 중반 이후 프랑크인은 자기네가 밖을 향해 기동성 있는 사회(그들의 야심은 서방 세계 전역에 뻗쳐 있었다)의 가까운 이웃이라는 사실과 씨름해야 했다. 노르드인이 들어가지 못하는 곳은 별로 없었고, 그들이 더 멀리까지 침공하게 되면서 그들의 공격 성격이 변하기 시작했다. 8세기 말에는 해안의 목표 지점에서 진열창을 깨고 물건을 털어 가는 식의 소규모 공격이 중심이었다면, 9세기에 들어서는 포위, 정복, 정착을 위한 준비를 갖춘 대규모 부대가 쳐들어왔다.

거의 모든 곳에서 기성 권력은 노르드인의 위협을 저지하기 위해 노심

초사했다. 잉글랜드에서는 865년 노르드인의 '이교도 대군'이 쳐들어왔다. 아마도 '털바지' 라그나르의 네 아들이 이끌었던 듯하다. 그들 가운데 하나가 '무골無骨' 이바르였는데, 그의 다리에 장애가 있어 그런 별명이 붙었을 것이다. 이전 세대에 노르드인은 수도원과 런던, 캔터베리, 윈체스터처럼 번성하는 도시를 먹잇감으로 삼았다. 그러나 '이교도 대군'은 완전한 형태를 갖춘 정복군이었다. 그들은 지금 작은 왕국인 노섬브리아, 머시아, 웨식스, 이스트앵글리아를 다스리고 있는 색슨왕들의 권력을 깨고자 작정하고 있었다. 군대와 함께 정착민 집단도 왔다. 여자도 많았다. 그들은 그저 습격을 위해서가 아니라 살러 온 것이었다. 그리고 그들은 성공했다.

869년에 이스트앵글리아왕 에드먼드가 노르드인의 손에 죽었다.† 880년대가 되면 잉글랜드의 절반 정도가 스칸디나비아인의 통제하에 들어가거나 직접 지배를 받았다. 노르드인의 전진은 웨식스왕 앨프레드가 색슨 쪽에서 용감하게 이끈 긴 투쟁 끝에야 저지되었다.

878년에서 890년 사이의 어느 시기에 맺어진 협정은 잉글랜드의 분할을 공식화했다. 나라 북쪽과 동쪽의 넓은 부분은 '바이킹'의 영토였다. 데인로로 알려진 지역이다. 데인로 안에서는 별개의 법제가 운용되었으며, (토르의 망치가 새겨진 것도 포함된) 앵글로-스칸디나비아 화폐가 유통되었고, 새로운 언어가 사용되고 지명이 변경되었다.†† 옛 신과 새로운 신이

---

† 베리세인트에드먼즈의 왕립 성당을 통제하던 수행자들의 열렬한 격려를 받은 후대의 칭송 전기에 따르면, 왕은 노르드인이 기독교로 개종하지 않는다면 자기 왕국을 포기하지 않겠다고 말했다. 그래서 나무에 묶여 화살 세례를 받은 뒤 목이 잘렸다.
†† 한때 잉글랜드에서 노르드인 정착의 주요 중심지였던 요크 같은 도시에는 아직도 그 도로명에 스칸디나비아인 점령의 흔적이 남아 있다. 코퍼게이트, 스톤게이트, 미클게이트의 어원은 모두 고대 노르드어 단어 '-gata'에서 내려온 것이다.

뒤섞였다. 이주민이 스칸디나비아 신을 들여오고 동시에 기독교의 의례도 받아들였기 때문이다. 잉글랜드의 일부 또는 전부에 대한 스칸디나비아인의 관심은 1042년까지 지속되었다. 이때 덴마크와 잉글랜드의 왕을 겸하고 있던 하르다크누트가 죽었다.

그러나 잉글랜드는 그림의 오직 일부일 뿐이었다. 노르드인은 스코틀랜드와 아일랜드해의 섬 왕국들에서 장사하고 싸우고 정착했다. 오크니 제도, 스코틀랜드 서부의 섬들, 맨섬, 앵글시섬 같은 곳이다. 아일랜드에서는 노르드인 식민자들이 더블린 부근에 큰 왕국을 건설해 11세기 초까지 살아남았다. (이 뒤플린 왕국은 번성하는 노예 시장 위에 세워졌다. 아일랜드 내륙에서 붙잡혀 온 '스렐'로 알려진 노예는 멀리 아이슬란드 같은 곳까지 끌려가 사역 당했을 것이다. 이들과 함께 멀리 북아프리카나 발트해 연안 등 서방 세계 곳곳에서 잡혀 온 다른 불운한 사람들도 노예 시장에 나왔을 것이다.)

한편 수천 킬로미터 밖의 동유럽에서는 점점 더 많은 수의 ('루시'로 알려진) 스칸디나비아인이 콘스탄티노폴리스를 향해 이동하기 시작했다. 10세기 중반에는 동로마 황제들이 노르드인의 군사적 능력을 매우 선망해 노르드인 혈통에서 선발한 '바랑고스 경호대'라는 개인 호위병을 유지했다. (노르드인의 룬 문자 낙서는 지금도 아야소피아 이슬람 사원에서 볼 수 있는데, 아마도 할프단과 아리라는 경호병이 그곳에 휘갈긴 것인 듯하다.)

일부 대담한 노르드인은 동로마를 통해 압바스 페르시아까지도 진출했다. 아라비아의 지리학자 이븐후르다드비흐는 노르드 루시가 840년대에 바그다드에서 장사를 했다고 말했다. 그들은 물건을 낙타에 실어 육로로 가져왔으며, 기독교도를 가장했다. 이교도에 비해 '성서의 사람들'(이슬람교의 입장에서 뿌리가 같은 유대교도와 기독교도를 가리키며 이들은 완전한 이교도와 다른 처우를 받았다)에게 우대 요율을 적용하는 과세 체계의 이점을 이용하려는 것이었다.[54] 곧 비단과 노예가 노르드인 세계와 압바스 할리파국 사이에서 기록적인 수준으로 거래되었으며, 압바스의 디르함 은화가 서방의 스칸디나비아로 흘러 들어왔다.[†]

　노르드인은 세계의 연결망과 자기네 사회의 변경을 끊임없이 확장하는 듯했다. 1000년 무렵 스칸디나비아 세계는 아이슬란드와 그린란드, 심지어 '빈란드'의 정착지까지 포괄하게 된다. 빈란드는 현대 캐나다의 뉴펀들랜드로, 그곳의 랑스오메도스에서 버려진 노르드인 정착지가 발견되었다 (15장 참조).

　그러나 이제 프랑크인의 세계를 침공한 그 노르드인에게로 돌아가자. 라그나르가 845년 돈을 받고 파리를 놔둔 채 떠났지만, 이것이 결코 프랑크 왕국들에 대한 노르드인의 야심이 끝났다는 말은 아니었다. 실제로 많은 프랑크인이 노르드인이 곧 그 땅에서 가장 큰 세력이 될 것이라고 생각했던 듯하다. 857년, 아키텐의 페팽 2세는 숙부인 '대머리' 샤를과 이 지역의 왕권을 다투면서 루아르강 유역을 차지하기 위한 싸움에서 노르드인과 그들의 무력을 고용하기로 협정을 맺었다. 심지어 페팽은 864년 살해되기 전에 기독교를 버리고 이교를 믿었다고도 한다.

　그러나 대체로 말해서 프랑크 지배자들은 노르드인과 손을 잡으려 시도하기보다는 그들에게 저항하는 쪽을 택했다. 페팽이 죽은 그해에 서프랑키아 왕이었던 '대머리' 샤를은 피트르 칙령을 반포했다. 이 칙령은 화

[†] 노르드인의 이상하고 때로 가학적인 문화적 관습에 대한 기록도 있다. 후르다드비흐와 거의 동시대 사람인 압바스 사절 이븐파들란은 자신이 목격한 노르드 루시의 이상한 측면을 엄청나게 생생한 문장으로 기록했다. 그들은 한 고위 인사의 장례를 치르고 있었는데, 노예 소녀 하나에게 마약을 먹이고 광포하게 강간한 뒤 살해해 죽은 그 주인과 함께 묻었다.

폐 제조, 노동법, 난민의 곤경 등 여러 가지 문제를 다루고 있는데, 프랑크의 신민에게 노르드인에 맞선 정책에 협조하라는 명령도 들어 있었다. 그 가운데 하나가 왕립교王立橋 건설 사업이었다. 이는 센강 같은 취약한 수로 전 구간 곳곳에 군사를 배치한 다리를 놓고 요새를 설치해 방어함으로써 노르드인의 선박을 원천 봉쇄하자는 것이었다.[55] 이는 잠시 먹혔다. 물론 노르드인을 아주 집으로 돌려보내지는 못하고, 그들의 관심을 이 지역의 다른 쪽으로 돌리게 했을 뿐이었다. 프랑크 땅이든 잉글랜드든 말이다.

교량 장애물로 방비되지 않은 프랑크 세계의 많은 곳에서는 자기네가 하염없이 공격의 대상이 된다고 생각했을 것이다. 대략 그 무렵의 한 수도원 역사 기록자는 이렇게 비탄에 젖었다. "북방인은 쉬지 않고 기독교도를 붙잡아 가고 죽였으며, 교회와 집을 파괴하고 마을을 불태웠다. 거리에는 온통 성직자, 평신도, 귀족, 기타 사람들의 시체가 나뒹굴었다. 여자와 어린이, 젖을 빠는 아이도 있었다. 시체가 뒹굴지 않는 길이나 빈터는 없었다. 그리고 기독교도가 살육당하는 것을 본 모든 사람이 슬픔과 절망에 휩싸였다."[56] 당연히 수도사들은 신이 왜 그렇게 화가 나서 노르드인을 보냈는지를 생각했다. 또 다른 역사 기록자는 그것이 자신들의 죄 때문일 것이라고 반성했다. "프랑크인의 나라에는 (…) 더러운 행위가 넘쳐납니다. (…) 배반자와 거짓말쟁이는 비난을 받아 마땅하며, 불신자와 이교도는 정당하게 처벌받아야 합니다."[57]

880년대에 '대머리' 샤를이 죽었고, 그의 교량 방어망도 파탄이 났다. 노르드인 습격자들이 이를 갈며 되돌아왔다. 그리고 이번에 그들은 카롤링 국가의 상징적 중심을 타격했다. 882년, 직전 겨울을 프리슬란트를 약탈하며 보낸 노르드인 군대가 라인강으로 들어와 샤를마뉴의 도성 아헨으로 진격했다. 그들은 왕궁을 점령하고 한때 샤를마뉴가 아꼈던 왕실 예배당을 말들이 묶는 마구간으로 사용했다.[58] 침략자들은 라인란트 전역에서 그리스도의 "종이 굶주리거나 칼에 맞아 죽게 했고, 아니면 그들을 바다 건너로 팔아버렸다."[59] 이들 역사 기록자(대부분 수도원에서 살아 습격자들을 직접 보았다)가 보기에 파괴는 도무지 끝나지 않을 것 같았다.

그러나 스칸디나비아의 모험가들은 사업의 호황을 구가하고 있었다. 한 현대 역사가는 9세기에 프랑크 땅에 침입한 노르드인이 탈취하거나 몸값 및 보호의 대가로 뜯어 간 돈이 은화로 약 700만 페니라고 추산했다. 주조된 전체 물량의 14퍼센트 정도다. 카롤링 왕조는 부유하고 강력했고, 당당한 대수도원들을 후원했다. 그 돈은 변경의 신앙이 없는 자들로부터 뜯은 것이었다. 이제 그 과정이 역설적으로, 그리고 매우 불편하게 뒤집어졌다. 사냥꾼이 사냥감이 되었다.

885년, 노르드인 군대가 파리로 돌아왔다. 40년 전 라그나르가 식은 죽먹듯이 턴 곳이었다. 이번에는 이 도시의 방어막이 더 견고해졌지만, 노르드인은 그곳을 포위하고 1년 가까이 시민을 고통에 빠뜨렸다. 생제르맹의 아봉이라는 수행자가 쓴 《파리시의 전쟁》으로 알려진 유명한 기록은 그 혼란을 상세히 전하고 있다. "공포가 도시를 사로잡았다. 사람들은 울부짖었고, 전투 나팔도 울었다. (…) 기독교도들은 싸우며 내달렸고, 공격에 저항하려 애썼다."[60]

파리 시민은 11개월 동안 버텼고, 때로 그들의 생명과 자유와 행복을 크게 희생했다. 마침내 886년 10월 당시 카롤링 왕 '뚱보' 샤를이 구원군을 이끌고 도시에 나타났다. 그러나 파리 시민은 엄청난 실망과 혐오감에 떨었다. 샤를은 군대를 이용해 노르드인을 쳐부수고 땅에 처박지 않았다. 대신에 그는 전임자 '대머리' 샤를의 전례를 따라 그들에게 돈을 주고 파리를 내버려두게 했다. 이후 시간이 지나면서 프랑크 왕국들에 대한 노르드인의 공격은 둔화했다. 그러나 880년대의 사건들은 관련된 모든 쪽의 역사에 중요한 유산을 남겼다.

카롤링 왕조를 향한 반세기에 걸친 노르드인의 공격은 결국 치명적이 었음이 드러났다. '뚱보' 샤를은 파리 포위전에 대한 소심한 대응으로 심 각한 타격을 입었다. 반면에 도시의 지도자인 파리 백작 외드는 맞서 싸 우려는 그의 의지 덕분에 영웅으로 칭송되었다. 그리고 그 결과로, 888년 '뚱보' 샤를이 죽자 외드가 서프랑키아왕으로 선출되었다.

이에 따리 외드는 샤를 마르텔의 생존 시 이래 카롤링 왕가 출신이 아 니면서 프랑크 왕국을 다스리는 첫 사람이 되었다. 그리고 그는 오늘날 그 의 아버지 '강자' 로베르의 이름을 딴 로베르 왕가의 첫 왕으로 기억된다. 카롤링 왕가는 '뚱보' 샤를 이후 왕을 한 사람 더 배출했지만(그리고 카롤링 가의 다른 자손들이 10세기 중반까지 동·서프랑키아의 왕위 승계권을 주장하게 되 지만), '뚱보' 샤를이 잠깐 했던 것처럼 페팽과 샤를마뉴가 합쳐놓은 완전 한 제국을 다스린 지배자는 없었다.

카롤링 왕조는 표류했다. 가족 내의 경쟁, 광대하고 문화적으로 다양한 영토와 민족의 집합을 결속시키는 데서 생기는 문제들, 노르드인과 동부 변경의 다른 적들(지금의 헝가리로부터 제국 영토로 대규모 습격을 감행하기 시 작한 머저르 부족 집단 같은 사람들)의 약탈 등으로 망가진 결과는 세대가 갈 수록 심해져, 호랑이에서 고양이로 변했다.

그들은 이후의 중세에 몇 개의 분명한 정치체를 남겼다. 서프랑키아는 프랑스 왕국이 되었다. 동프랑키아는 독일과 북이탈리아를 중심으로 하 는 제국이 되어서 곧 도이치 제국(또는 신성로마 제국)으로 알려지게 된다. (중프랑키아는 때로 로타링기아로도 알려졌는데, 점차 쭈그러들어 사라졌다.) 이후 중세의 오랜 기간과 근세 초에 들어서까지도 프랑스와 도이치 제국은 유럽 대륙에서 지배적인 강국이 된다. 그들을 계승한 나라인 프랑스와 독일은 21세기 초에도 같은 지위를 점하고 있다.

그러나 카롤링 왕조와 노르드인 시대에 나타난 또 다른 정치체가 있었다. 시간이 지나면서 노르드인은 스칸디나비아의 습격자에서 진화해 보다 통상적인 서방의 주류 기독교도 국가들이 되었다. 가장 분명하게 여기에 포함될 수 있는 것이 스웨덴, 노르웨이, 덴마크 왕국이다. 북해와 아일랜드해 주변에도 뚜렷한 노르드인 통치 왕국들이 있었다. 오크니의 작은 섬 왕국과 아일랜드의 뒤플린 왕국부터 현대 잉글랜드의 상당 부분을 차지한 거대한 데인로까지 다양했다. 또한 현대의 러시아, 벨라루시, 우크라이나의 거대한 땅덩어리를 차지한 키이우루시도 있었다. 스웨덴 동부에 뿌리를 둔 노르드인 류릭 왕가가 다스렸다.

그러나 그들이 프랑크 국가에서 떼어낸 한 지역만큼 이후의 중세 역사의 흐름에 큰 영향을 미친 곳은 없을 것이다. 바로 노르드만니아('노르드인의 땅'), 지금 노르망디로 알려진 곳이다.

노르망디의 형성은 885~886년의 극적인 파리 포위와 곧바로 연결되어 있다. 그 원정에 참여한 노르드인 지도자 가운데 흐롤프르(롤롱)라는 사람이 있었다. 그는 아마도 덴마크에서 태어난 것으로 보이며, 그의 이력은 후대의 전기 작가 생캉탱의 뒤동에 의해, 이상화되었지만 분명히 재미있는 말로 묘사되었다.

뒤동은 흐롤프르가 "전쟁의 기술과 완전한 무자비함을 익힌" 비상하게 강인하고 집요한 군인이며, 보통 "금으로 멋지게 장식된 투구와 미늘갑옷 차림"으로 나타난다고 말했다.[61] 흐롤프르는 이례적으로 살벌한 그의 시대에서도 가장 잔인한 사람 가운데 하나였다. 한번은 부하들에게 말을 모두 죽여 그 몸통을 토막 낸 뒤 갓 잡은 그 고깃덩이로 임시 방어막을 치도록 해 싸움을 이기기도 했다. 그러나 그는 영리한 협상가였다. 9세기 후반에 흐롤프르는 프랑크인 가운데서 풍족한 삶을 살았으며, 공격적인 노르드인 청년이라면 누구나 하는 일을 했다. 불을 지르고, 크고 작은 마을을 파괴하고, 약탈을 하고, 사람을 죽였다.

10세기 초가 되자 그와 노르드인 동료는 프랑크 지배자들을 어수선하게 만들고 그 백성을 전쟁으로 인한 심각한 피폐 상태로 내몰았다. 뒤동의 기록에 따르면 노르드인이 계속 습격해 오자 당시 서프랑키아왕 '멍청이' 샤를†의 신민은 911년 그 지배자에게 청원을 올리고 프랑크 왕국의 땅이 "사막보다 못하다"라고 투덜댔다. "주민이 굶어 죽거나 칼에 맞아 죽고, 아니면 아마도 포로로 잡히기 때문"이다. 그들은 "무기로 되지 않으면 협상을 해서라도" 왕국을 지켜달라고 왕에게 촉구했다.[62]

어쩔 수 없이 샤를은 동의했다. 아마도 (루앙과 파리 중간에 있는) 생클레르쉬렙트에서 조인된 것으로 보이는 조약에 따라 흐롤프르는 이들 사회에 받아들여지고, "사랑과 떨어질 수 없는 우의의 협정"에 프랑크와 함께 동의했다. 그 조건에 따라 그는 습격을 포기하고 왕의 딸 지젤과 결혼하며 기독교로 개종하게 되었다. 지젤과의 이 결혼이 실제로 이루어졌는지는 분명치 않다. 특히 흐롤프르가 이전에 바이외의 포파라는 또 다른 젊은 여성을 측실 또는 정실로 들였기 때문이다. 그러나 흐롤프르가 세례는 분명히 수용했다. 뒤동은 이렇게 썼다. 그는 "신성불가침의 가톨릭 삼위일체 신앙에 젖어들었으며, 자신의 가족과 전사, 그리고 자신의 군대 모두에게

---

† '멍청이' 샤를은 카롤링 왕가의 마지막 서프랑키아왕이었다. 그의 재위 기간은 로베르 왕가의 첫 번째 왕 외드(재위 888~898)와 두 번째 왕 로베르 1세(재위 922~923) 사이였다.

세례를 받고 기독교 신앙을 전도해 가르치게 했다."

그는 또한 자신의 이름을 새 대부代父 로베르(미래의 프랑크왕 로베르 1세다)의 이름을 따서 바꾸었다.

이것은 교회를 털어 명성을 쌓은 사람으로서는 완전히 정반대의 방향 선택이었다. 그러나 그럴 가치가 있었다. '멍청이' 샤를이 그 대가로 흐롤프르에게 센강 유역부터 펼쳐져 있는 모든 땅을 주었기 때문이다. 그 땅이 노르망디로 알려지게 된다. 새로 기독교도가 된 노르만인이 이제 강을 통해 파리로 들어가는 길목을 통제했다. 그와 함께 비옥하기로 유명한 지역 상당 부분과 전략적으로 유용한 항구들이 곳곳에 있는 해안선도 마찬가지였다. 그곳에서는 지나가는 배와 인근의 잉글랜드로 향하는 배도 감시할 수 있었다.

누가 더 장사를 잘했는지는 분명했다. 적어도 뒤동의 눈에는 그랬다. 이 역사 기록자는 일화 하나를 통해 그것을 보여주었다. '멍청이' 샤를에게 공식적으로 항복을 할 시간이 되자 흐롤프르는 이렇게 선언했다.

"나는 다른 사람의 무릎 아래 무릎을 꿇지 않을 것이고, 누구의 발에도 키스하지 않을 것이다."

대신에 그는 부하 하나를 시켜 자기 대신 그 일을 하게 했다. 뒤동은 이렇게 썼다. 그 전사는 "즉각 왕의 발을 붙잡아 그것을 자기 입까지 올린 뒤 거기에 키스를 했다. 그는 여전히 선 채였다. (그 때문에) 왕은 벌러덩 나자빠졌다. 그러자 커다란 웃음이 터졌고, 사람들은 크게 고함을 질렀다."[63]

그래서 재수 없는 프랑크왕 '멍청이' 샤를이 나자빠지는 우스꽝스러운 모습과 함께 노르드인이 다스리는 노르망디 공국이 탄생했다. 흐롤프르(이제부터는 로베르로 알려지게 된다)는 911년부터 그가 죽는 928년까지 통치했으며, 그가 아들인 '긴 칼' 기욤에게 공국을 물려주자 그는 이웃을 상대로 한 군사 원정을 통해 노르망디의 영토를 확장했다. 이 기욤 1세는 942년 암살당했다.

흐롤프르의 개종으로부터 두 세대가 지난 이 시점에는 새 노르만 지도자들의 본질적인 '노르드인다움'이 옅어졌다고 생각될 것이다. 그러나 완전히 그렇지는 않았다. 그들 치하에서 스칸디나비아 정착자가 노르망디로 밀려들었고, 시간이 흐르면서 그들이 뒤섞이고 결혼하고 노르망디의 프랑크 주민과 통합되기는 했지만 노르만인은 중세에 들어선 지 오래된 뒤에도 자기네가 다른 민족이라는 의식을 유지했다.

노르망디 공작들과 프랑스왕들 사이의 경쟁의식은 11~12세기 서방 정치 지형의 분명하고 중요한 특징이 된다. 특히 흐롤프르의 5대손인 노르망디의 '사생아' 기욤('정복자' 윌리엄)이 잉글랜드 침공에 나선 1066년 이후에 그렇다. 그는 선박 소함대를 이끌고 해협을 건너가 자신의 경쟁자인 고드윈의 아들 해럴드를 죽이고 잉글랜드의 왕권을 잡고자 했다.† (노르만 정복 이야기를 연재만화 형식으로 수놓은 유명한 바이외 태피스트리에서 기욤의 배들 외양은 분명히 노르드인의 것이다. 뱃머리는 화려하게 조각했고, 돛은 커다란 사각돛이다.) 노르만 공작들은 1204년까지 잉글랜드를 지배하게 되며, 배후의 잉글랜드 왕권을 통한 부와 군사적 자원으로 프랑스왕들에게 많은 문제를 일으킬 수 있었다. 프랑스왕들 상당수는 '멍청이' 샤를이 아무 생각 없이 자기 왕국의 상당 부분을 콧대 센 북방 사람 패거리에게 넘겨준 그때를 한탄했다.

---

† 노르망디의 기욤(2세)은 1066년 잉글랜드 왕위 계승권을 주장한 두 '바이킹' 가운데 하나였다. 또한 사람은 노르웨이왕 하랄 하르드로데로, 한때 동로마 황제의 '바랑고스 경호대'의 일원이었다.

그러나 이 모든 것에도 불구하고 노르만 공작들이 노르드인의 뿌리를 완전히 떠난 한 부분이 있다면 그것은 바로 그들의 기독교 신앙이었다. 프랑크인은 수백 년 전에 기독교로 개종했고, 앞서 보았듯이 그들이 정치적·의례적으로 기독교와 밀접하게 연결된 것이 엄청난 위신과 '연성' 권력의 근원이었다. 반면에 스칸디나비아 세계에는 기독교가 들어오는 데 시간이 많이 걸렸다. 12세기 초까지도 스웨덴의 보수적인 부족민 사이에서는 토속 신앙이 선진적인 기독교 의례와 자유롭게 뒤섞였다.[64] 그러나 노르망디를 식민화한 노르드인은 독특하고 달랐다. 그들은 일찍, 그리고 단호하게 개종하고 뒤를 돌아보지 않았다.

가장 흥미로운 사례는 아마도 996년부터 1026년까지 통치한 노르망디 공작 리샤르 2세일 것이다. 리샤르의 할머니는 스프로타라는 브르타뉴인 여성이었다. 리샤르의 할아버지인 '긴 칼' 기욤이 브르타뉴 습격 때 포로로 잡아 강제로 결혼한 것으로, 완곡하게 '덴마크 방식'이라 부르는 것이었다. 리샤르는 스칸디나비아 세계의 먼 친척들과 자주 교류하며 자랐고, 자신의 군사 원정에서 노르드인 용병을 고용하는 것을 부끄러워하지 않았다.

그러나 그는 양쪽 방향을 모두 돌아본 공작이었다. 한편으로 그는 흐롤프르와 같은 세기를 살았다. 그의 핏줄에 노르드인의 피가 흘렀다. 그러나 리샤르 2세는 또한 의문의 여지 없이 프랑크 세계의 일원이었다. 기독교도였고, 둑스dux(군주) 칭호를 사용한 첫 번째 노르만 지배자였고, 생캉탱의 뒤동에게 자기 가족의 역사를 쓰도록 주문한 사람이었다(그 기록을 통해 우리는 흐롤프르의 개종과 프랑크 세계 안에서의 그의 권력 장악에 관해 알게 되었다).

이에 따라 리샤르 2세는 수행자를 터는 것이 아니라 적극적으로 후원하고 보호했다. 그리고 노르망디 밖에서도 그랬다. 이 노르드인 유산과 프랑크 기질의 자손은 종교적인 아량이 크기로 너무도 유명해서, 해마다 이집트 사막 시나이반도의 기독교 수행자가 5000킬로미터 가까이나 여행해 와서 자기네의 유지비를 보태달라고 리샤르의 자선을 청했다.[65] 밀렵꾼이 세계적으로 유명한 사냥터지기가 된 것이다.

노르만인은 그 길을 따라 더 나아간다. 교회를 꾸짖는 채찍에서 가장 강력한 수호자가 된다. 이는 8장에서 십자군 운동을 살필 때 보게 될 것이다. 그러나 그에 앞서 10세기에서 12세기 사이에 등장해 서방 세계의 모습을 바꾼 다른 세력 일부를 살펴봐야 한다. 이는 지금까지 살펴본 것들과 달리 제국이나 왕조가 아니라 종교 및 군사 전문지식을 중심으로 한 초국가적 운동이었다. 다음 두 장에서 살필 집단은 아마도 중세에 가장 오래 지속된 원형(우리가 이 시기를 생각하면 곧바로 마음속에 떠오르는 이미지다)을 만들어낸 사람들일 것이다. 그들의 복장은 모든 멋진 가장假裝 의상 가게의 주력 상품이다.

바로 수행자와 기사다.

6장

수행자들

세상은 수행자 천지다.
− 클레르보의 베르나르, 1130년경

909년 또는 910년의 어느 시기에 아키텐 공작 기욤은 자기 사냥개들에게
새 보금자리를 찾아주어야 했다. 공작은 새 수도원을 건립하기로 결정했
고, 가장 존경받는 수행자 가운데 한 사람에게 이 일에 대해 자문했다. 베
르농이라는 사람이었다.

　베르농은 한때 귀족 신분이었으나, 세상의 화려함을 버리고 신을 찬송
하며 신에게 봉사하는 데 몸을 바쳤다.[1] 그는 프랑스 동부 지니에 자신의
수도원을 건설했고, 그 후 인근의 봄레메시외에 있는 다른 수도원을 인수
하기 위해 사람을 모았다. 베르농의 지휘 아래 두 수도원은 관리 수준과
규율 있는 생활 방식으로 명성을 얻었다. 혹독한 수련은 물론이었다. 베르
농이 데리고 있던 수행자들은 자주 매를 맞고 자기 방에 갇히고 작은 잘
못에도 밥을 빼앗겼다. 그러나 이런 것이 꼭 나쁜 일이라고 생각되지 않았
다. 사실 이런 일은 뛰어난 실적을 올린 군센 영적 최고경영자로서의 베르

농의 명성을 높였다. 기욤은 베르농에게 자문함으로써 온 프랑크 땅에서 수도원에 관한 최고 권위자 가운데 한 사람에게 접근한 것이었다.

그러나 나중에 알려지게 되듯이 베르농은 이 새 사업에 관여하게 되면서 곧바로 공작에게 문제를 안겼다. 그가 새 수도원 후보지로 가장 먼저 점찍은 곳은 클뤼니에 있는 사냥막이었다. 부르고뉴에 있는 기욤의 광대한 사유지 가운데 하나에 있었다. 공작은 세상 속에서 이 동네와 자신의 사냥막 부근에 펼쳐져 있는 땅을 좋아했고, 그곳에 많은 수의 사냥개 떼를 기르고 있었다. 그에게 추적의 흥분을 즐길 수 있도록 해주는 것들이었다. 그런데 지금 베르농이 클뤼니가 수도원에 도움이 되는 유일한 장소라고 말하고 있었다. 개들은 다른 곳에 새로 터전을 잡아야 했다.

"안 되오. 나는 내 개들을 딴 데로 보낼 수 없어요." 그들의 대화를 기록한 후대의 한 연대기에서 전한 기욤의 반응이다. 그러자 베르농이 이렇게 말했다. "개들을 내보내고 거기에 수행자들을 들이세요. 신께서 개들로 인해 어떤 보상을 해주시고 수행자들로 인해 어떤 보상을 해주실지 너무도 잘 아시잖아요?"[2] 기욤이 마지못해서 동의했다. 자신의 불멸의 영혼을 구할 수 있는 종교 시설을 위해 그는 자신의 사냥막을 내주는 데 동의했다. 그는 아내 엥겔베르주의 동의를 얻어 이것을 베드로와 바울로 성인의 (그리고 그들이 지상에 없을 때 로마 교황의) 보호 아래 맡긴다는 증서를 써주었다.

베르농은 그곳을 수행자 집단이 살 곳으로 개조하는 실무를 감독하게 되었다. 그곳에 살게 되는 수행자는 그 삼림과 목초지, 포도원과 양어장, 마을과 농노(법적으로 그 땅을 갈도록 강제된 부자유 농민이다)를 통해 생활의 자원을 얻을 수 있었다. 대신에 그들은 끝없이 반복해 기도와 예배를 드리며 지나는 여행자를 환대하고 고도로 순결한 삶을 살고, 베네딕투스

(베네데토) 성인의 규칙을 준수해야 했다. 수백 년 전 남부 이탈리아에서 6세기 수도사인 누르시아(지금의 이탈리아 노르차)의 베네딕투스가 만든 수도원의 행동 수칙이었다. 교황이 그들의 보호자가 되고, 베르농이 그들의 수도원장이 될 것이었다. 그들을 재정적으로 지원하고 물리적으로 보호하는 것은 기욤 공작과 그의 자손이다.

이렇게 수도원 하나가 탄생했다. 이 과정은 표면적으로는 그리 유난스럽지 않았다. 카롤링 시대에 여러 부유한 프랑크인이 수도원을 설립했고, 그곳을 채울 남녀 수행자 후보는 많았다.³ 그러나 당대의 많은 시설과 비교할 때 클뤼니 수도원이 신기했던 것은 기욤 공작이 자신과 그 후계자들을 위한 통제권을 별로 요구하지 않았다는 것이다. 기욤은 자기 가족이 클뤼니 수도원의 장래 수도원장을 지명하고 수도원 운영에 실질적인 역할을 할 권리를 주장할 수도 있었다. 그러나 그는 그렇게 하지 않았다.

대신에 그는 베르농과 미래의 클뤼니 수행자가 수도원을 독자적으로 운영할 수 있고 세속 권력과 심지어 지역 주교로부터도 간섭을 받지 않을 것이라고 약속했다. 클뤼니 수도원의 설립 인가서에 따르면 이 수도원에 간섭하려는 사람은 누구든 지옥의 꺼지지 않는 불과 물어뜯는 벌레의 고통이라는 천벌을 받게 되었다. 보다 즉각적인 것으로는 100파운드의 벌금을 내야 했다.⁴ 완전히 위해에 무덤덤하고 자기네 생각대로 하는 것이 가능한 중세 수행자가 있다면 그것은 클뤼니 수도원의 수행자였을 것이다.

공사는 910년 무렵에 시작되었다. 규모가 크고 돈이 많이 드는 사업이었다. 베르농과 그가 클뤼니에 살도록 초청하는 수행자에게는 교회, 공동 주거 구역, 기숙사, 식당과 도서관, 개인의 방과 학습 공간, 그리고 그들의 일반 하인이 일하게 될 부엌과 축사 같은 것이 필요했다. 이는 여러 해가 걸렸고, 일은 918년 기욤이 죽을 때나 927년 베르농이 그 뒤를 따라 무덤으로 들어갈 때도 마무리될 기미가 보이지 않았다.

그러나 클뤼니 수도원 건설이 느리고 또한 찬란한 빛이 아니라 자욱한 건설의 먼지에 가려 있었지만, 그것은 서방 중세의 역사에서 매우 중요한 사건으로 판명 나게 된다. 이후 200년 동안 수도원은 크게 유행했다. 다양한 유형의 수도원이 탄생했다. 베네데토회 외에도 시토회, 샤르트뢰즈회, 프레몽트레회, 삼위일체회, 길버트회, 아우구스티누스회, 파울로스회, 켈레스티누스회, 도밍고(도미니코)회, 프란체스코회로 알려진 교단과 신전기사단, 구호기사단, 도이치(튜턴)기사단 등 군사 교단이 있었다.

그러나 유럽의 대표 수도원으로 발전하는 것은 바로 클뤼니였다. 부르고뉴에 있었지만 프랑스 전역과 함께 잉글랜드, 이탈리아, 이베리아반도, 독일 서부까지 영향력을 확대했다. 10세기 중반 이후 이곳은 한창때 수백 군데의 부속(또는 '딸') 수도원을 거느린 국제 조직의 본부였다. 모든 부속 수도원이 클뤼니 대수도원장에게 복종했고, 대수도원장은 엄청난 부와 경제적 자원을 통제했다. 11세기 말이 되면 클뤼니 대수도원장은 왕이나 교황과 동급이었으며, 그 시대 최고위급의 대화나 분쟁에 끼어들었다.

클뤼니 산하 수도원들은 영적인 맥도날드 분점처럼 라인강 서쪽의 거의 어디서나 볼 수 있었다. 특히 에스파냐 서북부의 산티아고데콤포스텔라 같은 성지를 찾는 여러 나라의 순례자가 지나는 길목 주변에 많았다. 사실 클뤼니의 영향력은 독일의 상당 부분에는 미치지 않았고, 중·동유럽의 기독교권에서도 유명하지 않았다. 동로마는 말할 것도 없었다. 그곳에서는 뚜렷한 '동방'형 수도원이 발전했다.

그렇지만 클뤼니는 여러 세대 동안 정치적 경계를 넘는 희귀한 정도의 '연성' 권력으로 무장하고 있었다.[†] 그리고 클뤼니의 조직은 보다 일반적인 수도원 폭발을 선도했으며(그것은 교회와 국가 사이의 관계를 변화시켰다),

기독교 세계의 문화 생활을 재충전하고 개조해 종교 의례뿐만 아니라 교육, 건축, 미술, 음악까지도 변화시켰다.

이 모든 것의 전형적인 사례는 클뤼니 자체다. 오늘날 그곳을 찾는 사람들은 맥이 빠질 정도로 볼 수 있는 것이 없겠지만(18세기 프랑스혁명 때 교회의 세속 관여를 반대하는 과격파의 파괴를 견뎌낸 작은 건물군 정도다), 당시 클뤼니에는 아마도 세계 최대급이었을 교회가 들어서 있었다. 로마의 산피에트로나 콘스탄티노폴리스의 하기아소피아에 필적할 만했다. 사냥막과 개 우리였던 클뤼니의 대수도원 교회는 높이 158미터로 종류를 불문하고 유럽에서 가장 큰 건물이 되었다. 세계적인 수준의 도서관과 예술관이 있었고, 유명하고 수준 높은 종교인 사회가 있었으며, 수도원 전성기의 신경 중추이기도 했다.

이 이야기는 집중적인 수도원의 활동과 창조 및 성장의 더 넓은 시기로 이어진다. 그 영향은 (그리고 다양한 교단과 생활 양식의 수행자들의 더 광범위한 영향은) 중세 말까지 라틴 세계†† 전역에서 느낄 수 있게 된다.

사막에서 산꼭대기로

수행자가 된다는 것에 대해서는 〈마태오 복음서〉의 부유한 젊은이의 비유에 나오는 예수의 말에 가장 잘 요약되어 있다. 예수는 이렇게 말했다.

---

† 매우 느슨한 비교지만 오늘날 아마존의 제프 베이조스나 페이스북의 마크 저커버그처럼 국가가 아닌 초거대 기업과 소셜미디어 사업자가 통제하는 부와 권력을 생각하면 될 것이다.

†† 라틴 세계란 세계 가운데 (그리스어나 아라비아어, 또는 중세에 널리 쓰였던 다른 언어 대신) 라틴어가 지배적인 공통 언어였던 지역을 말한다.

"네가 완전한 사람이 되려거든 가서 너의 재산을 다 팔아 가난한 사람들에게 나누어주어라. 그러면 하늘에서 보화를 얻게 될 것이다. 그러니 내가 시키는 대로 하고 나서 나를 따라오너라."[5] 예수에게서 이 말을 들은 그 젊은이는 그렇게 하려 하지 않았다. 그는 자기가 재산을 포기하는 것은 전혀 불가능하다고 한탄하며 떠나갔다. (이에 대한 예수의 반응이 유명한 '낙타와 바늘귀'[†] 발언이었다.)

그러나 수백 년 뒤에 생각이 바뀌었다. 3세기 이후 로마령 서아시아 기독교 세계의 신앙심 깊은 사람들은 자신의 영혼을 구하기 위해서는 자기네의 생활에서 사치와 장식과 유혹을 걷어낼 필요가 있다는 결론을 내렸다. 그들은 자기 재산을 포기하고 속세를 버리고 황야로 떠나, 물리적으로는 누추하지만 도덕적으로는 순수한 삶을 추구하기 시작했다. 기도하고, 세상에 대해 명상하고, 남이 준 돈과 남이 먹다 남긴 음식에 의존해 살아갔다.

서기 제1천년기 동안의 서방 수도원 생활의 많은 중요한 발전과 마찬가지로, 역사가들이 지금 '금욕주의'라 부르는 이 경향은 서아시아와 특히 이집트에서 나타났다. 이집트의 가장 유명한 기독교도 고행자 가운데 하나가 안토니오스 성인이었다. 안토니오스는 자신이 말 그대로 부유한 젊은이였다. 부유한 가정의 외아들이었고 상속자였다. 스무 살 때 교회에 가서 가난에 대한 예수의 훈계를 듣고는 곧바로 "자신이 가진 모든 것을 팔아 그 돈을 가난한 사람들에게 주고 그 후 줄곧 은자의 삶을 살았다."[6] 그가 극기에 전념한 것은 그 이후 여러 세대의 수행자에게 전설적인 본

[†] "거듭 말하지만 부자가 하느님 나라에 들어가는 것보다는 낙타가 바늘귀로 빠져나가는 것이 더 쉬울 것이다."〈마태오 복음서〉19:24.

보기가 되었다.

안토니오스와 동시대의 알렉산드리아 주교 아타나시오스는 이 은자의 고투와 행적을 재미있는(그리고 지속적으로 인기를 끈) 칭송 전기에 기록했다. 이 기록에 따르면 안토니오스가 있던 동굴에는 어린아이, 포악한 들짐승, 보물 더미, 거대한 괴물 등으로 변장한 악마가 자주 찾아와 괴롭혔다.† 그는 자신의 자제력과 신앙심의 힘으로 그 모두를 물리쳤다. 한편으로 그는 자신을 흠모하는 다른 은자와 제자에게 훌륭한 모범을 보였다. 그들은 힘든 육체노동과 엄격하고 철저한 기도로 이루어진 안토니오스의 생활에 자극받았다. 안토니오스는 생활이 힘들었음에도 불구하고 105살의 나이까지 살았고(그렇게 전해진다), 죽은 뒤에는 '모든 수행자의 아버지'로 알려지게 되었다.[7]

그러나 그 시대의 유명한 고행자가 그 한 명만은 결코 아니었다. 기독교의 형성기에 수많은 '사막 교부'와 '사막 교모敎母'가 나왔다. 안토니오스의 수제자 마카리오스, (고행자들이 수도원으로 알려지게 되는 곳에서 함께 생활하는 관습인) '동거수도同居修道'를 선도한 파코미오스라는 로마 군인, 흑인 모세라는 개심한 도적, 알렉산드리아의 신클레티케라는 여성 은자, 역시 여성 은자로서 남성 고행자 공동체에 들어가 죽을 때까지 들키지 않고 남성을 가장해 살았던 알렉산드리아의 테오도라 같은 사람이다.

이 초기 고행자들과 함께 광범위하고 다양한 경건한 선구자 무리가 있었다. 그들은 실험적이고 (우리가 보기에) 때로 기이하지만 통상 외지고 황량한 곳에서 극단적인 물리적 결핍을 경험하려는 상당한 욕망으로 연결

---

† 안토니오스 성인의 기괴하고 특이한 고행은 히에로니무스 보스와 미켈란젤로 같은 중세 말의 거장부터 도로시아 태닝과 살바도르 달리 같은 현대 작가에 이르기까지 여러 후대 미술가의 상상력에 불을 붙였다.

되었다. 그들은 함께 중세 수도원 생활이 되는 것의 본질을 찾아냈으며, 여러 세대의 수행자와 기타 고행자는 이후 1100년 동안 그들의 사례로 돌아가게 된다.

수도원 운동은 사막에서 시작된 뒤 3세기에서 6세기 사이에 꾸준히 발전하고 이집트를 벗어나 동·서방 기독교 세계 모든 곳으로 확산되었다. 주목할 만한 초기 중심지는 카파도키아의 카이사레이아(현재 튀르키예의 카이세리), 아퀼레이아(이탈리아), 마르무티에(프랑스) 등이었다. 이 가운데 마르무티에는 마르탱이라는 특히 덕망 높은 인물의 활동 거점이었는데, 로마 기병 장교였던 그는 예수의 빛을 본 뒤 말을 타고 사람을 죽이는 생활을 버리고 투르의 은자 겸 주교가 되었다.[8]

크게 말해서 수행자에는 두 유형이 있었다. 은자는 홀로 움직였다. 일부는 혼자 외딴곳으로 숨었다. 극단적인 은둔 생활 실천자는 '스틸리티스stylítis'(기둥 고행자)가 되는 길을 선택했다. 기둥에 올라가 사는 것이다. 또 어떤 은자는 도시와 시골을 떠돌며 전도를 하고 먹을 것을 구걸하며 일반인에게 영적 조언을 제공했다. 그리고 동거수도자가 있었다. 남녀별로 공동체를 이루어 함께 살며 대개 거처가 고정되었다. 같은 곳에 살지만 방은 각자 따로 두었고, 기도하고 공부하고 일하며 하루를 보냈다.

두 유형의 수도 생활(이에 해당하는 그리스어 '모나코스'는 '하나'를 뜻하는 '모노스'에서 온 말이어서 신과 하나가 되는 것을 시사한다)은 중세 시기에 공존했으며, 오늘날에도 여전히 볼 수 있다. 그리고 이 두 유형은 모두 기성 교회를 약간 당혹스럽게 만들었다. 고행자들은 전통적인 사회적 위계를 뒤흔들었다. 그들은 대부분 독실한 일반인이었고 임명된 성직자가 아니었다. 그들은 주교의 관할을 받지 않았고, 때로 교회의 '공식' 대리인으로부터 권위와 자선기금을 끌어올 수 있었다.

451년 동로마에서 열렸던 칼케돈 공의회에서는 수행자를 더 이상 떠돌지 말고 수도원에서 살도록 강제하려는 시도가 있었지만, 장기적인 효과가 거의 없었다.[9] 우선 개인의 신앙 행위를 감시하는 것은 실무적으로 매우 어려웠다. 또 다른 문제로 중세 초 세계의 문화적 연결망이 이미 너무넓고 강력해 남자든 여자든 동로마 국가의 통제를 멀리 벗어난 금욕적 삶을 살기에 충분했다. 5세기에는 이미 기독교 은자를 멀리 아일랜드와 페르시아에서도 볼 수 있었다. 기독교가 있는 곳에는 어디나 수행자와 은자가 있었고, 자발적이고 활발하며 지역화된 하위문화에 어떤 식으로든 질서와 규율을 부과할 방법은 오랫동안 거의 없는 듯했다.

분명히 수도 생활에 형식과 일관성을 적용한 가장 중요한 인물은 (적어도 서방에서는) 누르시아의 베네딕투스라는 이탈리아인이었다. 그의 생애에 대한 상세한 내용은 전혀 분명치 않다.[†] 안토니오스 성인과 마찬가지로 그도 매우 대중적인 칭송 전기의 대상이 되었기 때문이다. 이 전기는 '대교황' 그레고리우스 1세가 썼으며, 역사적 진실성에 대한 현대적 검증을 통과할 수 있게 쓰이지는 않았다.

그러나 우리가 아는 한 베네딕투스는 480년 무렵에 태어난 듯하다. 그에게는 스콜라스티카라는 쌍둥이 여동생이 있었고, 이들 남매는 유복한 집안에서 태어났다. 그는 한동안 로마에 살았으나 젊어서 이 도시를 떠났고, "책을 버리고 아버지의 집과 재산을 포기하고 오직 신에게 봉사한다는 굳은 결심"을 했다. 그레고리우스 교황의 말에 따르면 베네딕투스는

---

† 일부 역사가는 베네딕투스가 심지어 한 인물이 아니라 합성된 '이상적'인 대수도원장일 수도 있다고 생각한다. 그레고리우스 교황이 자신의 교훈적 목적을 위해 만들어낸 인물이라는 것이다.

"자신의 성스러운 목적에 대한 욕구를 이룰 수 있는 어떤 곳"을 찾고 있었다. 그는 그런 곳을 라치오주 수비아코 부근의 한 동굴에서 찾았다.[10] 그곳에서 좀 더 경험 많은 고행자인 수비아코의 로마누스가 베네딕투스에게 은자가 되는 방법에 관해 가르침을 주었다. 그러나 이 제자는 곧 종교적인 명성에서 스승을 능가했고, 인근 수도원으로부터 그곳을 운영해달라는 초청을 받았다.

베네딕투스는 처음에는 엄혹한 동굴 대신 공동생활을 받아들이는 것이 내키지 않았지만, 곧 성공을 거두었다. 그레고리우스 교황이 쓴 전기에 따르면 그는 많은 기적을 행했다. 그는 엄격한 그의 훈련에 분개한 불만스러운 수행자들의 독살 기도를 여러 차례 피했고, 무너지는 벽에 깔린 어린아이를 되살려냈다. 그는 이민족 고트의 왕 바두일라(토틸라)라고 속인 고트인 릭고가 가짜 바두일라임을 간파했으며, 진짜 바두일라에게는 그가 죽을 날짜를 예언해 그의 간담을 서늘케 했다(그의 예언은 결과적으로 정확했다). 그는 자신이 맡고 있는 수행자들이 규율을 어기고 술이나 선물 받은 것을 숨겨두고 있는지(수행자는 개인 재산을 가지지 못하게 되어 있었다), 또는 심지어 오만한 생각을 하고 있는지 알아내는 육감을 지니고 있는 듯했다. 그는 악령을 몰아내고 죽은 자를 살려냈으며 정신이상에 걸린 여자를 고쳤다.

그는 1년에 한 번 수녀원†에 있는 여동생 스콜라스티카를 만났다. 여동생 역시 기적을 행할 수 있었다. 신에게 이야기해 요구하는 대로 뇌우를 불러오는 것 같은 일이었다.

---

† 공동생활을 하면서 수도하는 여성들의 공동체다. 이는 남성만의 수도원과 똑같이 오랜 뿌리를 갖고 있다. 전승에서는 스콜라스티카의 수녀원이 현대의 피우마롤라에 있었다고 하지만, 고고학적 증거로 명확하게 뒷받침된 것은 아니다.

그러나 무엇보다도 중요한 것은 누르시아의 베네딕투스가 남부 이탈리아에 열두 곳의 수도원을 건설했다는 것이다. 그 가운데 하나가 로마와 나폴리의 중간 몬테카시노의 거대한 언덕 꼭대기에 자리 잡고 있다. 로마의 신 유피테르에게 바쳐졌던 버려진 이교도 신전 자리다.

베네딕투스는 몬테카시노와 다른 비슷한 기관들에서 자신이 세운 기준이 지켜지도록 보장하기 위해 "수행자를 위한 매우 분별력 있고 형식적으로도 감동적인 규칙을 마련했다."[11] 그의 말에 의하면 그것은 수행자가 "자신의 의지를 완전히" 포기하고 "복종이라는 강력하고 고귀한 무기로 무장해" "진정한 왕인 주 그리스도를 위한 싸움을 할"[12] 수 있도록 하는 원칙들을 제시했다.

《베네딕투스 성인 규칙서》는 결코 독특한 것이 아니었다. 그것은 수도원 규칙으로 처음 마련된 것이 아니었다. 히포의 아우구스티누스 성인은 400년 무렵 북아프리카에서 규칙서를 만들었고, 아를의 세제르(체사리우스)는 512년 특별히 여성을 위한 규칙서(《여성 규칙서(Regula virginum)》)를 썼다. 심지어 특히 독창적인 것도 아니어서, 요안네스 카시아누스라는 5세기 고행자의 저작과 《교사 규칙서(Regula Magistri)》라는 저자 미상의 6세기 문서에 크게 의존했다. 그럼에도 불구하고 베네딕투스의 규칙서는 간단하고 격조가 있었으며 영향력이 컸다. 그것은 이후 여러 세대 동안 서방 수도원 생활의 견본이 된다. 이 규정에 따라 살아간 수행자는 베네데토회 수행자로 (또는 그들 예복의 규정 색깔에 따라 '검은 수행자'로) 알려지게 된다.

총 73장으로 이루어진 《베네딕투스 성인 규칙서》는 수도원장의 지도 아래 공동체에서 생활하는 수행자를 위한 생활의 기초를 제시했다. 기본적인 원칙은 기도, 공부, 육체노동에 관한 것이며, 부수적으로 검소한 생활, 사적 소유의 포기, 순결, 최소한의 음식 등을 규정했다. 이 규칙서는 수도원 안의 성직자에게 제공되었다. 여기에는 어떤 음식을 언제 먹을 수 있는지(또는 없는지) 구체적으로 명기돼 있었다. 또 잠자리, 옷, 수행자가 스스로 만든 물건을 팔 수 있는 조건, 수행자가 여행하는 방법, 심지어 그들이 얼마나 웃어야 하는지에 관한 규칙을 정해놓았다. 규칙 위반에 대한 처벌은 질책부터 파문까지 걸쳐 있었으며, 아픈 사람에 대한 면제도 있었다.

이 규칙서는 매우 상세해서 수도원 운영에서 약간의 안내와 확실성을 추구하는 수도원장들이 채택했지만, 수도원에 따라 어느 정도의 독자성을 허용하는 융통성도 있었다. 요컨대 이것은 품위 있고 사려 깊은 작품이었으며, 그레고리우스 교황이 베네딕투스의 생애에 관한 자신의 기록에서 이를 칭찬하고 공개한 이유였다. 이 규칙서를 따른 사람은 베네딕투스의 "생활 및 훈련 방식을 모두 이해"[13]했을 것이라고 그레고리우스는 썼다. 그들은 또한 우리가 지금 성스러운 방법이라고 부를 수 있는 명령에 복종함으로써 완벽해지기를 바랄 수 있었다. 사막에서 안토니오스 성인이 이후 로마 제국의 초기 고행자를 위한 사례를 확립한 것과 마찬가지로, 베네데토는 이제 몬테카시노 산꼭대기에서 수도원의 생활 방식을 위한 단계별 방법론을 정리했다. 이후 여러 세대에 걸쳐 이것은 서방 기독교 세계 각지로 수출된다.

전성기로 가는 길

누르시아의 베네딕투스가 죽은 지 약 100년 뒤인 7세기 후반에 그와 쌍둥이 여동생 스콜라스티카의 뼈가 몬테카시노에 있는 무덤에서 파내지고 도난당했다. 당시 이 수도원은 580년 랑고바르드인의 약탈로 폐허 상태였고, 718년이 되어서야 재건되어 다시 사람이 살게 되었다. 그래서 후대의 한 기록에 따르면 도굴꾼들은 자기네가 좋은 일을 하고 있다고 여겼다.

그들은 바로 수행자였다. 북쪽으로 1000여 킬로미터 떨어진 프랑스 중부에서 왔다. 그들은 단식 때 본 신의 환상과 현지 양돈가의 지식을 종합해 무덤의 정확한 위치를 찾아냈다. 그들은 (두꺼운 대리석 석판 두 개를 뚫는) 약간의 수고 끝에 베네딕투스와 스콜라스티카의 유해를 찾아냈다. 그것을 담아다 물에 씻은 뒤 "곱고 정결한 아마포에 싸서 (…) 자기네 고국으로 운반"[14]했다. 구체적으로는 플뢰리(파리 정남쪽 약 150킬로미터에 있으며 나중에 생브누아쉬르루아르로 알려지게 된다)에 있는 자기네 수도원이었다. 그곳의 수도원장 모몰랭(뭄몰루스)은 그것을 보자 진가를 알아보았다. 유골을 싼 아마포는 이제 성스러운 피에 젖어 있는 듯했다. 모몰랭은 이를 그것이 진짜라는 분명한 징표라고 단언했다. 이에 따라 그 유골은 한 사당에 공손히 다시 묻혔다. 그 사당으로 플뢰리 대수도원은 갑자기 새로운 명성을 얻었다.[†]

베네딕투스 성인의 유골을 이탈리아로부터 프랑크인의 땅으로 가져간 것은 단순히 자극적인 범죄 행위로 그치는 것이 아니었다. 이 절도 행위는 오래도록 영향을 남겼다. 그것은 이후 100년에 걸쳐 알프스산맥 이북에서 베네딕투스와 그의 규칙서에 대한 새로운 열광을 불러일으켰기 때문이다.

[†] 플뢰리에서는 오늘날 베네데토회 수행자 공동체가 여전히 사당을 유지하고 있다. 그러나 몬테카시노의 수행자들이 지금 여기 쓰인 거의 모든 것을 인정하지 않고 있음을 지적할 필요가 있다. 그들은 베네딕투스와 스콜라스티카의 유골을 가져갔다는 이야기 전체에 반박하며 검은 대리석으로 된 자기네의 독자적인 사당을 유지하고 있다. 여기에는 쌍둥이 남매가 자기네 성당 주 제단 밑에 잠들어 있다는 새김글이 있다. 이 성당은 2차 세계대전 때 연합군의 심한 폭격으로 무너졌다가 20세기에 재건되었다.

중세 초에 메로빙 왕조의 갈리아에서 수도원 생활이 광범위하게 이루어졌다. 아일랜드 수도원들의 영향이 특히 강했는데, 그들은 각자의 극단적인 궁핍과 전도 여행을 강조했다. 대표적인 사례가 전도인 콜룸킬(콜룸바) 성인과 콜룸반(콜룸바누스) 성인†이다.[15] 그러나 수도원을 어떻게 운영할 것이냐에 대해서는 여러 가지 서로 다른 의견이 통용되고 있었고, 어느 것이 가장 좋은 방법이라고 일반적으로 인정되는 것은 없었다. 따라서 공동체에서 함께 사는 수행자와 수녀는 수도원장이 그때그때 만들어내거나 끌어모은 '뒤섞인' 규칙의 온갖 잡동사니를 준수했다. 수행자 집단과 의전사제(자기네끼리 합의된 규칙에 따라 함께 살지만 개인 재산이 허용되고 당연히 자기 주변의 세계 및 사람과 교류하는 사제 및 성직자다) 무리 사이의 차이를 이야기하기는 대체로 매우 어려웠다. 베네딕투스의 등장으로 이 모든 것이 바뀔 운명에 처했다.[16]

변화의 동인은 중세 초 프랑키아에서 흔히 그랬듯이 카롤링 왕가였다. 5장에서 보았듯이 샤를마뉴는 프랑크의 권력을 급속하게 확장하고 중앙집중화해 서방에서 기독교 황제권 관념을 되살렸으며, 연구와 교육, 종교적인 건설 공사에 깊은 관심을 쏟았다. 당연히 그는 자기 영토 안의 수행자들이 일사불란해야 한다는 생각 역시 긍정했다. 샤를마뉴와 그 아들 '경건자' 루이는 모두 《베네딕투스 성인 규칙서》가 기독교 신봉에 질서를 가져다주고 그 신민의 일상생활에 의미 있는 황제권을 행사하는 데 유용한

---

† 콜룸킬 성인은 예수의 말을 가지고 아일랜드 밖으로 나가 스코틀랜드로 갔다. 그곳에서 그가 보인 인상적인 행적 가운데 하나가 네스강에서 두려움의 대상이었던 사나운 동물을 네스호 깊숙한 곳으로 쫓아버렸다는 것이다. '네스호 괴물' 전설의 시작으로 보이는 이야기다. 콜룸킬은 597년 아이오나섬에 묻혔지만, 그의 유골은 노르드인 침략 때 파내져 아일랜드해 양쪽의 여러 곳으로 분산되었다. 그와 동시대인인 콜룸반 성인은 더 먼 곳까지 가서 메로빙 왕조 프랑크 땅을 돌아다니고 알프스를 넘어 롬바르디아까지 갔다.

방법이라고 생각했다.

　이것은 수행자에게 특히 절박한 문제였다. 그들은 세속 군주의 통제도 받지 않지만 주교의 통제도 받지 않아 교회의 직접적인 통제를 벗어난 애매한 위치에 있었다. 한편으로 새로이 정복한 이교도의 땅에 베네데토회 수도원을 세우는 것은 또한 제국 변경에 제대로 된 기독교 신봉을 촉진하는 믿음직한 방법이었다. 일종의 식민화와 전도 활동이 하나로 합쳐진 것이었다. 마침내 카롤링 왕조는 수도원이 진지한 교육을 제공할 수 있는 유일하게 현실적인 방법이라는 것을 인정했다. 그곳에서는 똑똑한 젊은이가 기독교 성서를 문법적으로 이해하는 법을 배우고 또한 고대 세계로부터 전해진 라틴어 및 이교도 문자를 공부할 수 있었다.[17] 이에 따라 샤를마뉴와 루이는 베네딕투스의 규칙을 내세워 국가 관리를 도모했다. 이것은 서방 교회 역사의 결정적인 순간이었다.

　이 종교 정책의 실무 책임을 맡은 사람은 또 한 명의 베네데토(프랑스어로 베누아), 베누아 다니안이었다. 그는 프랑크 땅 전역에 개혁을 강제할 수 있는 포괄적인 권한을 부여받았다. 그는 이 일을 대단한 열정으로 수행했고, 이는 그의 생애 마지막 무렵인 816년에서 819년 사이 아헨의 화려한 궁궐에서 열린 몇 차례의 교회 회의에서 절정에 달했다.

　이 회의들에서 루이와 베누아 다니안은 프랑크의 모든 수도원이 앞으로 표준화된 방식을 준수해야 한다고 지시했다. 고정된 입문 과정, 수도원장에 대한 복종의 강조, 기도와 노동과 공부를 중심으로 한 생활 양식, 그리고 무엇보다 (그 정신에 부합하는 추가 규정으로만 보강될 수 있는)《베네딕투스 성인 규칙서》 고수가 있어야 했다. 삶의 혹독함에 맞설 수 없다고 생각하는 수행자라면 성직 서품을 선택할 수 있었다. 교회 제도의 계층사회에 뛰어들어 지역 주교의 관할하로 들어가는 것이다.

따라서 프랑크인의 제국으로 들어가는 데는 두 가지 방법이 있었다. 교회의 본진으로 가거나 황제가 승인한 《베네딕투스 성인 규칙서》를 받아들이는 것이었다. 이것이 광대한 카롤링 왕국 전역에서 기독교적 종교 생활의 모든 측면을 곧바로 정리해주지는 않았다. 그러나 베네딕투스의 방식이 유럽 상당 지역에서 표준이 될 수 있도록 보장했다. 이후의 모든 주류 수도원 운동은 베네딕투스의 표준을 바탕으로 하게 된다. 10세기의 클뤼니파 역시 마찬가지였다. 이제 그들에게로 돌아가보자.

아키텐 공작 기욤 1세가 클뤼니에 있는 자신의 사냥막을 베르농 수도원장에게 넘겨주어 수도원으로 용도 변경을 하게 했을 때 그는 스스로 그곳이 어떤 장소가 될지 머릿속에 그리고 있었다. 잘 운영되는 베네데토회 시설로서, 엄격한 수도원장이 정확하게 통제하며 교황을 제외한 지상의 그 누구로부터의 영향도 받지 않는 곳이었다. 그럼에도 불구하고 기욤은 아무래도 클뤼니가 얼마나 성공적으로 성장할 것인지 (그리고 그곳이 얼마나 강력해지게 될 것인지) 인식할 수 없었을 것이다.

베르농은 927년 죽으면서 클뤼니의 지휘권을 오동이라는 새 수도원장에게 넘겨주었다. 오동은 어려서부터 기욤 공작의 집에서 전사로 훈련받았다. 그러나 10대 후반에 신앙 위기를 겪고 달아나 동굴 속의 은자로 살았다. 나중에 오동은 봄레메시외에서 베르농의 엄격한 관리 아래 수행자 생활을 했다. 그곳에서 그는 매우 겸손한 것으로 유명했다.

클뤼니에서 마침내 베르농의 자리를 물려받은 오동은 수도원의 첫 국면인 건설 사업을 마무리 지었다. 그는 기욤 공작의 설립 인가서 조항에 대한 왕과 교황의 추인을 얻었고, 다른 후원 귀족에게 땅과 돈을 청해 얻었으며, 베네데토 규칙을 철저히 강요하는 베르농의 전통을 유지했다.

그는 이 일에서 언제나 아주 능숙하지는 않았다. 클뤼니의 수행자는 식사 시간에 접시에서 빵 부스러기를 모아 먹지 않는 따위의 사소한 잘못을 저지르는 것만으로도 가혹한 벌을 받았다.

그러나 가장 중요한 것은 오동이 클뤼니의 높은 표준을 다른 수도원으로 전파했다는 점이다. 그는 그런 표준에 대한 일종의 외부 감독관으로 프랑스 중부의 베네데토회 수도원을 돌며 그들의 공동생활 개선을 위한 조언을 해주었다. 이것은 거의 언제나 제1원칙인 부지런한 육체노동과 부단한 기도로 돌아가라는 것으로 귀결되었다. 오동은 꼭 필요한 경우가 아니면 침묵하는 것을 강조했으며, 모든 고기를 뺀 엄격하게 관리된 식사를 고집했다. 그는 복장 규정에 엄격했다. 그의 전기를 쓴 살레르노의 조반니에 따르면 그의 주요 관심사는 "세상을 경멸하고 그런 다음에 영혼에 열중하고 수도원을 개혁하며 수도사의 입고 먹는 것을 개혁하는 것"[18]이었다.

오동의 조치가 지금은 가혹해 보이겠지만 그런 개혁의 필요성은 컸다. 카롤링 지배자들이 (그리고 그 밖의 다른 사람이) 수도원이 제대로 운영되어야 하고 베네데토 규칙이 준수되어야 한다고 반복적으로 요구했지만, 지금 남아 있는 당시의 자료에는 수도원의 표준이 무너진 충격적인 사례가 많다. 수행자와 수녀가 조금 편해지려 하고 세상으로부터의 고립을 즐기려 한 때문이다.

'가경자' 베다로 알려진 8세기 잉글랜드 북부의 수행자 겸 역사가는 (현재 스코틀랜드의 베릭셔에 있는) 콜딩햄에 있던 혼성混性 수도원(한 명의 남성 또는 여성 수도원장 아래 남자와 여자 수행자 공동체가 함께 있도록 만들어진 수도원)에 관해 전형적으로 솔직한 기록을 하나 남겼다. 그곳에서 수행자와 수녀는 자기네 시간의 절반을 침대에서 (때로는 다른 사람과 함께) 보냈다고 베다는 주장했다. 그들의 방은 "먹고 마시고 수다 떠는 곳으로 바뀌"었으며, 수녀들은 "시간을 전부 좋은 옷을 짜는" 데 보냈다. "스스로를 신부처럼 꾸미거나 낯선 남자의 관심을 끌기 위해서"였다.[19] 뻣뻣한 베다의 여성에 대한 자연스러운 적대감과 높은 확증편향 개연성(수도원의 문제점을 찾기 위해 가는 사람은 반드시 그것을 찾아낸다)을 감안하더라도 그가 전하는 일화는 이른바 고행자 사이의 도덕적 해이에 대한 다채로운 모습을 보여준다.†

오동은 브리튼제도에 간 적이 없었다. 그곳에서의 개혁은 한 세대 후 캔터베리 대주교 던스턴(둔스타누스), 윈체스터 주교 에셀월드, 요크 대주교 오스월드에 의해 잉글랜드 기성 교회 안에서 이루어졌다. 그러나 오동이 근절하고자 결심한 것은 바로 베다가 특징적으로 묘사한 것과 같은 비행들이었다.

콜딩햄의 사례는 그 자체로 제멋대로인 수행자와 수녀에게 엄중한 경고로 작용했을 것이다. 베다에 따르면 신은 이 수도원에 불이 붙어 사라지도록 허용했기 때문이다. "그곳 사람들이 사악했기 때문"[20]이었다.

그러나 오동은 더 먼 유럽 각지로 돌아다니며 클뤼니의 수도원 모형을 보여주면서 할 일이 많다는 것을 발견했다. 당연한 일이지만 그의 방문을 받고 모든 수행자가 환호한 것은 아니었다. 오동이 플뢰리 수도원(베네데

---

† 물론 수도원의 문제점에 대해 문자를 빌려 묘사한 것은 언제나 주의해서 볼 필요가 있다. '나쁜 수행자'는 중세 후기에 불만을 표현하는 주된 방식이자 글쓰기의 양념이었기 때문이다. 베다보다 훨씬 후대인 14세기의 작가 제프리 초서와 조반니 보카치오는 탐욕스럽고 게으르고 성적으로 무절제한 '고행자'라는 고정관념으로 외설적인 우스개를 많이 늘어놓았다. 보카치오의 《데카메론》에는 농아인을 가장해 수녀원에 머물겠다고 조르는 한 평신도 이야기가 나온다. 그러나 그는 결국 수녀원장을 포함한 그곳의 수녀 아홉 명 모두의 성 노예가 된다. 이 이야기의 얼개(와 그것이 만들어내는 풍자)는 〈한 창문닦이의 고백(Confessions of a Window Cleaner)〉 같은 1970년대의 전형적인 섹스코미디 영화와 그리 다르지 않다. 보카치오에 관해서는 Steckel, Sita, 'Satirical Depictions of Monastic Life', Beach, Alison I. and Cochelin, Isabelle (eds.), *The Cambridge History of Medieval Monasticism in the Latin West II* (Cambridge: 2020), pp. 1154~1170을 보라.

토와 스콜라스티카의 무덤이 있던 곳)에 와서 개혁을 하려 하자 수행자들은 창과 칼을 들고 그를 위협했다. 그들은 나중에 자기네가 노르드인의 습격을 받았던 마음의 상처가 있어 모든 외부인을 경계한 것이라고 주장했다. 어떻든 오동은 그들을 진정시키고 책망했으며 더 잘 순종하게 한 뒤 다음 단계로 넘어갔다.

이후 10년 동안에 그는 클뤼니의 개혁을 멀리 노르망디와 남부 이탈리아(그곳에서 그가 한 사업 가운데 하나가 바로 몬테카시노 개혁이었다)의 수도원까지 전파했다. 오동이 특히 힘을 쏟았던 것 가운데 하나가 비기독교도(특히 노르드인, 이베리아 북부의 이슬람교도, 중·동유럽에서 습격해 온 슬라브인)의 공격으로 황폐해진 수도원들로 수행자를 돌려보내는 일이었다.

그는 개혁을 위해 한 수도원을 찾은 뒤에는 통상 자신이 신뢰하고 경험이 있는 동료 수행자 가운데 하나를 그곳에 남겨놓아 자신의 표준이 확실하게 유지될 수 있도록 했다.[21] 많은 경우 이들은 대수도원장이 아니라 클뤼니에 있는 오동 자신의 지휘를 받는 소수도원장의 역할을 했다. 이런 관행은 곧 하나의 체계가 되었고, 많은 곳의 개혁을 추진하면서 클뤼니 대수도원장은 그 권위를 확장해나갔다. 단순히 한 수도원의 수장으로 그치는 것이 아니라 다른 수도원을 위한 순회 해결사로서의 비중이 커져갔다. 그는 새로이 개혁된 수도원들을 적극적으로 클뤼니 자체의 영적 공동체 안으로 끌어들였다. 오동은 942년 죽을 무렵 클뤼니 개혁이라는 이름과 상표를 서유럽 일대에 광범위하게 퍼뜨렸다.

10세기 중반, 클뤼니 수도원이 유명해지기 시작했다. 더욱 행운이었던 것은 이 수도원이 좋은 시기에 딱 맞추어 유명해졌다는 것이다. 돈과 재물이 (특히 서방의) 수도원 세계로 쏟아져 들어오고 있었고, 영성靈性 추구를 위한 공동생활이 호황을 누리고 있었다. 동북 프랑스 메스 부근 고르즈의 유명한 수도원 같은 베네데토회 수도원들은 클뤼니와 비슷한 노선을 따라 독자적으로 자기네의 개혁을 시작해 자기네 지역에서 수도원 혁신의 중심지 노릇을 했다. 독일의 왕가 지배자들은 자기네 왕국에서 베네데토회 수도원들을 설립하고 후원하는 데 앞장서고 있었다.

이와 함께 기독교가 유럽의 새로운 지역으로 처음 들어가면서 그들의 생활에 고행이라는 요소를 가져갔다. 보헤미아(현대의 체코공화국), 헝가리, 폴란드, 덴마크의 지배자가 10세기와 11세기에 모두 개종했고, 때로 이 일을 기념하기 위해 자기 왕국 안에 수도원을 설립했다. (정착민 겸 전도사로 라벤나 부근에서 온 초기 폴란드 수행자 일부는 폴란드 공작인 '용사' 볼레스와프의 보호 아래 수도원을 만들었다. 불행하게도 그들은 모두 강도들에게 살해당했다.[22])

조금 뒤인 십자군 운동 시기에는 서방의 베네데토회 수도원들이 팔레스티나와 시리아에 세워지게 된다. 예루살렘의 성지와 해안 도시 안티오케이아다.[23] 그러나 시장으로 흘러드는 돈을 가장 잘 이용한 것은 클뤼니였다. 그들은 국제적인 브랜드가 될 계획으로 세워진 기민한 신생 업체였다.

제1천년기가 끝나갈 무렵에 이렇게 수도원이 폭발적으로 늘어난 이유에 대해서는 역사가들이 뜨거운 논쟁을 벌였다. 여러 요인이 한몫씩을 했다. 기본적인 요소 하나는 기후 변화였을 것이다. 대략 950년에서 1250년 사이에 북반구의 기온은 전체적으로 상승했다. 이 상승이 결코 세계 전체에서 고르게 느껴지지는 않았지만, 서방에서는 '로마의 기후 최적기' 이래 온화한 기후 조건이 가장 오랫동안 유지된 시기였다.[24] 앞으로 보겠지만 이른바 '중세 온난기'가 중세 내내 유지되지는 않았어도 그것은 유럽의 상황을 농경에 비교적 호의적으로 만들었다. 이 자연의 이점은 새로이 말의 이용이 늘고 대형 철제 쟁기('중리重犁')가 발전하는 것과 동시에 나타났고, 그것들이 훨씬 효율적인 대규모 농경을 가능케 했다.[25] 그리고 이 기술이 변덕스러운 날씨와 결합하면서 토지 소유는 더욱 수익성이 생겼고 토지 소유자는 소비할 수 있는 가처분 소득이 더욱 늘었다.

그러나 어디에 쓴단 말인가? 매우 좋은 대답 하나는 구원을 위해 쓰는 것이었다. 앞서 보았듯이 카롤링 왕조의 등장은 서유럽의 정치 구성 방식을 변화시켰다. 로마 이후 여럿으로 분열된 '이방인' 정치체들을 부활한 기독교 제국으로 끌어모으게 되자 중앙정부가 더욱 굳건해졌고, 주요 전쟁 지역은 조직화된 기독교 서방의 변경으로 옮겨 갔다. 이교도의 중부 유럽, 이슬람의 이베리아, 그리고 (결국) 스칸디나비아 등이다.

그러나 그것은 또한 서방 자체 안에서 보다 소규모의 싸움을 위한 조건을 만들어냈다. 프랑크 귀족은 점점 더 자기네 지배자와 밀접해졌고, 그 충성의 대가로 땅을 받았다. 그들은 서로 싸움을 벌여 자기네 땅을 지켰다. 이 귀족 전사 문화가 어떻게 변화했는지에 대해서는 나중에 더 자세히 살펴볼 것이다. 그러나 간단히 말하자면 그 결과는 기독교도 전사 사이의 치명적인 폭력과 함께 전사 사이에서 자기네의 죄 때문에 지옥에 가지 않도록 확실히 하려는 욕망이 급증했다는 것이다.

수도원은 멋진 해법을 제시했다. 죄를 갚으려면 회개하고 기도해야 한다고 교회는 권장했다. 서로 싸우고 죽이는 일을 하는 사람에게 이는 시간이 걸리고 불편하며 비현실적이었다. 다행히 교회는 회개를 어떻게 해야 하는지에 대해 매우 개방적이었고, 교회 당국은 부자가 다른 사람의 회개를 위해 돈을 지불하는 것을 전혀 문제시하지 않았다. 토지를 소유한 유럽의 전사 계급은 (기욤 공작이 클뤼니에 세웠듯이) 수도원을 세움으로써 사실

상 자기네의 죄를 지울 수 있었다. 수행자에게 돈을 주고 미사라는 형태로 자기네 대신 용서를 빌게 했다.†

그 결과로 9세기 이후 수도원을 설립하고 기금을 대고 거기에 기부하는 것이 부유한 남녀에게 흔한 소일거리가 되었다. 그리고 역사 속 부자의 소일거리가 모두 그렇듯이 그것은 금세 유행이 되고 경쟁이 되고 남보다 우월하다는 징표가 되었다. 가장 훌륭한 규율 수준, 가장 웅장한 교회와 도서관, 가장 크고 가장 독실한 공동체, 최고의 국제적 명성을 과시할 수 있는 수도원이 높이 평가되었다. 갑부가 그것을 세웠다. 부자가 거기에 기부했다. 그리고 다시 다음으로 여유 있는 사람과 근근이 살아가는 사람도 뒤를 따랐다.[26] 수도원이 대량으로 생겨났다. 이 폭발적 성장기를 되돌아볼 때 10~12세기는 흔히 수도원의 '황금시대'라는 이름으로 불린다.

천국으로 가는 길

클뤼니의 다섯 번째 수도원장 오딜롱은 어린 시절에 불구가 되어서 다리를 쓰지 못하게 되었다. 그의 가족은 유복했고, 부모는 프랑스 남부 오베르뉴 지역에서 유명했다. 그들이 여행할 때는 하인들이 어린 오딜롱을 들것에 싣고 갔다. 상당한 호사였다. 그 정도의 아이가 대부분 누릴 수 없는 것이었다. 그러나 오딜롱은 여전히 불구여서 걸을 수 없는 운명인 듯했다.

어느 날, 너무나도 이상한 일이 일어났다. 여행 중인 그들 가족이 교회

---

† 장거리 여행, 화물 운송, 중앙난방의 과도한 사용 등을 통해 자기네가 환경에 입힌 손실을 보전하는 데 관심을 가진 현대의 기업 및 개인의 탄소 상쇄(carbon offsetting)를 생각해보라.

옆을 지나갈 때 오딜롱의 시중을 들던 사람들이 쉬려고 멈춰 섰다. 그들은 들것을 문 근처에 내려놓고 오딜롱을 잠시 혼자 두었다가 돌아와서 깜짝 놀랐다. 아이가 들것에서 내려와 교회 안으로 기어 들어가 제단 가에 서더니 이제는 돌아다니고 있었다. 그것은 기적이었고, 오딜롱의 긴 생애를 결정지었다.

그의 부모는 감격했고, 감사의 표시로 아이를 오베르뉴의 한 지역 수도원에 맡겼다. 신에게 봉사하는 직업을 갖도록 기르기 위해서였다. 이런 식으로 종교 교단에 보내진 아이를 오블라투스('봉헌물')라 했는데, 이는 귀족의 흔한 관행이었다. 아이가 확실하게 교육을 받을 수 있고, 한편으로 대가족 안에서 상속 후보자의 수를 줄이는 효과도 있었기 때문이다. 이것이 오늘날의 우리에게는 좀 무자비해 보일지 모르지만, 어떤 오블라투스에게는 아주 잘 맞았다.

오딜롱은 성직자들 틈에서 잘 자랐고, 20대 후반에는 클뤼니로 옮겨가 수행자가 되었다. 그는 그곳에 있는 동료 수도사들에게 깊은 감명을 주었고, 994년 4대 수도원장 마이욀이 죽자 그들을 이끌 수도원장으로 선출되었다.[27] 그는 소란스러운 제1천년기가 끝나갈 무렵부터 수도원을 이끌었다. 많은 사람이 세상이 끝날 것이라고 걱정하던 때였다. 그리고 그는 이후 50여 년 동안 클뤼니 수도원을 매우 탁월하게 이끌었다. 이 기간에 클뤼니 운동의 명성과 영향력과 자원은 엄청나게 커졌다.

한 역사가는 오딜롱을 '수행자의 대천사'로 묘사했다. 그는 역대 교황뿐만 아니라 몇몇 프랑크의 왕과 황제의 믿을 만한 친구로 꼽혔으며, 그들은 그를 예수 탄생 기념일이나 다른 성대한 의례 행사 때 궁정 내빈으로 초청했다. 동프랑키아(지금의 독일)의 왕 하인리히 2세가 1014년 황제로 즉위할 때 그는 교황이 주재한 대관식 선물(십자가가 위에 올려진 황금 사과)을 오딜롱 수도원장에게 선물했다. 그것은 클뤼니에 보내져 갈수록 저장물이 많아지는 귀한 장신구와 보석 창고로 들어갔다.

그러나 오딜롱은 단순히 금을 쫓아다니는 사람이거나 군주의 식객이 아니었다. 그는 자신의 힘센 친구들을 동원해 클뤼니와 산하 수도원을 보호했다. 나쁜 이웃이 그들의 땅을 빼앗거나 그들의 독립을 침해하지 못하도록 말이다. 그리고 그는 그들의 많은 선물로 축적된 부를 클뤼니의 건물을 확충하는 데 사용했다. 그 수도원 교회는 그가 그곳에서 수행자 생활을 하던 초기에 개축되었다(현대 고고학자들은 이 두 번째 교회를 '클뤼니 II'라 부른다). 오딜롱은 이제 많은 비용을 들여 수행자의 공동생활 공간을 재건하는 일에 나섰다. 대리석으로 작업을 하고 건물을 뛰어난 조각 작품으로 장식하도록 주문했다. 그는 자신을 로마 전성기의 아우구스투스에 비겨, 자신이 왔을 때는 클뤼니가 목조 건물이었는데 떠날 때는 대리석 건물이라고 즐겨 말했다.[28]

오딜롱의 시대 이후 모습이 더 커진 것은 클뤼니의 건물 구조만이 아니었다. 그 안에서는 갈수록 거창한 찬양이 매일 벌어졌다. 집체 기도, 찬미 시 낭송, 성서 낭독, 찬송 같은 형태였다. 이는 뭉뚱그려 성무일과聖務日課(또는 정시과定時課)로 알려졌다. 성무일과는 매일 여덟 차례 치러졌다. 동트기 전 밤 기도 및 새벽 기도로 시작해 동틀 무렵의 여명 기도, 오전 중반의 오전 기도, 한낮의 낮 기도, 오후 중반의 오후 기도, 저녁 기도로 이어지고 하루를 마감하는 취침 기도로 끝난다. (정시과의 길이는 계절에 따라 달라진다. 낮이 기냐 짧으냐에 달린 것이다.) 그리고 매일 미사도 참석해야 했다.

이런 일과에 참석하는 것은 오푸스데이('신의 일')로 알려졌으며, 수도원 생활의 필수 요소였다. 이것은 사회와 경제에 대한 수행자의 기여였고, 이 사회는 육신은 물론 영혼에 대한 대비도 매우 중시하고 있었다. 그 결과로 베네데토회 수도사의 대부분은 이런 일과를 이행하는 데 시간의 대부분을 들였다. 그들은 힘이 닿는 한 최대로 자기네 의무를 이행할 것을 요구받았다.

이는 노래를 많이 부른다는 얘기였다. 《베네딕투스 성인 규칙서》는 음악에 엄청난 열의를 보였다. 베네딕투스 성인에 따르면 음악은 "우리의 마음을 우리의 목소리와 조화를 이룰 수 있게"[29] 해주는 것이었다. 수행자의 성가대는 노래를 가장 잘 부르는 사람만이 공연에서 가장 중요한 역할을 할 수 있도록 조직되어야 했다.[30] 베네딕투스는 그의 시대에 로마 대성당들에서 유행했던 단선율單旋律 성가의 선율 양식을 배우라고 권고했다. 이는 보통 그의 친구이자 지지자인 교황 그레고리우스 1세의 이름을 따서 그레고리우스 성가라 불렸다(흔히 그가 고안했다고 하지만 아마도 그렇지는 않은 듯하다). 그러나 그는 이 말 외에 세세한 이야기는 전혀 하지 않았다. 따라서 10~11세기 수도원 흥성기에 음악 창작에는 많은 재량권이 있었다.

당연히 클뤼니에서는 음악이 생활의 중심 부분이었다. 이 중심 수도원과 그 기록관이 파괴되어 지금은 클뤼니 수도사의 목소리를 완전하게 재생시킬 수 없지만, 음악의 중요성은 건물 구조에 분명하게 새겨져 있다. 남아 있는 기둥들에는 음악가 그림과 신을 찬미하는 데 음악이 중요하다는 내용의 시가 들어 있다.[31] 적어도 오딜롱의 시대 이후에는 서로 다른 찬양 양식을 통해 한 독창자의 공연과 함께 노래하는 전체 합창자 사이의 미묘하고 조화로운 균형을 이루어내는 상당한 실험이 이루어졌던 듯하다.[32] 그리고 물론 그런 엄격한 규칙 아래서 많은 연습 기회가 있었다.

평범한 날에 유럽 전역의 수백 개 수도원 가운데 하나에 있던 전형적인 베네데토회 수행자는 열아홉 시간을 깨어 있었을 것이고, 그 가운데 열네 시간은 어떤 형태로든 의무적인 예배 행위를 하고 있었을 것이다. 그러나 클뤼니에서는 그 이상이었다. 거의 매 순간이 예배 중이거나 그 전후의 그와 연관된 어떤 형태의 이동에 해당하는 것이었고, 아니면 특정한 축제일이나 죽은 자를 위한 일을 하는 것이거나, 아니면 가난한 자의 발을 씻는 의식 같은 잡다한 의례에 충당되었다. 11세기 유명한 수행자이자 개혁가이자 추기경이었던 피에트로 다미아니가 클뤼니를 찾았을 때 그는 수행자들이 해야 할 '신의 일'이 너무 많아 그들이 무리를 벗어나 쉴 수 있는 시간이 하루에 30분도 되지 않는 것을 보고 깜짝 놀랐다.[33]

후대의 수도원 개혁가들은 베네딕투스 성인이 수행자 식당의 기둥을 대리석으로 만드는 것을 승인하지 않았을 것이고, 고된 육체노동을 제쳐두고 하루 종일 노래를 부르라고 하지는 않았을 것이라고 투덜거렸다. 그러나 클뤼니에서는 화려한 환경이 그곳에서 이루어지고 있는 신에 대한 찬양의 힘을 키우기 위한 것으로 이해되었다.

콤포스텔라와 클뤼니 III

중세의 절정기(대략 11세기에서 13세기 중반까지)에 수도원은 오늘날 우리가 자유주의적 복지국가의 기본적 기능이라고 생각하는 거의 모든 것을 갖추고 있었다. 이들은 식자識字, 교육, 숙박, 의료, 관광 정보, 노령층 사회복지, 영적 상담 등을 담당하는 곳이었다. 독신자의 안식처라는 본래의 기능 외에도 말이다. 그 결과로 이들은 본래의 결핍된 칩거 장소에서 긴 여정을 거쳐 이제 바깥 세계와 긴밀하게 연결되어 많은 수익을 얻는 곳이 되었다.

클뤼니와 그 산하 수도원이 세속 사회와 통합된 방식을 가장 잘 보여주는 것 가운데 하나가 서유럽 최고의 성지들로 가는 순례길 독점이었다. 이 영적 간선도로 가운데 가장 유명한 것은 이베리아반도 서북쪽 끝으로 모였다. 갈리시아의 산티아고데콤포스텔라 사당이다.

이곳에서 814년에 펠라기오라는 은자가 하늘에서 춤추는 빛을 보았다. 그는 이 빛에 기적적으로 이끌려 기독교 열두 사도 가운데 하나인 야고보†의 유해를 발견했다. 그리고 야고보의 유해가 발견되자 야고보가 이곳에 왔다는 사실이 서방 세계 전역에서 널리 선전되었고, 그의 무덤 자리를 표시하기 위한 교회가 세워졌다. 그곳은 지금도 전 세계에서 가장 눈길을 끄는 대성당 가운데 하나이며, 기념비적이고 웅장한 전체 속에 역사에서 잇달아 나타난 로마 양식(로마네스크), 고딕 양식(고트 양식), 바로크 양식의 특징이 합쳐져 있다.

장거리 여행을 충분히 할 수 있는 기독교도 순례자에게 콤포스텔라는 거부할 수 없는 매력이었다(지금도 마찬가지다). 예루살렘 성지 이외에서는 로마의 산피에트로 대성당만이 열두 사도 가운데 하나의 유해가 있다고 뻐길 수 있었다. 일생 동안 그런 공경할 만한 사당에 참배해야 한다는 의무는 이슬람교도가 하지를 이행하는 것과 똑같은 방식으로 기독교 신자에게 부과되지는 않았다. 그러나 그래도 그것은 중요했다.

지도에서 콤포스텔라로 가는 중세의 주요 도로를 추적하는 것은 동맥계를 그리는 것이나 마찬가지다. 이탈리아, 부르고뉴, 라인란트, 북프랑스, 플란데런에서 시작해 천천히 그리고 꾸준히 피레네산맥의 몇몇 고개로 모여든 뒤 이베리아반도 북안과 나란하게 동에서 서로 뻗은 성스러운 간

---

† 예수의 죽음과 부활 이후의 다양한 기독교 전승에 따르면 야고보는 히스파니아까지 와서 복음을 전파했다. 동방으로 돌아간 그는 유다이아의 왕 헤로데 아그리파의 명령으로 살해되었고, 그 뒤 유해가 다시 이베리아반도로 와서 매장되었다.

선도로를 거쳐 결국 산티아고까지 이르는 길들이다.

이 길을 따라 여행하고자 하는 순례자를 위한 중세의 안내서 하나가 12세기에 쓰였다. 이것은 대담한 여행자를 위한 실용적인 조언을 듬뿍 담고 있다. 도중에 포도주가 맛있는 곳과 현지인이 점잖은 곳이 적혀 있다. 그러나 여기에는 여행의 위험성에 대한 경고도 들어 있다. 보르도 부근의 거대한 말벌과 말파리, 가스코뉴 주민의 탐욕과 주사酒邪, 강을 건널 때 불량한 사공이 속임수를 쓰고 심지어 일부러 물에 빠뜨릴 위험성, 나바라 사람의 절망적인 미개함(그들은 개가 짖는 것처럼 말하고, 밤에는 노새나 암말과 교접을 한다) 같은 것이다.[34]

이처럼 긴 거리를 여행하면서 겪는 위험과 불편은 물론 그 목적인 참회 속에 들어 있는 것이었다. 신의 용서를 받는 것은 쉬우리라고 생각되지 않았다. 그러나 그것은 또한 절호의 사업 기회를 제공했다. 수백 년 전 로마 제국의 힘이 절정일 때 제국을 이리저리 가로지른 로마 가도에는 특별히 세운 만시오mánsǐo(숙소)가 줄지어 서 있었다. 사실상 제국 관리를 위한 편의시설로, 마구간과 숙박 시설, 구호 시설이 갖춰져 있었다. 이제 순례길을 따라 비슷한 필요가 생겨났다.[35] 클뤼니 식구들이 이를 알아채고 이용했다. 수도원이 새로운 만시오가 되었고, 이베리아 북부에서 구원을 찾아 나아가는 신자를 위한 서비스를 맡았다.

클뤼니의 발전 과정에서 이 단계에 나타난 천재가 위그 수도원장이었다. 그는 1049년 1월 첫날 오딜롱이 여든일곱의 고령으로 죽자 그 자리를 이어받았다. 위그는 오딜롱과 상당히 비슷하게 거룩한 성품이었다. 그는 열네 살에 수행자가 되고 스무 살에 사제로 서품되었으며 스물네 살에 수도원장으로 선임되었다. 그와 동시대인이었던 수아송의 아르눌(벨기에 맥주의 수호성인)은 이렇게 썼다. 위그는 "생각과 행실에서 가장 순수했다.

(…) 수도원 규율과 규칙적인 생활을 장려하고 완벽하게 보호한 사람이었다. (…) 성스러운 교회의 열렬한 옹호자이자 수호자였다."[36]

위그는 오딜롱과 마찬가지로 놀랄 만큼 오랫동안 수도원장 자리를 지켰다. 60년 동안이나 재직한 그는 그동안 오딜롱이 하다가 만 것을 이어 갔다. 클뤼니 수도원이 왕과 교황의 당연한 짝이라는 정서를 북돋아 유럽 전역에 정치적 영향력을 발휘하고 클뤼니라는 조직이 부를 유지하도록 관심을 쏟았다. 위그는 사업 수완이 좋은 뛰어난 관리자였다. 그의 지도 아래 클뤼니의 조직망은 성장을 계속해 가장 많을 때에 약 1500개의 수도 원을 거느렸다.

위그가 이끌던 시기에 클뤼니의 직접 통제를 받거나 그 계율의 영향을 받은 수도원이 산티아고로 가는 길 주변에 우후죽순처럼 생겨났다.

11세기에 완만한 구릉 지대인 남부 잉글랜드 심장부에서 1000여 킬로 미터 떨어진 야고보 성인의 무덤을 찾아가는 여행을 시작하는 사람은 아마도 서식스의 루이스 부근에 있는 판크라티오스 성인에게 바쳐진 소수도원에서 출발했을 것이다. 잉글랜드에 처음 세워진 클뤼니계 수도원이다. 서리 백작 윌리엄 드워렌과 그 아내 건드레드가 설립한 루이스 수도 원은 왕국에서 가장 크고 가장 호화롭게 설비된 수도원 가운데 하나가 되었다.

이후 순례자가 해협을 건너 파리에서 남쪽으로 이어지는 순례길을 택하면 길가에서 수십 개의 클뤼니계 수도원을 마주쳤을 것이다. 투르, 푸아티에, 보르도 같은 대도시의 중간 기착지든 그 사이사이의 작은 마을이든 말이다. 이어 피레네산맥의 고개들을 넘으면 이베리아의 길가에 다시 클뤼니계 수도원이 곳곳에 있음을 발견했을 것이다. 팜플로나, 부르고스, 사아군(재산이 많고 '히스파니아 클뤼니'로 알려진 웅장한 수도원), 레온 같은 곳이다.

이 가운데 가장 거창한 곳들은 클뤼니 자체를 떠올리도록 설계되었다. 건축상으로도 그렇고, 수도원 생활의 분위기와 일과도 그랬다. 상당수는 종교적 유물의 저장소였다. 베즐레의 큰 수도원은 놀랍게도 막달라의 마리아의 시신이 있다고 주장했다. 푸아티에에서는 수녀들이 성십자가 파편을 보호하고 있었다. 오래전에 동로마 황제 유스티니아누스가 메로빙 왕비 라데군디스에게 선물로 보낸 것이라고 했다. 사아군에서는 지역의 순교자 파쿤도와 프리미티보의 유골을 자랑했다. 그들은 300년 무렵 신앙 때문에 참수되었는데, 목의 동맥에서 피와 함께 우유를 뿜어내며 죽었다.[37] 이 모든 유형有形의 유물은 순례자에게 숭배되면서 콤포스텔라에 있는 야고보 사당 참배를 위한 준비운동 역할을 했다.

이상한 일이지만 클뤼니에 있는 모母수도원은 이들에 필적할 만큼 훌륭한 유물을 기증받지 못했다. 그러나 이 수도원이 그러한 개혁된 수도원의 거대한 피라미드 꼭대기에 올라선 10~11세기에 클뤼니는 엄청나게 부유해졌다. 직접 후원하는 사람의 많은 기부와 거대한 농장에서 나오는 돈 외에 콤포스텔라 순례길에 대한 투자 덕분에 막대한 부가 밀려들어 왔다. 그 가운데 일부는 모든 산하 수도원에서 매년 '본부'로 보내는 약간의 은전 납부도 있었다.

그러나 이베리아반도 북부 기독교도 왕들이 클뤼니에 직접 내는 것이 더 많았다. 그들이 넉넉하게 기부하도록 위그 수도원장이 열심히 길들여 놓은 것이다. 1062년, 레온-카스티야왕 페르난도 1세는 클뤼니 운동을 돕기 위해 매년 금 1000파운드를 위그에게 주겠다고 약속했다. 그의 아들인 알폰소 6세는 1077년 기부액을 2000파운드로 올렸다.

이는 엄청난 액수로, 클뤼니 수도원이 광대한 사유지에서 얻는 전체 수

입보다 훨씬 많았다.[38] 그러나 이는 또한 이베리아의 왕들이 위그를 얼마나 좋게 생각했는지(그리고 그가 그 반대급부로 그들에게 해줄 수 있는 것을 얼마나 높이 평가했는지) 입증해주는 것이었다. 클뤼니계 수도원은 이베리아 왕국들의 귀중한 관광 사업을 매끄럽게 해주었을 뿐만 아니라, 페르난도와 알폰소가 지구상 최고급의 영혼 세탁 서비스라고 본 것을 제공할 능력도 가지고 있었다.

11세기는 레콩키스타가 시작된 시기였다. 이베리아반도 북부의 기독교 세력과 남부(알안달루스)의 이슬람 세력 사이의 전쟁이었다. 이 전쟁에 꽁꽁 묶인 레온-카스티야의 왕들은 많은 피를 흘릴 수밖에 없었다. 그러나 약탈과 공물 모두를 통해 많은 금을 얻었다. 공물은 이슬람 도시들을 정복한 결과였는데, 그 도시의 지배자들은 때로 평화를 얻는 조건으로 연례 공물을 지불하는 데 동의했다.

기독교도 왕들은 이 많은 수입을 가지고 군사 원정 과정에서 저지른 중대한 죄악에 대한 보상을 할 수 있었다. 그들의 보상 방법은 클뤼니에 자금을 대는 것이었다. 그들의 넉넉한 기부의 대가로 위그는 클뤼니계 수도원이 이베리아 왕들의 영혼과 그 조상들의 영혼을 위해, 그리고 가장 인상적인 것으로 아직 태어나지도 않은 그 자손들의 영혼을 위해 말 그대로 쉬지 않고 노래를 부르는 데 동의했다. 클뤼니 바로 그곳에 특별한 제단이 만들어졌다. 그곳에서 부르는 미사곡은 알폰소의 구원만을 돕는 것으로 간주되었다.† 이는 분명히 천사 투자(angel investment)였고, 클뤼니의 위그

---

† 후기자본주의적 고뇌의 특징 가운데 하나는 돈이 컴퓨터 서버의 영역 밖에서는 전혀 분명한 존재가 아닌 서비스와 생산품에 낭비되어, 작은 집단의 회사와 그 경영자를 크게 배불리고 있는 디지털경제에 대한 조바심이다. 중세에 그와 비슷한 경제가 분명히 존재했다고 생각하면 아마도 위안이 될 것이다.

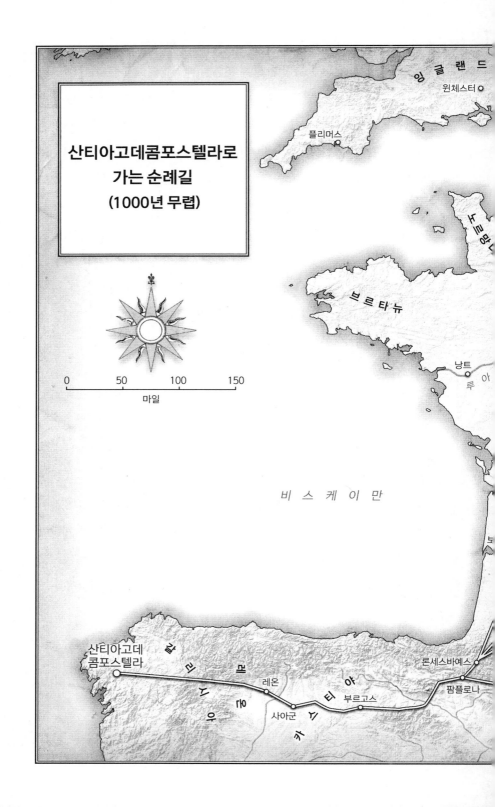

산티아고데콤포스텔라로
가는 순례길
(1000년 무렵)

0   50   100   150
마일

잉글랜드
윈체스터

플리머스

노르망디

브르타뉴

낭트
루아

비 스 케 이 만

산티아고데
콤포스텔라
갈리시아
우

레온
사아군
부르고스
카 스 티 야
론세스바예스
팜플로나

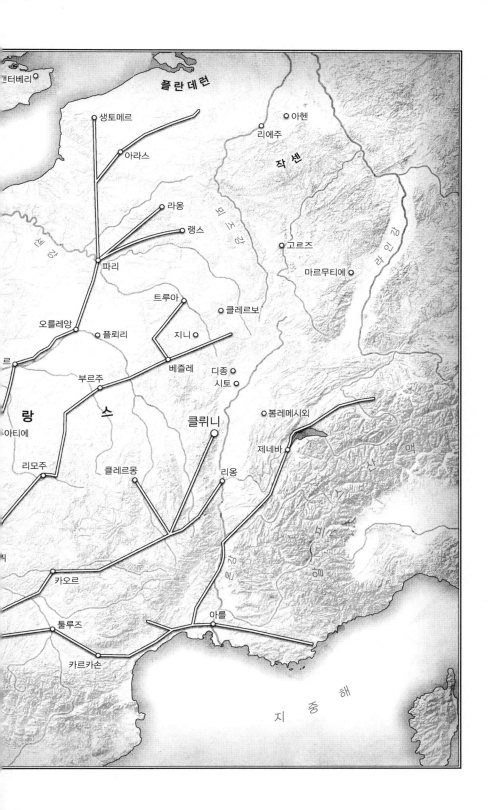

는 이를 자기네 모수도원과 클뤼니 운동 일반을 위해 한 교회를 기부하도록 하는 데 사용했다. 이 교회는 이후 수백 년 동안 서방 세계의 진정한 불가사의가 된다.

(위그의 새 수도원 성당에 현대 역사가들이 선호하는 비낭만적인 이름을 붙인) 클뤼니 III은 1080년대 초에 시작되었다. 후대의 전승에 따르면 그 설계도는 다름 아닌 베드로, 바울로, 스데파노 세 성인이 그렸다. 그들은 어느 날 밤 봄Baume 수도원장을 지낸 귄종이라는 장애인 수행자의 꿈에 함께 나타났다. 귄종의 꿈에서 세 성인은 새 성당의 설계도를 그려주었다. 건물의 정확한 치수도 들어 있었다. 그들은 이 세부도를 위그 수도원장에게 전달하라고 귄종에게 말했다. 이것이 전달되면 그의 다리를 다시 쓸 수 있게 되리라고 했다. (그들은 또한 위그가 그들의 말을 따르지 않으면 불구가 될 것이라고 위협했다.)³⁹

귄종이나 위그에게는 더 이상의 자극이 필요 없었다. 위그는 세 성인의 설계를 실행하는 일을 (아헨의 옛 제국 궁성에서 그리 멀지 않은) 리에주 출신의 명석한 수학자에게 맡겼다. 그의 이름은 에즐롱Hézelon이었는데, 유명한 로마의 공학자 비트루비우스가 묘사한 수학적 비례를 잘 이해하고 있었던 듯하다. 비트루비우스의 저작은 레오나르도 다빈치를 비롯한 다른 여러 중세의 천재들도 흥미를 보인 것이었다.⁴⁰

에즐롱이 설계한 성당은 길이가 200미터 가까이 되었다. 이론적으로는 클뤼니에 거주하는 300명의 수행자는 물론, 클뤼니 세계 안의 모든 수행자와 수녀를 수용할 수 있는 규모였다고 한다. 클뤼니 III은 유스티니아누스의 하기아소피아의 두 배 이상 규모였고, 다마스쿠스의 유명한 우마이야 이슬람 사원보다도 훨씬 컸다. (종류를 막론하고) 중세 서방의 어떤 종교적 건물도 규모 면에서 이것과 비교할 엄두조차 낼 수 없었다. 산티아고데 콤포스텔라 대성당이나 로마의 '옛' 산피에트로 대성당†도 마찬가지였다.

이 성당은 길쭉한 십자 모양의 설계에 따라 건설되었다. 회중석이 이례적으로 길었고, 두 개의 통로로 나뉘었으며, 긴 쪽 전체가 열한 개의 구획으로 나뉘어 있었다. 위로는 세 개 층이 올라 있었다.[41] 바깥에는 돌출부와 날개 건물 위로 사각과 팔각의 탑들이 잔뜩 솟아 있었고, 수백 년이 지나면서 중심 건물에 다른 건물과 탑이 추가되었다. 성당의 남쪽으로는 수도원, 안뜰, 기숙사, 병원과 기타 별채가 다시 그와 거의 비슷한 공간을 차지하며 뻗쳐 있었다.

성당의 길쭉한 십자형 디자인과 두툼한 담, 많은 기둥과 둥근 홍예는 아헨의 샤를마뉴 궁궐 대성당이나 라벤나와 기타 여러 곳의 중세 초 대성당 같은 이전의 거대한 건물과 상당한 차이를 보인다. 클뤼니 III은 로마 양식(이것이 고대 로마 건축의 요소와 이것을 가능하게 했던 공학 이론에 의지했기 때문에 그런 이름이 붙었다)으로 알려지게 되는 건축 양식의 걸작이었다. 이것은 제1천년기가 마감될 무렵 서방에서 유통되고 있던 풍부한 자본을 과시한 것이었다. 그리고 그것을 장기적인 건축 사업에 투자하겠다는 위그 수도원장과 그 후원자 같은 사람들의 의지 역시 과시되었다.

단계적으로 건설되던 클뤼니 III은 착공된 시점에서 거의 반세기가 지난 1130년까지도 준공되지 못했다. 레콩키스타 전쟁의 상황이 여의치 않게 돌아가 자금이 조달되지 않음으로써 공사가 파행을 겪은 것이 한 이유였다. 이 무렵에는 사업을 구상했던 사람이 모두 죽은 뒤였고, 수도원 생

---

† 16세기 초 붕괴한 옛 산피에트로 대성당은 길이가 약 110미터였다. 이를 대신한 현재의 산피에트로 대성당(오늘날 세계에서 가장 큰 기독교 대성당)은 길이가 186미터다. 클뤼니 III에 거의 근접한 규모다.

활에 대한 유행도 변하기 시작하고 있었다. 그러나 위그의 비전은 버려지지 않았다.

클뤼니 III은 오늘날 극히 일부분(날개의 일부)만 남아 있지만, 이 거대한 건물이 한때 자아냈던 경탄을 시사하는 단서는 아직 있다. 클뤼니에서 남쪽으로 10킬로미터 떨어진 베르제라빌에 예배당이 하나 있다. 벽은 말 그대로 바닥에서 천장까지 눈부시고 화사하게 채색된 프레스코화로 도배가 되어 있다. 복음과 성인들의 생애 속 장면들을 그린 것이다. 이 입이 떡 벌어지는 그림들은 거의 틀림없이 위그 수도원장이 주문했을 것이고, 비슷한 그림을 클뤼니 III에서 더 큰 규모로 볼 수 있었을 것이다(화보 참조). 한편 12세기 초의 기록 또한 이 수도원의 설비와 비품이 화려했음을 시사한다. 잉글랜드의 헨리 1세의 가족은 은 촛대와 아름다운 종을 제공했다. 클뤼니 III은 엄청난 업적이었으며, 그것이 고고학에 남긴 흔적은 지금도 영국부터 폴란드와 헝가리에 이르는 모든 곳의 잔존 로마 양식 건축물에서 볼 수 있다.

그러나 클뤼니가 새로운 수도원 세계의 경이이기는 했지만, 그것은 또한 개혁되고 순수한 베네데토적 의례의 본래 이상과는 한참 거리가 있었다. 부유한 의뢰인의 영혼을 위해 끝없이 미사곡을 불러주는 대가로 그들에게서 많은 대가를 받은 수행자는 호의호식했다. 그들의 의례는 복잡하고 정교하게 조직되었으며 아름답게 치러졌다. 보통의 수행자는 끊임없이 찬송하느라 목이 아팠겠지만, 그들의 손이 육체노동으로 못이 박이지는 않았다. 그 일은 농노에게 넘어갔다. 수도원 안에는 장서가 그득한 도서관, 포도주 저장실, 보석으로 장식된 유골함에 담긴 종교적 유물과 멋진 그림 및 조각품으로 이루어진 방대한 수집품을 수장한 건물들을 볼 수 있었다.

클뤼니의 수행자는 학자였다. 그 수도원장은 성인이었다. 그러나 사람들이 투덜거리기 시작했다. 역사가 원점으로 돌아오고 있었다.

새로운 청교도

클뤼니 수도원장 위그의 권력이 한창일 때 유럽의 상당 부분이 그의 장단에 맞춰 춤을 추고 있는 것처럼 보이는 순간들이 있었다. 클뤼니의(그리고 위그의) 영향력은 도처에서 감지될 수 있었다.

1050년, 독일의 왕이자 로마 제국 황제였던 하인리히 3세는 위그에게 자기 아들의 대부代父가 되어달라고 부탁했고, 아이의 이름을 뭘로 할지에 대한 그의 조언도 받아들였다. (위그는 조언을 해주었지만 머리를 많이 짜내지는 않았다. 아이는 자라서 황제 하인리히 4세가 된다.) 1066년 노르망디 공작인 '사생아' 기욤이 잉글랜드로 쳐들어가 그곳을 정복했을 때 그는 위그와 편지를 주고받았으며, 자신의 새 왕국에 소수도원을 세우기 위해 클뤼니의 수행자들을 보내달라고 청했다. 프랑스왕 필리프 1세(그가 선택한 생활 방식은 영적 도움을 절실히 필요하게 했다)는 나이가 들면서 위그와 접촉해 수도원으로 은퇴할 수 있는 가능성을 타진했다.[42] 위그는 한번은 헝가리왕 언드라시 1세를 직접 찾아가 만나기도 했다.

그는 특히 로마와 긴밀한 관계를 형성했다. 그곳에서는 클뤼니의 성공을 뒷받침하고 수도원 세계에서 널리 퍼져나간 개혁 본능을, 여러 '개혁적 교황'이 받아들이고 수정하고 확대하고 있었다.

그 선두에 선 것은 일데브란도라는 수행자였다. 그는 토스카나와 라인란트에서 성장했고, 교황청에서 일자리를 얻었다. 그리고 대체로 만족을 모르는 근면과 저돌적인 성격 덕분에 1073년 교황 자리에 올라 그레고리우스 7세가 되었다. 그레고리우스와 위그는 기질이 매우 달랐지만 친밀한 우정을 쌓았다. 그 우정이 때로 나타난 정치적 차이도 넘어서게 했다. 그 바탕에는 기독교 신앙의 기구들을 개선하고 정돈하는 데 대한, 그리고 온 서방 왕국의 일상생활의 핵심에 들어앉은 기독교의 위치 정립에 대한 깊숙한 공통의 믿음이 자리 잡고 있었다.

교회를 정화하고 교황의 권위를 모든 기독교 왕국에 강제하려는 그레고리우스의 강한 욕망은 유럽에 심각한 정치적 동요를 불러일으켰다. 그리고 그레고리우스가 위그의 대자代子인 하인리히 4세 황제와 전쟁(세속 지배자가 주교를 지명, 즉 '서임敍任'할 권리와 관련된 '서임권 투쟁'으로 알려진 갈등이었다)을 벌이게 되자 위그는 약간 난처한 입장이 되었다. 그는 그레고리우스에게 공감하는 면이 많았다. 그러나 그는 양쪽의 핵심 관계자들과 (개인적으로도 정치적으로도) 두루 친했다. 그는 최대한 공평을 유지하려 노력했고, 몇 차례 중재안을 냈다. 그러나 대체로 그가 할 수 있는 것이라고는 친구들 사이의 추한 다툼에서 멀리 떨어져, 언젠가 사람이 바뀌어 문제가 해결되기를 바라는 것뿐이었다.[43]

결국 그렇게 되었다. 1088년에 오동 드라주리(위그 밑에서 클뤼니의 부원장을 지낸 바 있다)라는 클뤼니 수도사가 교황으로 선출되었다. 우르바누스 2세. 그가 교황이 되면서 서임권 투쟁의 격렬한 에너지는 새로운 실험 쪽으로 방향을 틀었다. 이후 200년 동안 좁게는 수도원 제도에, 넓게는 서방의 역사에 크게 다가올 실험이었다. 바로 십자군 운동이다. 그러나 이는 우리가 8장에서 다시 다룰 주제다. 그사이에 위그와 클뤼니 수도원은 가까운 데서 생겨난 도전에 직면했다.

위그가 수도원장을 맡은 지 50년에 다가서고 있던 1098년, 부르고뉴 몰렘 출신의 불만을 품은 작은 수행자 및 은자 집단 하나가 자기네는 고행의 제1원리로 돌아가 베네데토 규칙의 순수한 형태로 공동생활을 할 곳을 찾아야 한다고 결정했다. 그들이 선택한 곳은 시토였다. 디종 부근의, 클뤼니에서 정북쪽으로 130킬로미터쯤 떨어진 전망이 전혀 보이지 않는 습지 한 뙈기였다. 그들은 이곳에 새 수도원을 세웠다. 의도적으로 가능한 한 불편함을 추구했다(그것이 신의 뜻에 맞았다). 시토의 수행자들은 그들의 첫 수도원장인 몰렘의 로베르와 스티븐 하딩이라는 잉글랜드 개혁가를 따라 기본으로 돌아갔다. 힘든 노동, 불충분한 식사, 검소한 환경, 사회로부터의 고립, 수많은 기도, 오락 금지 등이었다.

이제 와서 보면 시토에 모인(이 때문에 시토 수도회로 알려지게 되었다) 이 작은 영적 전사 집단이 클뤼니의 지혜를 빌린 것은 너무도 당연한 일이었던 듯하다. 이는 근본주의 운동에서 늘 있는 일이다. 그러나 시토회는 클뤼니파와 흡사하게도 자체의 카리스마 있는 지도자의 영향력이 없었다면 내핍 생활을 인기로 변환시킬 수 없었을 것이다. 이번에 인도의 등불이 된 것은 베르나르라는 부유한 부르고뉴 젊은이였다.

1090년 무렵에 태어난 베르나르는 10대 때 유복한 친구 수십 명과 함께 이 교단에 들어갔으며, 종교 생활과 사상 면에서 새로운 총아로 떠올랐다. 1115년, 베르나르는 클레르보에 독자적인 시토회 수도원을 설립했으며, 그곳에서 그는 클뤼니의 위그가 한때 매달렸던 온갖 부류의(그리고 그 외의) 사람과 정력적으로 편지를 주고받았다. 교황, 황제, 왕, 왕비, 공작이 모두 그의 접촉 장부에 들어 있었다. 그러나 그는 제멋대로인 젊은 성직자나 고삐 풀린 수녀와도 접촉했다.

나중에 보겠지만 베르나르는 그가 1140년대에 주창한 2차 십자군에서 주도적인 역할을 했다. 그는 또한 신전기사단이라는 군사 단체 설립의 원동력이기도 했다. 그리고 클뤼니의 위그의 가까운 친구 하나가 교황 우르바누스 2세가 된 것과 똑같이, 베르나르의 보살핌을 받던 사람 가운데 하나가 교황이 되었다. 에우게니우스 3세다.

그러나 클뤼니의 위그가 베네데토회의 전통적인 검은색 수도사복을 입은 데 반해, 클레르보의 베르나르는 시토회의 흰색 옷을 입었다. 순수를 상징하기 위해 선택한 색깔이다. 그리고 위그가 베네데토회 수도원의 화려하고 감각적이며 귀족적인 형태를 주도했다면, 베르나르는 장식이 전혀 없고 가능한 한 가장 단순한 생존에 전념할 것을 고집했다. 미술, 철학, 복잡한 의례, 값비싼 건설 사업을 모두 없애버리는 것이다. 이는 양립할 수 없는 접근법이었고, 결국 오직 한쪽만이 승리할 수 있었다.

베르나르는 여러 해 동안 클뤼니의 위그 후임자와 편지를 주고받았다. 유명하고 매우 재능 있는 '가경자可敬者' 피에르라는 학자 수도원장이었다. 그들은 끊임없이 논쟁했고, 그것은 고행과 탐미耽美의 대결이었다. 성난 근본주의자와 논리적인 전통주의자의 대결이기도 했다. 두 사람은 수많은 큰 문제와 당시의 사건에 관해 정반대의 입장을 보였다.

특히 피에르 아벨라르라는 뛰어난 파리의 학자와 그의 어린 여성 제자 엘로이즈 사이의 악명 높은 연애 사건에 대해 그랬다(11장 참조). 클레르보의 베르나르는 아벨라르가 부도덕하다는 이유로 비난했다. 또한 이단적 학문을 했다는 그의 판단도 있었다. 반면에 '가경자' 피에르는 아벨라르에게 동정의 손길을 내밀었다. 그가 늙고 약해졌을 때 클뤼니에 받아들이고 1142년에 그가 죽을 때까지 그의 생애 마지막을 안락한 클뤼니의 몇몇 소유지에서 보살펴주었다.[44]

'가경자' 피에르는 아벨라르를 받아들이고 그의 학문적 견해에 대한 재판으로부터 그를 보호하기 위해 클레르보의 베르나르를 노골적으로 배척했다. 그러나 어떤 의미에서 이것들이 모두 개인적인 것은 아니었다. 베르나르와 피에르는 경쟁자로서 충돌했지만 적으로서 충돌한 것은 아니었다. 그들은 양피지 위에서 번갈아 상대를 후벼 파고, 생색을 내고, 무시하고, 아는 체하고, 헐뜯고, 노골적인 무례를 저질렀다. 그러나 그들은 언제나 서로를 존경했으며, 1150년에는 예수 탄생 기념일을 함께 보내기도 했다. 물론 극도로 금욕적인 클레르보가 아니라 안락한 클뤼니에서였다. 그들을 연결해주는 것(수도원 생활, 명상, 규칙, 질서, 속세의 죄, 천국의 보상, 외교)이 그들을 갈라놓는 것보다 강했다.

어떻든 그들의 교류는 바퀴의 회전을 보여주는 것과 비슷했다. 클뤼니의 재산은 위그의 재직 시에 절정에 달했다. 그러나 그것은 12세기 중반에 다가서면서 줄기 시작했다. 오딜롱과 위그는 둘이서 100여 년 동안 수도원장으로 재직했다. 그 시기에 교황은 스무 명이 지나갔다(거기에 교황을 참칭한 '대립교황'도 여러 명 있었다). 그러나 1156년 '가경자' 피에르가 죽은 뒤 50년 동안 아홉 명의 수도원장이 자리바꿈을 했다.[45] 세속 지배자와 교황이 클뤼니계 소수도원을 모수도원에 대한 복종으로부터 떼어내기 시작했다. 그들을 대체할 새 수도원 설립의 물결은 밀려들지 않았다. 세상은 바뀌어 있었다.

반면에 시토 수도회의 힘은 베르나르의 열정적인 지도력에 고무되어 갈수록 커졌으며, 1153년 베르나르가 죽은 뒤에도 오랫동안 유지되었다. 그가 죽을 무렵에는 300개 이상의 시토회 수도원이 설립되거나 시토회 노선에 따라 개혁되었다. 스코틀랜드의 멜로즈 수도원과 잉글랜드 요크셔의 깜짝 놀랄 만한 파운틴스 수도원 같은 곳이다. 아일랜드에서는 많은 수도원이 새로 설립되었다. 과거 베네데토회 수도원이 가련할 정도로 적었던 곳이었다. 프랑스에서는 이 운동이 왕의 후원을 얻었다. '뚱보' 루이 6세가 아들 앙리를 클레르보의 베르나르에게 보내 교회의 직업 훈련을 시켰다. 시토회는 클뤼니파가 그랬던 것처럼 레콩키스타 전쟁에 끌려 들어가 팽창하는 이베리아의 기독교 왕국들에서 뿌리를 내렸다. 그리고 이 교단은 중부 유럽으로도 밀고 들어가 독일, 보헤미아, 폴란드, 헝가리, 이탈리아, 시칠리아, 발칸반도 서부에서 수도원을 설립했다.

1215년 무렵에 시토회는 문화적으로 우세를 보이고 있었다. 제4차 라테라노 공의회는 그들을 생활 고행자의 표본으로 인정했고, 로마의 종교적 권위에 복종하는 각 주에서 3년마다 열리는 수도원 회의 조직을 시토회가 주도해야 한다고 명령했다.[46]

그렇게 서방 수도원의 새로운 시대는 확인을 받았다. 시토회는 전성기에 유럽 전역에 700개 이상의 수도원을 거느렸다고 뽐낼 수 있었다. 그러나 시토회가 이제 분명히 서방에서 제일가는 수도원 조직이기는 했지만, 그들은 클뤼니가 한때 그랬던 것처럼 무적의 지위를 누리지는 못했다. 그들에 이어 자기네가 변화하는 경제 및 종교 환경에 더 적합하다고 생각하는 수많은 다른 수행자 '교단'(서로 다른 규칙, 생활 방식, 복장 규정을 가진 집단)이 나타났기 때문이다. 여기에는 신전기사단, 구호기사단, 도이치(튜턴)기사단 같은 국제적 군사 교단도 포함되어 있다(이들에 대해서는 8장에서 다시 살펴볼 것이다). 칼라트라바기사단과 산티아고기사단 같은 이베리아반도의 더 작고 지역적인 군사 교단도 있었다.

한편 보다 전통적이고 평화적인 남녀 수도사 교단도 많았다. 프레몽트레회(또는 노르베르트회)는 12세기 초 개혁되고 금욕적인 의전사제의 교단으로 설립되었다. 그들은 베네딕투스 성인의 규율이 아니라 아우구스티누스 성인의 규율을 따랐지만, 시토회가 신봉한 금욕 모델을 본받아

생활했다. 거의 비슷한 시기에 (본래 1080년대에 쾰른의 브루노 성인이 창설한 교단인) 샤르트뢰즈회가 확장을 시작했다. 샤르트뢰즈회의 수행자와 수녀는 단순하고 고독한 생활을 추구했으며, 그런 가운데서 공동으로 거주하고 먹고 기도했지만 대부분의 시간을 자기 방에서 명상하면서 보냈다.

그리고 13세기가 시작되면서 탁발수도회가 나타났다. 프란체스코회와 도밍고(도미니코)회다. 흔히 탁발수도사라고 부르는 그 회원들은 수도원에서 나와 첫 세대의 고행자들처럼 도시와 시골을 떠돌면서 종교 의례를 베풀고 전도를 하며 자신의 생존을 위해 적선을 빌었다. 수도 생활이 어떤 의미에서 그 뿌리로 되돌아간 것이었다. 서로 다른 수많은 접근법으로, 지역적인 취향과 자신만의 색다른 신과의 관계를 추구하는 경건하며 때로는 괴상한 개인의 변덕에 맞추고, 한창때의 클뤼니처럼 거대한 다국적 종교 단체에 들어갈 필요성을 느끼지 않는 것이다.

11세기에서 13세기 사이 서방 수도원의 폭발은 우리에게 낯선 것만큼이나 친숙하게 느껴져야 하는 이야기다. 지금 서방 기독교 세계에서 수도사 교단으로 영원히 은둔하고자 하는 사람은 별로 없다. 자발적인 극심한 고초, 순결, 곤궁, 반복적인 숭배 의례로 이루어지는 그런 삶은 21세기의 풍요로운 젊은 남녀에게 호소력이 별로 없다.

그러나 우리가 오늘날 확실히 알 수 있는 것은 엄청난 '연성' 권력을 행사하는 (그리고 그 지도자가 세계의 정치 엘리트를 움직일 수 있는) 매우 부유하고 힘센 국제기구와 기업의 부상이다. 우리의 개별적·집합적 미덕을 늘리고자 설계된 삶을 위해 자발적으로 선택한 '교단'이라는 생각은 불편할 것이 없다. 채생주의茶生主義(veganism, 채식주의에서 더 나아가 동물을 착취해 만든 제품을 사용하지 않는 것)는 오늘날 서방에서 가장 인기 있는 것 가운데 하나다. 마침내 우리는 (국가가 운영하든 공동체가 운영하든) 우리 삶에서 교육, 종교적 조언, 의료, 은퇴한 노년을 위한 휴식을 제공하는 기관이 있으리라는 것을 당연하게 받아들인다. 그런 의미에서 우리는 수행자들이 움직이던 세계에서 우리가 생각하는 것만큼 그리 멀리 떨어져 있지 않은지도 모른다.

이 책에는 수도원 이야기가 다시 나온다. 특히 15세기 말에서 16세기에 일어난 종교개혁이라는 종교적 격변을 이야기하는 마지막 장에서다. 또한 그보다 앞서 십자군을 다룰 때도 수행자가 다시 등장한다. 그러나 일단 피난처였던 수도원 문제를 접어두고 수도원과 함께 서방 세계를 휩쓸었던 다른 문화 운동을 살펴봐야 한다.

이제부터는 클레르보의 베르나르가 그의 특징적인 신랄한 산문에서 "오직 죽음과 죄악이라는 목적만을 위해 (⋯) 화려하고 고통스럽게 싸운"[47] 사람들이라고 경멸했던 사회 집단인 기사knight를 살펴볼 차례다. 수도원들이 천벌에서 구하기 위해 양성했던, 그러나 수도원 생활과는 정반대의 생활 방식을 보여준 사람들이었다. 그 속에서 그들의 힘은 말과 노래가 아니라 창끝과 칼끝에서 발현되었다.

7장

기사들

❦

당신들은 신입니까?
— 크레티앵 드트루아, 《페르스발》에서

955년 8월 중순, 언제나 유성우流星雨가 밤하늘에서 불꽃을 터뜨리는 듯이 보이는 계절이었다. 독일의 왕 오토 1세는 아우크스부르크시에서 약간 서쪽 지점으로 군대를 집결시켰다.[1] 오토는 경험 많은 왕이었고, 크고 작은 전투를 여러 차례 치른 역전의 용사였다. 그는 20년 가까이 독일을 지배해오며 한때 카롤링의 동프랑키아였던 다양한 요소의 국가를 자신의 직접 통제하에 두기 위해 부지런히 애썼다. 또한 왕의 권위를 강화하고 자신에게 대들려는 반란 귀족들을 밟아버렸다. 그는 경험을 통해 강인해졌다. 코르바이의 비두킨트라는 역사 기록자가 말했듯이 오토는 "가장 강력한 전사와 최고위 지휘관이라는 두 가지 역할"[2]을 할 줄 알게 되었다. 그리고 아우크스부르크에서 그는 젖 먹던 힘까지 다 짜내며 능력을 발휘해야 했다. 이 도시가 머저르인으로 알려진 위험한 적으로 인해 심각한 위험에 빠져 있었기 때문이다.

머저르인은 게르만인의 이익 범위를 침탈해온 오랜 역사를 가지고 있었다. 그들은 이교도였고, 동방에서 중부 유럽으로 이주해 카르파티아산맥의 기슭으로부터 펼쳐진 광대한 평원에 정착한 부족민이었다. 머저르 전사들은 말타기에 능숙했으며, 안장 위에 앉아 활과 화살을 가지고 싸웠다. 그들은 재주가 있었고, 번개처럼 빨랐으며, 치명적이었다.

게르만 왕국의 기독교도 작가들은 그들 특유의 흉포성에 관해 과장된 이야기를 퍼뜨렸다. 그들은 머저르인이 "요새를 파괴하고 교회에 불을 지르며 사람들을 죽였다"라고 주장했다. "그들은 공포심을 퍼뜨리기 위해 죽인 사람의 피를 마신다"라고 주장했으며, 머저르 어머니들이 아이를 낳고 가장 먼저 하는 일이 "날카로운 칼을 가져다가 아이의 얼굴을 긋는" 것이라고 단언했다. "앞으로 고통을 참을 수 있도록 하기 위해서"였다.[3] 말할 것도 없이 이는 풍설과 비방에 지나지 않지만, 독일의 보통 사람들 사이에 깊이 뿌리박힌 머저르인에 대한 공포를 말해준다. 이 공포는 어느 모로 보나 서프랑키아인이 노르드인에게 품었던 공포와 똑같은 것이었다. 따라서 955년 한여름에 머저르 군대가 아우크스부르크에 나타났다는 소식을 독일의 오토가 들었을 때, 그들을 몰아내는 것은 왕인 자신의 의무였다.

아우크스부르크는 방어할 수 있어야 했다. 쉽지는 않겠지만 말이다. 슈바벤 공국과 바이에른 공국 사이에 자리 잡은 이 도시는 성벽을 두른 고위 주교좌였다. 성벽은 낮았고 방어탑도 없었지만, 지리적으로 상당히 안전한 위치를 차지한 곳이었다. 두 개의 수로의 접점에 위치해 3면에서 도시로의 접근이 저지되고 있었다. 도시 성벽 바로 북쪽에서 베어타흐강이 레히강에 합류했으며, 그것이 수십 킬로미터를 더 흐른 뒤 도나우강으로 들어갔다. 동쪽의 평원에서는 또 다른 여러 지류가 흘러 커다란 습지 지역으로 들어갔다. 통상적인 부대가 이동할 수 없는 곳이었다.

문제는 머저르인이 통상적인 부대가 아니었다는 점이다. 그들은 서로 마 제국 황혼기에 유럽으로 밀려들어 온 '이방인' 부족민과 마찬가지로 개방되고 풀이 무성한 지형의 전투에 뛰어났다. 그 조상이 유럽 스텝에서 전쟁 방법을 배웠기 때문이다. 그들은 평지의 사정을 잘 알았고, 그들의 전술이 효과적임은 이전 세대들이 이미 입증했다.

910년, 열여섯 살의 카롤링왕 '아이' 루트비히Ludwig IV das Kind는 아우크스부르크에서 머저르 군대와 싸워 굴욕을 당했다. 머저르 기병은 위장 퇴각으로 그의 군대가 나오도록 유인했고, 그런 다음 그들을 무자비하게 베어버렸다. 이것이 '아이' 루트비히가 패망한 원인이었다. 그는 1년 정도 뒤에 전쟁 패배로 인한 우울증으로 괴로워하다가 죽었다. 오토는 비슷한 실패를 반복할 여유가 없었다. 그래서 그는 조심스럽게 아우크스부르크로 접근했다.

오토가 8월 10일 도착해보니 도시가 완전히 포위되어 있었다. 한 수도원 기록자는 터무니없게도 머저르 포위군이 10만 명이었을 것이라고 추정했다. 실제 숫자는 차치하더라도, 불추, 렐, 턱쇼니라는 지도자 휘하의 이 머저르 전사들은 의문의 여지 없이 전투로 단련된 사람이었다. 그들은 이미 바이에른을 지나며 약탈을 했다. "그들은 그곳을 유린하고, 도나우강에서 산악의 가장자리에 있는 검은 숲까지 점령했다."[4] 게다가 그들은 공성탑攻城塔과 쇠뇌를 갖고 있었고, 그것으로 도시를 며칠 동안 맹공격했다. 아우크스부르크 시민들이 성벽에 배치되었고, 그들을 용감하게 지휘한 것은 그들의 주교 울리히였다. 그는 주교복을 입은 상태로 말을 타고 "화살과 돌이 날아다니는데도 방패나 사슬갑옷이나 투구로 몸을 보호하지 않은 채"[5] 돌아다녔다. 그러나 그들이 아주 오래 버틸 수 없다는 사실이 분명해졌다. 울리히 주교는 대의에 헌신했지만, 할 수 있는 일이 별로 없었다. 시민을 조직화하려고 애쓰는 외에, 기도하고 미사를 드리고 수녀 무리에게 십자가를 지고 도시 거리를 행진하라고 지시하는 정도였다.

오토는 더 나은 무기를 가지고 있었다. 그는 작센에서 아우크스부르크로 이동했는데, 작센은 그해 초여름에 그가 슬라브인과 싸운 곳이었다. 그의 병력은 머저르인에 비해 수적으로 적었지만, 훈련되어 있었고 유능한 귀족들이 이끌고 있었다. 그 귀족 가운데 하나가 로렌 공작 '붉은 털' 콘라트였다. 독일 병사들은 머저르인과는 전혀 다른 방식으로 싸우도록 훈련받았다. 가벼운 차림으로 말을 타고 화살을 쏘며 민첩함과 속도에 의존하는 대신, 중기병을 중심으로 조직화되었다. 이들은 투구를 포함해 두터운 장갑을 한 기마 전사였으며, 칼과 창으로 싸우며 적을 치고 베어 토막을 냈다. 중기병은 질서 있게 달리고 가까운 거리에서 싸울 기회가 많기 때문에 통상 경기輕騎 궁수를 이길 가능성이 높았다. 유일한 문제는 머저르인이 오토의 부하에게 그들이 원하는 방식의 전투를 허용하느냐였다.

결과적으로 그들은 이를 허용했다. 8월 10일 도시에 도착한 오토는 부하들에게 머저르인을 향해 돌격하라고 명령했다. 도시를 포기하고 싶지 않았던 머저르인들이 맞서 싸웠다. 처음에는 백중세였다. 특히 머저르가 오토의 보급 행렬을 노리고 독일 전선의 통신상의 어려움을 이용하면서 그랬다. 그러나 결국 오토 부대의 조직력이 힘을 발휘했다. 머저르는 적군의 대열을 깰 수 없음을 깨닫고 자기네가 좋아하는 전술로 돌아갔다. 위장 퇴각이었다.

그들은 등을 돌려 동쪽으로 달아나 레히강을 건넜다. 910년 '아이' 루트비히의 부하들이 그랬듯이 오토의 부하들이 따라오기를 바란 것이다. 그러나 오토는 노련한 전사였고, 루트비히보다 영리했다. 그는 부하들을 함정 속으로 뛰어들게 하지 않고 오직 조심스럽게 진격하도록 명령했다. 레히강을 건너되 더 나아가지 않고 멈춰서 강둑에 있는 머저르의 막사를 점령하고 전투 과정에서 잡혀간 독일 포로들을 풀어주게 했다. 한편 그는 사람을 보내 퇴각하는 머저르인을 앞질러 가서 더 동쪽에 있는 바이에른의 기독교도들에게 다리를 막게 했다. 적이 달아나는 것을 방해하게 한 것이다.

이 일에 성공하자 오토는 이후 이삼일 동안 자신의 기병 분견대를 이끌고 이제 무너진 머저르 군대를 소탕할 수 있었다. 역사 기록자 비두킨트는 무슨 일이 일어났는지에 대한 끔찍한 기록을 남겼다. 머저르인 중 "말을 잃어버린 일부는 인근 마을로 들어가 피신했다. 그들은 무장 병사들에게 포위되었고, 집째로 불태워졌다. 일부는 근처의 강을 헤엄쳐 건너갔지만 (…) 급류에 떠내려가 사라졌다. (…) 헝가리 민족(즉 머저르인)의 세 지도자는 생포되었고, 교수형에 처해져 수치스러운 죽음을 당했다. 충분히 그럴 만했다."[6]

승리는 완벽했다. 오토의 군대는 머저르인을 물리쳤고, 아우크스부르크를 구했으며, 적어도 수도사 작가들이 보기에는 신이 의로운 자에게 승리를 선사할 능력이 있다는 산 증거를 제공했다. 오토 자신은 위대한 왕으로 칭송받았고, 962년 로마에서 황제로 공식 즉위했다. 800년에 샤를마뉴가 했던 것과 똑같이 말이다. 그의 왕조인 오토 왕조는 이후 60년 더 독일을 통치했다. 그리고 이 충돌(레히펠트 전투로 알려지게 된다)은 전설에 가까운 지위를 얻었다. 이때의 사상자는 영웅으로, 심지어 순교자로 추앙받았다. '붉은 털' 콘라트 공작도 그 가운데 하나였는데, 그는 전투 도중 땀을 식히기 위해 장갑을 벗었다가 목에 화살을 맞고 죽었다.

그리고 이 전투의 결과는 독일인과 머저르인의 역사에서 중대한 순간으로 인식되게 된다. 레히펠트 전투 이후 아기 얼굴을 긋는 무시무시한 헝가리인의 공격의 파도는 갑작스럽게 종말을 맞은 듯했다. 500년 가까이 서유럽인의 생활의 특징이었던 이른바 '이방인' 이주의 물결이 막을 내렸다. 한 세대가 지나지 않아 버이크라는 머저르 지도자가 기독교로 개종하고 자신의 이름을 이슈트반으로 바꾼 뒤 로마 교회의 궤도 안에서 왕(재위 1001~1038)으로서 통치하게 된다.

이 모든 것이 레히펠트라는 전환점으로 거슬러 올라갈 수 있다(적어도 논리적으로 그렇다). 그러나 레히펠트 전투는 또 다른, 조금 더 설명이 필요한 이유로 유명하기도 하다. 레히펠트 전투는 오늘날 중부 유럽 이외의 지역에서는 잘 알려져 있지 않지만, 중세 역사의 대행진에서 상징적인 순간이라고 볼 수 있다. 중기병이 경기 궁수에게 승리한 것은 오토가 주문한 장갑을 하고 창을 휘두르는 기병 같은 것이 서방의 전쟁에서 중심 무대를 차지하는 시대의 시작과 시기적으로 일치했기 때문이다. 이후 200년 동안 강력한 기마 전사가 전쟁터를 지배했으며, 한편으로 전체 사회 속에서 자기네의 신분을 빛내기 시작하기도 했다. 레히펠트 전투가 그러한 변화를 만들어내지는 않았다. 그러나 그것은 바람이 어느 방향으로 부는지를 보여주었다.[7] 유럽의 기사는 본격적인 활동 시기를 맞고 있었다.

10세기 이후 기사의 지위와 중요성은 중세 서방 전역에서 치솟아 올랐다. 수십 년 사이에 프랑크식의 중기병이 확산되어 브리튼제도부터 이집트와 서아시아에 이르는 전쟁터에서 대세가 되었다. 이에 따라 말을 타고 싸울 수 있는 사람의 사회적 지위 또한 급상승했다.

12세기가 되면 기사는 전시의 중요성에 대한 보상으로 평시에는 영지에서 나오는 부와 높은 지위를 지니는 사람이었다. 그리고 기사의 주변에서는 기사도騎士道라 알려진 기사다움에 대한 분명한 숭배가 나타나기 시작했다. 그것이 중세 말을 훨씬 넘어서까지 미술, 문학, 고급문화에 영향을 미치게 된다. 사실 기사 작위와 기사도에 대한 비유와 의례는 바로 오늘날까지도 여러 서방 국가에 잔존하고 있다. 대중의 인식으로 보자면 기사는 아마도 중세가 우리에게 남긴 가장 분명한 유산일 것이다. 기사 작위가 어떻게 생겨났고 그것을 그런 강력하고 지속적이고 국제적인 제도로 만들기 위해 중세 전성기에 어떤 일이 일어났는지는 이 장의 나머지 부분에서 해명하고자 하는 과제다.

창과 등자

사람과 말은 적어도 청동기시대 이후 전투에서 협력해왔다. 근사하게 장식된 '우르의 기장旗章'은 서기전 제3천년기 중반에 만들어진 상자로(현재는 런던 영국박물관에 수장되어 있다), 전투에 배치된 사람들의 행렬을 상세하고 묘사하고 있다.† 이 기장은 밝은 조가비와 색깔 있는 돌의 미세한 모자이크로 일부 병사는 도보로, 또 일부는 말이 끄는 수레를 타고 행군하는 모습을 보여준다. 여기서 사람과 동물은 힘을 합쳐 피비린내를 동시에 풍기고 있다. 수레에 탄 사람들은 창과 전투용 도끼를 쳐들고 있고, 눈을 크게 뜨고 으스대며, 멋진 의례용 마구馬具로 치장한 말들은 엎어진 적병의 시체를 짓밟고 있다. 이것은 무서운 장면이며, 지난 4500년 동안 전쟁에서 말이

---

† 이 '우르의 기장'은 약간 오해의 소지가 있는 작명이다. '우르'는 정확하다. 이 상자는 1920년대에 현재의 이라크 남부에 있는 이 고대 수메르 도시의 한 왕릉을 조사하던 고고학자들이 땅속에서 조각 상태로 발굴했고, 뒤에 복원했다. 이것이 '기장'(일종의 전투용 깃발)인지의 여부는 덜 분명하다. 이것은 영국박물관(수장 위치 G56/dc17)에서, 또는 온라인(www.britishmuseum.org/collection/object/W_1928-1010-3)으로 볼 수 있다.

얼마나 중요한 역할을 했는지를 역설하는 자료는 이 밖에도 매우 많다.

고대인은 전투에서 말을 이용하는 일에 관한 지식이 풍부했다. 서기전 4세기 아테나이의 역사가 크세노폰은 말의 군사적 이용에 관한 자세한 글을 써, 군마를 고르고 길들이고 훈련시키는 최선의 방법에 관해 독자에게 조언하고, 기마자가 "창을 던지거나 주먹을 날리려 할 때"[8] 자신의 몸을 보호하기 위해 장갑할 것을 추천했다.

수백 년 뒤에 로마 공화국은 말의 군사적 이용을 제도화했다. 에퀘스(기사)는 세나토르(원로원 의원) 다음의, 사회에서 두 번째로 높은 신분이었다. 로마 제국 시기 대부분의 기간 동안 에퀘스는 전투원이 아니라 온순한 재정가와 관료였지만, 보병이 주류인 로마 군대 안에도 진정한 기사를 위한 자리는 있었다. 4세기에 로마 제국 말기 최고의 군사 교범 저자였던 베게티우스는 전투에 가장 적합한 말에 관해 상세하게 서술했다. (훈족, 부르군트인, 프리슬란트인이 기르고 사용한 말이 그것이었다.)[9] 나중에 동로마에서는 유스티니아누스 대제의 유명한 장군 벨리사리오스가 페르시아 및 고트족을 상대로 전쟁을 하면서 카타프락토스(철갑기병)를 배치했다. 사람과 말이 모두 전신을 금속 장갑으로 보호한 기병이다. 이 철갑기병은 흐트러진 대형으로 적진을 향해 달려가 창과 철퇴를 휘두르며 저돌적으로 공격했다.

그들만이 아니었다. 페르시아인, 파르티아인, 아라비아인과 이방인, 중국·일본·인도의 고대 전사 계급도 마찬가지였다. 이들은 모두 이러저러한 방법으로 말을 전투에 이용하는 방법을 개발했다.†

---

† 남·북아메리카와 오스트레일리아에서만은 일반적으로 말이 중세 전쟁문화의 일부가 되지 않았다. 아메리카에서는 서기전 6세기 무렵 이후 말이 멸종되었다가 15세기 이후 다시 들어왔다. 그 이후 말

독창적인 것은 아니었지만 중세의 기사는 그래도 혁명적이었다. 서로마 제국이 무너진 뒤 전투에서 말을 상당한 정도로 이용한 유럽의 정주 세력은 아라비아인과 비시고트인뿐이었다. 프랑크인은 군마를 교역하고 기르고 배치하는 방법을 알았다. 그러나 프랑크인은 오랫동안, 자국 군대와 외국 군대가 가장 크게 충돌할 때는 보병에 의존했다. 732년 샤를 마르텔이 푸아티에 전투에서 아라비아 대군을 물리쳤을 때 프랑크군은 철벽처럼 서서 아라비아 기병을 물리쳤다. 그러나 불과 두 세대 뒤에 프랑크의 전투 방식이 바뀌었다.

이때(처음은 아니지만) 카롤링 왕조가 변화를 일으켰다. 사소한 충돌은 카롤링 세계에서 늘 있는 일이었지만, 가장 큰 싸움은 작센인, 슬라브인, 덴마크인, 이베리아 이슬람교도와 접한 변경에서 일어났다. 그 결과로 카롤링의 대외 정책은 긴 거리를 이동할 수 있는 아주 대규모의 기동성 있는 군대가 필요했다. 이런 필요를 충족시키기 위해 샤를마뉴는 주요 지주 전원에게 본인 또는 대리인을 자기 군대에 징집할 수 있도록 요구했다. 그는 또한 전투에 달려가 참전할 수 있는 기병 부대도 개발했다.

792~793년에 샤를마뉴는 모든 기병이 적을 향해 던지는 투창 형태가 아니라 적을 찌를 수 있는 창을 소지하도록 명령하는 법을 만들었다. 이것은 매우 효율적인 것으로 드러나, 이후 200년 동안 서방 중세 군대에서 창을 휘두르는 기병은 점점 더 중요한 부분이 되었다. 그런 사람을 가리키는 라틴어가 밀레스miles(복수형은 밀리테스milites)였고, 고대 독일어로는 크네흐트kneht였다. 11세기에 이 단어가 크니흐타스cnihtas라는 형태로 고대 영

은 분명히 전사문화의 일부가 되었고, 특히 아메리카 원주민과 유럽 식민자 사이의 충돌에서 그랬다. 오스트레일리아에는 말이 18세기에 들어왔다.

어에 들어왔고, 지금 '기사'를 의미하는 영어 단어 나이트knight는 여기에서 나왔다.

그러나 제1천년기가 끝날 때까지도 서방의 기마 전사는 여전히 기사와 그리 닮지 않은 모습이었다. 군사 기술의 중요한 한 부분(어쩌면 군사 기술의 조합)이 아직 나타나지 않았기 때문이다. 중세 한창때의 기사는 말뿐만 아니라 그가 휘두르는 특정한 무기로 규정되었다. 베고 찌르는 장검과 단검 같은 휴대 무기가 그런 것이다.

가장 중요한 것은 비스듬히 겨눈 긴 창이었다. 길고 강하고 끝에 금속을 박은, 작살을 변형시킨 것이었다. 길이는 3미터 이상이고, 뭉툭한 끝에는 기마자가 잡을 수 있는 손잡이가 있었다. 이 창은 오른쪽 팔 아래 넣었다가 말이 요란하게 앞으로 달려가면서 적을 직접 겨냥하도록 고안된 것이었다. 어려운 기술이었지만 일단 익히게 되면 과거의 것과는 상당히 다른 이점을 제공했다.

1066년 노르만인의 잉글랜드 정복을 기록하고 기념하기 위해 남부 잉글랜드에서 짠 바이외 태피스트리에서는 여전히 구식의 기병전 방식이 운용되고 있음을 볼 수 있다. 노르망디 공작 기욤의 기병들이 쳐든 오른손에 투창을 잡는 방식으로 창을 잡고 있는 해럴드의 앵글로색슨인들을 향해 우르르 달려간다. 찌르거나 던질 태세이며, 천공기처럼 말뚝을 박으려는 모습은 아니다.

이런 접근법과 비스듬히 겨눈 창 공격 사이의 차이는 매우 컸다. 창을 든 기병은 위험하고 빠르고 오싹하고 두려웠지만, 그가 하는 일은 같은 무기를 들고 그 옆에서 달려가는 보병이 하는 일과 그리 다르지 않았다. 그러나 비스듬히 겨눈 창을 다룰 수 있는 기사는 더 이상 말을 탄 보병이 아니었다. 그는 중세판 유도탄†을 가진 것이다. 말을 타고 예닐곱 개의 다른 유도탄을 가진 기사는 거의 막을 수 없었다. 12세기의 동로마 공주 안나 콤니나가 썼듯이, 걸어 다니며 싸우는 프랑크인은 손쉬운 먹잇감이지만 말을 탄 프랑크인은 바빌론 성벽에 구멍을 낼 수 있었다.[10]

그러나 이 창은 홀로 개발된 것이 아니었다. 그것이 효율적이기 위해서는 다른 기술 진보가 필요했다. 등자와 꼬리가 휘어 올라간 안장이다. 둘은 같은 목적에 이바지했다. 이들은 물리 법칙을 무력화하고 기마자를 자신의 탄력으로부터 보호하며 자신이 가하는 모든 가속도와 힘을 창 자루와 창끝에 전달할 수 있도록 했다. 꼬리가 휘어 올라간 안장은 높은 등받이와 함께 고안되었다. 충격을 받을 때 기마자를 고정하기 위한 것이다. 등자는 균형을 잡거나 추가적인 저항이 필요할 때 발을 놓을 수 있게 했다. 창은 기사를 살인기계로 만들었다. 이런 여러 기술이 없었다면 기사는 없었을 것이다.[11]

서방에서 정확히 언제 창-등자-안장의 기술적 조합이 널리 퍼졌는지, 그리고 그 결과가 어떠했는지는 격렬한 역사학적 검증과 논쟁의 대상이 되었다. (이것은 때로 '등자 대논쟁'으로 알려진다.) 합리적으로 분명한 듯이 보이는 것은 이렇다.

아마도 4세기에, 그리고 5세기에는 분명히 동아시아에서 등자가 발명되었다는 것이다. 시베리아(그리고 지금의 몽골)의 유목민에 의해서다.[12] 중국인, 일본인, 한국인, 인도인은 이를 열렬하게 받아들였지만 서방으로 확산되는 데는 상당히 긴 시간이 걸렸다. 그러나 결국 이 지식은 페르시아와 아라비아의 왕국들을 거쳐 소아시아와 유럽의 로마 이후 기독교 제국들

---

† 기사가 말을 타고 전속력으로 달려갈 때 창끝에 실어 직접 가격하는 힘은 대략 5킬로줄로 평가되었다. 이는 20세기의 표준 군용 소총을 한 발 발사했을 때의 총구 에너지와 맞먹는다.

에 전해졌다. 8세기까지는 등자가 유럽에 등장한 것이다. 780년대에는 등자가 충분히 일반적인 것으로 생각되어 《요한 묵시록 주석》(저자의 이름을 따서 《베아투스》로 간단히 불리기도 한다)으로 알려진 도해가 풍부한 이베리아의 기독교 성서 주석서에는 〈요한 묵시록〉에 나오는 네 기마자가 악마의 발을 등자에 올려놓고 있는 모습으로 그려졌다.[13]

등자가 온 세상에서 유행하기까지는 시간이 좀 걸렸지만(늦어도 11세기 말에는 두루 퍼졌다), 결국 그것은 사람들이 말을 타고 싸우는 방식을 변화시켰다.[14] 사실 등자가 서방에서 인기가 높아진 것은 보다 일반적인 군사 발명의 시대와 일치했다. 공성攻城 무기가 개선되고 있었고, 축성술도 마찬가지였다. 12세기 이후 유럽 전역에서는 목재로 요새를 짓거나 토루를 쌓는 대신 돌로 성을 쌓는 것이 갈수록 일반화되었다.[15] 그러나 등자는 군사 장비의 전반적인 개선의 일부가 되기에 충분할 만큼 중요했다. 그것은 개개의 기마자가 더 빠른 속도로 달리면서 안장에 머물 수 있고 더 사납게 싸울 수 있게 했다. 그 결과로 기사는 전장의 주역이 되었고, 황제와 왕과 기타 귀족에게 매우 소중했다. 결국 기사에 대한 수요가 증가함에 따라 그들의 사회적 지위, 신분, 존재감 역시 변화하기 시작했다.

그러나 기사의 기원 이야기에서 가장 논쟁적인 부분은 등자 기술이 어떻게 확산되었느냐가 아니다. 그것은 중무장을 하고 말을 탄 전사에 대한 선호가 높아진 정도가 유럽에서 사회 혁명을 일으키고 '봉건 제도의 시대'를 열었다는 사실과 관련된 것이다. 봉건 제도는 두루 퍼진 것이고, 개념상 피라미드 모양의 사회 조직 체계인데, 영주가 봉신封臣에게 토지를 주고 그 대가로 군역을 지겠다는 공식 약속을 받으며, 봉신은 다시 가난한 자와 밑도급 계약을 해서 추가적인 용역(군사적 도움 또는 경작 노동 또는 그 둘 다)을 받아내는 것이다.[16] 대부분의 역사가는 이제 이 두 현상 사이를 직접 연결시키는 데 망설일 것이며, 어떤 사람은 하나의 개념으로서의 '봉건제'가 중세 사회가 실제로 어떻게 작동했지를 설명하는 모델로서는 너무 단순화한 것이라고 주장한다. 그러나 말을 탄 전사가 보다 확고하게 안장에 앉게 되는 것과 동시에 유럽 전역의 토지 소유 구조 역시 변화했다는 이야기는 여전히 거의 논란의 여지가 없다.

적어도 기사의 입장에서 변화의 근본 원인은 일을 하는 비용이었다. 말을 타고 싸우는 것은 엄청나게 비용이 많이 들었다. 제1천년기가 끝날 무렵에 완전 군장을 한 기마 전사 한 명은 적어도 말 세 필, 사슬갑옷, 투구, 여러 가지 무기(창 몇 자루, 장검 한 자루, 도끼 또는 철퇴, 단검), 속옷, 몇 개의 천막과 깃발, 그리고 한 명 이상의 보조원(그에게는 말을 돌보기 위한 도구, 취사도구, 식량과 음료수가 주어졌다)이 필요했다. 그 비용은 적은 것이 아니었다. 기사 한 명에게 1년 동안 물자를 대주고 부양하는 비용은 농민 가정 열 집을 1년 동안 부양하는 비용과 대략 비슷했다.[17] 그것은 천문학적인 비용이 드는 직업이었다. 부유하게 태어났거나 아니면 그렇게 만들어질 수 있는 사람만이 꿈꿀 수 있는 일이었다.

기사가 스스로를 부양할 수 있는 한 가지 방법은 복불복으로 해보는 것이었다. 전투는 약탈품과 장비를 얻고 몸값과 교환할 수 있는 포로를 잡을 기회를 제공했다. 그러나 이는 직업을 유지할 돈을 대기에는 불확실한 방법이었다.

보다 확실한 길은 후원자를 찾아 결국 지주가 되는 것이었다. 이에 따라 대략 9세기 이후 서방에서는 말을 타고 싸우는 사람이 몇 제곱킬로미터의 경작할 수 있는 땅을 받았다. 그 땅은 그들이 그것을 준 사람(고위 영주나 왕)을 위해 싸움에 나가는 대가로 받은 것이었다. 프랑크인의 왕국들에서 이런 땅 가운데 일부는 몰수라는 투박한 방식으로 마련되었다. 카롤링 치하에서 많은 교회 사유지가 간단히 몰수되어 구획이 지어지고 휘하의 군사들에게 넘겨졌다. 전사들은 이를 받아 관리하고 경작함으로써 스스로를 부양할 수 있었고, 또한 당초 그들이 땅을 가질 수 있게 해준 왕과 영주에 대한 의무 체계 속으로 묶여 들어갈 수 있었다.

이 관계는 야망을 가진 기사들이 자기네의 일을 알게 되면서 더욱 깊어졌다. 이는 보통 부모가 자기 아들을 열 살 전후한 시기에 부유한 영주의 집으로 들여보내면서 일어났다. 영주는 그들의 교육과 신체 단련을 책임지는데, 아이들이 자라서 자기 휘하의 군사가 되리라는 기대가 있기 때문이었다.

여기에 대략 정치권을 조직화하기 위한 복잡하지만 효과적인 방법의 바탕이 있었다. 그리고 이는 카롤링 치하 프랑크인의 땅에만 국한된 것이 아니었다. 프랑크인의 왕국 밖에서도 봉건 체제('봉건'이라는 말을 피하자면 땅과 무력을 교환하는 사회계약)가 발전했다. 이는 노르망디, 잉글랜드, 스코틀랜드, 이탈리아, 이베리아반도 북부의 기독교 왕국, 12세기에 팔레스티나와 시리아에 세워진 십자군 왕국(8장 참조)과 마침내는 새로이 기독교화된 헝가리와 스칸디나비아의 국가에서도 찾아볼 수 있었다(현지의 관습과 전통에 맞추어 변형되었다).[18]

마찬가지로 카롤링 제국의 서쪽 절반이 샤를마뉴와 그 직후 후계자들의 사후 강력한 왕권의 결여를 겪고 있을 때조차도 영주와 군역의 사회 기제는 계속되었다. 사실 이는 프랑스 왕권이 카롤링의 최고점에서 내려오고 공작과 백작, 기타 영주(고위 성직자도 포함된다)가 자기네 개인이 땅덩어리의 안전을 위해 서로 싸우기 시작하면서 오히려 더욱 중요해졌다.

이 모든 것의 장기적인 결과는 삼중적이었다. 우선 토지를 주는 자와 받는 자 사이의 관계를 규정하기 위해 더욱 복잡한 법과 조치가 나왔다. 주종 관계로 묶인 사람들이 (적어도 외형적으로) 서로를 섬기고 보호하기 위한 반‡종교적인 의례, 그리고 토지를 주는 약정과 관련해 만들어진 수많은 법적으로 강제할 수 있는 권리, 의무, 지불금, 세금 같은 것이다. (만약 '봉건제'가 존재했다면 그것은 서로 맞물린 개인적 관계의 복잡한 연쇄로 이루어졌을 것이고, 전체적으로 보아 우연적이지만 분명한 정부 조직을 드러냈을 것이다.) 둘째로, 많은 수의 전사를 부양할 수 있는 체제의 성공은 서방의 사회가 더욱 폭력적이고 위험해진다는 (실제와 상상이 뒤섞인) 인식에 기여했다. 그리고 셋째로, 전사에게 이제 당연하게 귀족적 생활 방식을 유지할 수 있는 토지가 주어진다는 사실은 이른바 기사의 덕목을 찬양하는(사실은 집착하는) 상류층 의식을 만들어내는 데 도움을 주었다. (결국 기사도로 알려지게 되는) 품행과 명예에 관한 규범은 중세 말이 되면 세속 종교 비슷한 것이 된다.

적어도 이론적으로는 그렇다. 그러나 이론은 우리가 시각화하기 어렵다. 제2천년기 초의 '새' 전사가 어떤 모습이었고, 그가 거친 중세 세계에서 어떻게 움직였고, 순전히 무기의 힘만으로 인생에서 무엇을 성취하고자 애썼고, 이후 세대들에 의해 어떻게 떠받들어졌는지를 더 잘 이해하려면 일반론에서 특수 사례로 옮겨 가, 이 초기 기사 시대의 가장 유명한 인물 한 사람의 이력을 살펴보는 것이 나을 것이다.

살펴볼 기사는 로드리고 디아스 데비바르라는 사람이다. 그는 프랑크인이 아니고 이베리아반도 사람이었다. 그곳은 전쟁이 만연해 있고, 권위가 분산되어 개인의 완력으로 출세할 기회가 많은 곳이었다. 살면서 그를 안 사람들은 그를 엘캄페아도르('수훈殊勳 전사')라 불렀다. 그러나 그는 사후 그를 찬미한 시인들이 그에게 붙여준 아라비아어식 에스파냐어로 된 조악한 구어체 별명으로 더 잘 기억되고 있다. 그들은 그를 알사이드 또는 엘시드로 알고 있었다.

'엘시드'

로드리고 디아스는 1040년대 초 지금의 북부 에스파냐인 카스티야 왕국의 소도시 비바르에서 귀족 전사 집안에 태어났다. 아버지는 카스티야왕 페르난도 1세의 충실한 추종자였으며, 이 노인은 이웃한 나바라 왕국의 기독교도를 상대로 한 싸움에 참여한 대가로 넓은 경작지가 있는 사유지와 루나라는 성채를 하사받았다.[19] 그는 또한 아들 로드리고를 카스티야 왕실의 다음 세대와 사귀도록 했다. 거기서 로드리고는 페르난도의 아들이자 후계자인 산초 2세의 휘하로 들어갔다.

산초는 로드리고가 자라서 뛰어난 싸움 기술을 보이자 그를 친위대의 지휘 장교로 삼았다. 산초는 젊은 시절의 그가 카스티야 왕권 다툼에서 역할을 할 수 있다고 생각하고 "기사의 띠를 매어주었다."[20] 젊은 전사의 옆구리에 공개적으로 의례에 따라 띠로 칼을 매어주는 이 의식은 11세기 중반에 전사의 권위와 높은 신분을 인정하는 중요한 행사였다. 11세기의 귀족은 거의 자동적으로 군인 계급의 일원이 되었고, 따라서 칼을 차는 것은 남자에게 일생의 중요한 순간이었다. 청년기의 미숙과 민간인 생활에서 벗어나 병사를 지휘하고 싸움이 일상인 존재가 되는 것이다.[21]

로드리고에게 칼을 차는 의식은 화려한 초기 이력의 첫발이었다. 얼마 지나지 않아 그는 고위 지휘관으로 올라섰다. 그와 가까운 시대의 한 전기는 이렇게 썼다. "산초왕은 로드리고 디아스를 아주 높이 평가해 매우 존중하고 사랑했다. 그래서 그에게 자신의 휘하 전 병력의 지휘를 맡겼다. 이에 따라 로드리고는 영달하고 가장 강한 전사가 되었다."[22] 후견자인 왕으로부터 재정적인 도움을 받은 로드리고는 전투에서 산초의 국왕 기장旗章을 가지고 다니는 의무를 졌다. 그리고 그의 무용武勇에 대한 기록을 보면 제대로 훈련받고 무장을 잘 갖춘 한 사람의 기사가 전쟁터에서 얼마나 위험할 수 있는지를 알 수 있다. (오늘날 레온과 마드리드 사이에 있는, 동로마 시대의 돔 대성당이 있는 그림 같은 도시인) 사모라에서 벌어진 한 포위전에서 로드리고는 열다섯 명의 적병과 싸웠던 것으로 보인다. 그 가운데 일곱 명은 사슬갑옷을 입고 있었다. 전기 작가는 이렇게 썼다. "그는 그들 가운데 하나를 죽였고, 둘은 부상을 입혀 말에서 떨어뜨렸으며, 나머지는 그의 기백 넘치는 담력에 겁을 먹고 달아나게 만들었다."[23] 이것은 엄청난 숫자였다. 낡았지만 적절한 상투어를 되뇌자면 기사는 여러 가지 측면에서 중세 전쟁터의 전차였다. 그러나 마찬가지로 흥미로운 것은 이 기록자가 로드리고의 군공軍功에서 쉽게 떼어낼 수 없는 그의 개인적 용맹에 경의를 표한 것이다.

로드리고는 30대 중반에 이미 유명 인사였다. 또한 출세 가도를 달리고 있었다. 산초왕이 살해되었고, 이베리아 북부의 새 권력자는 (산초를 죽였을 가능성이 매우 높은) 그의 동생 알폰소 6세였다. 알폰소는 카스티야-레온-갈리시아의 왕이 되었다. 로드리고는 1070년대 초 새 왕의 측근으로 합류했다. 그가 충성을 바치자 알폰소는 그를 자신의 친척과 결혼시켰다. 히메나라는 젊은 여인이었다.

일 때문에 그는 정치적 음모와 군대를 동원한 전쟁이 벌어지는 새로운 무대로 보내졌다. 알폰소는 알무타미드의 이슬람 궁정에 가는 사절 임무를 그에게 맡겼다. 알무타미드는 교활하지만 권위 있는 시인이기도 한, 세비야와 코르도바의 아미르였다. 이것은 겉으로는 우호적인 파견이었다. 알무타미드는 속국 왕이었고, 이전 전쟁의 패배로 카스티야왕에게 연례 공물을 바쳐야 했다.† 로드리고는 세비야에 파견되어 있는 동안 알무타미드를 도와 이슬람 경쟁국 지배자의 공격을 막아냈다. 그 승리는 "많은 학살과 희생"을 낳았지만, 이를 통해 그는 많은 전리품을 얻어 알폰소에게 보냄으로써 그의 금고를 불렸다.

불행하게도 로드리고의 성공은 그의 평판을 떨어뜨렸고, 그의 독자 원정 성향도 점차 강해졌다. (그와 그 친구들은 톨레도 부근의 이슬람교도가 장악한 지역에 승인받지 않고 습격을 나가 수천 명의 포로와 많은 전리품을 얻었다.) 그는 곧 알폰소 궁정의 한 귀족 파벌의 질투를 초래했고, 1080년 중반에 알폰소의 총애를 잃었다. 그는 왕국에서 추방되었다. 이로써 전체 기사 제도의 중요한 문제점 하나가 드러났다. 유능하고 고도로 훈련된 살인청부업자가 한 지배자에게 복무하도록 의무와 보상으로 묶여 있으면 그는 가두어 통제될 수 있다. 그러나 끈이 풀리면 이 전사는 예측할 수 없고 파괴적이며 위험할 수 있었다.

1080년대 초에 로드리고 디아스는 자신의 군사적 재능을 가장 돈 많이 주는 사람에게 팔 수 있는 자유가 있었다. 바르셀로나 백작에게 제안을 했다가 거절당한 그는 사라고사의 이슬람교도 타이파 왕국†† 지배자들을 고객으로 삼기로 합의했다. 후드 왕가로 알려진 가문이었다. 그는 그들을 위해 아라곤의 기독교 왕국에 대한 습격 작전에 나섰다. 그는 이 왕국을 "파괴"하고 "그 재물을 빼앗아 왔으며, 많은 주민을 포로로 끌고 왔다."[24] 아라곤왕이 후드 왕가 안의 반체제 세력과 손을 잡고 로드리고를 직접 공격하려 했으나, 로드리고는 그들과 전투를 벌여 그들을 꺾고 많은 수의 값

---

† 6장에서 보았듯이 알폰소 6세는 이 공물의 상당 부분을 다시 북쪽의 클뤼니 수도원으로 보내, 자신의 영혼을 위한 끊임없는 기도를 위해 지불했다.

†† 타이파 왕국은 1031년 우마이야 할리파국이 붕괴한 뒤 쪼개진 이슬람 치하 이베리아(알안달루스)의 이슬람교도가 지배한 독립적인 정치체들이다.

비싼 포로를 잡았으며 "셀 수 없는 전리품"을 얻었다. 이로 인해 사라고사 거리에서는 광란의 파티가 벌어졌다.[25]

로드리고는 이런 일을 5년 이상 더 계속했고, 개인 휘하 병사를 상당히 늘려 7000명이나 되었다. 또한 이베리아반도에서 (예측할 수 없기는 하지만) 가장 재능 있는 전사 가운데 하나로 명성을 올렸다. 그가 엘시드라는 별명을 얻은 것은 아마도 이 시기 무렵이었을 것이다.

그러나 반도의 사태는 곧 급격한 변화를 겪었다. 11세기 중반에 알무라비툰으로 알려진 엄격하고 보수적인 베르베르계 이슬람 왕조가 서북아프리카의 모로코를 정복했는데, 1085년에는 알안달루스를 노렸다. 그들은 이곳을 침공해 모든 작은 이슬람 타이파 왕국(그 지배자들은 퇴폐적이고 의지가 약하며 쫓겨날 때가 되었다는 경멸을 받았다)을 전면적으로 장악하기에 이르렀다.

알무라비툰은 북쪽 기독교 왕국들의 왕도 그리 좋게 보지 않았다. 1086년에 그들은 카스티야의 알폰소를 겨냥했다. 10월에 알무라비툰 군대가 사그라하스 전투에서 카스티야 군대를 격파했다. 겁에 질린 알폰소는 자존심을 버릴 필요가 있다고 생각했다. 그는 로드리고를 다시 불러 일을 맡겼다. 흥정을 할 상황이 아니었기 때문에 알폰소는 대놓고 와달라고 그에게 사정을 했다. "그가 사라센(알무라비툰을 말한다)으로부터 빼앗는 땅이나 성채는 무조건 그가 전적으로 소유하게 하고, 그뿐만 아니라 그의 아들들과 그의 딸들과 그의 모든 자손의 소유로"[26] 하겠다고 약속했다. 이것이 능숙하고 지략 있는 기사가 휘두를 수 있는 권력의 크기였다. 그는 자기 수표를 발행할 수 있었다.

그러나 알폰소가 금세 알아차렸듯이 로드리고는 그저 수표를 발행하는 것으로 만족하지 않았다. 로드리고가 알무라비툰을 자신의 땅인 카스티야에서 다시 몰아내는 데 도움을 주었지만, 알폰소는 로드리고가 스스로 대영주가 되려 한다고 의심했다(전적으로 옳았다). 이에 따라 해묵은 불만이 다시 떠오르는 데는 그리 많은 시간이 걸리지 않았다. 1090년에는 로드리고와 왕 사이가 다시 틀어졌고, 로드리고는 궁정에서 "악한이자 반역자"로 비난을 받고 있었다. 알폰소를 함정에 빠뜨려 알무라비툰에게 살해당하도록 음모를 꾸몄다는 것이다. 화가 난 로드리고는 자신의 결백을 주장했고, 기사의 규범을 분명하게 언급하며 왕에게 호소했다. 그는 알폰소에게 자신은 "가장 충직한 봉신"이라고 말하고, 왕의 전사 한 사람과 한판 승부를 벌여 자신의 결백을 입증하겠다고 제의했다.[27] 그러나 왕은 아무것도 받아들이지 않았다.

이에 따라 로드리고는 다시 망명자가 되었다. 그는 세계를 향해 떠났다. 이번에는 고용된 전사가 아니라 정복을 꿈꾸는 사람으로서였다. 그는 이슬람교도가 지배하는 도시 발렌시아 점령을 겨냥했다. 현대 에스파냐 동해안의 바르셀로나에서 데니아로 내려가면서 대략 중간쯤에 있는 곳이었다. 그의 일생에서 최후의 막幕이 시작되려 하고 있었다.

로드리고 디아스가 발렌시아와 그 주변 지역을 완전히 정복하는 데는 거의 4년이 걸렸다. 이를 위해 그는 세력이 비등한 이슬람 및 기독교 적국들과 싸움을 벌였다. 그는 원정 과정에서 바르셀로나 백작 라몬 베렝게르를 상대로 잊지 못할 전투를 벌였다. 이 전투에서 백작이 생포되고 푸짐한 몸값을 받아내기 위해 수감되었으며, 그의 주둔지는 철저하게 약탈되었다. 로드리고는 또한 알폰소의 땅도 습격해 "가차 없고 파괴적이며 신성모독적인 불"[28]로 마을들을 불태웠다.

알무라비툰의 지도자 유수프 이븐타슈핀이 로드리고에게 "편지를 보내 그가 발렌시아 땅에 들어오려 하는 것을 엄하게 금지"하자 로드리고는 "가장 심한 경멸의 말로 유수프에게 이야기"했으며, 자신의 편지를 지역 전체에 보내 얼마만 한 규모라도 알무라비툰 군대를 전투에서 만나 죽든 살든 결판을 내겠다는 자신의 의지를 널리 알렸다.[29] 그는 완강하고 확고하게 전쟁터에서 자신의 맹렬한 공격 원칙을 고수했으며, 전장을 벗어나면 신사도를 세심하게 지켰다. 그리고 결국 그의 노력은 보상을 받았다. 1094년 6월 15일, 발렌시아가 함락되었다. 로드리고의 부하들은 도시를 열심히 털었고, 시민들로부터 많은 양의 금과 은을 빼앗아 차지했다. 그래서 "그와 그 부하들은 말로 표현할 수 없을 만큼 더 큰 부자가 되었다."[30]

로드리고는 마침내 자기 땅의 의심할 바 없는 주인이 되었다. 그것은 왕국이 아니었다. 그러나 여전히 부유하고 전략적으로 중요한 영지였고, 로드리고는 그것을 지키기 위해 필사적으로 싸워야 했다. 1094년, 유수프 이븐타슈핀이 그를 쫓아내기 위해 대군을 보냈다. 역사 기록자들은 알무라비툰 군대의 병력이 15만 명이었다고 했다. 이것은 과장이다. 적어도 여섯 배는 불렸다.[31] 그러나 위기의 규모는 분명했다.

이후에 일어난 일은 레콩키스타의 가장 이례적인 충돌 가운데 하나였으며, 무엇이 일어났는지에 대한 이야기는 후대에 상당히 낭만적으로 그려졌다(이해할 수 있다). 로드리고는 유수프의 군대가 발렌시아를 포위하기를 기다리지 않고, 도시에 비상사태를 선포해 철물이란 철물은 모두 몰수한 뒤 녹여서 무기를 만들었다. 그런 뒤에 병력을 최대한 끌어모아 도시 밖으로 달려 나갔다. 알무라비툰 군대의 허를 찔러 그들을 쫓아 보내려는 생각이었다.

당시의 조심스러운 연대기 하나는 이어진 전투에 대해 간결하게 기록하고 있다. 전투는 쿠아르테의 평원에서 벌어졌다. 로드리고와 부하들은 유수프의 군대 쪽으로 접근했다. 그들은 "적에게 소리를 지르며 위협적인 말로 그들을 겁주었다. 그들이 적에게 달려들자 큰 접전이 벌어졌다. 로드리고는 신의 자비 덕분에 모든 모아브인(알무라비툰 군대를 말한다)을 물리쳤다. 이렇게 해서 그는 적을 제압하고 승리를 거두었다. 신이 그에게 허여한 것이었다."[32]

《우리 시드의 노래》로 알려진 약간 후대의 고대 에스파냐어 서사시는 본래 시인들이 로드리고의 영웅적 행위들을 기념하기 위해 부른 것으로, 전투의 피비린내 나고 사나운 모습을 그리고 있다.

우리 시드 창을 쓰고 칼을 손에 쥐었네.
모로(무어)인을 하도 많이 죽여 셀 수도 없지.
팔꿈치에서 피가 뚝뚝 떨어지누나.
유수프왕에게 세 방을 먹이고
상대의 칼 아래서 빠져나온 건 말이 날래기 때문.[33]

실제로 무슨 일이 일어났는지 추측해보면 로드리고는 만고불변의 군사적 계교에 의존한 듯하다. 그는 혼란을 주기 위해 알무라비툰 군대 쪽으로 소규모 병력을 보낸 뒤 주력 부대를 이끌고 방비되지 않은 적의 주둔지로 곧장 쳐들어갔다. 그들을 패주시키고 많은 포로를 잡으며 병사들을 공포에 떨게 했다.

이 승리가 개인의 영웅적 행위 덕분이었든 저급한 간계 덕분이었든, 결과는 마찬가지였다. 로드리고는 알무라비툰에게 타격을 주었고, 그것은 이 이슬람 침략군이 결코 무적이 아님을 보여주었다. 732년 푸아티에에서 샤를 마르텔이 우마이야를 상대로 거둔 승리의 판박이였다. 이후에도 전투가 많이 벌어졌지만, 지금 와서 보면 쿠아르테 전투가 레콩키스타의 전환점이었다고 볼 수 있다. 이 시점 이후 추동력은 결국 이베리아 북부의 기독교 국가들에 유리한 쪽으로 옮겨 갔다.[34]

영주가 된 기사 로드리고 디아스는 발렌시아를 점령한 뒤 그곳에서 5년 동안 살며 지배하다가 1099년 그곳에서 죽었다. 사후에 그 삶을 기록한 사람들은 비방자일지라도 그가 "그 시대의 채찍"이었음을 인정해야 했다. 그는 "그의 명예를 얻으려는 욕구에 의해, 그 성격의 묵직한 확고부동함에 의해, 그리고 그의 영웅적 용맹에 의해 신의 기적 가운데 하나"가 되었다.[35]

이 놀랄 만큼 너그러운 찬사의 필자는 산타렝(현재의 포르투갈 내) 출신의 이븐바삼이라는 아라비아 시인이었다. 이븐바삼은 이슬람교도이자 알무라비툰 찬미자로서 (로드리고 디아스가 전폭적으로 지지한) 기사 문화를 배양한 프랑크인 왕국들과는 거리가 멀었다. 그런 그가 엘시드에게서 긍지, 지조, 용감함, 위험함 같은 11세기 기사의 전형적인 자질들을 모두 찾아낸 것은 놀라운 일이다. 그리고 이븐바삼만이 아니었다. 다른 작가들이 엘시드의 생애와 이력에 대해 쓰고 또 쓰고 낭만적으로 그리고 아름답게 꾸미면서, 그의 행적이 노래로 만들어지고 신화화되면서 그것들은 대담한 행동의 짜릿한 이야기의 전달 수단일 뿐만 아니라 기사다움의 본질 전체를 탐구하기 위한 수단이 되었다.

그와 관련된 유물들은 경의를 표하는 대상이 되고 소중히 여겨졌다. 티손 또는 티소나로 알려진 아름다운 칼은 엘시드가 발렌시아에서 알무라비툰 지도자 유수프를 물리칠 때 그로부터 빼앗은 것이라고 하는데, 오늘날 북부 에스파냐 부르고스 시립박물관에서 볼 수 있다. 14세기 이래 이것은 그 여러 소유자를 에스파냐 문화에서 국가적 영웅이 되고 기독교도 병사로서 편입되고(약간 의심스럽지만) 심지어 할리우드에서까지 연고를 주장하는 인물과 연결하는 귀중한 보물이었다.

따라서 엘시드는 죽은 지 얼마 되지 않아서 새로운 영생의 신전에 들어갔다. 교회에 도덕적으로 선한 행동에 대한 교훈을 일반인에게 주기 위해 성인이 있는 것처럼, 속세에서도 독자적인 반신반인을 개발하고 있었다. 실제 인물과 신화적인 인물 모두다. 엘시드와 함께 롤랑, 아서왕, 페르스발(퍼시벌), 랑슬로(랜슬럿) 등을 꼽을 수 있다. 이 영웅들은 기사도로 뭉쳐진 생활 방식과 전사의 규범을 잘 보여준다. 이후의 중세에 기사의 의협은 기독교의 성인다움과 마찬가지로 강력한 심리적 기제가 되었고, 그것이 문필문화를 통해 확산되고 서방 세계 전역의 남녀의 실생활 행동에 영향을 미쳤다.

롤랑과 아서

폭력을 미화하고 전사를 낭만적으로 그리려는 바람은(어쩌면 심지어 필요는) 문명이 시작된 이래 인간 심리의 일부였다. 세계에서 가장 오래된 동굴 그림 가운데 하나가 2017년 인도네시아 술라웨시섬에서 발견된 벽화다. 붉은 안료로 석회암 벽에 서투르게 그린 만화 같은 장면은 사람 같은 존재가 멧돼지와 들소를 창으로 공격하는 모습을 보여준다. 이는 적어도 4만 4000년 된 것이다. 이 그림이 그려진 시기에는 호모사피엔스가 아직 네안데르탈인과 지구에서 공존하고 있었고, 마지막 빙기冰期가 끝나려면 2만 4000년은 더 기다려야 했다. 그러나 그 벽화를 한번 보면 술라웨시의 동굴을 장식한 선사시대 사람으로부터《일리아스》와 〈라이언 일병 구하기〉 같은 영화의 전쟁 이야기 주제로 이어지는 곧은 선을 볼 수 있다. 잔인성을 다루려는 충동은 미술에서 가장 오랜 주제다.

그렇기 때문에 중세에 새로운 싸움의 방식이 만들어졌을 때 사람들이 그에 부응하는 새로운 미술 장르를 내놓은 것은 놀라운 일이 아니다. 중세에 말을 타고 전쟁에 나가는 현실은 객관적으로 끔찍한 것이었다. 돈이 많이 들었을 뿐만 아니라 피곤하고 두려우며 고통스럽기도 했다.

1990년대 영국 남부에서 발견된 한 해골은 최근 방사성탄소 연대 측정에서 헤이스팅스 전투 시기의 것으로 밝혀졌는데, 기사 신분에 수반되는 무서운 신체적 퇴화를 보여준다. 손목, 어깨, 척추의 뼈에는 평생 이어진 고통스러운 마모의 흔적이 있었다. 관절과 등골뼈는 훈련과 말타기와 말 위에서의 싸움으로 힘든 나날을 보낸 탓에 닳아버렸다. 해골의 옆구리와 등에는 여섯 군데(별개의 것이다)의 심한 상처가 있었다. 이 사람이 나이 마흔다섯 살 무렵에 칼에 찔린 것이다. 이들 치명적인 가격은 고통스러운 일생에 대한 보답이었다.[36]

그리고 그것은 완전히 정상이었다. 중세 전사의 현실은 힘든 삶 끝에 더러운 죽음으로 마무리되었고, 그 뒤에는 그들이 저지른 모든 살육과 상해에 대한 벌로서 지옥에 떨어질 것이 분명했다. 그러나 중세 전사와 그들에 관해 쓰는 시인들의 충동은 이 신이 버린 현실을 쉬운 산문으로 이야기하는 것이 아니었다. 기사를, 그들 행위의 수상한 현실을 그들의 윤리 규범이라는 향수로 덮은 연인이자 탐색가로 그린 새로운 영웅문학으로 과장되게 쓰는 것이었다. 20세기에 T. S. 엘리엇이 썼듯이 "인간은 너무 많은 현실을 견디지 못한다."

기사의 행위를 고상하게 하고 성스럽게 하려 했던 위대한 저작 가운데 지금 남아 있는 것으로 가장 오래된 것은 앞서 5장에서 보았던《롤랑의 노래》다. 알려진 가장 이른 사본은 1098년까지 거슬러 올라가는데, 히스파니아 변경구에서 샤를마뉴를 위해 싸우다가 죽은 전사에 대해 이야기한다. 그는 778년 피레네산맥 론세스바예스 고개에서 '사라센인'에게 포위되어 머리가 잘릴 때까지 뿔나팔을 불다가 죽었다.

《롤랑의 노래》는 느슨한 의미에서 역사적 사실을 반영한 것이지만, 그 관심은 오래전의 일을 그대로 회상하거나 증거를 자세히 조사하는 것이 아니었다. 이 노래는 오히려 우마이야를 상대로 한 샤를마뉴의 전쟁을 무대로 사용해 용기, 사랑, 우정, 지혜, 신념, 정의의 본질을 상세히 설명하는 것이었다. 이것은 서사시, 역사시, 설화시의 넓은 장르(뭉뚱그려 무훈시武勳詩라고 한다)에 속하는 것이었다.

《롤랑의 노래》는 오늘날 프랑스 문학의 토대 자리를 차지하고 있다. 영국에서 《베어울프》가, 에스파냐에서 《우리 시드의 노래》가 그렇듯이 말이다. 그리고 그것은 놀랍지 않다. 그것은 엄청나게 재미있고 통속극 같으며 때로 매우 폭력적이다. 주요 등장인물(롤랑 자신, 그의 신중한 친구 올리비에, 의지가 약하고 진실되지 못한 그의 계부 가늘롱, 이슬람 왕국의 왕 마르실)은 생생하며 잊기 어렵고, 전투 장면은 피에 흠뻑 젖어 있다.

론세스바예스에서 벌어진 큰 결전의 정점에서 극적인 긴장감은 이례적으로 높아진다. 롤랑은 구원을 청하는 뿔피리 불기를 거부한다. 그렇게 하면 기사의 용기에 대한 최고의 이상을 버리게 된다는 주장이었다. 그래서 롤랑의 마지막 순간에는 잊히지 않는 비애감이 있다. 그가 뿔나팔에 입을 댔을 때 그는 자기네 왕과 스스로의 죽음을 동시에 부른 것이었다. 그리고 마지막으로 거친 정의正義가 있다. 11세기 당시 늦은 밤에 커다란 영주의 난로 앞에서 울려 퍼지는 이 노래를 들은 사람 가운데 시의 끝에 있는 섬뜩한 장면을 잊은 사람은 별로 없었을 것이다. 롤랑이 죽은 뒤 가늘롱의 유무죄를 결정짓기 위해 기사인 티에리와 피나벨이 사투를 벌이는 장면이다. 피나벨이 티에리의 투구를 치면서 그의 칼에서 불똥이 튀어나와 결투하고 있는 두 사람 주변의 풀에 불이 붙었다. 티에리는 죽을 뻔한 이 가격에 맞서 자신의 칼을 피나벨의 머리에 아주 힘껏 내리쳤고, 칼은 두개골이 둘로 가르고 코까지 내려갔다. 그의 뇌수가 흘러나왔다. 시인은 이렇게 말한다.

이 일격으로 싸움을 이겼다. 프랑크인들이 외쳤다.
"신께서 기적을 베푸셨다!"[37]

그러나 이것으로 일이 다 끝난 것은 아니었다. 피나벨은 반역자 가늘롱의 오명을 씻기 위해 싸웠기 때문이다. 그가 짐으로써 함께 가늘롱의 성격 증인이 되었던 서른 명의 인질도 끌려가 처형되었고, 가늘롱 자신은 말 네 필에 사지를 하나씩 묶어 찢어 죽이는 형벌에 처해졌다. 시인은 드물게 나온 절제된 표현으로 이렇게 말했다. "가늘롱은 배반자에 걸맞게 죽었다. 남을 배반하는 자는 그것을 자랑할 권리가 없다."[38]

이 모든 것으로 무엇을 알 수 있을까? 이 노래의 한가운데에 영원한 전쟁 서사시가 있다. 거기서는 영웅과 악한이 다투고 전쟁하고 살고 죽는다. 그러나《롤랑의 노래》가 돋보이는 것은 기사도의 가치를 진심으로 옹호하기 때문이다. 이 이야기는 청중이 자기네 무사 세계의 가장 긍정적인 모습을 되돌아보도록 설계된 것이다. 최고의 삶은 봉신과 영주 사이에 맹세한 의무를 충직하게 지키는 것과 기사가 자신의 말을 지키고 아무리 확률이 낮은 결투 신청이라도 받아들이는 일에 거의 병적으로 집착하는 것으로 규정되는 그런 세계다. 그리고 물론 이 모든 것의 끝에서 군인을 위한 (성인聖人을 위해서도 마찬가지다) 궁극적인 보상은 멋진 죽음이다.

《롤랑의 노래》는 대작이다. 그러나 독특한 것은 아니다. 12세기 초 이래 수백, 어쩌면 수천의 다른 무훈시가 쓰였다. 오늘날 필사본으로 남아 있는 수십 편은 사라진 많은 노래에 비하면 극히 일부고, 불렸지만 양피지에 적히지 않은 노래까지 포함하면 더욱 극히 일부에 지나지 않는다.

또 하나의 유명한 무훈시가 《기욤의 노래》다. 8세기 말에 이슬람교도를 상대로 싸운 남프랑스의 백작 기욤 드젤론의 행적을 서술한 것이다.

세 번째는 《고르몽과 이셍바르》다. 롤랑 이야기를 흥미롭게 뒤집은 것이다. 이셍바르라는 프랑스 출신의 기사가 자기네 왕에게서 학대받자 자신의 군주와 자신의 기독교 신앙을 모두 버리고 고르몽왕이 통치하는 이교도의 나라로 넘어간다. 《롤랑의 노래》나 《기욤의 노래》와 달리 《고르몽과 이셍바르》는 옳지 않은 영주를 상대로 반역을 해야 하는 기사의 난처한 상황을 다룬다. 이것은 엘시드 이야기와 분명하게 연결되며, 기사도의 긍정적인 모습을 밝고 생생한 색깔로 그려낸다. 명예와 개인적 용기에 관한 기사의 가치관은 당연히 미덕이다. 이 기사는 맹세를 어긴 영주에 대한 자신의 서약을 철회할 때조차도 다시 한번 세계를 위해 너무 훌륭함이 드러난다. 기사다움은 깨끗함과 마찬가지로 독실함과 가까운 관계다.

롤랑, 기욤, 이셍바르의 이야기는 모두 단순히 12세기에 유행했던 문학 장르의 증거로 그치는 것이 아니다. 이들은 중세 서방(특히 프랑스어와 이탈리아어의 방언을 쓰는 지역)의 기사 및 귀족 계급의 복합적인 자아상에 대한 안내서이기도 하다.

현대의 슈퍼히어로 영화 시리즈와 마찬가지로 무훈시는 후대의 시인과 필사자가 이야기를 자기네 시대에 맞게 손보면서 속편, 이전 이야기, '개작', 인물별 파생작 등을 낳았다. 그리고 슈퍼히어로 시리즈처럼 자기네의 독자적인 등장인물 배역을 가진 몇 개의 지배적인 '세계'가 있었다. 샤를마뉴 시대를 배경으로 한 《롤랑의 노래》나 《기욤의 노래》 같은 것은 14세기 이후 '프랑스물物'과 관련된 것으로서 묘사되었다. 트로야 전쟁이나 로마 건국 등 고전적 주제의 오래전 사건을 무대로 삼은 다른 것은 '로마물'을 다루는 것으로 이야기되었다. 그것들은 테세우스, 아킬레우스, 알렉산드로스 대왕 같은 영웅을 기성품 중세 기사로 취급했다.† 세 번째의 큰 '세계'는 오늘날 아마도 셋 가운데 가장 유명하고 지속적인 것일 텐데, 전설적인 아서왕의 궁정을 배경으로 하는 '브리튼물'과 관련된 로망스의 세계였다.

아서왕 이야기는 넷플릭스의 시대인 지금도 작가들이 많이 이용하는 소재다. 그리고 거기에는 충분한 이유가 있다.[39] 알려진 그 가장 이른 형태는 몬머스의 제프리가 쓴 《브리타니아 왕들의 역사》와 프랑스 작가 크레티앵 드트루아의 완전히 허황한 로망스를 뒤섞은 것인데, 이들조차도 아주 재미있는 허풍이며 잊지 못할 등장인물(아서 자신, 마법사 멀린, 모호한 왕비 귀네비어, 기사인 퍼시벌·가웨인·랜슬럿 등)을 모험과 놀라움으로 가득 찬 드넓은 세계에 함께 던져 넣었다. 사랑, 욕망, 충성, 부정不貞, 배신, 추적, 신앙, 형제애 같은 주제가 신비로운 왕, 아름다운 소녀, 성배, 거인이 설치는 이야기의 표면 아래에서 고동친다.

아서 로망스는 중세와 그 이후에 확장되고 다시 상상되고 다시 쓰여 오

---

† 고전 세계와 그 영웅들에 대한 관심은 보다 직설적인 수도원 역사물을 포함해 중세의 이 시기에 여러 문학 장르를 관통하는 주제였다. 때로 기사 제도와 그 가치관의 역사를 상상이 섞인 옛날로 끌어 올리려는 자각적 시도들이 있었다. 13세기의 《작센 세계연대기(Sächsische Weltchronik)》(현존하는 가장 오래된 고지독일어 산문 저작)는 고대 로마를 건국하고 원로원 의원으로 알려진 100명의 고문관과 기사로 불리게 되는 1000명의 전사를 선발했다는 로물루스의 이야기를 전한다. 19세기에 제프리 초서가 자신의 《캔터베리 이야기》의 첫 번째 이야기인 '기사의 이야기'의 무대로 테세우스 시대의 아테나이를 선택한 것은 유명하다.

랫동안 귀족과 궁정의 가치관(시간이 흐르면서 변화하고 진화했다)을 탐구하는 수단이 되었다. 그러나 이 이야기들에서 언제나 공통된 것은 인간성이 기사의 행위를 통해 탐색될 수 있다는 인식이다. 이들 기사 일부는 그들의 규범을 체현하고 있다. 그들 가운데 더 많은 사람은 진정한 기사다움(또는 기사도)이 얼마나 이루기 어려운지를 보여준다.

그러나 당연한 이야기지만 기사가 되는 것은 언제나 남자의 가장 큰 욕구였다. 이미 크레티앵 드트루아의 이야기 《페르스발》에서 페르스발은 소년 시절 숲에서 창을 던지며 스스로 전쟁에 대해 익히고 자연의 단순한 즐거움을 즐기는 것으로 나온다. 그는 들었고, 그리고 보았다.

> 무장한 다섯 기사가 머리부터 발끝까지 갑주를 두르고 숲을 지나오는 것을. (…)
> 반짝이는 미늘갑옷과 밝고 빛나는 투구, 창과 방패를. (…)
> 녹색과 주홍색이 햇빛에 반짝이는 것을.

자신이 천사를 보고 있다고 확신한 그가 우두머리에게 물었다. "당신들은 신입니까?"

그 사람이 대답했다. "아니요, 맹세코. 나는 기사입니다."[40]

허구보다 더 낯선

무훈시와 로망스, 그리고 비슷한 이야기는 중세 기사의 당당한 자아상에 대한 풍부한 인상을 남겼다. 그러나 그것들은 기사문화(광범위하지만 애매한 용어인 '기사도'라고 표현할 수 있다)를 탐구하는 광범위한 문학의 한 부분일 뿐이었다. 13세기의 작가들은 사실상 기사의 행실에 대한 안내서를 만들었다. 가장 이른 것은 1220년 무렵의 《기사도의 규율》로 알려진 우화시이고, 가장 유명한 것은 마요르카의 철학자 라몬 유이의 《기사도의 규율에 관한 책》이었다. 나중인 14세기에 프랑스 귀족 조프루아 드샤르니가 또 하나의 《기사도에 관한 책》을 썼다. 이 책들은 모두(그 밖의 많은 다른 책도) 우화적 이야기와 고민상담식의 직설적인 처방을 통해 기사 생활을 위한 자기네의 비전을 제시했다.

그것은 시간이 지나면서 말 타고 싸우는 것을 훨씬 넘어서는 일이 되었다. 기사가 궁정에서 지위를 얻어가고 사회에서 지주나 상류 귀족층과 마찬가지로 좋은 자리를 차지하면서 기사다움에 대한 글은 정신적이고 정서적인 측면에 초점을 맞추게 되었다. 기사에게는 용기, 정직, 자비, 경건, 가난하고 짓밟힌 자에 대한 관심, 대영주의 청사에서의 정중한 태도, 순수한 마음, 숙녀(자신의 아내는 결코 아닐 것이고 오히려 사회적 강자의 넘볼 수 없는 아내일 것이다)에 대한 무결점의 헌신을 보여줄 것이 권장되었다.

이런 기사 편람 일부는 작위 수여식을 묘사하고 있다. 이를 통해 기사가 되는 것이다. 엘시드의 시대에는 야심 있는 전사에게 칼과 띠를 채워 전쟁터에 내보냈는데, 13세기와 14세기가 되면 정화, 목욕, 선서, 작위 수여의 상세한 의식이 기사 신분으로 들어가는 이상적인 절차가 되었다. 이 과정은 성직 서품이나 왕에 대한 기름 부음과 그리 다르지 않았다. 13~14세기의 기사는 일단 이 세계로 들어오면 단순히 다음번 식사와 전투가 어디서 나올 것인지보다 훨씬 많은 것을 생각해야 했다.

얼마나 많은 기사가 기사도에 관한 책의 세세한 표준에 맞게 살았는지(또는 심지어 그러려고 노력했는지)는 말하기 어렵다. 그 답은 아마도, 많지 않았다고 해야 할 것이다. 그러나 노력한 사람은 있었고, 아마도 가장 대단한 삶을 영위한 사람은 윌리엄 마셜이었을 것이다. 그는 12세기와 13세기에 걸쳐 긴 생애를 살았고, 기사다운 기사의 이상을 현실로 바꿔놓기 위해 분투한 기사였다. 그는 흔히 영생하는 '최고의 기사'로 묘사되었다. 그가 무척 기뻐했을 찬사다.[41] 그의 이력은 기사도의 문학적 이상이 중세의 생활, 전쟁, 정치의 현실과 충돌했을 때 어떤 일이 일어날 수 있는지에 대한 사례로서 잠시 살펴볼 필요가 있다.

고대 프랑스어 운문으로 된 윌리엄 마셜(프랑스어로는 기욤 르마레샬)의 긴 전기(그가 죽은 직후 가족의 주문에 따라 쓰인 것이다)에 따르면, 그가 처음 전쟁이라는 일과 마주친 것은 다섯 살 무렵의 일이었다.

잉글랜드의 스티븐왕이 그를 공성용 투석기에 집어넣었다. 왕의 생각은 아이를 그 아버지 존 마셜이 점령하고 있는 성채의 성벽으로 쏘아 올리는 것이었다.[42] 그러나 윌리엄은 아이다운 천진난만을 과시하며(이는 어른이 되어서 그가 보인 본능적인 용감함의 전조였을 것이다) 마술을 부리듯이 꼭 죽을 고비에서 빠져나왔다. 그는 기꺼이 투석기의 끝으로 뛰어들어 가 그것이 놀이터의 그네라도 되는 듯이 그 위에서 앞뒤로 흔들어댔다.† 어린 윌리엄이 스스로 즐기는 모습은 왕의 심금을 유쾌하게 울렸다. 아이가 인질이 되었지만 그 아버지는 자신의 성을 내주기를 거부하면서 스티븐에게 맞서고 있었다. 따라서 스티븐왕은 충분히 아이를 투석기로 쏘아 죽일

---

† 여기에 묘사된 투석기의 종류는 팔이 긴 트레뷔세다. 던지는 팔의 한쪽 끝에 평형추가 있고, 다른 쪽에 발사용 총이 있다. '발사'가 되면 팔이 약 70도의 호를 그리며 총을 뒤에서 때린다. 이것이 발사체에 탄력을 더한다. 보통 무거운 돌을 사용하지만 때로 벌통, 죽은 소, 운 나쁜 사자使者나 이 경우처럼 무력한 아이 등 다른 것을 던지기도 한다.

수 있었지만, 누그러져서 아이를 살려주었다.

이후 몇 달 동안 그는 윌리엄을 가까운 사이처럼 대해 온갖 장난과 놀이를 하고 여러 가지 사고를 치도록 내버려두었다.

윌리엄 마셜의 일생에서는 이런 일이 반복되었다. 그가 어려서 휘말렸던 내전은 잉글랜드의 '무정부시대'에 일어났다. 잉글랜드 왕권을 놓고 스티븐왕과 그의 사촌이자 과부가 된 전 독일 황후 마틸다가 싸운 것이다. 이 전쟁은 1146~1147년 윌리엄이 태어났을 때 이미 10년째 벌어지고 있었고, 1154년 스티븐이 죽고 마틸다의 아들 헨리 2세가 잉글랜드의 플랜태저넷 왕조 첫 왕으로 즉위하면서 마무리되었다.

플랜태저넷 왕조가 들어옴으로써 윌리엄은 성공할 수 있었다. 새 왕 헨리는 잉글랜드 외에 노르망디와 프랑스 중부의 백국伯國인 앙주, 멘, 투렌도 장악하고 있었다. 그는 아일랜드의 지배권도 주장했고, 웨일스에 대한 군사적 욕심도 품었다. 한편 그의 아내 알리에노르는 현대 프랑스의 서남부 지역인 아키텐의 여성 공작이었다. 이 부부는 자녀를 많이 두었다. 아들 넷과 딸 셋이 성년까지 살아남았다. 그리고 가장 중요한 것으로, 그들은 전쟁을 많이 치렀다. 반란을 일으킨 속국과, 이웃 지배자와, 그리고 서로 간에도 싸웠다. 이 모든 것은 배고픈 젊은 기사들이 잡을 수 있는 플랜태저넷가의 후원이 많았음을 의미한다. 전쟁에 나갈 기회가 없었던 해는 거의 없었다.

윌리엄은 여덟 살 무렵 왕궁에서 가족의 품으로 돌아온 이후 기사가 되기 위한 훈련을 시작했다. 그의 아버지는 그를 노르망디로 보내 8년 동안 교육받도록 했다. 기사로서의 명성 때문에 선택된 친척의 집에서였다. 그 친척은 "어느 순간에도 가문에 수치를 끼친 적이 없었"던 사람이었다.[43] 윌리엄은 곧바로 이 집안의 다른 식구들에게 깊은 인상을 주지는 못했지만, 그 친척은 그를 믿어주었다. 윌리엄의 전기에 따르면 그 친척은 아이에 대해 불평하는 사람이 있으면 이렇게 대꾸하며 조용히 타일렀다. "두고 보세. 그래도 저 아이는 세상을 깜짝 놀라게 할 거야."[44] 말은 쉬웠지만 실제로 이루기는 어려웠다. 윌리엄은 집에서 넷째 아들이었다. 스무 살 무렵에 기사 작위를 받았지만, 1166년 아버지가 죽었을 때 아무것도 상속받지 못했다. 그래서 그는 자신의 무력만 가지고 세상에서 살길을 찾아야 했다.

배워야 할 확실한 교훈이 몇 가지 있었다. 윌리엄은 1160년대 노르망디에서 벌어진 자신의 첫 전투에서 용감하게 싸웠다("대장장이가 쇠를 내리치듯" 적들을 내리쳤다). 그러나 너무 용감했는지, 결국 자신의 말들을 잃었다. 그중 가장 좋은 말은 그가 타고 있을 때 살해당했다.[45] 기사에게는 참사였다. 그들의 재산은 싸우는 과정에서 얼마나 많은 포로, 말, 안장, 무기를 얻을 수 있느냐에 따라, 나중에 몸값을 어떻게 받느냐에 따라 오르내렸다. 윌리엄은 승리 축하연에서 이득에 눈을 돌리지 않고 무모하게 싸웠다 해서 놀림을 당했다. 그는 주머니를 채우지 못했기 때문에 자기가 탈 새 말을 사기 위해 옷을 팔고 친척에게 군마를 달라고 청해야 했다. 그는 아는 것보다 배워야 할 것이 더 많았다.[46]

다행히 윌리엄은 두뇌 회전이 빨랐고, 마상 경기장의 전투에 관한 많은 가르침을 받아들였다. 12세기의 마상 경기는 14~16세기에 일반적이었던 축구장식의 관중석 앞에서 하는 연출된 경기(그것이 오늘날 할리우드의 중세 묘사에서 대세가 되었다†)와 달랐다. 윌리엄의 시대에 마상 경기는 모의 전

---

† 예를 들어 브라이언 헬걸런드의 (역사학적으로 완전히 정확하지는 않지만) 훌륭한 영화 〈기사 윌리엄〉(2001)을 보라.

투였다. 수십(심지어 수백) 명의 기마자가 탁 트인 시골에서 수 킬로미터를 돌아다니며 팀을 이루거나 일대일로 싸우며 경쟁하는데, 상해를 입히거나 죽이는 것이 아니라 생포하는 것을 목표로 했으며 늘 올바른 방식만을 추구하려 하지는 않았다.

마상 경기는 대략 1090년대부터 열렸고, 미리 광고가 되었다. 참가 희망자가 와서 경기에 나설 수 있도록 하기 위해서다(때로는 수백 킬로미터 밖에서도 왔다). 관중, 연예인, 행상, 노점상, 대장장이, 말 조련사, 점쟁이, 음악가, 건달, 도둑, 식충이도 함께 왔다. 마상 경기의 중심지는 플란데런, 라허란던, 그리고 프랑스 왕국과 그 카롤링 친척인 독일 제국 사이 지역이었다.[47] 그러나 마상 경기가 더 인기를 끌면서 그것은 다른 지역으로도 퍼져나갔다. 국경 지역은 언제나 인기 있는 장소였다. 기사들이 약간 안전한 환경에서 지역의 경쟁자들과 경기를 할 기회가 주어졌기 때문이다.

윌리엄의 시대에 마상 경기는 매우 인기가 있었다. 그리고 그것은 당연한 일이었다. 마상 경기는 매력적이고 위험한 부자의 스포츠였다. 왕과 대귀족, 그 주변인이 참가했으며, 경기는 거칠고 상금은 푸짐했다.†
마상 경기에 참여함으로써 기사는 자신의 전쟁 기술을 연마할 수 있었고, 후원자가(또는 연인이) 될 가능성이 있는 사람에게 자신의 마상 능력을 각인시킬 수 있었다. 기사는 경기에 나갈 때 자기 재산과 명성, 그리고 자신의 목숨을 걸었다. 교회는 여러 차례 마상 경기를 금지하려고 했고, 때때로 개별 지배자들은 그것이 공공질서에 위협이 된다며 불법화했다.

---

† 현대의 것과 비교하자면 상류층의 냄새를 풍기는 폴로, 일확천금의 흥분이 있는 도박, 거친 프로 럭비, 기술이 필요한 종합격투기의 특성을 합친 스포츠를 상상하면 된다.

그러나 이런 시도는 대개 효과가 없었다. 마상 경기는 21세기의 광란 파티와 마찬가지로 젊은이의 과격 충동을 발산하고 충족시키는 억제할 수 없는 문화의 일부였다. 《란첼롯》에서 12세기 독일 로망스 작가가 썼듯이 마상 경기는 "명성과 영예"를 얻을 수 있는 기회였다. "거기서 그들은 마음껏 찌르고 벨 수 있었다. 모든 유명인이 참가할 터였다. 그리고 거기서 뛰어난 기사와 숙녀를 만날 수 있었다. 거기에 참가하지 않는 것은 불명예였다."[48]

윌리엄 마셜의 기사 초년병 시절 마상 경기계의 가장 부유하고 빛나는 인물 가운데 하나가 '소년왕' 헨리였다. 헨리 2세와 아키텐의 알리에노르의 맏아들이자 계승자로 확실시되던 사람이었다.† 어린 헨리는 부유하고 잘생겼으며 후하게 베풀었다. 그는 윌리엄보다 일고여덟 살 어렸다. 두 사람은 헨리의 어머니가 1170년 마셜을 열다섯 살 먹은 자기 아들에게 싸움과 승마를 가르칠 일종의 개인 교사로 채용해서 만나게 되었다. 윌리엄은 금세 소년 헨리의 집안의 초석이 되었다. 그는 헨리를 마상 경기장으로 안내해 함께 말을 타고 그를 보살폈다.

그리고 1173~1174년 '애정 없는 전쟁'이라는 플랜태저넷 가문의 갈등 속에서 소년 헨리가 아버지 헨리에 맞서 반란을 일으켰을 때 윌리엄은 구체제에 맞서 자기 주군 편에 섰다. 열여덟 살의 소년왕은 반란이 시작되면

---

† 소년왕 헨리는 1170년 잉글랜드왕으로 즉위했다. 아버지인 '노왕老王' 헨리와 공동으로 통치하는 '소왕少王'이었다. 이런 방식은 모두에게 불만스러운 것으로 드러났다. 아버지 생전에 완전한 지배권을 쥐고자 했던 '소왕'의 좌절된 야망은 1173~1174년 플랜태저넷 내전의 한 요인이었다. '소년왕' 헨리는 아버지보다 먼저 죽었기 때문에 같은 이름의 잉글랜드왕에게 붙이는 일련번호를 받지 못했다. 그는 기름 부음을 받고 대관戴冠을 했기 때문에 사실은 헨리 3세로 불려야 했지만 그러지 못했다. (그를 헨리 3세로 불렀다면 왕비가 여섯 명이었던 튜더 왕조의 유명한 왕 헨리 8세는 헨리 9세로 불렀을 것이다.)

서 기사가 되었다. 그에게 전쟁을 이끌 자격이 있음을 공식 천명한 것이다.

마셜의 전기 작가가 말한 식으로 두 사람은 완벽한 기사의 우정을 나누었다. '소년왕' 헨리는 "매우 훌륭하고 예절 바르며 다른 어떤 기독교도보다 너그러웠다. (…) 그는 완벽한 용모, 고결한 행동, 충성심에서 지구상의 모든 왕자를 능가했다. (윌리엄은) 자신의 시대와 그 이후를 통틀어 군사에 관한 최고의 교사였다. (…) 그는 왕에게 완전히 헌신했으며 한 번도 그를 저버리지 않았다."[49] 왕과 기사를 떼어놓을 수 없는 동지로 그린 이 묘사는 무훈시나 아서 로맨스 가운데 하나의 내용을 그대로 가져왔을 것이다. 그리고 사실 이는 마셜과 '소년왕'이 활동했던 문화적 환경을 반영하고 보강한 이야기였다. 왕과 마셜은 함께 말을 타고, 함께 유럽을 여행하고, 서로의 옆에서 싸웠다. 그들은 군주와 전문가였고, 학생과 교사였고, 전우였다.

그러나 삶은 여러 가지 방식으로 예술을 모방했다. 크레티앵 드트루아의 아서 로맨스《수레의 기사 랜슬럿》에서 비극적이고 용감한 기사 랜슬럿은 자신의 기사도적인 귀네비어 왕비 숭배를 갈 데까지 간 연애로 변질시킴으로써 아서왕을 배신했다.[†][50] 반복되는 이 로맨스의 주제는 바로 순결하고 품격 있는 사랑과 실제의 간통 및 불륜 사이에 선을 긋기가 이렇게 어렵다는 것이다.

1182년 무렵에 윌리엄 마셜이 바로 이런 문제에 걸렸다. '소년왕'과 친밀한 관계를 맺은 윌리엄은 그의 젊은 왕비 마르그리트와도 알게 되

---

† 이것은 재미있게 뒤얽힌 이야기 속에서 일어난다. 랜슬럿은 비열한 멜리어건트에게 수감된 귀네비어를 구출하는 임무를 맡는다. 왕비를 추적하는 과정에서 탔던 말 두 필이 죽자 그는 과묵한 난쟁이가 모는 마차를 타는 것을 받아들인다. 이것은 기사에게는 가장 품위 없는 탈것으로 생각되었다. 이야기는 이중 서사로 전개된다. 랜슬럿은 수레를 타고 가는 수치를 이기려고 애쓰며, 한편으로 귀네비어에 대한 속절없는 사랑(그것이 때로 두 사람을 자살 문턱으로 몰고 간다)을 인식하고자 한다.

었다.† 이 지면知面 관계는 '소년왕' 주변에서 상스러운 험담의 소재가 되었고, 마상 경기장에서의 윌리엄의 기량에 대한 분노와 뒤섞여 그가 보상금과 몸값의 대부분을 제 주머니에 넣는다고 인식되었다. '난잡한 일'에 관한 소문은 '소년왕'의 귀에 들어갔고, 그는 화가 나서 "마셜에 대해 상당한 악감정을 품고 그에게 말을 하지 않게 되었다."[51]

이 이른바 배신이 초래한 증오는 매우 실제적이었다. 윌리엄은 궁정에서 쫓겨나 몇 달 동안 기사 일을 쉬었다. 그는 독일의 순례지들을 찾았으며, 잠시 동안 플란데런 백작의 궁정에서 지냈다.

그는 결국 '소년왕'과 화해했으나 아주 잠시였다. 1183년 초 '소년왕'이 병에 걸려 죽었다. 윌리엄은 침대맡에서 그를 보았고, 그와 화해를 하면서 예루살렘의 예수 무덤을 찾아가겠다는 헨리의 맹세를 대신 지키겠다고 약속했다. 이것은 작은 일이 아니었다. 그러나 기사의 이상을 구현하는 것이 평생 목표인 마셜 같은 기사에게 말은 곧 보증서였다. 그는 예루살렘의 십자군 왕국에서 2년을 보낸 뒤 돌아왔고, 이제 마흔 살쯤 된 그는 플랜태저넷 왕실의 신하로서 인생의 후반기를 시작했다. 그것은 어느 모로 보나 전반기만큼 활기찬 것이 될 터였다.

젊은 헨리왕을 섬겼던 마셜은 이제 늙은 헨리왕을 위해 일하게 되었다. 헨리 2세는 자신의 생애와 치세의 막바지를 향해가고 있었고, 사방의 적에 둘러싸여 있었다. 그 가운데 프랑스 카페 왕조의 새 왕 '존엄자' 필리프 2세가 대표적이었다. 1189년에 필리프는 헨리의 남은 두 아들 리처드와

---

† 1158년에 태어난 마르그리트는 ('소년왕'의 어머니인 아키텐의 알리에노르의 전 남편인) 프랑스의 루이 7세의 맏딸이었다. '소년왕'이 죽은 뒤 마르그리트는 헝가리왕 벨러 3세와 결혼했다. 1197년 성지聖地에서 죽었다.

존을 꾀어 동맹을 맺고, 이제 병들고 쇠약해진 그들의 아버지를 상대로 한 전쟁에 나섰다.

윌리엄이 충성의 대상을 플랜태저넷 왕가의 다음 세대 왕자들에게로 옮겼다면 이해할 수 있었을 것이다. 얼마 지나지 않아 리처드가 잉글랜드 왕국의 왕이 되고 존은 가장 강력한 귀족이 될 것이 뻔했기 때문이다. 그러나 윌리엄은 자신의 충성심에 관한 명성을 다른 모든 덕목에 비해 더욱 중시했다. 그는 헨리 2세가 죽을 때까지 그 곁을 지켰고, 이에 따라 또 한 왕의 임종을 지켰다. 헨리 2세는 7월 6일 시농에서 죽었다.

이보다 앞서 헨리의 아들들과 싸우는 과정에서 윌리엄은 리처드와 전투에서 직접 맞닥뜨렸다. 리처드는 그의 싸움 기술로 유럽 전역에서 이미 명성을 날린 군인 왕자로 '사자 심장'으로 알려지게 되는 사람이었다. '사자 심장'이든 뭐든, 마셜은 리처드를 제압해 그가 타고 있는 말을 죽였지만 그 젊은이의 목숨은 살려주었다. 그가 리처드에게 이렇게 말한 것은 유명하다.

"악마가 당신을 죽일 거요. 내가 그 일을 하고 싶지는 않소."[52]

이렇게 기사다운 예의와 치명적인 잔혹함을 겸비함으로써 윌리엄은 '사자 심장'의 높은 평가를 받았다. 리처드가 왕으로 즉위하자 마셜은 플랜태저넷의 한 왕을 섬기다가 자연스럽게 다른 왕을 섬기게 되었다. 그러나 이번에는 단순한 기사로서의 보필에 그치지 않았다. 리처드는 윌리엄을 크게 승진시키고 잉글랜드·웨일스·노르망디에 넓은 귀족의 사유지를 주었으며 부유한 10대 상속녀 이저벨 드클레어와 결혼하도록 했다. 윌리엄은 죽을 때까지 이저벨과 살게 된다. 이저벨은 그와의 사이에서 많은 자녀를 낳았고, 아일랜드의 땅을 가져왔다.

리처드는 관대함의 대가로 윌리엄이 일에 나서게 했다. 1190년에서

1194년 사이에 리처드는 자신의 나라를 떠나 3차 십자군을 이끌었다. 그의 긴 부재는 그가 귀국길에 독일 황제 하인리히 6세에게 납치되어 갇히게 되면서 더 길어졌다. 이 기간 동안 윌리엄은 그날그날의 행정을 이끄는 잉글랜드의 각료들을 감독하는 일을 맡은 귀족 가운데 하나였다. 그는 또한 왕국을 자신이 통제하기 위해 (명백히 기사답지 않게) 선동하고 있던 리처드의 아우 존을 제어하는 일도 해야 했다.

그 이전의 엘시드처럼 윌리엄은 이제 모험을 하는 기사의 세계에서 지역 및 국제정치의 중요 인물로 올라섰다. 그러나 그는 여전히 상황이 요구하면 곧장 싸움터로 달려갈 생각이었다. 프랑스 북부 밀리성城에서 벌어진 잉글랜드와 프랑스 군대 사이의 충돌 가운데 하나에서 마셜은 온몸에 갑주를 두르고 칼을 든 채 빈 해자 바닥에서 기어올라 사다리를 타고 성벽 꼭대기에 올랐다. 성벽 꼭대기에서 그는 밀리의 성주를 찾아냈다. "그를 마구 가격하고 투구를 쪼개 (…) (성주는) 쓰러져 의식을 잃었고 난타당해 기절했다." 마셜은 자신이 "이제 지쳐" 패배한 성주를 깔고 앉아 깨어나거나 달아나지 못하게 했다.[53]

이번에는 윌리엄 마셜이 왕이 죽는 자리에 없었다. 1199년 리처드 1세가 샬뤼샤브롤의 한 성을 포위 공격하면서 우연히 석궁 화살을 맞은 뒤 생긴 괴저壞疽를 이기지 못하고 죽을 때였다. 그러나 그는 리처드의 동생 존이 어린 조카 브르타뉴의 아르튀르를 물리치고 플랜태저넷 왕좌에 오르는 정치 활동에 개입되었다. 이 결정은 결국 아르튀르에게 치명적이었는데, 존은 재위 첫해에 아르튀르를 잡아다 가두었다가 살해했다.

존을 지원한 윌리엄은 이제 보다 더 큰 상을 받았다. 서웨일스의 펨브로크 백작령이 그 하나였다. 이로써 이제 광대해진 그의 잉글랜드 및 웨일스 사유지가 아일랜드의 사유지와 연결될 수 있었다. 다시 한번 그의 기사로서의 가치관(충성심이 가장 중요한 것이었다)이 그에게 합당한 보수를 준 듯했다.

그러나 윌리엄은 존과 잘 지낼 수 없었다. 새 왕의 성격은 '베튄의 익명씨匿名氏'라는 역사 기록자가 깔끔하게 요약해놓았다. 존은 아낌없는 친절과 아량을 베풀 수 있었다고 작가는 썼고, 왕실 기사들에게 멋진 외투를 나눠주었다고 덧붙였다. 그러나 다른 측면도 있었다. 존은 "상당한 악한이었다. 어느 누구보다 더 잔인했다. 그는 예쁜 여자를 탐했고, 이 때문에 나라의 고위층 남성들을 부끄럽게 했다. 그래서 사람들이 매우 싫어했다. 그는 틈만 나면 거짓말을 했다. 진실과는 담을 쌓았다. (…) 그는 고결한 사람은 모두 싫어했고, 그들을 시기했다. 누군가 제대로 처신하는 것을 보면 그는 매우 기분 나빠했다. 그는 악한 성격으로 꽉 차 있었다."⁵⁴ 존왕에 대한 이런 부정적인 평가는 이 역사가만 내린 것이 아니었다. 그는 1199년에서 1216년 사이에 재위했는데, 영국 역사에서 가장 해놓은 일이 없는 왕 가운데 하나였다. 그의 실패 목록은 요약하더라도 매우 길다.

존은 플랜태저넷의 프랑스 땅(노르망디 공국 포함)을 거의 다 잃었고, 브르타뉴의 아르튀르를 죽였으며, 교황 인노켄티우스 3세를 짜증 나게 해서 결국 파문까지 당할 정도였고, 귀족에게서 세금과 명분 없는 납부금으로 돈을 너무 많이 뜯어내 그들 상당수를 파산과 반란 중에서 택일해야 하는 지경으로 몰았으며, 국민에게서 수탈한 돈을 프랑스에서 잃어버린 땅을 되찾기 위한 무모한 전쟁에 모두 털어 넣었고, 왕국을 내전으로 몰아넣고 그 와중에 자신의 왕권을 제한하는 평화 협정(나중에 〈마그나카르타〉, 즉 〈대헌장〉으로 알려지는 것이다)을 받아들이지 않을 수 없었으며, 〈마그나카르타〉를 부인해 내전에 다시 불을 붙이고 그 결과로 프랑스 왕위 계승자가 되는 루이가 자신의 왕국을 전면 침공하도록 했고, 결국 자신은 죽고 협력자 대부분에게 버려졌으며 왕국의 보석 상당수를 워시로 알려진 잉글랜드 동부의 습지에서 잃어버렸다.

이 모든 일에서 존의 책임이 정확히 어느 정도인지는 여기서 따질 문제가 아니다.† 그러나 중요한 것은 (아마도 칼레 부근의 이 도시에서 플란데런 영주를 보필하던 사람이었을) 베튄의 익명씨가 틀림없이 기사의 관점에서 존의 문제점을 바라봤을 것이라는 점이다. 존은 무능하고 미숙한 지도자였을 뿐만 아니라 불운하고 외교적 수완도 없었다. 또한 진실하지 않고 수치스러웠으며 욕심이 많고 믿을 수 없었으며 악독했다. 윌리엄 마셜이 그의 인생에서 성공한 것이 기사의 미덕에 대한 그의 헌신에 대한 보상이라고 그의 전기 작가가 보았던 것과 마찬가지로, 베튄의 익명씨 같은 역사 기록자는 존의 왕으로서의 급격한 몰락을 그가 삶을 비기사도적으로 접근한 응분의 대가라고 봤을 것이다. 기사다움(또는 그에 대한 인식)은 12~13세기에 사람을 흥하게도 할 수 있고 망하게도 할 수 있었다. 그것이 윌리엄 마셜을 성공하게 했다. 그것이 존왕을 파괴했다.

윌리엄은 존의 치세 초기에 그와 사이가 틀어졌고, 그 중간의 7년 동안 아일랜드에서 자발적 추방 생활을 했다. 존은 1213년 그를 다시 잉글랜드로 불렀다. 정권의 바퀴가 떨어져 나가기 시작하던 때였다. 마셜은 이를 자신의 흔들리지 않는 충성심을 과시할 또 하나의 기회로 삼았다. 마셜이 펨브로크 백작이 되면서 그를 돕겠다고 했던 서약 외에 다른 어떤 이유로도 그럴 자격이 없는 주군을 섬기기 위해 그는 달려갔다. 그는 〈마그나카르타〉를 만들어낸 반란 동안 보란 듯이 왕의 곁을 지켰다. 헨리 2세의 생

---

† 관심 있는 독자는 나의 이전 책 *The Plantagenets* (London: 2009), *Magna Carta* (London: 2015), *In the Reign of King John* (London: 2020)을 보라.

애 마지막 시기에 그랬던 것처럼 말이다. 그때 (존을 포함한) 사람들은 늙은 왕을 버리고 새 정권 쪽으로 눈을 돌렸다. 잉글랜드가 내전으로 곤두박질칠 때에도 그는 자신의 군주를 버리지 않았다. 다만 그는 자기 아들들이 반란자 편에 서는 것을 허용했다. 가족의 위험을 분산시켜 어느 쪽이든 결국 이기는 쪽을 지원한 것이 되도록 보장한 것이다.

마침내 1216년 10월 존이 죽었을 때 마셜은 늘 그렇듯이 멀리 있지 않았다. 그는 존의 아홉 살짜리 아들 헨리를 직접 떠맡았다. 그가 기사 작위를 받게 하고, 헨리 3세로 즉위하기 위해 글로스터 대수도원에서 열린 대관식에 그를 배종했으며, 나아가 프랑스 군대를 잉글랜드 땅에서 몰아내기 위한 전쟁 활동을 이끌고 왕국을 어린 새 왕의 지배 아래 재통일하게 했다. 그가 마지막으로 전투에 달려간 것은 1217년의 링컨 전투였다. 이때 그는 일흔 안팎의 나이였고, 말에 박차를 가해 적에게 달려가기 전에 투구를 써야 한다고 누군가 일깨워줘야 했다.

링컨에서는 극적인 승리를 거두었고, 그것이 전쟁의 흐름을 돌렸다. 게다가 그것은 역사상 가장 위대한 기사라는 윌리엄 마셜의 명성을 탄탄하게 굳혔다. 1년여 뒤인 1219년 그가 죽을 때 그는 어린 왕 헨리를 자신의 침대맡으로 불러 근엄한 훈계를 했다. 윌리엄은 소리를 짜내 이렇게 말했다.

"우리 주 하느님께 (…) 왕께서 훌륭한 사람으로 자라도록 해주실 것을 빕니다. 그리고 왕께서 몇몇 나쁜 조상들의 전철을 밟고 왕께서 그들처럼 되기를 바라는 것이 사실이라면 나는 마리아의 아들, 신께 왕의 긴 수명을 허락하지 말도록 기도합니다."

"아멘."

왕은 그렇게 답하고 마셜이 편히 죽을 수 있도록 물러났다.[55]

윌리엄 마셜의 사례는 중요하다. 그는 중세 기사의 전성기에 살았다. 이때는 전쟁터에서 '프랑크' 중기병의 능력이 최고치에 달한 때였고, 기사의 가치관이 문학과 정치 세계 양쪽에서 높은 수준으로 발달한 때였다.

그의 아들 윌리엄과 친구인 얼리의 존John of Earley이 그의 이례적인 삶을 기념하기 위해 주문한 그의 전기는 서양 중세 역사로부터 현재까지 전해진 가장 중요한 기록 가운데 하나다. 기사도 문학을 정치적 보고문학과 완벽하게 융합했기 때문이다. 물론 그것은 자주 서정적 역사처럼 변장을 하는 자기중심적인 선전이다. 여기에는 윌리엄이 나쁜 짓을 하고 자신의 불운이나 마상 경기장에서 일이 잘 풀리지 않았다 해서 끙끙 앓는 모습이 거의 보이지 않는다.

그러나 이 기록이 찬양 전기 쪽에 기울어 있다 해서 나쁠 것은 없다. 이것은 이상화된 기사의 삶이 현실에서 어떻게 전개되었는지를 다른 어떤 작품보다 더 잘 보여주기 때문이다. 여기에 나오는 주장과 사건에 대한 관점이 언제나 진실이라고 받아들일 수는 없지만, 마셜의 전기는 기사도 문화가 정치적 사건에 얼마나 깊숙하게 영향을 미치고 뒷받침했는지를 실제로 보여준다는 점에서 타의 추종을 불허한다. 이 전기는 기사가 된다는 것이 무엇을 의미하는지를 구체화하며, 엄격한 도덕규범의 짐을 충분히 견뎌낼 능력을 가진 한 사람이 자신의 시대를 실질적으로 어떻게 만들어 나갈 수 있는지를 보여준다.

1939~1945년 시기의 사건과 사조에 관심을 가진 사람이라면 어느 순간에든 윈스턴 처칠의 자기중심적이지만 스케일이 큰《2차 세계대전》을 집어 들게 되는 것과 마찬가지로, 플랜태저넷 왕조 초기, 헨리 2세와 리처드 1세와 존 왕의 프랑스 왕들과의 전쟁, 기사의 시대 유럽의 정신세계에 대해 지나가는 관심이라도 가진 모든 사람은 어느 순간에든《윌리엄 마셜

의 역사》를 읽게 될 것이다.

기사의 유산

1184년, 대략 윌리엄 마셜이 예루살렘 순례를 마치고 고국 잉글랜드로 돌아오던 시기에 서남 잉글랜드 글래스턴베리의 베네데토회 대수도원에 불이 나 완전히 타버렸다. 이것은 재난이었다. 그러나 또한 일생일대의 기회였다. 당시 글래스턴베리 대수도원장이던 헨리 드설리가 그것을 알아차리고는 펄쩍 뛰었다.

1180년대에는 아서왕 숭배 및 그와 관련된 낭만적이고 환상적인 기사에 대한 관념이 넘쳐나고 있었다. 잉글랜드와 서유럽의 부유층 사이에는 아서 관련물에 대한 끝이 없어 보이는 욕구가 있었다. 이에 따라 수도원장 헨리가 잿더미가 된 수도원 터에 대한 발굴을 의뢰했다. 그의 주문을 받은 발굴자들은 정확하게 그들이 가서 찾으려 했던 것을 '발견'했다. 한 왕 부부의 유해가 들어 있는 쌍묘雙墓였고, 그것은 아서왕과 귀네비어 왕비의 유해인 것으로 밝혀졌다(그들의 이름이 적혀 있다고 하는 납 십자가를 근거로 한 것이다).

까칠한 웨일스인 필사자 웨일스의 제럴드와 그 밖에 돈과 권력 있는 사람에게 알랑거리는 여러 박식한 학자(이들은 지금 우리가 '인플루언서'라 부르는 사람의 중세판이었다)가 유해 조사를 위해 초빙되었다. 그들은 발견한 것이 진짜라는 데 동의했다. 이렇게 해서 아서와 귀네비어를 찾아냈다. 글래스턴베리는 지도에 올랐다. 그리고 그 무덤을 지키는 수행자들이 거기서 퍼뜨린 아서 관련 내용은 미래 세대에게 중대한 영향을 미치게 된다.

시간이 지나면서 아서왕 로망스는 계속해서 중세 상류층의 상상력을 확실하게 사로잡았다. '사자 심장' 리처드는 1190년대에 십자군 원정을 위해 잉글랜드를 떠나 성지로 갈 때 자신이 아서왕의 칼 '엑스캘리버'라고 생각하는 칼을 가지고 갔다. 1230년대에 잉글랜드 헨리 3세의 동생인 콘월 백작 리처드는 북콘월 해안의 반도인 틴태절아일랜드를 점령하고 성을 하나 쌓고, 이곳이 아서왕이 잉태된 곳이라고 적극적으로 선전했다.[56]

그리고 이 모든 것 가운데 아마도 가장 중요한 것으로, 헨리 3세의 아들인 '꺽다리' 에드워드 1세(재위 1272~1307)가 잉글랜드왕이던 1278년 부활절에 궁정 사람을 모두 이끌고 글래스턴베리로 가서 이른바 아서왕의 무덤을 직접 방문했다. 두 살 어린 왕비 카스티야의 레오노르와 그곳에 동행한 그는 왕의 무덤을 열라고 명령하고, 아서와 귀네비어의 유해를 살폈다. 이 부부 가운데 왕은 매우 키가 크고 왕비는 매력적으로 아름다웠다고 한다. 에드워드와 레오노르는 직접 뼈를 고운 천으로 싼 뒤 그것을 무덤에 안치했다. 양쪽 끝에 사자가 한 마리씩 그려져 있는 검은 대리석 관이었다. (이것은 지금 남아 있지 않다. 튜더 시대 수도원이 해체될 때 파괴되었다.[57])

어떤 면에서 이것은 점잖 빼는 수작이었다. 세속적인 순례가 의례의 연출로 활기를 찾았다. 그러나 에드워드의 통치라는 측면에서 그것은 그 이상이었다. 기사가 나오는 아서 로망스에는 정치적 맥락 또한 있기 때문이다. 브리튼물이라는 맥락이다. 아서의 영원한 공적은 아마도 그가 브리튼 제도의 쪼개진 정치체들을 자신의 지배 아래 통합하기 위해 싸웠다는 사실일 것이다. 13세기 말에 이것은 더 이상 기억이 희미해진 과거의 안개 속에 사라진 어떤 옛날 것이 아니었다. 이것은 살아 있는 공공정책이었다.

에드워드 1세 통치의 핵심 목표는 잉글랜드의 왕권을 스코틀랜드와 웨일스에도 미치게 하려는 왕의 공세였다. 자신만이 브리튼인의 주인임을 주장할 수 있도록 하기 위해서였다. 스코틀랜드인의 왕들과 웨일스의 토착 군주들 위에 우뚝 서야 했다. 이론상으로 아서왕과의 친연성에 대한 역사적 주장을 가장 강하게 할 수 있는 사람은 웨일스인이었다. 그들은 로마 치하 브리튼인의 후예지만 5~6세기 색슨인의 침입 시기에 서쪽으로 쫓겨나 세번강 너머에 갇힌 사람들이었다. 그러나 에드워드는 아서를 가져감으로써 웨일스인이 그를 자기네 혈족이라고 주장하는 것을 막고 그들 독립의 정당성도 박탈했다. 유명한 전사이자 양심적인 기사 왕인 그 에드워드가 아서왕이 모든 브리튼인의 왕이라고 주장하고 있는 것이다. 다시 한번 기사문학은 정치와, 실재하는 영속적 영향과 충돌했다.

에드워드가 글래스턴베리 수도원을 찾기 전해인 1277년, 그는 웨일스 북부에 있는 이 나라 토착 권력의 심장부인 귀네드에 대한 대규모 상륙 침공에 나섰다. 그의 대군에는 수백 명의 중무장한 기사가 포함되어 있었다. 그들은 저항에 나선 웨일스인보다 훨씬 나은 무장을 하고 있었다. 공격의 규모 자체가 엄청났다. 그리고 1282~1284년에 왕은 그 후속으로 또 다른 대군 원정을 보냈다. 이 원정은 웨일스의 마지막 독립 군주 허웰린 압그리피드(또는 '마지막 왕 허웰린')의 죽음으로 정점을 찍었다. 에드워드와 그 후계자들은 이제 잉글랜드와 함께 웨일스도 지배하게 되었다.

이런 상황을 영속화하기 위해 잉글랜드왕의 공사 담당자들은 웨일스 북부에 여러 개의 커다란 석성을 쌓았다. 기사, 정착 영주, 식민지 개척자가 들어가 살도록 한 곳이었다. 이들 가운데 가장 큰 카이르나르번(카나번), 비우마레스(뷰마리스), 플린트, 리들란(루들란), 콘위 등의 성은 오늘날에도 가파른 북웨일스의 풍광 속에서 여전히 희미하게 모습을 보이고 있다(12장 참조). 체스터와 방고어(뱅고어) 사이의 해안도로를 달려보면 자유 웨일스에 대한 에드워드의 세찬 공격을 느낄(또는 슬퍼할) 수 있다. 아서 관련물을 현실에 드러내는 것을 주제로 삼은 무자비한 정복 전쟁이었다.

그러나 에드워드 1세가 개인의 낭만적인 판타지를 실행하던 시기에 기사의 역할은 변하기 시작했다. 우선 전쟁터에서 그들의 역할은 전술의 혁신과 갑주의 발전에 맞추어 조정되어야 했다.

브리튼제도에서는 기사 전투의 역사상 가장 파멸적인 날 가운데 하나가 1314년 6월 24일 펼쳐졌다. 배넉번 전투 이틀째 날이었다. 에드워드 1세의 불운한 아들 에드워드 2세(재위 1307~1327)가 이끄는 수백 명의 잉글랜드 기사가 스코틀랜드의 용감한 왕 라이베르트 브루스가 지휘한 스코틀랜드인 보병이 휘두르는 창에 찔려 죽었다.

이후 100년 동안 잉글랜드의 기사는 자기네의 전투 방식을 급속하게 바꾸기 시작했다. 창을 비스듬히 끼고 돌격하는 전통적인 방식을 버리고, 때로 말을 타고 전투에 나가지만 주로 발로 달리며 싸웠다. 군사사가들이 '말에서 내린 중기병'이라 부르는 것이다. 그들은 더욱 튼튼한 장갑으로 몸을 보호했다. 장갑은 사슬을 엮은 갑옷에서 '판' 형태의 갑주로 진화했다. 강철을 두드려 펴서 그 판을 연결한 것이 칼, 창, 도끼의 가격으로부터 더 잘 보호해주었다. 옛 '프랑크'식 기병 공격의 '미사일 집중포화'는 더 이상 중세 장군의 무기고에서 대표 무기가 아니었다. 기사가 뛰어다니며 싸우는 것 외에 잉글랜드왕들은 장궁長弓을 투입했고(때로 웨일스에서 궁수를 뽑아다 쓰기도 했다), 대륙의 상대들은 쇠뇌를 사용했다. 쇠뇌는 제노바에서 만드는 것이 품질이 좋기로 유명했다.

여기에 13~14세기에는 모병 방식 또한 변하고 있었다. 왕들은 더 이상 그들이 전쟁을 할 때 군역을 지는 조건으로 토지를 양여하는 '봉건' 제도에 그리 크게 의존하지 않았다. 대신에 사회 전체에서 거두는 세금이 계약된 병사나 용병에게 급료를 주는 데 사용되었다. 이들은 기간이 정해진 (보통 40일) 계약에 따라 나와서 전투에 참여하기로 동의한 사람이다. 기사는 이후에도 상당 기간 어떤 군대에서도 여전히 중요한 역할을 계속하게 된다. 사실 1차 세계대전 때까지도 서유럽의 여러 전쟁터에서는 말을 탄 기병이 있었다. 곡사포가 유행하고 기관총 사격으로 가시철조망이 쳐진 무인 지대를 훑는 상황에서도 말이다. 그러나 14세기가 되면 기사가 전쟁터를 주름잡는 시절은 지나갔다.

그러나 이상하게도, 그렇다고 해서 기사의 매력이 사라지지는 않았다. 전혀 그렇지 않았다. 기사가 전쟁터에서는 비교적 중요성이 떨어졌지만, 사회에서는 지위가 상승했기 때문이다. 13세기 중반 이후 잉글랜드의 기사는 의회로 소집되기 시작했고, 거기서 그들은 나중에 하원이 되는 자리를 차지했다. 잉글랜드 의회의 두 회의장 가운데 두 번째(그러나 오늘날은 가장 중요한) 것이다. 이런 과정은 이베리아의 왕국들과 프랑스에서도 반복되었다. 이베리아에서는 카발레로(기사)가 코르테스로 알려진 의회 기구에 참여할 권리가 있었고, 프랑스에서는 루이 9세가 자신의 첫 파를르망(의회)에 열아홉 명의 기사를 소집했다.

그리고 기사다움이 전시 이외에 새로운 사회적 기능을 지님에 따라 기사 신분은 더 넓은 기반의 사회 계급을 나타내는 표지가 되었다. 바로 신사紳士(gentry)로 알려진 계급이다.[58] 귀족은 당연히 계속 기사 작위를 받게 된다. 기사 신분은 여전히 귀족층의 상무 정신 및 그 남자다움이라는 수사와 연결되어 있기 때문이다. 그러나 그것은 또한 여유가 있지만 아주 부유하지는 않은 사람, 사유지가 있지만 지역을 장악하지는 않은 사람, 전쟁에 나가지만 부대를 지휘하지는 않는 사람에게까지 확대되었다. 평화시 그들의 직업에는 의회 의원, 재판관, 행정관, 검시관, 징세관 같은 부류가 포함되었다. 곧 이런 일이 기사의 군사적 의무보다 많아져 결국 신사는 어느덧 기사 신분 추구를 전혀 내키지 않아하게 되었다. (잉글랜드에서는 때로 세금 때문에 그것이 강요되기도 했다. 기사 작위 압류로 알려진 과정이다.)

이 문제에 관해 더(훨씬 더) 이야기할 수 있는 것은 많다. 그러나 이제 기사 제도가 놀랄 만큼 오래 지속되었다는 사실에 대해 간단히 살펴보는 것이 낫겠다.

그것은 실제 기사가 존재한 것보다 약 500년은 더 지속되었다. 총과 대포, 직업 군대가 등장하고 봉건적 행정의 흔적이 몽땅 사라진 지 오래된 16세기에도 장갑 기병, 기사다움, 기사도의 매력은 유럽의 상류 계급에게 여전히 거부할 수 없는 것으로 남아 있었다. 기사는 여전히 엘시드나 윌리엄 마셜이 누렸던 것과 같은 국제적 명성을 얻는 것이 당연히 가능했다.

그런 사람 가운데 하나가 독일의 자유 용병이자 시인이었던 고트프리트 폰베를리힝겐이었다. '강철손 괴츠'로 더 잘 알려진 사람이다. 기사의 전투 기술의 필요성이 곧 없어진다는 것을 아주 단적으로 보여주는 이야기지만, 폰베를리힝겐은 1504년 바이에른에 있는 한 도시 포위전을 돕다가 대포를 맞아 오른손을 잃었다. 그러나 그는 오른손 의수義手에 의지해 군사 경력을 이어갔고, 독일 제국 곳곳의 분쟁을 찾아다니며 일생을 보냈다. 그는 피의 복수를 대행하는 것이 전문이었다. (그는 또한 1520년대 독일 농민전쟁에서 반란 민병대를 이끌었다.) 무슨 기적이었는지 폰베를리힝겐은 그가 80대이던 1560년대까지 살았고, 고향의 자기 집에서 죽었다.

그리고 폰베를리힝겐은 중세 황혼기 기사 생활의 신체적 위험성을 보여준 유일한 사례가 결코 아니었다. 1524년, 괴츠와 같은 시대 사람인 잉글랜드왕 헨리 8세는 마상 경기에서 창으로 겨루다가 심한 부상을 당했다. 이에 굴하지 않고 헨리는 겨루기를 계속하다가 다시 부상을 당했다.

1536년, 그는 더욱 심각한 낙마로 건강에 영구적인 손상을 입었고 거의 죽기 직전까지 가서, 궁정과 당시 왕비 앤 불린이 공포에 휩싸였다. 그럼에도 불구하고 그는 기사라는 허식에 대한 열의를 거두지 않았다. 그것이 그의 자아상의 본질적인 요소였다.

오늘날 런던탑이나 윈저성에 가 보면 헨리가 1540년대 그의 마지막 프랑스 군사 원정 무렵에 주문한 거대한 갑옷을 볼 수 있다. 그가 포탄을 맞았다면 이 갑옷을 입었다고 도움이 되지는 않았겠지만, 이는 그가 탄생하기 수백 년 전으로 거슬러 올라가는 낭만적 전통 속의 기사도가 있는 군인으로서의 그의 자아상을 드러낸다.

중세 분장놀이에 탐닉한 잉글랜드왕은 헨리가 마지막이 아니었다. 런던탑에는 또한 찰스 1세(재위 1625~1649)와 제임스 2세(재위 1685~1688)를 위해 만들어진 멋지고 화려하게 장식된 갑옷도 전시되어 있다. 그들의 치세가 다사다난했음에도 불구하고 이 갑옷들은 의례에서 과시하는 외에는 중세의 갑주로서 실제로 사용되지 않았다. 그러나 기사와 관련된 물건은 그들의 시대에 군주와 귀족의 생활 구조 속에 긴밀하게 엮여 있었다.

사실 이는 지금도 마찬가지다. 오늘날 영국에서 가장 고상하고 제한된 공적 영예 가운데 하나는 기사 작위를 받는 것이다. 더 제한적인 것은 가터기사단 가입이다. 이 기사단은 본래 1348년 에드워드 3세의 마상 창 겨루기 상대 24명을 위해 아서왕의 원탁의 기사를 본떠 만든 조직이었다. 현재의 가터기사단에는 왕실 고위 성원, 전직 총리, 고위 공무원, 정보 기관원, 은행가, 장성, 권력 주변인이 들어가 있다. 해외의 왕 가운데서 선택된 '외국인 기사'로 알려진 성원도 있다. 덴마크, 에스파냐, 일본, 스웨덴, 네덜란드의 군주다.

현대의 기사 제도가 영국에만 있는 것은 아니다. 기사단 조직은 오스트리아, 덴마크, 독일, 이탈리아, 폴란드, 스코틀랜드, 에스파냐, 스웨덴 등 세계 여러 나라에 아직도 존재한다.[59] 심지어 미국에서도 기사와 기사 조직을 볼 수 있다.

이 책을 쓰는 도중에 나는 미국 테네시주 내슈빌의 한 교회에서 열린 한 현대 미국 기사단의 서임식에 참석했다. 새 기사들과 귀부인들이 캐나다 태생의 저자 토머스 코스테인이 쓴 매우 낭만화된 20세기의 여러 권짜리 플랜태저넷 왕조사를 바탕으로 구성한 의식에서 칼로 공식 작위를 받았다. 이에 따라 그들은 사설 기사 관계망의 일원이 되었다. 성원 가운데는 별 두세 개짜리 장성, 미국 안보 기관원, 판사, 법률가, 월스트리트 금융가가 있었다.[60]

나는 그때, 오늘날의 기사 작위가 이전에 언제나 그랬던 것과 차이가 없다고 생각했다. 명백하게 상류사회의 것이고 국제적인 문제이며, 환상적인 요소가 섞여 있고 때로는 완전히 바보스러우며, 싸움의 방식이라기보다는 공유된 가정의 성격이 훨씬 강하다. 그러나 이는 한때 서방의 가장 강력한 사람들의 철학을 형성하고 그들이 자기네 주변의 세계를 만들어 갈 수 있게 한 조직이었다.

8장

십자군들

✤

이교도는 틀렸고 기독교도는 옳다.
— 《롤랑의 노래》에서

1071년 8월 마지막 주에 동로마 황제 로마노스 디오예니스는 좀 불편하고 완전히 불리한 위치에서 셀주크 술탄 알프아르슬란을 바라보았다. 그의 목이 알프아르슬란의 장화 밑에 밟혀 있었다. 로마노스는 팔이 아팠다. 전날 다친 곳이었다. 그는 흙투성이가 되고 피를 흘렸다. 그는 약간 애를 쓴 끝에 자신이 실은 그 어느 곳의 지도자도 아니라는 사실을 술탄에게 이야기했다. 로마의 계승 국가는 언감생심이었다. 그리고 그가 알프아르슬란에게 그 사실을 인정하자 이 셀주크 지도자는 굴종의 의례를 거행할 것을 고집했다. 그의 목을 밟는 것이었다. 로마노스에게는 즐거운 하루가 아니었다.

그를 이런 비참한 지경으로 몰아넣은 사건들은 이랬다. 그해 초여름에 로마노스는 대군을 소집했다. 광범위한 지역에서 뽑은 아마도 4만 명에 이르는 병력이었다. 제국 내부에서 모은 그리스계 전사 외에도 프랑크인과 노르드 루시, 중앙아시아의 페체네크인과 오구즈인, 캅카스의 조지아인까지 모았다. 그는 이들을 동로마 제국 동부로 진격시켰다. 그곳에는 알프아르슬란이 아르메니아와 시리아 북부 방면에서 제국 영토를 습격하고 있었다. 로마노스의 목표는 술탄과 그의 경기병(말을 탄 궁수였다) 대군을 쫓아내 그들이 소아시아에 있는 자기네 속주로 더 들어오지 못하게 막는 것이었다. 그러나 일은 그의 생각대로 진행되지 않았다.

8월 26일, 그는 반호湖(오늘날의 튀르키예 동부) 부근 말라즈기르트(만지케르트)에서 셀주크인을 전투에 끌어들이려 했다. 그러나 알프아르슬란은 그보다 한 수 위였다. 경기병은 결전을 벌이려 하지 않고 퇴각하며 동로마 군대가 자기네를 따라오게 했다. 그리고 어둠이 깔릴 무렵 셀주크가 갑자기 돌아서서 공격을 가해 로마노스의 병사들을 당황하고 겁에 질리며 심지어 탈주하게 만들었다. 동로마 군대는 당황스러울 정도로 금세 패주했고, 로마노스는 열심히 싸웠지만 타고 있던 말을 잃었고 오른손은 이리저리 베였다(다른 상처도 많았다). 그리고 결국 포위되어 사로잡혔다.[1] 그는 피를 흘리며 무서운 밤을 보낸 뒤 알프아르슬란 앞으로 끌려갔다. 그리고 이제 술탄의 뒤꿈치 아래에 그가 놓였다.

로마노스에게는 다행스럽게도 이 어색한 상황은 오래가지 않았다. 알프아르슬란은 자신의 생각을 밝힌 뒤 황제를 풀어주고 자기 발 앞으로 오게 한 뒤 걱정 말라고 말했다. 그가 포로이기는 하지만 앞으로 잘 대해주고 잘 먹이며 아프면 치료받게 하고 술탄의 곁에서 명예롭게 살게 해줄 것이라고 했다. 한 일주일쯤 뒤에는 콘스탄티노폴리스로 돌아가 그곳에서 자신의 힘을 다시 찾고 원하는 대로 자기 일을 할 수 있을 것이라고 했다. 이는 계산된 아량의 과시였다. 술탄의 고결을 강조하기 위한 것이었다. 그리고 이것이 로마노스 디오예니스의 목숨을 살렸다. 잠시였지만 말이다.

알프아르슬란이 이끈 셀주크는 튀르크인이었다. 그들은 본래 아랄해 (지금의 카자흐스탄과 우즈베키스탄 사이에 있다) 부근에 살던 유목 부족의 후예인 순나파 이슬람교도였다. 그러나 10세기 말 이후 그들은 이슬람 세계의 지배 세력으로 올라서고 중앙아시아로부터 페르시아로 들어가 정복에 나섰다. 1055년 압바스조 할리파의 승인 아래 바그다드를 점령했으며, 이어 시리아, 아르메니아, 조지아(사카르트벨로), 그리고 동로마의 동부 변경으로 뻗어나갔다.

로마노스 황제가 셀주크를 막아섰을 때 그들은 서아시아의 광대한 지역을 지배하고 있었다. 아마도 폭이 3000킬로미터에 이르렀을 것이다. 그리고 그들은 거기서 더 밀고 나갈 야심을 지니고 있었다. 909년 이후 파티마 왕조의 시아파 할리파가 지배하고 있던 이집트로, 북쪽으로 캅카스를 지나 루시의 땅으로, 그리고 소아시아를 관통해 (콘스탄티노폴리스가 있는) 보스포로스해협으로 말이다. 로마노스가 그들을 막아서지 않을 수 없었던 이유이자, 말라즈기르트에서의 패배와 곤란으로 확실해진 그의 실패가 중요한 이유였다.

로마노스가 콘스탄티노폴리스로 출발할 때, 일이 잘 돌아가지 않았다. 알프아르슬란도 알고 있었듯이 황제를 죽이는 것보다 더 확실하게 동로마에 불화의 씨를 뿌리는 것은 패배한 자를 돌려보내는 것이었다.

로마노스는 전투에 패했을 뿐만 아니라 말라즈기르트 외에도 안티오케이아와 에데사 같은 시리아 북부의 도시도 잃었다. 그는 알프아르슬란에게 무거운 연례 공물을 지불하기로 동의했고, 자신의 딸 가운데 하나를 술탄의 아들 가운데 하나와 혼인시키겠다고 약속했다. 그는 이제 분명히 미래의 공격으로부터 소아시아를 방어하는 데 의지할 만한 인물이 아니었다. 그리고 그가 제국의 반대쪽 끝에 있는 경쟁자들이 발칸반도의 제국 영토를 뜯어가지 못하게 할 수 있는지 역시 분명히 의문이었다. 그는 책잡힌 황제였다. 그리고 동로마는 그런 일들을 용납할 수 없었다.

반란은 로마노스의 패배 소식이 그의 나라 수도에 들리자마자 시작되었다. 미하일 두카스가 경쟁 황제로 선포되었다. 미하일은 말라즈기르트에 참전한 고위 장교 가운데 하나였으나, 부상을 당하지 않고 빠져나왔다. 그는 아들 안드로니코스 두카스를 보내 로마노스가 콘스탄티노폴리스에 도착하기 전에 그를 가로채고자 했고, 늙은 황제는 붙잡혔다. 안드로니코스는 로마노스를 정치적으로 죽이기 위해 그의 눈을 멀게 한 뒤 마르마라 해의 프로티섬(지금의 크날르아다섬)으로 옮겼다. 불행하게도 로마노스는 시력을 잃은 뒤 실제로 죽었다. 한 역사 기록에 따르면 로마노스의 상처가 감염되는 바람에 "그의 얼굴과 머리에 벌레가 들끓었다." 당연히 그는 그로부터 얼마 되지 않은 1072년 여름에 죽었다. 이제 동로마가 셀주크에 의해 해체되는 것을 막는 일은 두카스 가문에 맡겨졌다.

두카스 가문은 이 일에 실패했다. 동로마 심장부의 약점과 이견을 탐지한 셀주크가 소아시아로 달려들어 동로마 영토를 휩쓸었다. 미하일 7세는 완전히 역부족인 것으로 드러났다. 그는 자신의 지배에 대한 몇 차례의 반란을 겪은 뒤 1078년 황제 자리에서 물러났다. 1080년대에 들어서자 서아시아에서 대규모의 재편이 일어났고, 그것은 동로마를 빠드득 소리가 나도록 쥐어짰다. 동로마는 소아시아에서 떨려났을 뿐만이 아니었다. 동부 지중해 지역의 기독교의 보루라는 그들의 명성에도 큰 손상을 입었다. 1009년, 그들은 이집트 파티마 왕조의 할리파 알하킴이 예수의 무덤을 보호하는 성묘교회聖墓敎會 파괴를 명령했을 때 무력함이 드러난 바 있다. 이제 그들은 더욱 약한 위치에 있었다. 그들 대신에 동방에서 떠오르는 세력은 셀주크였고, 그 뒤를 이집트의 파티마가 따랐다.

물론 파티마와 셀주크는 그들끼리도 다투고 있었다. 시리아와 팔레스티나에서 종교적 분열과 경제적 경쟁으로 나뉘어 있었다. 그러나 그들은 모두 동로마의 영적 능력과 영토 장악력을 갉아먹고 있었다. 긴급 조치를 취할 수 있는 황제가 없으면 오랜 로마 제국에는 곧 남아 있는 것이 없게 될 듯했다. 구원군이 올 곳을 찾기가 어려웠다.

그러나 1081년 알렉시오스 콤니노스가 새 황제 자리에 올랐다. 뛰어난 군 장교이자 말라즈기르트 전투에 참전했던 알렉시오스는 동로마의 국운을 어떻게 회복할 수 있을지에 대한 복안을 가지고 있었다. 구원군은 700년쯤 전 동로마에서 떨어져나간 로마 제국의 서쪽에서 와야 한다고 그는 생각했다.

즉위 10년이 넘어가면서 알렉시오스는 역사를 바꾸게 되는 구원 요청을 했다. 동로마 사절들이 서방 왕국들로 파견되어 기독교 세계의 '저쪽' 절반(서유럽과 프랑크인의 땅이다)에서 군사적·정신적 지원을 요청했다. 그들은 연쇄적인 행사를 시작했다. 그것이 중세 역사에서 가장 놀라운 사건들 가운데 하나로 합쳐진다. 바로 1차 십자군 운동이다.

우르바누스 2세

1088년 3월 12일, 오동 드샤티용이라는 중년의 프랑스 주교가 교황 우르바누스 2세로 즉위했다. 오동은 이미 교회에서 출중한 경력을 쌓았다. 젊은 시절 베네데토회 수도사로서 서약을 했고, 스스로 클뤼니 조직에서 유명인임을 입증했다. 그는 유명한 위그 대수도원장 재임 시절에 클뤼니 수도원 부원장으로서 관리자 가운데서 2인자가 되었다. 6장에서 보았듯이 클뤼니 전성기에 그 고위 성직자는 높은 사람과 친밀한 경향이 있었고, 오동 역시 마찬가지였다. 위그 수도원장처럼 그는 유럽 각지 지도자의 비위를 맞추었으며, 유명한 개혁 교황 그레고리우스 7세와 특히 가까워졌다. 1080년 무렵 그레고리우스는 오동을 클뤼니에서 빼내 오스티아의 주교추기경에 임명했다. 이것은 그에게 바로 교황 자리로 가는 도약판이었다.

오동이 교황 우르바누스가 되었을 때의 정치적 환경은 매우 비관적이었다. 우선 교회는 이중의 분열을 겪고 있었다.

첫 번째 분열은 교리에 관한 것으로, 30여 년 전인 1054년으로 거슬러 올라가는 일이었다. 그해에 콘스탄티노폴리스 교회와 로마 교회에서 서로의 견해차(적절한 단식 기간이나 성찬례聖餐禮에서 어떤 종류의 빵을 사용해야 하는가 같은 문제에 관한 것이었다)로 모욕하는 편지를 주고받으면서 불이 붙어 이후 서로를 파문했다. 기독교 세계의 동-서 양쪽 절반 사이의 관계는 미묘했고, 우르바누스는 자신이 할 수 있는 곳에서 그것을 매끄럽게 할 방법을 찾아야 했다.

두 번째 분열은 알프스산맥 너머에서 시작된 것이었다. 1076년, 그레고리우스 7세와 독일왕 하인리히 4세 사이에서 이른바 '서임권 투쟁'이 분출했다. 이것은 표면적으로 세속 지배자가 교황의 승인 없이 주교를 임명('서임')할 수 있는지를 둘러싼 견해차였지만, 이 다툼은 정말로 훨씬 더 큰 문제의 핵심으로 돌진했다. 그 뿌리는 프랑크계 독일의 지배자가 황제 관념을 키우도록 허용되었던 샤를마뉴의 재위기에 있는 문제였고, 이는 깊숙한 체제상의 문제를 제기했다. 그레고리우스가 1075년 〈교황 교서〉로 알려진 문서에서 주장했듯이 교황이 서방에서 유일한 최고 권위자인가, 아니면 왕이 자기 왕국에서 (신 바로 아래의) 최고 권력을 갖는가? 후자가 하인리히의 입장이었다.[2] 너무나 많은 것이 걸려 있었기 때문에 사태는 원한이 되었고, 그런 뒤에 광포해졌다. 우르바누스가 선출되었을 때 독일의 지원을 받는 대립교황 클레멘스 3세가 아직 정리되지 않은 상태였고, 로마는 남부 이탈리아의 노르만인으로부터 공격을 당한 지 얼마 되지 않은 때였다.

이 모든 것에 더해 다른 절박한 통치 사안도 있었다. 우르바누스는 그레고리우스 노선의 개혁가였다. 그는 성직자의 행동에 높은 표준을 강요하고 기독교권 서방 전역에 대한 교황의 통제를 확장한다는 이전 스승의 야망에 공감하고 있었다. 이것은 그저 수도원 내부의 도덕성에 관심을 기울이는 것과 관련된 것만이 아니었다. 거기에는 세속적인 측면 역시 있었다.

10세기 말 이래 유럽의 성직자는 국지적인 다툼을 벌이고 있는 기사들의 폭력을 막기 위해 자기네가 무슨 일을 할 수 있는지를 놓고 고민하고 있었다. 교황들은 남부 이탈리아의 노르만인을 통해 이를 직접 경험한 바 있었다. 그러나 문제는 고질적이었다(또는 그런 듯했다).

제멋대로인 기사들에게 교회의 규율을 부과하려는 초기의 두 시도는 '평화 운동'으로 알려졌다. '신의 평화'와 '신의 휴전'이다. 이는 대중 옹호 프로그램이었다. 이를 통해 성직자는 전사에게 교회 약탈, 살인, 강간, 상해, 민간인 강탈을 삼갈 필요가 있음을 각인시키려 노력했다. 주교는 도시와 지역을 교회의 분명한 보호 아래 두어 '평화'를 강제하고자 노력했으며, 주민에게 해악을 끼치는 침해자에게 신이 천벌을 내릴 것이라고 위협했다. 한편 '휴전'은 연중 싸움이 금지된 날과 시기를 지정했다.[3] '신의 평화'와 '신의 휴전'은 결과적으로 모두 대중 사이에서 매우 환영을 받았지만, 대단하게 효과적인 것은 아니었다. 따라서 즉위 초기 우르바누스를 짜증 나게 했던 많은 일 가운데 하나가 어떻게 해야 긍정적인 행동으로 도덕적 견책을 뒷받침하느냐였다.

그런데 1095년에 흥미로운 해법이 저절로 떠올랐다. 3월 첫 주에 콘스탄티노폴리스에서 온 알렉시오스(1세) 콤니노스 궁정의 사절들이 서방에 나타났다.[4] 그들은 피아첸차시에서 우르바누스를 찾아냈는데, 그는 거기서 시노두스로 알려진 교회 회의를 열고 있었다. 그리고 그들은 그에게 제안을 하나 했다. 장크트블라지엔 수도원 출신인 독일의 역사 기록자 콘스탄츠의 베르놀트는 이렇게 썼다. 그들은 "교황 성하와 모든 신실한 기독교 신자에게 이교도에게 맞서 성스러운 교회를 지키기 위해 (동로마에) 무언가 도움을 줄 것을 겸손하게 간청했다. 이교도가 이 지역에서 교회를 거의 파괴했으며 콘스탄티노폴리스 도시 성벽 앞 땅까지 점령했다고 했다."[5] 터무니없는 요구였다. 그러나 그들의 탄원이 성전 전사들의 귀에 들어갔다. 동로마에서 그런 요청이 온 것은 이번이 처음이 아니었다. 말라즈기르트의 참사 이후 플란데런 백작에게 배달된 한 익명의 편지는 튀르크인에 맞설 서방의 군사 원조를 요청했다. 그레고리우스 교황은 별도로 세속 군주들에게 "사라센의 가장 빈번한 파괴로 심하게 고통받고 있는 기독교도들에게 도움을 줄"[6] 것을 진정했다. 이때까지는 진지한 관심이 기울여지지 않았다. 그러나 1090년대에는 이야기가 달라졌다.

1095년 봄 이후 우르바누스 교황은 이례적으로 집중적인 여행에 나섰다. 프랑스 남부와 부르고뉴 지방을 중심으로 한 것이었다. 그는 강력한 귀족 및 주교(툴루즈 백작 레몽, 부르고뉴 공작 외드, 르퓌 주교 아데마르 같은 영향력 있는 인물들이었다)와 반갑게 악수를 나누었다. 그리고 공식 및 비공식 전도자들에게 자신의 이야기를 널리 알리도록 격려했다.

그 이야기는 정말로 폭발적이었다. 우르바누스는 로마 교회의 전사들에게 무기를 들고 동쪽으로 행군하라고 요구했다. 그곳에 가면 그들은 동로마 황제를 도와 믿을 수 없는 튀르크인을 그의 땅으로부터 몰아낼 수 있었다. 그리고 이는 단지 첫 단계일 뿐이었다. 최종 목표는 콘스탄티노폴리스가 아니라 이슬람교도가 점령하고 있는 예루살렘의 예수 성묘였다. 동로마 황제가 그곳에 있는 기독교도의 권리를 지키지 못한다면 교황이 나서야 한다고 우르바누스는 생각했다. 그것은 그저 동로마를 구하는 것으로 그치지 않는다. 그것은 기독교 세계에서 가장 성스러운 곳의 보호자 역할을 로마 황제로부터 빼앗게 된다.

우르바누스가 그런 거창한 계획을 구상할 수 있었던 한 가지 이유는 그가 클뤼니의 은둔처에서 보낸 나날에 있었다. 앞서 보았듯이 클뤼니는 위그 수도원장의 지휘 아래 (열렬한 레콩키스타 전사였던) 카스티야의 알폰소 6세 같은 왕들과의 관계를 통해 비기독교 세력을 상대로 한 전쟁의 경제 속에 편입되었다. 클뤼니가 재정적으로 힘을 얻고 지역에서 확산된 것은 레콩키스타로 인한 이득이 적지 않은 부분을 차지했다. 그리고 이베리아반도에서 로마 교회의 임무 역시 1080~1090년대에 엘시드 같은 사람들이 만들어낸 승리로 지원되었다.

서방에서 먹혔던 것을 그대로 동방에 옮겨놓을 수 있다면? 쉽지 않을 것이다. 예루살렘을 정복하겠다는 우르바누스의 구상은 중세의 달 탐사 우주선 발사였다. 그러나 교황은 확신하고 있었다. 1095년 10월, 그는 클뤼니 수도원을 찾았다. 그곳에서는 세계 최대의 교회가 건축되고 있었다. 그는 클뤼니의 주제단主祭壇에 축복을 내리고 자신의 이전 동료 및 친구와 함께 한 주를 보냈다. 그리고 11월에 그는 또 하나의 교회 회의를 소집했다. 클레르몽에서 150킬로미터 떨어진 곳이었다. 그리고 11월 27일, 그는 1000년 동안 이야기될 설교를 했다. 정확한 설교 전문은 사라졌지만, 샤르트르의 푸셰르로 알려진 한 역사 기록자에 따르면 우르바누스는 청중에게 이렇게 간청했다.

동방에 사는 여러분의 형제들에게 서둘러 도움을 주십시오. 그들은 당신들의 도움이 필요하고, 이를 자주 간청했습니다.

페르시아 민족인(원문 오류) 튀르크인이 그들을 공격했고 (…) 로마 영토로 진격해 (콘스탄티노폴리스까지) 들어왔기 때문입니다. 그들은 갈수록 더 많은 기독교도의 땅을 점령하고 있습니다. 그들은 전투에서 기독교도보다 일곱 배나 많이 승리를 거두었고, 많은 사람을 죽이거나 사로잡았으며, 교회를 파괴했고, 하느님의 왕국을 유린했습니다.

진실한 기도로 인해 (…) 하느님께서는 여러분에게 그리스도의 심부름꾼으로서 기사와 보병, 부자와 가난한 자를 막론하고 모든 계층의 사람에게 이 더러운 인종을 우리 땅에서 절멸하고 늦지 않게 기독교도 주민을 돕도록 거듭 촉구할 것을 권고하십니다.[7]

우르바누스는 이 감동적인(그리고 주목할 것으로, 정신이 번쩍 들게 격렬한) 부탁에 장려책을 추가했다. 절멸 전쟁에 나가 싸우다가 죽은 모든 사람은 '죄의 사면'으로 보상받는다는 것이었다. 그들이 이승에서 지은 죄는 용서받을 것이다. 그들이 천국으로 가는 데 장애물이 없어진다. 죄를 지워버리는 것이 서방 사람에게 도덕적·재정적으로 큰 관심이 된 시대에 이는 매우 매력적인 제안이었다. 우르바누스는 새롭고도 영구적인 영적 청산법을 만들어냈다. 집을 떠나 수천 킬로미터 밖에 가서 다른 인류를 학살하는 사람은 천국의 보상을 받을 것이다.

그것은 큰 성공을 거두었다. 자신의 군대를 동로마에서 성지로 보낸다는 교황의 계획 역시 마찬가지였다. '수행자' 로베르로 알려진 역사 기록자가 기록한 우르바누스의 설교에 관한 보고를 보면 교황이 예루살렘을 해방하겠다는 자신의 계획을 언급하자 청중들은 고개를 뒤로 젖히며 고함을 질렀다.

"세계의 중심에 있는 왕의 도시는 자유를 간청하며 갈망하고 있습니다."
"데우스 불트! 데우스 불트!"†8

'데우스 불트'는 '신의 뜻'이라는 의미다.

우르바누스는 선거 집회에 나간 현대 정치가처럼 자신이 떠난 지 오랜 뒤에도 지지자들을 자극해줄 선창-후창의 구호를 만들었다. 그는 또한 한 편의 산뜻한 연극 같은 것을 만들었다.

클레르몽 집회가 절정에 달했을 때 아데마르 주교를 비롯한 교황의 가장 헌신적인 지지자들이 무릎을 꿇고 영광스러운 원정에 참여하게 해달라고 요청했다. 우르바누스는 참여를 원하는 모든 사람에게, 어깨나 가슴에 십자 표시를 해서 다른 사람과 구별한 뒤 세상에 나가 그 말을 여러 사람에게 알리고 출발을 준비하라고 명령했다. '십자군'††이라는 말은 아직 만들어지지 않았지만, 우르바누스는 1차 십자군을 조직했다. 처음에 '커다란 감동'으로 알려지고 나중에 '1차 십자군'으로 불린 현상이 시작되었다.

---

† 오늘날 '데우스 불트'는 극우파, 백인지상주의자, 반이슬람 폭력주의자가 표어와 밈으로 채택하고 있다. 점잖은 자리에서는 외치지 않도록 주의해야 한다.
†† 내가 다른 곳에서도 썼지만 '십자군 전사'를 의미하는 크루체시그나티crucesignati는 교회를 위한 싸움에 나가기로 한 사람을 의미한다. 이는 '십자군'이라는 말이 있기 오래전에도 있었다. 나의 책 *Crusaders* (London: 2019)의 서론을 보라.

1차 십자군

우르바누스 2세의 십자군의 분노를 처음 마주친 사람은 콘스탄티노폴리스 성문 앞에 있던 튀르크인도 아니었고, 시리아의 셀주크인도 아니었고, 예루살렘에 있는 파티마 사람도 아니었다.

그들은 바로 라인란트의 도시들에 사는 보통의 유대인 남녀와 아이였다. 그들은 1096년 늦봄에 천국으로 가는 빠른 길을 약속하는 설교자들로 인해 광란 상태에 빠진 기독교도 폭도의 살해 본능의 희생양이 되었다. 보름스, 마인츠, 슈파이어, 쾰른 같은 도시에서는 부랑자 무리가 거리를 활보하며 유대교 회당을 불태우고, 유대인 가족을 때리고 죽였으며, 유대인 개인에게는 기독교로 개종하지 않으려면 자살하라고 강요했다. 당시의 잔학행위에 대한 기록은 우울하게도, 오래고도 끈질긴 유럽의 유대인 박해(20세기에 정점에 달했다)의 역사를 생각나게 한다. 1096년에 유대인은 목을 올가미에 묶인 채 거리에서 끌려다녔고, 민가에 무리로 처넣어져 불에 타거나 거리의 환호하는 군중 앞에서 목이 잘렸다.[9] 역사 기록자 아헨의 알베르트는 이렇게 썼다. "이 잔인한 살육을 피한 유대인은 많지 않았다. (…) 그 용서하기 어려운 남녀의 무리(즉 십자군이다)는 가던 길을 계속해 예루살렘으로 향했다."[10]

이는 우르바누스 2세가 의도했던 바가 전혀 아니었다. 1차 십자군에 대해 그가 그렸던 것은 강력한 귀족들이 대부대를 이끌고 상당히 조직된 형태로 성지로 향하는 것이었다. 그러나 유럽을 떠나 동방으로 향한 십자군의 첫 파도는 훈련도 되지 않고 거의 통제할 수 없는 열성파로 이루어져 있었다. 그들은 '은자' 피에르라는 꾀죄죄하지만 카리스마가 있는 고행자와 플론하임의 에미코라는 부유하지만 평판이 나쁜 독일 백작 같은 대중

주의적 선동가의 부추김을 받은 것이었다.

이 아마추어 전위대는 나중에 '민중 십자군'으로 알려지게 되는데, 1096년 여름 동안 유럽을 휩쓸고 동쪽으로 가서 도나우강을 따라 헝가리를 지난 뒤 발칸반도로 들어갔다. 그들은 8월 초 콘스탄티노폴리스 성문에 도착했다. 황제 알렉시오스 콤니노스는 그들을 보고 기분이 좋지 않았다. 그들은 경로에 있는 동로마 마을들에서 난동을 부리고 충돌을 일으켜 자기네의 도착을 알렸고, 군사적 경험과 훈련이 부족해 목전의 일(군벌이자 '룸Rum† 술탄'을 자처한 클르츠아르슬란 1세가 지휘하는 튀르크 군대를 소아시아에서 영원히 몰아내는 일이었다)에 무용한 존재가 되었다.

알렉시오스의 박식하고 글을 잘 쓰는 딸 안나 콤니니는 십자군이 가까이 오고 있다는 말이 돌 때 콘스탄티노폴리스에서 깜짝 놀랐던 일을 회상했다. 안나는 '은자' 피에르가 미친 사람처럼 무모하다고 생각하고 그의 추종자들을 경멸했다. "해변의 모래나 하늘의 별보다 많은 민간인"에 둘러싸여 "종려 잎을 들고 어깨에 십자가를 지고"[11] 있는 한 줌의 전사였다.

이 잡동사니 무리는 더 많은 십자군이 오기를 기다리면서 동로마 수도에서 보스포로스해협 건너편에 진을 쳤다. 그들은 진을 치고 즐겁게 놀면서 내륙에 있는 클르츠아르슬란의 셀주크인을 향해 몇 차례 성급한 습격을 시도했다. 이런 작은 충돌의 와중에 그들 가운데 많은 수가 죽었다. 그것은 상서로운 출발이 아니었다.

그러나 1097년이 되자 사태가 십자군에게 보다 희망적으로 보였다. 영주가 지휘하고 기사가 참여한 보다 잘 조직화한 군대가 동로마 영토에 나

---

† 즉 로마다. 로마 제국의 유혹은 거부할 수 없게 남아 있었다.

타나기 시작했다. 적어도 이들은 진지한 전사였다. 이 이른바 '군주 십자군'의 지도자는 툴루즈 백작 레몽, 프랑스왕의 동생인 베르망두아 백작 위그 1세, '정복자' 기욤의 아들로 노르망디 공작인 '짧은 양말' 로베르, 플란데런 백작 로베르 같은 사람들이었고, 부용의 고드프루아와 불로뉴의 보두앵이라는 야심찬 형제도 있었다.

르퓌 주교 아데마르는 우르바누스의 대리인이자 교황 특사로 갔다. 이탈리아의 노르만인은 타란토의 보에몬도 같은 사람들이었다. 보에몬도는 그 또래 중 가장 논란이 많고 카리스마가 있는 사람 가운데 하나였다. 보에몬도의 아버지 '여우' 로베르토는 여러 해 동안 알렉시오스 콤니노스에게 고통의 근원이었다. 이탈리아 남부의 자신의 기지를 습격 거점으로 삼아 동로마 서부를 공격한 것이다. 따라서 보에몬도는 콘스탄티노폴리스에 이미 알려져 있었다. 안나 콤니니는 그를, 동로마를 구원한다는 구실로 파괴하고자 하는 심술궂고 사악하며 전혀 믿을 수 없는 악당으로 묘사했다. (그러나 안나는 보에몬도의 사내다운 매력을 어쩔 수 없이 사모했다. 그를 키가 크고 가슴이 우람하며 잘생겼다고 묘사했다. 그는 머리칼을 짧고 깔끔하게 면도했으며 눈은 푸르고 반짝였다.)[12] 보에몬도는 콘스탄티노폴리스를 구하기 위해 온 부대 사이에서 불화를 일으키는 존재였다. 그럼에도 불구하고 그와 그 동료(8만 명이나 되는 무장한 순례자)는 서아시아의 급격한 재편을 초래하게 된다.

보에몬도와 기타 '군주'는 1097년 초에 콘스탄티노폴리스에 도착하고 부활절 때 몇 주 동안 알렉시오스 황제의 푸짐한 대접을 받은 뒤 마침내 봄이 끝나갈 무렵 일에 착수했다. 그들의 임무는 엄청난 것이었다. 클르츠 아르슬란과 기타 모든 튀르크 군벌을 소아시아에서 물러가게 하고 점령당한 도시들을 동로마 황제의 통제하로 돌려놓은 뒤 시리아를 거쳐 예루살렘으로 진격하는 것이었다.

이것은 매우 어려운 일이었다. 치명적인 프랑크의 비스듬한 창 전술을 익힌 7500명의 기사가 핵심을 이루고 있는 군대라 해도 마찬가지였다. 그들은 동로마가 제공하는 군사 고문들에게 의존해 낯선 나라에서 싸워야 했다. 그 고문 가운데 하나가 아라비아계 그리스인 환관 타티키오스였는데, 그는 통상적인 부위가 거세된 것 외에 코도 베였다(코는 금으로 만든 인공물로 대체했다). 십자군은 살아남기 위해 수백 킬로미터를 행군하고, 몹시 뜨거운 여름과 가파르고 울퉁불퉁한 지형에 대처해야 했고, 튀르크 기병의 일상적인 습격을 몰아내야 했고, 심지어 적대적인 야생 생물의 위협을 물리쳐야 했다. (마지막 것은 농담이 아니었다. 1097년 여름에 부용의 고드프루아는 거대한 곰의 공격을 받았고, 곰에 물려 거의 죽을 뻔했다.[13]) 무엇보다도 그들은 동로마가 온 힘을 다 기울여도 이렇게 막을 수 없었던 적과 맞서 싸워야 했다.

따라서 1097년에서 1098년 초 사이에 일어난 일은 거의 기적이나 마찬가지였다. 똑똑한 도박꾼이라면 십자군이 콘스탄티노폴리스를 떠난 지 몇 주 안에 굶주리거나 목마르거나 적에게 베여 죽으리라는 데 걸었을 것이다. 알렉시오스는 분명히 그들을 원정에 보내면서 그들 대부분이 결코 소식을 보내오리라고 생각지 않았다.

그러나 서방 사람들은 중세에서 가장 멋진 축에 속하는 행군을 떠나 소아시아를 관통하고 아마누스산맥(현재의 누르산맥)을 거쳐 시리아로 들어갔다. 그들은 말로 표현할 수 없을 만큼 엄청난 궁핍을 견디고 살아남아, 그들이 견뎌낸 어려움에 아랑곳하지 않고 뚜벅뚜벅 걸어나갔다. 그리고 때때로 전투를 위해 멈췄을 때 그들은 전쟁터의 승리를 기록했다. 그 승리들은 그들에게(그리고 이후 세대들에게) 신이 그들 편이며 그들이 예수의 이름으로 행진할 때 그들을 보호한다는 데 의문을 가지지 않게 했다.

　　그들이 처음 멈춘 곳은 니카이아시였다. 십자군은 5월 말에서 6월 초에 그곳에서 몇 주 동안 수차례 포위전을 벌여 승리를 거두었다. 이때 적병의 머리통 몇 개를 투석기 탄알로 사용했다. 그리고 이때 이후로 많은 프랑크 기사가 자기네가 죽인 클르츠아르슬란의 경기병 손에서 떼낸 튀르크 언월도를 즐겁게 휘두르고 다녔다.

　　이어 7월 1일, 십자군은 도릴라이온에서 벌어진 전투에서 "헤아릴 수 없고 무시무시하며 거의 압도적인 튀르크인의 무리"를 물리쳤다. 튀르크인들은 돌격하면서 무시무시한 함성을 질렀다. 《프랑크인의 행적》으로 알려진 연대기 저자가 "내가 알아들을 수 없는 어떤 사악한 말"이라고 한 함성이었다. 이것은 거의 틀림없이 이슬람교도의 신앙 고백인 타크비르였을 것이다.

　　알라후 아크바르!
　　(신은 가장 위대하다!)

　　이에 맞서 십자군은 자기네 표어를 이것저것 상대편에 보냈다. 그들은 외쳤다.

　　꿋꿋하게 버티고 서라, 예수와 성십자가의 승리를 믿고.
　　오늘 신께서 보살피사 너희는 모두 풍성한 전리품을 얻을 것이다![14]

　　이것이 정곡을 찌른 것은 아니었다. 그러나 이는 중세 사람이 걸핏하면 신의 이름으로 싸우러 나가는 이유를 제대로 요약했다. 이 매우 어려운 임무는 영적인 부와 세속적인 부를 얻을 가능성을 거의 비슷하게 제공했다.

1097년 가을이 되자 십자군 부대는 소아시아를 완전히 가로지르고 산의 고개를 내려가 시리아로 들어갔다. 그들은 이제 기진맥진하고 피곤했으며, 지도자들은 그들끼리 옥신각신하기 십상이었다. 그러나 그들의 공동체정신은 무너지지 않고 있었다. 반대로 그들은 더 큰 투쟁을 할 준비가 되어 있었다. 그래서 다행이었다. 더 많은 고난이 앞에 기다리고 있었기 때문이다.

10월에 십자군은 고대 로마의 도시 안티오케이아를 포위했다. 야으사얀이라는 흰 수염의 통치자가 장악하고 있는 곳이었다. 야으사얀은 유능한 지도자였고, 안티오케이아는 이례적인 천연 및 인공 방어벽을 누리고 있었다. 그러나 십자군을 당해낼 수는 없었다. 그들은 그들 가운데 많은 사람은 겪어보지 못한 혹독한 겨울을 포함해 아홉 달 동안 성벽 밖에 진을 쳤다. 그리고 마침내 1098년 6월 속임수를 써서 굶주림에 시달리는 안티오케이아 성안으로 밀고 들어갔다. 그때쯤 그들은 아프고 지치고 짜증이 났으므로 도시로 들어가게 되자 무시무시한 대량 학살을 자행함으로써 울분을 해소했다. 매우 섬뜩한 대량 학살 잔치였다. 한 역사 기록자는 이렇게 썼다. "땅은 피와 학살당한 시신으로 뒤덮였고, (…) 그리스인, 시리아인, 아르메니아인은 물론이고 기독교도와 갈리아인의 시체도 서로 뒤섞여 있었다."[15]

도시가 함락되자 타란토의 보에몬도가 스스로 새 지배자 자리를 차지했다. 그는 안티오케이아 공작이라 자칭했으며, 이에 따라 노르만인의 세력 범위를 저 멀리 잉글랜드 북부 하드리아누스 성벽부터 오론테스강 기슭까지 확장했다. 이와 동시에 또 다른 십자군 지도자 불로뉴의 보두앵은 소규모의 독자 원정을 이끌었고, 이를 통해 시리아 북부의 도시 에데사를 점령했다. 그는 스스로 그곳에서 에데사 백작이 되었다. 결국 네 개가 되는 서아시아의 '십자군 국가' 가운데 첫 두 개가 만들어졌다.[†] 그리고 1차 십자군의 최종 목표인 예루살렘이 서서히 시야에 들어오기 시작했다.

최종전은 안티오케이아가 함락되고 거의 1년 뒤에 시작되었다. 십자군 부대들은 레반트 해안을 따라 남쪽으로 내려가면서 길을 헤치느라 훨씬 어려운 몇 달을 더 보냈으며, 1099년 6월 유다이아 언덕에서 자욱한 먼지를 일으키며 나타났다. 사병들은 성스러운 나라를 행군하면서 찬송가를 부르고 기쁨의 눈물을 흘렸다.

십자군이 성도에 들어오지 못하게 막는 일은 이프티하르 앗다울라라는 시아파 총독에게 맡겨져 있었다. 그는 카이로에 있는 파티마 할리파와 와지르(총리에 해당)의 명령을 받고 있었다. 그가 해야 할 일은 단순한 것이었다. 오늘날 예루살렘을 찾는 사람이라면 누구나 금세 알 수 있는 것이 있다. 이 도시는 가까운 곳에 큰 천연 수원지가 없다. 한쪽은 깊숙한 예호샤팟 계곡(키드론 계곡)에 보호되고 있고, 거대한 신전 기단의 무너진 석조물과 연결된 성벽으로 둘러싸여 있다.[††] 그러나 앗다울라는 예루살렘의 천연 및 인공 방어망 구조를 이용하지 않았다. 그는 또한 이집트로부터 증원군도 받지 못했다. 반면에 십자군은 초여름에 작은 제노바 갈레아 함대가 적시에 싣고 온 증원군과 공성 장비의 도움을 받았다. 이것이 이제 억누를 수 없게 된 포위군의 열정과 어우러져 형세를 바꾸기에 충분한 상황이 되었다.

[†] 네 개의 십자군 국가는 안티오케이아 공국, 에데사 백국伯國, 트리폴리 백국, 예루살렘 왕국이다. 이들은 모두 매우 단명했다.

[††] 그러나 오늘날 예루살렘 구도시를 둘러싸고 있는 성벽은 대부분 오스만 시대의 것임을 유의해야 한다. 그리고 대부분의 서방 관광객이 드나드는 야포 문을 감시하는 성채 '다윗의 탑' 역시 마찬가지다.

예루살렘을 한 달 정도 포위하고 있던 십자군은 7월 15일 금요일에 도시 성벽 두 군데를 무너뜨렸다. 그들은 1년 전 안티오케이아에서 그랬던 것처럼 안으로 달려 들어가 도시를 도륙냈다. 기독교 쪽의 역사 기록자들도 그 공포를 숨길 수 없었다. 그들은 종말의 날을 암시하는 듯한 장면들을 묘사했다. 총독 앗다울라는 거래를 하고 도망쳤다. 그 뒤로, 4년에 걸친 원정에서 많은 것을 참아야 했던 전사 순례자들은 예루살렘으로 돌진해 닥치는 대로 야만적인 약탈과 학살을 자행했다. 아길레르의 레몽은 이렇게 썼다. "일부 이교도는 자비롭게도 목이 잘렸다. 어떤 사람은 화살에 꿰이거나 탑에서 떨어졌다. 또 어떤 사람은 오랫동안 고문을 당하고 거센 불길에 타 죽었다. 머리와 손과 발이 무더기로 민가와 거리에 널려 있었다. 정말로 사람과 기사가 시체 위를 이리저리 뛰어다녔다."[16] 역사 기록자들은 〈요한 묵시록〉에 나오는 끔찍한 예언 가운데 하나를 반복해, 고삐 높이까지 피투성이가 된 채 말을 달리는 이야기를 썼다. 과장이었지만, 많이 부풀린 것은 아니었다. 한 유대교 회당 안에서 수백 명의 유대인이 불에 타 죽었다. 수천 명의 이슬람교도가 알악사 이슬람 사원 부근의 신전 구역 알하람 앗샤리프에서 붙잡혔다. 일부는 살해되었다. 일부는 기단의 깎아지른 측면에서 뛰어내려 자살했다.

이 잔혹 행위가 바그다드의 압바스 할리파에게 알려지자 그것은 "눈에서 눈물이 나게 하고 가슴이 미어지게 했다."[17] 할리파 궁정에 있던 많은 사람이 세상을 저주했고, 이슬람의 순나-시아 종파 분열이 움마의 단결을 약화시켜 프랑크인(당시 교육받은 이슬람교도에게 서방 사람은 일반적으로 '이프란지Ifranj'로 알려져 있었다)이 자기네의 성스러운 땅을 정복하는 지경에 이르게 되었다고 비난하는 사람도 있었다. 그러나 이를 갈고 욕을 하는 것이 고작이었다.

뜻밖에도 동로마와 예루살렘을 공격한다는 우르바누스 2세의 무모한 계획은 성공을 거두었다. '프랑크인'이 동방에 진출했다. 그들은 200년 가까이 그곳에 머물게 된다.[†]

하늘의 왕국

이라크의 역사 기록자 이븐알아시르[††]는 한참 뒤의 사람이라는 이점 덕에 11세기 말 지중해 세계 전역에서 일어난 사건의 흥미로운 (그리고 자신에게는 약간 우울한) 패턴을 알아냈다. 이베리아반도에서는 알폰소 6세 같은 왕들이 우마이야 시절 이래 알안달루스를 지배했던 이슬람 세력을 몰아내고 새로운 영토를 획득했다. 시칠리아에서는 1060년대에서 1080년대 사이에 노르만인이 섬을 정복하고 아라비아 통치자들을 몰아냈다. 12세기 초에 시칠리아는 노르만왕 루제로 2세(재위 1130~1154) 치하의 기독교 군주국이 되었다. 같은 시기에 북아프리카 이프리키야(예전의 카르타고)의 이슬람 지역은 간간이 기독교도 해적의 약탈을 당했다. 그리고 물론 팔레스티나와 시리아에서는 우르바누스 2세의 1차 십자군 전사들이 튀르크인과 아라비아인 모두를 상대로 한 자기네 나름대로 세상의 이목을 끈 전투에서 승리했다. 세계 역사의 바로 그 순간에 기독교도는 전진하고 있었고 이슬람교도는 후퇴하고 있었다고 이븐알아시르는 생각했다.

[†] 우르바누스에게는 유감스러운 일이었지만, 그는 예루살렘 함락 소식을 듣지 못했다. 그는 이 소식이 이탈리아에 전해지기 전인 1099년 7월 29일 죽었다.

[††] 이븐알아시르의 생애는 12세기에서 13세기로 넘어가는 시기에 걸쳐 있다. 여러 권으로 된 그의 방대한 세계사 책은 《완전한 역사(al-Kāmil fī al-Ta'rīkh)》로 알려져 있으며, 이는 십자군을 연구하는 모든 역사가에게 기본적인 자료다.

이븐알아시르의 생각은 일리가 있었다. 그러나 너무 바짝 따라가지 않도록 조심해야 한다. 여러 세대 동안 역사가들은 중세 십자군이 기독교 세계와 이슬람 세계 사이의 '문명 충돌'의 바탕에 있다는 생각을 극복하려고 노력해왔다. 우선, 중세 역사에 대한 그런 경직되고 이원적인 독법이 오늘날 거북하게도, 미국과 유럽의 백인지상주의자와 신파쇼주의자부터 이슬람 광신도 및 알카이다와 이슬람국(ISIS) 추종자에 이르는 극단주의 파당들의 화법에서 장난을 치고 있다.†

한편으로 십자군을 이슬람교와 기독교 사이의 단순한 종교 전쟁으로 규정하는 것은 11세기 말 이래 이어진 십자군 운동의 물결에 영향을 준 복잡한 권역 정치 및 지역 정치를 무시하는 처사다. 십자군 운동은 지배적인 일신교 사이의 투쟁만은 아니었다. 그것은 서방 세계 일반의 변화하는 모습과 관련된 것이었다. 1차 십자군 시기에서 중세가 끝날 때까지 교황은 여러 적을 상대로 한 세 대륙의 군사 원정을 명령하거나 승인했다. 튀르크의 군벌, 아라비아의 술탄, 쿠르드의 장군, 이베리아의 아라비아계 아미르는 물론 발트해의 이교도, 프랑스의 이단자, 몽골의 추장, 말을 듣지 않는 서방의 기독교 왕과 심지어 신성로마 제국 황제까지도 말이다.

다시 말해서 성전을 이야기하자면 이슬람교도만이 희생자라고 주장할 수 없다. 이베리아, 이집트, 시리아의 이슬람교도가 많은 차이가 있음을 무시한다 하더라도 이른바 '사라센인'은 여전히 많은 적 가운데 하나였다.

그리고 마찬가지로 중요한 것으로, 십자군 운동 시기의 기독교도와 이슬람교도가 자동적으로 화해할 수 없는 적이라는 말은 결코 사실이 아니

---

† 모든 서방 사람을 유대인 아니면 십자군으로 규정짓는 것은 21세기 이슬람 세력의 선전에 나오는 주된 비유였다. 마찬가지로 현대의 백인지상주의적 다중 살해범의 선언치고 십자군 전쟁, 신전기사단, 데우스 불트 등등이 언급되지 않는 경우는 드물다.

었다. 그들이 서로를 찢어발기던 시기가 있었다. 그러나 십자군과 이슬람 교도가 서로 목을 베고 불태워 죽일 필요를 전혀 느끼지 않고 가까이 사귀고 교역하고 교류하던 시기와 장소가 매우 많았다. 이것은 십자군이 존재하지 않았다고 쓰자는 것이 아니다. 그저 중세사에서 십자군의 중요성과 그것이 현대 세계에 남긴 유산에 대해 너무 흔히 기독교도와 이슬람교도 사이의 관계에 관한 것이며 그 이상은 없다는 식으로 잘못 이해되고 있음을 말하려는 것일 뿐이다.

이 장의 나머지 부분에서 보겠지만 십자군은 바로 매우 다양한 현상이고 가변성 있는 개념이기 때문에 중요했다. 그것은 그저 기독교와 이슬람교 사이의 관계로만 규정되지 않았다. 오히려 로마 교회의 적들에 맞서 그것이 감지되는 곳이면 어디든 군사력을 투사하는 본보기를 보인 것이었다.

그러면 이 십자군의 세계는 어떻게 발전했을까? 우선 1096~1099년의 십자군이 그렇게 엄청난 세력으로 상륙한 성지에서는 서방 모든 곳(그러나 특히 프랑스, 플란데런, 북부 이탈리아)에서 온 '프랑크인' 또는 '라틴인'에 의해 더디지만 결국 소규모의 식민지를 만드는 과정이 진행되었다.

첫 십자군 일부는 성지에 머물렀다. 부용의 고드프루아는 예루살렘 왕국의 첫 통치자가 되었다. 그리고 1100년 그가 죽자 그의 동생이자 에데사 백작이던 불로뉴의 보두앵이 이어받았다.† 일부는 집으로 돌아갔다. 또 일부는 뒤늦게 현장에 왔다. 매년 필수적인 병력과 물자를 증원하는 산발적인 소규모 십자군이었다. 이것이 예루살렘의 프랑크인으로 하여금

---

† 고드프루아는 왕이라는 칭호를 받기를 거부했다. 그는 '성묘 수호자'로 불리는 것을 선호했다. 따라서 공식적으로는 보두앵이 첫 예루살렘의 '왕'이었다. 그는 1100년에서 1118년까지 재위했고, 또 다른 첫 십자군 참전자 부르크의 보두앵에게 물려주었다. 보두앵 2세(재위 1118~1131)다.

1098~1099년 자기네가 점령했던 도시를 넘어 점령지를 확대할 수 있게 했다. 그들은 해안 도시에 집중했다. 베이루트, 티로스(수르), 아코(아크레), 안티오케이아, 아슈켈론, 트리폴리(타라불루스) 같은 곳이다. 이들은 하나씩 육지와 해상으로 포위되고 결국 점령당했다.

이 지역은 서방 기독교도가 우트르메르('해외')라 불렀는데, 이곳의 도시를 점령하기 위한 전투 참여자는 멀고 광범위하며 때로는 엉뚱한 곳에서 왔다. 1110년 베이루트와 티로스 중간에 있는 도시 시돈(사이다)은 노르웨이의 노르드인 무리가 포함된 군대가 이슬람 지배자의 손에서 떼어 냈다. 그들은 자기네의 용맹한 10대 왕 '십자군 전사' 시구르의 지휘 아래 스칸디나비아에서 배를 타고 성지로 왔다.[18] 시구르는 시돈을 점령하는 일을 도운 뒤 자신의 참여에 대한 보상으로 예루살렘에서 가장 성스러운 유물인 예수의 성십자가 파편을 가지고 스칸디나비아로 돌아갔다.

이것이 노르웨이와 성지 사이의 끈을 만들었고, 그것은 정말로 중요했다. 노르웨이가 우상 숭배에서 기독교로 옮겨가는 시기였기 때문이다. 그리고 시구르는 십자군 국가들을 위해서도 자신의 일을 했다. 시돈 같은 곳을 정복함으로써 1130년대에는 레반트 해안이 서로 연결되고 군사화된 네 개 국가의 터전이 되었다. 예루살렘 왕국이 꼭대기에 있었다. 물론 이들은 소국이었고 적대 세력에 둘러싸여 있었다. 게다가 시골은 기독교 성서에 나오는 재난, 즉 메뚜기, 지진, 기타 자연재해가 만연했다. 그러나 유럽 이주민은 살아남아 성지에 뿌리를 내렸고 서방과의 연결을 유지했다. 영적이고 정서적이고 경제적이고 왕실과 관련된 끈에 의해서였다.

십자군 국가들이 들어선 첫해부터 성지를 보고 경배하기 위해 열성적인 순례자들이 몰려들었다. 이슬람교도가 지배할 때도 기독교도의 순례가 불가능하지는 않았지만, 유럽인이 점령하게 되자 예루살렘은 분명히 더욱 매력적인 행선지가 되었다. 남아 있는 12세기 초 이래의 순례 일기는 이 땅의 매력적인 측면과 지루한 측면을 비슷한 정도로 묘사했다.

1103년 무렵 예루살렘을 찾은 새이울프라는 영국 순례자는 동방을 오가는 긴 여행 도중 배의 난파와 해적의 습격을 겪었다. 예루살렘, 베틀레헴, 나즈라트(나자렛) 주변의 길은 동굴에 숨어 "밤낮으로 눈을 뜨고 언제나 공격할 대상을 살피고" 있는 도적 천지라고 그는 불평했다. (길가에는 "들짐승이 찢어발긴 수많은 시체"가 놓여 있었다고 그는 썼다.)[19] 그러나 그는 또한 자신을 아담과 하와에서 예수와 사도에 이르는 기독교 성서 속의 인물과 연결시켜주는 사당을 순회하며 몇 달을 보냈다.

또 다른 순례자인 키이우(다닐은 '루시의 땅'이라고 했는데 지금 우크라이나 땅이다) 부근 출신의 수도원장 '순례자' 다닐은 성지 구석구석을 돌며 즐거운 열여섯 달을 보낸 뒤 작은 예수의 묘석 조각을 가지고 떠났다. 사당의 열쇠를 가지고 있는 수행자가 기념품으로 그에게 선물한 것이었다.[20] 고국으로 돌아와서 그는 수십 명의 그의 친구, 가족, 지역 귀족에게 자신이 기독교 세계의 가장 성스러운 장소에서 그들의 영혼을 위해 미사를 올렸다고 자랑할 수 있었다. 게다가 그는 특히 유명한 루시의 군주와 그 아내 및 그들의 자녀 이름을 예루살렘 부근 사막 수도원의 수행자들에게 맡겨 그곳에서 정기적으로 그들을 위한 기도를 올리게 했다. 이는 단순히 소망을 이룬 것에 그치는 것이 아니었다. 다닐 수도원장은 자신의 고국과 거기서 3000킬로미터 이상 떨어진 예루살렘 왕국 사이에 의미 있는 영적 연결을 이루어낸 것이다.

그리고 새로운 십자군 국가들을 더 넓은 세계와 묶어준 것은 그저 종교적 유대만은 아니었다. 왕국이 새 군주 치하에서 안정되면서 그것은 서방의 '봉건' 국가를 닮아가기 시작했다. 귀족과 기사가 왕에게 군역을 서약한 대가로 사유지와 마을을 허여받았다. 예루살렘은 아주 부유한 왕국이 거나 그 땅에 대한 권리를 주장했던 이전의 어떤 중세 제국의 규모에 맞먹는 제국이었던 적이 없었다. 그러나 젊은 기사들이 와서 돈을 벌 수 있는 곳이었다. 많은 귀족과 심지어 왕실 성원이 동방에 뿌리를 내리고 지중해의 한쪽 끝에서 다른 쪽 끝까지 혈연 관계망을 형성했다. (프랑스 샹파뉴 지역 출신의 서로 연결된 몽레리 가문과 르퓌세 가문 같은) 일부 가문에서 보낸 남자들이 예루살렘 및 그 주변 지역을 방어하는 데 참여하거나 그곳의 영주가 되어서 동방에 남아, 영광스러운 훈장을 달았기 때문이다.[21]

어떤 사람에게 이것은 의무 사항이었다. 1129년 말, 프랑스 중부 앙주 백작 풀크는 권유를 받아 자신의 땅을 아들 조프루아에게 넘기고 예루살렘으로 가서 나이 든 왕 보두앵 2세의 딸이자 상속자인 멜리장드와 결혼했다. 2년 뒤 보두앵이 죽었다. 멜리장드는 예루살렘 여왕, 풀크는 공동 통치자인 왕이 되었다. 그는 1143년 죽을 때까지 동방에 머물렀다.

이는 다시 고국인 서방에서 풀크의 자손들이 이제 성지에 가족이 있음을 인식했다는 얘기다. 풀크의 손자인 잉글랜드의 헨리 2세는 1180년대에 그곳에서 승계 위기가 발생했을 때 예루살렘 왕위를 이어받아 가족사를 영광스럽게 해야 한다는 청원을 받았다. 헨리는 이를 거부했지만, 이후 플랜태저넷 가문은 계속해서 십자군 운동을 열렬히 지지했다. 14세기 초까지 모든 플랜태저넷의 왕이 십자군 서약을 했으며 그 가운데 둘('사자 심장' 리처드와 에드워드 1세)은 성지에서 싸워 큰 공훈을 세웠다.† 이는 나중에 다시 살펴보겠다.

---

† 리처드는 3차 십자군에서 한 분견대를 이끌었다. 에드워드는 1272년 왕위를 승계하기 전에 예루살렘 왕국에 갔다.

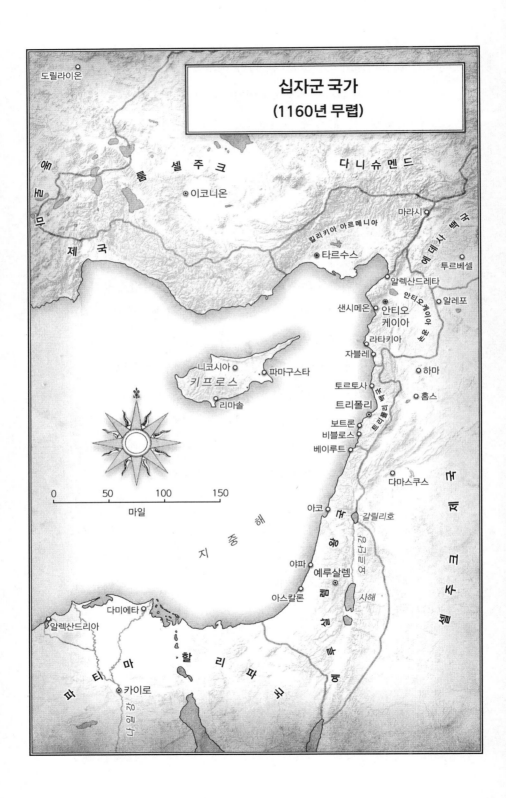

서방의 왕족과 귀족이 십자군 및 십자군 국가와 관련을 맺으면서 서방의 사업가도 그 뒤를 따랐다. 유럽의 상인에게 십자군 세계는 군침 도는 사업 기회를 제공했다. 동부 지중해의 해상 물동량을 중앙아시아 및 중국으로 가는 육상의 실크로드 교역로와 연결하는 교역 화물 집산지 역할을 하는 많은 해안 도시 덕분이었다. 이곳들은 왁자지껄한 교역 중심지였다. 13세기에 도시 아코는 잉글랜드 왕국보다 많은 연간 수입을 올렸다고 한다. 그 결과 십자군이 정복한 모든 주요 도시에는 금세 고국을 떠난 상인들의 거류지가 들어섰다. 상인들은 과일, 꿀과 마멀레이드, 사탕수수 설탕, 면화, 아마포, 낙타털옷과 양모, 유리 제품, 이국적인 장거리 교역품(인도의 후추와 중국의 비단 같은 것) 등을 거래했다.[22] (2019년 이스라엘 해안 앞바다에서 가라앉은 십자군 난파선이 발견되었는데, 여기에는 4톤의 납덩어리가 실려 있었다. 건축과 무기 제조에 쓰이는 것이었다.[23])

이들 상인 가운데 가장 진취적이고 무자비한 사람이 북부 이탈리아의 유력한 교역 도시들에서 온 사람이었다. 바로 이 제노바, 피사, 베네치아 출신 상인들은 해외 무역 기지를 운영한 오랜 경험을 가지고 있었다. 대표적으로 콘스탄티노폴리스에는 오랫동안 이탈리아인의 거류지가 여럿 있었다(10장 참조). 그리고 제노바인, 피사인, 베네치아인이 자기네의 경제 자산이 위협받을 때 자금을 내서 그것을 보호하는 데 늘 의지할 수 있는 것이 이들 거류지가 갖는 중요성이었다.

1122~1125년에 베네치아의 도제doge는 직접 120척의 함대를 지휘해 상인들을 위해 해상의 안전을 지키는 일을 도왔으며, 티로스(현대의 레바논) 도시 점령에 참여해 그 대가로 그 도시 수입의 3분의 1을 영구히 받기로 하고 그곳에서 이루어지는 그들의 상거래에 대한 세금도 대폭 감면받았다. 이는 예외적인 일이 아니었다. 동방에 유럽계 국가들이 존재했던 200년

동안에 피사인, 제노바인, 베네치아인은 거듭거듭 매끈한 갈레아 전함이나 병력 수송선을 타고 와서 때로는 그들에게 상업적으로 중요한 도시의 방어를 강화하고 때로는 무역상의 이익을 놓고 그들과 싸웠다.

마지막으로 군사 단체가 있었다. 12세기 초에 만들어진 십자군 단체다. 유명한 것이 구호기사단과 신전기사단이다. 두 단체는 모두 1차 십자군 직후 예루살렘에서 탄생했다. 이때 그들은 서약을 한 독실한 기사 단체로 구성되었다. 회원은 가진 것을 버리고 순결, 궁핍, 복종을 강조하는 수도원과 유사한 규칙에 따라 사는 데 동의했다. 또한 다치거나 아픈 순례자를 치료하는 일(구호기사단) 또는 그들을 대로에서 보호하는 일(신전기사단)에 헌신한다는 데도 동의했다. 이 군사 단체가 실제 수행자와 다른 점은 그들이 위험한 땅에서 의무를 수행하기 위해 무기를 들고 훈련을 계속한다는 것이었다. 그들은 칼과 창을 이용해 기독교도의 적을 공격하고 필요할 경우 예루살렘 왕국 군대의 특수부대 역할을 할 수 있었다.

이제까지 별개의 역할이었던 기사와 수행자를 융합한 듯한 군사 단체 개념은 분명히 모순적이었다. 그러나 그것은 상당 부분 클레르보의 베르나르(6장에 나왔던 열정이 넘치는 시토회 수도원장)의 옹호에 힘입어 교회에서 받아들여졌다. 베르나르와 더불어 그의 추종자로 1145년 즉위한 교황 에우게니우스 3세는 퇴폐적인 기사 조직을 개혁한다는 생각에 매혹되었다. 시토회가 방만해지고 관대한 베네데토회 수도원 규정을 개혁하려 했던 것처럼 말이다.

이에 따라 그들은 특히 신전기사단과 그 첫 단장인 위그 드팽을 지원했다. 1120~1130년대에 에우게니우스는 신전기사단에 첫 공식 규정과 붉은 십자가가 새겨진 흰색 외투인 특유의 제복을 주었다. 그리고 광범위한 세금 감면과 교회 울타리 안에서의 기타 특권도 주었다. 신전기사단은 교황의 승인, 기부와 수입을 청할 수 있는 유망한 재정 기반, 성지를 순찰하는 지속적인 일거리가 뒷받침되어 성장했다. 단원이 급증했다. 그들은 경지가 딸린 사유지, 수입, 유럽과 서아시아 곳곳의 부유한 지지자가 내는 기타 찬조금 등 많은 상을 받았다. 그리고 그들은 서방의 거의 모든 기독교 세계의 수도원류 기관(그곳에서는 비전투원 수행자가 동방의 군사 조직에 자금을 대기 위해 일하고 있었다)의 관계망을 만들었다.

신전기사단의 이 모든 것은 구호기사단이 곧바로 이어받았으며, 그 뒤 도이치기사단과 에스파냐·포르투갈의 비슷한 여러 군사 단체에서 이를 모방했다. 이들 군사 단체가 모두 성지와 이베리아반도 양쪽에 있는 항구적인 십자군의 중핵이 되었다. 이들은 특히 큰 성채를 건설하고 병력을 배치하는 데 전문가였다. 오늘날 시리아의 크락 데슈발리에와 이스라엘의 샤토 펠르랭, 또는 에스파냐 몬손이나 포르투갈 투마르에 있는 난공불락의 성채 같은 것이 그렇다.

시간이 지나면서 군사 단체는 십자군 운동의 일상 업무에서 더 많은 책임을 떠맡게 되었고, 14세기가 되면 그것은 거의 개인 기업이 되다시피 했다. 그러나 그 이전에는 십자군 국가가 변경의 적대적인 이웃으로부터 심한 압박을 받으면서 반복적으로 행동에 나서도록 요구받았다.

재림

십자군의 성공이 이슬람 세계의 분열로 말미암은 것이라고 이븐알아시르가 분석하기 오래전에 기독교 성직자인 샤르트르의 푸셰르가 거의 같은 주장을 했다. 푸셰르는 1차 십자군에 참여했고, 원정이 끝난 뒤 오랫동안 동방에 남아 있던 사람 가운데 하나였다. 국왕인 보두앵 1세의 궁정 사제로 일했다. 푸셰르는《프랑크인의 행적》으로 알려진 그의 공식 십자군사에서 십자군 전사들이 살아남았다는 사실 자체에 놀라움을 표시했다. "우리가 그 수많은 사람 사이에서 살아남았다는 것과 그들의 정복자로서 일부를 우리의 예속민으로 만들고 일부를 멸망시켜 약탈하고 포로로 삼았다는 것이 놀라운 기적이었다."[24] 푸셰르는 1128년 또는 그 무렵에 자신의 연대기를 최종 수정했고, 틀림없이 그 직후에 죽었다. 그 시점에 아직 초창기였던 십자군 국가들은 뻗어나가고 있었다. 푸셰르가 아주 오래 살았더라면 그는 조류가 변하기 시작하는 것을 보았을 것이다.

문제는 1140년대에 생겼다. 이마뒷딘 젱기로 알려진 튀르크 군인이자 직업 정치가가 에데사시를 공격했다. 십자군 국가 가운데 가장 작고 가장 취약한 나라의 수도였다. 에데사는 해안에서 멀리 떨어져 있었다. 유럽인이 장악하고 있는 도시 안티오케이아와 젱기가 총독으로 있던 알레포의 중간이었다. 지리 자체만으로도 그곳은 취약할 수밖에 없었다. 젱기는 술을 많이 마시고 자기 부하에게나 적에게나 똑같이 잔인하기로 유명했다. 그러나 그는 뛰어난 전략가였고, 시리아의 도시를 가능한 한 많이 자신의 휘하에 통합하려는 야심을 지니고 있었다. 그에게 에데사를 십자군 지배자로부터 빼앗는 것은 종교적 의무의 문제이기보다는 셀주크 시리아의 쪼개진 조각을 가지고 자기 것이라 할 수 있는 왕국을 조합하는 큰 그림의 일환이었다.

1144년에 젱기는 병사와 공성탑, 전문 굴착병을 이끌고 에데사성 밖에 나타났다. 굴착병은 도시 성벽 밑으로 굴을 팠고, 포병들은 망고넬로 알려진 거대한 투석기를 사용해 시민을 위에서 포격했다. 튀르크인이 에데사의 저항을 무너뜨리는 데는 오랜 시간이 걸리지 않았다. 방어벽이 무너지자 시민들은 공포에 질렸고, 여자들과 아이들은 몰려 달아나다가 짓밟혀 죽었다.

젱기에게 이것은 요긴한 승리였다. 그러나 십자군 전사에게는 참사였다. 영토를 잃은 것이 문제가 아니었다. 더욱 큰 문제는 1096~1099년의 승리 이후 거의 50년 만에 신이 자기네에게 미소 짓기를 그만두었다는 인식이었다.

에데사의 항복 소식이 점차 유럽에 알려지면서 그것은 전반적인 실망을 촉발했다. 그러나 그것은 또한 한 가지 기회를 제공했다. 교황 에우게니우스 3세는 평온한 재위를 누릴 수 없었다. 그는 계속되는 분열 및 자신에 맞서는 대립교황을 세우려는 시도들과 씨름해야 했다. 혁명파가 로마 거리에서 폭동을 일으켰다. 이단적 설교자들이 프랑스에서 성직자의 정치 개입을 반대하는 정서를 자극한다는 소리가 들렸다. 이것은 우려스러운 문제의 덩어리였고, 에우게니우스는 그 이전의 우르바누스 2세와 마찬가지로 한 가지 대의를 내세워 자신의 교황권을 확립하고 정치적 지지를 결집하는 일이 필요하다고 생각했다. 그는 2차 십자군에서 그것을 찾았다.

2차 십자군은 1차 십자군을 비슷하게 그리고 의도적으로 본뜬 것이었다. 그러나 이번에 그 뒤에서 지적·논리적 추동력을 제공한 것은 에우게니우스의 사부인 클레르보의 베르나르였다. 에우게니우스와 베르나르는 둘이서 자기네의 사업을 위한 멋진 강령을 만들어냈다. 예루살렘이 함락된 지 한 세대가 지났고, 그사이에 모든 곳의 기독교도는 한때 놀라운 승리를 가져다주었던 올바름과 자기희생의 길에서 떠내려갔다고 그들은 주장했다. 기본으로 돌아갈 때였다. 이제 전 유럽의 귀족과 기사가 "아버지들의 용감함이 아들들에 이르러 약해졌다고 입증되지 않을 것임"[25]을 입증해야 할 순간이었다. 그들이 그렇게 하는 가장 좋은 방법은 그 아버지들의 위업을 되풀이하는 것이었다. 가능한 한 가장 비슷하게 말이다.

베르나르는 1146년 부활절에, 우르바누스가 클레르몽에서 한 설교를 흉내 내기 위해 설계되어 베즐레에서 열린 십자군 관련 회의에 참석해 이런 내용으로 설교했다. 베르나르는 그 무렵 가차 없는 단식으로 인해 야위고 고통스러울 정도로 노쇠했지만 여전히 상당한 권위가 있었다. 한 역사 기록자는 이렇게 묘사했다. 베르나르는 "성스러운 말을 상쾌하게 쏟아냈고, 사람들은 사방에서 큰 소리로 십자가를 요구하기 시작했다."[26] 베르나르는 화려한 공연을 했고 외투를 가늘게 찢어 너덜너덜해지게 했다. 군중은 '데우스 불트'를 외쳤다. 당연한 일이었다. 그리고 이후 몇 주 동안 프랑스에서 유행한 노래는 십자군에 가는 것이 천국으로 가는 확실한 길임을 확언했다. "신이 천국과 지옥 사이의 마상 경기를 설행"[27]했기 때문이다.

다시 한번 거창한 발표가 서방 전역에서 십자군 열기에 불을 붙였으며, 모든 통상적인 재료가 준비되었다. (〈선배들이 얼마나〉로 알려진 교황 칙서로 뒷받침된) 베르나르의 십자군 발표에 이어 설교의 홍수가 일어나고 가능한 군사 지도자들과의 협상이 뒤따랐다. 기사와 훈련받지 않은 민간인이 무리를 지어 등록했다. 그리고 대중의 열의는 이전과 마찬가지로 열광과 고집불통과 유대인 박해 공격으로 번졌다. 이로 인해 라인란트의 새로운 세대 유대인이 매 맞고 강탈당하고 불구가 되고 눈이 멀고 살해되거나 쫓겨 다니다가 결국 자살했다. 어처구니없는 규모의 역사 재연이었다. 그리고 이것은 더 많은 비극적 결과를 가져왔다.

1차 십자군과 2차 십자군 사이의 몇 가지 피할 수 없는 차이점 가운데 하나는 그 세속 지도부의 상태와 관련된 것이다. 1096년에 우르바누스는 귀족과 주교를 설득해 자신의 군대를 이끌도록 하는 데 그쳤지만, 1140년대에 클레르보의 베르나르와 에우게니우스 3세는 유럽의 큰 나라 왕 두

명을 설득해 책임을 맡겼다.†

베르나르가 베즐레에서 설교할 때 그는 그 둘 가운데 한 사람과 함께 무대에 섰다. 프랑스의 루이 7세(재위 1137~1180)였다. 그 후 오래지 않아 독일왕 콘라트 3세(재위 1138~1152)†† 또한 베르나르의 외교적 압력에 굴복해 참여했다. 이렇게 강력한 두 군주의 참여는 상당히 요긴했다. 그들은 노르웨이의 시구르 이후 처음으로 십자군에 참여한 왕이었다. 그리고 그들은 옛 프랑크 영토의 모든 재정권과 군사권을 장악하고 있었다. 그들이 실패하리라고 상상하는 것은 쉽지 않았다.[28]

그러나 그들은 실패했다. 2차 십자군은 희망적인 출발을 한 이후 거의 내내 참사가 일어났다.

두 왕은 1147년 부활절 무렵에 멋지게 길을 떠났다. 콘라트는 자신이 돌아오지 않을 경우 아들 하인리히가 왕위를 이어받도록 대관戴冠 행사를 열었다. 루이는 생드니 수도원에서 성대하고 장엄한 의식을 치른 후 파리를 떠났다. 아내인 아키텐의 알리에노르와 신전기사단 단원, 그리고 수만 명의 순례자가 함께했다.

그러나 그들은 곧 엄청난 곤경으로 빨려들어 갔다. 그들은 1차 십자군이 밟았던 길을 완전히 그대로 따라가기로 결정했다. 도나우강을 따라 발칸반도를 지나 콘스탄티노폴리스로 가고, 이어 육로로 소아시아를 관통해 시리아 북부로 가는 것이다. 이것은 확실히 시적 호소력을 지녔으며, 1096~1099년의 일을 재연한다는 베르나르와 에우게니우스의 요구를

---

† 베르나르는 십자군에게 훌륭한 설교를 하고 성지에 가서 싸우는 일에 대해 광범위한 글을 썼지만 그의 생전에 유럽을 떠난 적이 결코 없었으며, 클레르보에 있는 그의 시토회 수도원을 자신의 개인적 예루살렘으로 생각하는 쪽을 선호했다.

†† 콘라트는 황제로 즉위한 적이 없으며, 종종 자신을 '로마인의 왕'이라 칭했다.

충족시키는 것이었다.

그러나 현실에서는 시대가 달라져 있었다. 그리고 1090년대에도 쉽지 않은 여정이 이제는 불가능한 것이 되어 있었다. 콘스탄티노폴리스의 새 동로마 황제인 마누일 콤니노스(재위 1143~1180)는 십자군을 소집하지 않았고, 그들이 자기네 나라에 오는 것을 원치 않았으며, 그들이 지나가는 데 최소한의 도움만 제공했다. 새 '룸 술탄'인 클르츠아르슬란의 아들 메수드는 그의 아버지보다도 더 확실하게 소아시아를 장악하고 있었다. 1147년 10월, 콘라트는 도릴라이온에서 튀르크인과 싸웠다. 이번에는 십자군이 패배했고, 콘라트는 보급 부대 상당수를 잃었다. 몇 달 뒤인 1148년 1월, 루이 7세는 그 자신의 부대가 카드모스산(호나즈)에서 복병의 습격을 받아 아내와 함께 가까스로 도망쳤다.

그들이 시리아에 도착했을 때 루이는 사실상 망가진 상태였고, 두 부대는 병사 수천 명을 잃었다. 게다가 그들은 새로운 적을 상대해야 했다. 젱기는 죽었다. 자신의 막사에서 술에 취해 정신을 차리지 못하고 있을 때 불만을 품은 하인이 칼로 찔러 죽였다. 시리아 통일의 배후 추동력으로서의 그의 자리는 그의 똑똑한 아들 누룻딘이 물려받았다. 그는 이슬람권 소아시아에서 질서를 회복하려는 자신의 계획을 십자군이 뒤흔드는 것을 용납할 생각이 없었다. 따라서 에데사는 사라진 명분이었고, 다른 곳에서도 성과를 낼 희망이 별로 없었다.

콘라트와 루이는 몇 달 동안 성지에 머물렀다. 그러면서 체면을 좀 살리고 그들이 십자군에 들인 비용과 불편을 가치 있는 일로 만들기 위한 계획을 짜내는 일에 필사적으로 매달렸다. 결국 그들이 짜낸 것은 아마도 아무 일도 하지 않는 것보다도 나빴을 것이다. 7월에 그들과 예루살렘왕 보두앵 3세(재위 1143~1163)가 거대 도시 다마스쿠스 포위 공격을 시도했다.

대실패였다. 십자군은 다마스쿠스 교외의 과수원조차 뚫고 나가지 못했고, 그러다가 그들의 기율이 무너져 격퇴당하고 말았다. 포위전은 일주일도 되지 않아 끝났다.

더 할 일이 없어진 콘라트는 재빨리 배를 집어타고 독일로 돌아갔다. 루이는 예루살렘에서 여섯 달 동안 어슬렁거리며 관광도 하고 예배도 드리다가 1149년 부활절에 떠났다. 그러나 이때 그는 아내인 아키텐의 알리에노르와 사이가 멀어져 있었다. 알리에노르에게 십자군의 경험은 지겹고 고통스러운 것이었다. 오직 숙부인 안티오키아 공작 레몽과 함께 있을 때만 활기를 찾았는데, 나중에는 그와 근친상간을 했다는 이유로 비난을 받았다.[29] 이듬해 알리에노르는 루이와 이혼했고, 곧 잉글랜드왕이 되는 플랜태저넷가의 헨리 2세와 결혼했다. 이 결합은 루이에게 재앙이었다. 잉글랜드와 프랑스는 산발적인 전쟁 상태에 들어갔고, 그것은 1453년이 되어서야 해결이 되었다.[†] 그것이 2차 십자군의 마지막 수치였다. 2차 십자군은 1차 십자군의 창백한 그림자라기보다는 끔찍한 변주였다. 그리고 이야기는 그것으로 끝나지 않았다.

당연한 일이지만 2차 십자군의 실패 이후 추가적인 대규모 십자군의 동방 원정에 대한 서방의 관심은 수십 년 동안 사그라졌다. 군사 단체는 계속해서 자기네의 힘을 키웠고, 작은 개인 전사 집단은 계속해서 시리아와 팔레스티나로 무장 순례 여행을 갔다. 한편 예루살렘 왕들은 이집트로 팽창하는 일에 관심을 기울이기 시작했다. 그곳에서는 시아파 할리파와

[†] 알리에노르는 헨리 2세와 결혼함으로써 아키텐을 프랑스가 아니라 잉글랜드와 연결시켰다. 이 공국(및 후대인 중세의 그 계승 국가 가스코뉴 공국)을 누가 정말로 '소유'하느냐를 둘러싼 논쟁은 백년전쟁의 정점인 1453년 7월 17일의 카스티용 전투 때까지 결말이 나지 않았다.

그 와지르가 갈수록 부패해지고 허약해지는 카이로 정권을 이끌고 있었다. 그러나 서유럽의 많은 사람에게는 고국과 더 가까운 곳에서 예수를 위해 싸울 수 있는 더 나은 기회가 있었다.

이베리아반도에서는 레콩키스타가 착실히 진행되고 있었다. 1147년, 배를 타고 가서 2차 십자군의 프랑스 및 독일 전사와 합류했던 잉글랜드와 프리슬란트 십자군 한 무리가 긴 여행 도중 리스본에 들러 이슬람 지배자의 손에 있는 그곳을 정복하는 일에 나섰다. 이는 이베리아 서부 정복과 포르투갈 왕국 건설에 중요한 이정표였다. 여기에 11세기에 알안달루스를 휩쓸었던 알무라비툰이 이제 완만한 붕괴 상태에 있었다. 그들은 모로코에서 일어난 혁명으로 축출되었고 알무와히둔으로 알려진 더욱 근엄한 이슬람 종파가 그들을 대신했다. 이 불안정은 이베리아반도를 전쟁이 임박한 곳으로 만들었고, 예수를 내세워 전투를 하기 위해 그곳에 온 전사들은 교황 에우게니우스 3세에게 명시적으로 십자군의 지위(그리고 부수적으로 죄에 대한 사면)를 부여받았다.

한편 십자군의 세 번째 전선도 열렸다. 클레르보의 베르나르가 독일에서 2차 십자군에 관한 설교를 할 때 작센 귀족 무리가 자기네 문 앞에서의 십자군을 허락해줄 것을 그에게 요청했다. 성지 대신 지금의 독일 북부와 폴란드 서부 지역을 식민화하기 위한 싸움을 하겠다는 것이었다. 그곳에는 당시 뭉뚱그려 벤트인으로 알려진 슬라브계 이교도 민족이 살고 있었다. 베르나르는 허락했다. 신앙이 없는 벤트인을 신의 적이라 부르고, 그들은 개종시키거나 몰아내야 한다고 딱 잘라 말했다.

이것은 당시 영향이 제한적이었지만, 이후 세대들에게는 매우 큰 의미를 가졌다. 벤트 십자군은 왕들이 이끈 시리아 원정이나 레콩키스타 전투에 비하면 규모도 작고 참여도 적었지만, 그것이 십자군으로 분류된 것은 중세 역사에서 결정적인 사건이었다. 이로 인해 동북 유럽의 식민화와 개종은 성전이 되었다. 1140년대 이후 이교도를 교회 안으로 끌어들이고 그곳 사람에게 세례를 주며 그들의 땅을 빼앗는 것을 목표로 하는 '북방 십자군'은 15세기까지 계속되었다.[30]

이 모든 것에도 불구하고 동방으로 가는 십자군이 두 번째 시도에서 멈춰버리지 않았다는 사실이 이상할 것이다. 그것이 상당 부분 살라훗딘 유수프 이븐아이유브(서양에는 살라딘으로 변형되어 알려졌다)라는 쿠르드의 정치인 겸 장군 탓이 아니라는 것도 마찬가지다.

오늘날에도 살라훗딘은 여전히 중세사 전체를 통틀어 가장 유명하고 악명 높고 논란이 많은 인물 가운데 하나다.[31] 1138년 무렵 유복한 쿠르드인 가정에서 태어난 살라훗딘은 누룻딘의 휘하에서 지위가 올라 의지할 만한 관원으로 자리를 잡았으며, 까다로운 레반트 정치의 성격 속에 많은 선배의 지혜를 받아들였다. 레반트는 누룻딘이 1150~1160년대에 셀주크 튀르크 세계 안의 독립적인 도시국가를 한데 묶어 통일성 있는 왕국으로 만든 곳이었다.

1160년대에 살라훗딘은 이집트로 파견되었다. 그는 그곳에서, 예루살렘 왕국을 나일강 삼각주로 확장하려는 생각을 갖고 있던 십자군왕 아모리 1세에 맞서 몇 년 동안 싸웠다. 그러나 그와 동시에 살라훗딘은 이집트 이슬람 세계 안에서 조용히 파티마 할리파국(969년 이래 이집트를 지배해온 시아파 권력) 파괴를 획책하고 있던 집단의 일원이었다. 1171년, 살라훗딘은 궁중 정변을 일으켜 마지막 파티마 할리파를 축출했다. 이집트의 정치적 충성은 시리아의 누룻딘에게로 옮겨갔고, 종교적 순종은 바그다드의 순나파 압바스 할리파에게로 향했다. 이것은 그 자체로 대단한 성과였다(그리고 시아파 세계에서 살라훗딘이 영원히 욕을 먹게 되는 요인이었다). 그러나 살라훗딘은 그것으로 끝내지 않았다. 어림도 없는 얘기였다.

1174년 누룻딘은 죽을 때 이 지역에 미묘한 상황을 남겨놓았다. 그는 20여 년에 걸쳐 어렵사리 통일 시리아 비슷한 것을 조합해놓았다. 그러나 그의 개인적 지도력이 사라지자 모든 것이 다시 혼란으로 곤두박질할 위기에 처했다. 그래서 살라훗딘은 자기 스스로 누룻딘의 사실상의 후계자가 되기로 결심했다. 그리고 대담한 군사 작전과 교활한 외교술을 통해 바로 그것을 이루어냈다. 아니, 그 이상이었다. 1180년대 말이 되면 그는 시리아의 대부분과 이집트 전역이 자신의 개인적 지배하에 통합된 왕국을 엮어내게 된다. 압바스 할리파는 그를 술탄으로 인정했다. 그의 가족은 정부에서 요직을 차지했다.

그리고 살라훗딘은 자신의 위상이 높아지면서 스스로를 이슬람 세계의 구원자로 내세우기 시작했다. 그는 자신의 개인적 이득을 위해서가 아니라 온 세계 이슬람교도의 이익을 위해 싸우는 지하드 전사였다. 대체로 보아 이는 살라훗딘이 실제로 자기 생애의 상당 부분을 같은 이슬람교도와 싸우고 그들을 죽인 사실을 호도하기 위한 것이었다. 그럼에도 불구하고 그가 유례없는 성공을 거두자 그는 한 이슬람교도 작가의 표현대로 "신의 적에 맞서 성전을 벌이려는 열의"[32]에 가득 찬 사람이 되었다. 실제로 이는 그의 관심과 그의 군사 작전의 방향을 이 지역의 가장 큰 이교도 세력에게로 돌린다는 의미였다. 바로 예루살렘의 십자군 왕국이다.

1180년대에 살라훗딘과 예루살렘 지배자들은 서로를 불편하게 바라보았다. 이 시기 동안 십자군 왕국은 몇 차례의 승계 위기와 내부 분쟁으로 골머리를 앓았고,† 반면에 살라훗딘은 시리아에 대한 자신의 장악력을 굳

---

† 이는 1174년 예루살렘왕 보두앵 4세의 즉위에서 비롯된 것이었다. 그는 고통스럽고 쇠약해지는

히는 일에 전념했다. 따라서 한동안 어느 쪽도 전면전의 위험을 떠안으려 하지 않았고, 몇 차례의 휴전 협정으로 미묘한 평화를 유지했다.

그러나 1187년 살라훗딘은 공격해도 되겠다는 충분한 확신이 들었다. 샤티용의 르노라는 십자군 영주의 이슬람 상인 행렬에 대한 공격을 구실로 살라훗딘은 그해 봄에 "수를 셀 수 없는 군대"[33]를 이끌고 예루살렘 왕국으로 쳐들어갔다.

심판의 날은 7월 3~4일이었다. 살라훗딘은 불운하고 모두가 싫어하는 예루살렘왕 기 1세와 예루살렘 왕국의 거의 전 병력으로 이루어진 부대를 갈릴리호 부근 카르네이히틴으로 알려진 휴화산의 쌍봉으로 유인했다. 그곳에 이르자 살라훗딘의 부하들은 기의 군대를 모든 수원으로부터 차단하고, 뜨겁고 마른 지형의 덤불에 불을 지른 뒤 그들을 몰아쳤다. 거센 전투 과정에서 십자군 부대는 궤멸했다. 기는 생포되었고 (기독교 세계의 가장 귀중한 유물인) 성십자가는 빼앗겨 다시 볼 수 없었다. 전투가 끝나고 생포된 200명의 신전기사단 및 구호기사단 기사(군의 정예 병력이었다)에게 살라훗딘의 신하와 성직자가 참수 의식을 거행했다.

이후 몇 달에 걸쳐 살라훗딘은 가장 중요한 무역항 아코를 포함해 레반트 해안의 거의 모든 십자군 도시를 점령했다. 10월에 그는 결국 예루살렘을 포위했다. 정규 수비대가 카르네이히틴에서 궤멸당한 부대에 속해 있었기 때문에 그곳은 주로 여자들과 아이들이 방어하고 있었다. 시늉뿐인 약간의 저항 끝에 도시는 항복했다. 살라훗딘은 겉으로는 휘하 병사들

___

나병을 앓았고, 결국 이로 인해 죽었다. 보두앵은 신체적으로 강하고 용감했지만, 그의 치세에 왕의 지도력은 어쩔 수 없이 약해졌다. 1185년 그가 죽자 여섯 살짜리 아이가 왕위를 승계해 보두앵 5세가 되었다. 이듬해에 어린 왕 역시 죽어 왕위는 그 어머니 시빌과 두루 욕을 먹는 그 남편 뤼시냥의 기에게 넘어갔다. 이 왕가의 연속된 불운은 당연히 십자군 왕국의 적들을 대담하게 만들었다. 살라훗딘도 그 중 하나였다.

에게 학살의 즐거움을 허락하지 않았다.

그러나 그 충격은 여전히 서방 세계 곳곳에서 회자되었다. 그리고 이는 정말로 진지한 것으로는 십자군의 마지막 예루살렘 파견을 촉진했다. 3차 십자군이다. 실존 위기에 가까운 비참한 수모에 기인한 절박성으로 부르짖은 이 십자군은 새 세대의 전사 왕들이 이끌었다. 프랑스의 필리프 2세와 잉글랜드의 '사자 심장' 리처드였다.

그들은 자기네 왕국에서 전쟁 준비를 착착 진행했다. 리처드는 동방으로 갈 준비를 하면서 관공서 건물을 팔고, 살라홋딘세稅로 알려진 10퍼센트 소득세를 거뒀으며, 막대한 양의 물건과 무기를 비축했다. 수십 명의 영주와 성직자가 신의 왕국을 구하기 위한 전쟁을 돕는 데 나섰다. 그러나 이번에는 이전 십자군의 발자취를 맹목적으로 따르려는 충동이 없었다. 독일의 지배자이며 신성로마 제국 황제인 '붉은 수염' 프리드리히 1세는 육상로를 택했고, 소아시아의 한 강에서 수영을 하다가 익사했다. 한편 리처드와 필리프는 배를 타고 동방으로 가, 시칠리아와 키프로스에서 기착했다. 그들은 가면서 말다툼을 했는데, 틀림없이 그들 임무의 중요성에 관해서였을 것이다. 행운을 위해, 그리고 전쟁터에서의 아서왕의 용기를 불러오기 위해 리처드는 엑스캘리버라는 칼을 가지고 갔다.

필리프와 리처드는 1191년 성지에 도착했다. 2년 동안 계속된 원정에서 그들은 아코를 탈환했고, 이후 리처드는 대부대를 이끌고 레반트 해안을 내려가면서 포로를 학살하고 살라홋딘의 병사들과 전투를 벌여 지나는 길에 있는 도시들을 수복했다. 그러나 (당대 최고의 장군인) 리처드조차 예루살렘시를 도모하는 데는 힘이 미치지 않았다. 두 번 시도했지만 두 번 다 격퇴당했다. 포위에 필요한 규모를 이루지 못한 것이다.

그가 예루살렘 점령에 가장 가까이 다가간 것은 팔레스티나 전체를 두 개의 국가로 만드는 매우 전향적인 해법을 들고 협상을 할 때였다. 자신의 여동생 조앤과 살라훗딘의 남동생 알아딜 사이풋딘(서양에서는 별칭 '사이풋딘'이 변형된 '사파딘'으로 알려졌다)이 함께 나라를 통치한다는 방안이었다. 이것은 양측이 결혼을 위한 종교적 조건에 합의하지 못해 지연되었고, 결국 이 계획은(그리고 십자군도) 소멸했다. 그리고 십자군은 늘 그랬듯이 정착을 하거나 떠났다.†

1192년에는 십자군 왕국이 구조되었다. 그러나 재편되었다. 3차 십자군의 개입 덕분에 이 나라는 멸망을 면했다. 그러나 성도는 빼앗겼고, 국가 자체는 이제 상인 파당이 지배하는 항구들의 연쇄로 이루어졌으며, 내륙의 성채는 신전기사단과 구호기사단이 관리했다. 트리폴리 백국과 안티오케이아 공국은 살아남았지만 역시 규모와 세력이 얼마간 줄었다. 세 나라는 모두 거의 100년 더 존속하게 된다. 그러나 시리아와 팔레스티나로 가는 다중 십자군 운동의 시대는 끝났다. 십자군 운동에 중대한 변화가 일어나고 있었다. 12세기에서 13세기로 넘어가면서 기독교의 성전은 매우 새로운 방향으로 전환하려 하고 있었다.

'혐오스러운 일'

우울한 얼굴에 명석한 머리를 가진 교황 인노켄티우스 3세는 이례적으로

---

† '존엄자' 필리프는 동방으로 가는 도중 리처드와의 관계가 갈수록 악화되었는데, 아코 포위전 직후 크게 화를 내고 십자군을 떠났다. 리처드는 1192년 말 성지에서 떠났고, 이스트라(현재의 크로아티아)에서 배가 난파했다. 그는 육로로 귀국하려 했지만 독일왕이자 신성로마 황제인 하인리히 6세에게 체포되어 수감되었다.

어린 나이인 서른일곱 살 무렵에 교황으로 선출되었다. 인노켄티우스는 이탈리아 귀족으로, 본명은 로타리오 데이콘티디세니였다. 그는 교회법학자와 추기경으로서 짧지만 성공적인 이력을 통해 거대하고 보편적인 세계관을 발전시켰다. 인간 존재의 근본적인 성격과 기독교 세계의 바탕에 있는 가장 깊숙한 권력 체계 모두를 매우 열심히 탐구한 결과였다.

첫 번째 주제에 관해 인노켄티우스는 《인간 상태의 비참함에 대하여》라는 철학적 논증을 썼다.[†] 이것은 모든 인간의 끝없는 끔찍함과 더러움을 상술했다. 이 책은 음울한 제목과 비관적인 내용에도 불구하고 중세의 베스트셀러가 되어, 서방 전역에서 수백 번 복제되고 여러 세대 동안 유포되었다.[34]

두 번째 문제인 서방 권력의 위계에 관해 인노켄티우스는 (모든 기독교 왕국에서 교황의 지상권을 주장하는 천문학적 비유인) 해와 달의 정치 이론을 전폭적으로 믿게 되었다. 이 관점에서 교황은 해이며 빛을 발산한다. 왕가의 지배자(특히 신성로마 제국 황제)는 달과 같아서 그저 그 빛을 반사할 뿐이다. 그들은 동등한 존재가 아니다. 인노켄티우스는 교황 즉위 직후인 1198년 이렇게 썼다.

[†] 《인간 상태의 비참함에 대하여》는 인생이 전반적으로 끔찍하다는 것에 대한 고찰이다. 그런 인식의 오랜 전통이 수도원 또는 금욕적 교단으로의 전환에 일부 영향을 미쳤다. 대체로 독창적이지는 않지만 능숙하게 구성한 글에서 인노켄티우스는 인간의 물리적 존재에 수반되는 고통과 쇠락, 거의 모든 사람의 도덕적 모순, 불가피한 인간의 사후 심판의 치욕적인 고통 및 지옥의 고통을 묘사했다. 이 책 1부의 한 전형적인 구절은 노화의 흉측함에 대해 이렇게 묘사한다. "그러나 노년에 이르면 심장이 곧바로 약해지고 머리가 흔들린다. 정신이 혼미하고 숨을 쉬면 악취가 난다. 얼굴에는 주름이 생기고 등이 굽는다. 눈이 침침해지고 관절이 부실해진다. 콧물이 흐르고 머리털이 빠진다. 손이 떨리고 반응력이 떨어진다. 이가 썩고 귀가 지저분해진다. (…) 그러나 노인이 젊은 사람을 부러워할 필요도 없고 젊은이가 노인에게 잘난 체해서도 안 된다. 젊은이는 노인의 과거 모습이고, 언젠가 노인이 될 것이기 때문이다."

우주의 창조자이신 신께서는 하늘의 창공에 두 개의 커다란 발광체를 만들어놓았다. 큰 것은 낮을 지배하고 작은 것은 밤을 지배한다. 그와 똑같이 신은 신의 이름으로 표현된 보편교회의 창공에 두 개의 큰 존엄을 만들어놓았다. 큰 것은 (…) 영혼이라는 낮을 주관하고, 작은 것은 육신이라는 밤을 주관한다. 전자는 교황의 권위고, 후자는 왕의 권력이다.[35]

이것은 새로운 생각이 아니었다. 인노켄티우스가 교황에 즉위할 무렵, 교황은 거의 400년 동안 왕과 패권을 다투고 있었다. 그러나 인노켄티우스는 역사 속의 거의 모든 다른 교황과 비교해 고상한 철학을 정치 현실로 돌리는 쪽으로 더 나아갔다. 1198년에서 그가 죽던 1216년까지 지속된 그의 재위 기간은 법률에 따른 교황의 정치 수완을 잘 보여준 훌륭한 작품이었다. 인노켄티우스는 이 과정에서 로마의 권력을 모든 사람과 모든 것에 각인시키려 애썼고, 몇몇 이례적인 결과물을 만들어냈다.

십자군과 관련해서 말하자면 인노켄티우스가 선출된 직접적인 배경은 3차 십자군의 예루살렘 점령 실패였다. 이에 따라 유럽의 왕들은 성도에 대한 또 한 번의 공격을 생각하는 데 넌더리를 내는 편이었다(1193년 3월 살라훗딘이 죽었음에도 그랬다). 3차 십자군이 1099년의 기적을 재연하는 것이 매우 어렵다는 사실만을 보여준 것으로 여겨졌기 때문이다.

그러나 이것이 인노켄티우스로 하여금 십자군이라는 생각 자체를 버리게 하지는 않았다. 사실 그는 우르바누스 2세 이후의 어떤 교황보다도 더 십자군의 역사에서 중요한 자리를 차지했다. 인노켄티우스는 흔들리는 기독교의 성전 개념을 새로운 시대에 맞게 재정립했기 때문이다. 인노켄티우스는 그 이전의 우르바누스 및 에우게니우스 3세와 마찬가지로 십자군이 교황의 권력을 뒷받침하는 것으로 얼마나 유용할 수 있는지 알고 있었다. 그러나 그의 전임자들이 대체로 그 무기를 기독교 세계 바깥의 적에게 겨냥했던 데 반해 인노켄티우스는 이를 내부를 향해서도 겨냥하기로 결정했다. 그는 십자군 운동을 이슬람교도와 이교도를 쫓아내는 것 외에 기독교 세계 내부의 이단자와 반체제 인사를 향해서도 배치한다(또는 그렇게 하도록 허용했다).

이것은 중대한 사태 전환이었다. 인노켄티우스 덕분에 13세기에는 서방 세계 곳곳에서 십자군 권유가 폭발했다. 그러나 이 시기에는 또한 서아시아의 십자군 국가가 쇠퇴하고 결국 사라지게 된다(부분적으로 십자군이 무엇을 위한 것인지에 대해 인노켄티우스가 개념을 재정립한 결과이기도 했다).

인노켄티우스의 첫 십자군은 예측할 수 있는 방식으로 시작되었다. 그 예측 가능성이 아주 오래 지속되지는 않았지만 말이다. 인노켄티우스는 교황에 선출된 직후 〈포스트 미세라빌레〉로 알려진 교서를 발표했다. 서방의 용기 있는 젊은 남자에게 예루살렘과 성십자가 상실에 대해 복수하라고 요구하는 내용이었다. "예수가 발을 디뎠던 그 땅에 대한 통탄스러운 침략"[36]에 대해서 말이다. 이 요구는 악마가 최근 카이로에 태어났다는 소문과 잘 맞아떨어졌다. 그것은 유럽의 보통 사람들을 흥분시켰으며, 많은 사람에게 종말이 다가오고 있다는 확신을 갖게 했다.

그리고 이는 소규모 서방 영주 집단, 특히 플란데런 백작, 샹파뉴 백작, 블루아 백작 등과 그 친구들이 새로운 성지 공격 계획 수립을 시작하도록 자극했다. 이 4차 십자군은 대담한 상륙 공격을 계획했다. 전함 대함대가 이집트의 나일강 삼각주 서쪽 알렉산드리아를 공격할 예정이었다. 그곳에서 그들은 군대를 보내 팔레스타나로 치고 올라가 예루살렘을 북쪽이 아니라 남쪽으로부터 해방시키기로 했다. 그것은 대담하고 심지어 환상적인 계획이었다. 그러나 이 계획은 200척가량의 갈레아 전함과 완전한 승무원을 갖춘 수송선단이 필요했다. 전투에 나갈 약 3만 명의 병사들은 물론이었다. 이 병참상의 문제가 결과적으로 4차 십자군이 실패한 원인이었다.[37]

프랑스는 갈레아 함대를 건설하는 데 베네치아 공화국에 의존했다. 베네치아는 도시가 훌륭한 공을 세운 자랑스러운 이력이 있고 십자군 국가들을 무역 기지로 유지하도록 하는 데 깊은 경제적 관심을 갖고 있는 오랜 십자군으로서 독자적인 명성을 갖고 있었다. 열띤 논의 끝에 베네치아의 지도자인 아흔 살의 맹인 도제 엔리코 단돌로가 1201년 초 선박 건조 계약을 받아들였다.

1년이 되지 않아 베네치아의 조선소에서 함대를 만들어냈고, 배에 식량, 포도주, 마초를 실어 십자군 원정 준비를 마쳤다. 인노켄티우스는 이 과정을 파악하고 있었고, 직접 만족을 표시했다. 그런데 불행하게도 프랑스 백작들이 그를(그리고 다른 모든 사람을) 실망시켰다. 그들은 1202년 초여름에 병사를 충원하고 선박 대금으로 지불할 3만 명의 인원과 은화 8만 5000마르크를 내놓기로 되어 있었다. 그러나 1202년 초여름이 되자 프랑스는 두 가지 다 지키지 못할 것임이 분명해졌다. 약속한 병사는 3분의 1도 모으지 못했고, 돈은 겨우 절반이었다. 이것은 외교적 참사로만 그치는 것이 아니었다. 베네치아라는 도시가 망할 지경에 이른 것이다.

이에 대응해 엔리코 단돌로는 치명적인 결정을 내렸다. 그는 물러서는 대신 앞으로 나아갔다. 사실상 십자군의 지휘권을 자신이 쥔 것이다. 1202년 10월에 그는 십자군 서약을 했으며, 천으로 된 십자가를 어깨에 걸치지 않고 모자에 꽂았다. 며칠 뒤 함대는 항구를 떠났다. 주홍색과 은색으로 치장한 그의 개인용 갈레아선이 길을 이끌었다. 그들은 도시의 손실을 벌충하기 위해 떠났다. 베네치아인은 싸우기 위해 온 프랑스 동맹군과 함께 지금의 크로아티아인 아드리아 해안을 따라 항해했다. 알렉산드리아로 향한 것이 아니었다.

그들은 기독교도의 도시 자라(지금의 자다르) 바깥의 바다에서 닻을 올렸다. 이 도시는 몇 년 전 베네치아에 공물 바치기를 거부하고 대신에 헝가리의 기독교도 왕에게 충성을 바치겠다고 해서 베네치아인을 화나게 했다. 자라 시민은 십자가가 들어 있는 깃발을 도시 성벽에 늘어뜨리고 자기네 시민 상당수도 십자군 서약을 했다는 사실을 알리며 소리를 질러 항의했지만, 베네치아인과 프랑스인은 투석기를 계속 쏘아대며 공격에 나섰다. 그 공격으로 시민들은 결국 성문을 열지 않을 수 없었다. 침략자들은 성안으로 들어가 겨울 동안 시민들을 뜯어먹고 살았으며, 그러다가 1203년 봄에 떠났다. 그들은 도시를 약탈하고, 성벽을 무너뜨리고 교회를 제외한 모든 건물을 불태워 앙상한 뼈대만 남게 했다.

작가 파이리스의 군터는 이를 "혐오스러운 일"이라고 했다.[38] 소식을 들은 인노켄티우스 3세도 같은 생각을 했다. 그는 관련된 모든 사람을 파문하겠다고 위협했다가 누그러져 그런 짓을 되풀이하지 말라는 경고로 수위를 낮췄다. 그러나 그런 짓은 그대로 되풀이되고 말았다. 거의 상상할 수 없을 정도의 규모로 말이다. 그들이 다음에 찾은 도시 역시 기독교도의 거점이었다. 사실 그곳은 세계에서 가장 큰 기독교도의 도시였다. 바로 콘스탄티노폴리스였다.

십자군은 당초 한 어리석은 젊은이의 요청으로 콘스탄티노폴리스에 갔다. 동로마의 전 황제 이사아키오스 앙겔로스의 아들인 알렉시오스 왕자였다. 이사아키오스는 1185년 정변 뒤 콘스탄티노폴리스에서 권좌에 올랐으며, 이후 10년의 자신의 치세를 완전히 낭비하며 보냈다. 그는 다시 자신의 형 알렉시오스에게 폐위되어, 눈이 손상되고 수감되어 감옥에 방치된 채 썩어갔다.

그 형이 이제 권좌에 있었고, 열아홉 살짜리 왕자 알렉시오스는 복수를 노리고 있었다. 그가 어떤 약속을 한다 해도 이상스러운 일은 아니었고, 그가 몇 가지 조건을 가지고 4차 십자군 지도자들에게 접근한 것은 진지한 일이었다. 그는 십자군에게 은화 20만 마르크를 지불하고, 예루살렘 왕국에 기사 500명이 주둔하는 영구 주둔지를 제공하며, 콘스탄티노폴리스시를 로마 교황의 종교적 권위 아래 두겠다고 제안했다. 그들이 자신을 아버지가 쫓겨났던 황제 자리에 올려주기만 한다면 말이다. 이것은 믿기 어려울 정도로 너무 좋은 제안이어서 십자군은 이를 냉큼 받아들였다. 1203년 6월, 베네치아인이 이끄는 함대가 '바실레우사(도시의 여왕)'로 불리던 이 도시의 시야 안으로 항해해 들어왔다. 그들은 1년 가까이 그곳에 머물렀다.

그동안 사태는 혼란스럽게 그리고 때로는 빠르게 변화했다. 1203년 여름, 알렉시오스 3세가 콘스탄티노폴리스에서 달아났다. 이사아키오스가 감방에서 풀려나 다시 황제 자리에 올랐다. 아들이 공동 황제가 되었다. 알렉시오스 4세였다. 그것으로 콘스탄티노폴리스에서의 십자군의 임무는 명목상 끝났다.

그러나 베네치아인은 다시 한번 제공한 노고에 대한 대가를 지불할 수 없는 지배자를 만났다. 그들은 고생을 해서 보상을 받았다. 도시 곳곳의 교회를 약탈한 것이다. 그 결과로 폭동 및 그리스인과 서방 사람 사이에 시가전이 벌어졌고, 8월에는 큰불이 났다. 불길이 도시의 구도심 1.6제곱킬로미터에 마구 번져 하기아소피아와 히포드로모스까지도 파괴 위험에 처했다. 결국 미묘한 합의가 이루어졌다. 알렉시오스 4세는 빚을 분납으로 갚기로 했고, 베네치아인에게 일거리를 더 제안했다. 트라케와 제국 전역의 적들과 싸워달라는 것이었다. 그러나 1203년 12월 돈이 다시 말라버렸고, 늙은 베네치아 도제는 젊은 황제에게 그를 폐위시키겠다고 위협했다.

결국 단돌로는 손가락 하나 까딱할 필요가 없었다. 1204년 1월 말에 늙은 이사아키오스가 죽고 동로마 궁정에서 또 하나의 정변이 일어나 알렉시오스가 교살당했다. '무르추플로스'라는 별명을 가졌던 알렉시오스 두카스라는 경쟁자의 명령에 의한 것이었는데, 그의 별명은 매우 짙은 눈썹 때문에 생긴 것이었다.

초봄에 무르추플로스는 베네치아인에게 강경한 자세를 취하려 했다. 그들이 떠나지 않으면 학살할 것이라고 했다. 베네치아인은 그저 웃었다. 4월 9일, 그들이 바다에서 도시에 포격을 가하기 시작했다. 사흘 뒤 그들은 배의 돛대에서 가져온 가교假橋를 이용해 병사들을 성벽 위로 올렸다. 성벽이 뚫리자 십자군의 전 병력이 성안으로 몰려들어 가서 무서운 약탈을 시작했다. 민가와 교회와 사무실이 약탈당했다. 강간과 살육이 난무했다. 약탈자에게 금지된 곳은 없었다. 히포드로모스를 장식하던 네 필의 옛 청동 마상馬像도 약탈당했다. 그것은 끌어내려져 베네치아 배에 실렸다. (이 마상은 아직도 베네치아의 산마르코 대성당에서 볼 수 있다.) 하기아소피아 안에서는 십자군 진영에서 온 한 매춘부가 콘스탄티노폴리스의 총대주교 성좌聖座 주위를 까불며 뛰어다녔다.

무르추플로스는 도시에서 도망쳤지만 달아날 때 추적당해 결국 자기네 수도로 끌려왔고, 그곳에서 고문을 당한 뒤 시내 광장에 있는 테오도시우스의 기둥 꼭대기에서 던져졌다. 그가 땅에 떨어져 박살 나면서 동로마 제국 또한 일종의 죽음을 맞았다. 그를 대신해 그 자리에 올려진 그리스인은 없었다. 대신에 십자군인 플란데런 백작 바우더베인(보두앵)이 콘스탄티노폴리스의 로마니아 제국(영어 명칭에서 나온 '라틴 제국'으로 쓰기도 하지만 당대의 근거가 없는 후대의 편의적 명칭이다) 황제로 맞아들여졌다.

한편 자기네가 십자군에 들인 경비를 돌려받은 베네치아인은 알렉산드리아나 그 밖의 어느 곳으로도 가기를 거부했다. 그들은 닻을 올리고 고국으로 돌아가 딴 돈을 계산했다. 그리스 역사 기록자 니케타스 코니아테스는 이 모든 것을 '폭거'라고 표현했다.[39] 그는 틀리지 않았다. 4차 십자군은 중세 전체에서 가장 수치스럽고 악명 높은 탈선 가운데 하나였으며, 인노켄티우스 3세는 이에 대해 엄청나게 화를 내고 불평했다. 그러나 그 모든 공포와 부패에도 불구하고 베네치아인은 또한 십자군 운동의 깃발 아래서 무슨 일을 할 수 있는지를 보여주었다. 그리고 인노켄티우스는 콘스탄티노폴리스 약탈과 붕괴 이후 온갖 호통을 쳤지만 그들이 보여준 것을 철저히 이용하게 된다.

인노켄티우스는 교황 재위 18년 동안 다섯 차례의 십자군을 더 창도했고, 여섯 번째를 준비했으며, 일곱 번째를 자극했다. 그 가운데 예루살렘으로 간 것은 하나도 없었다. 그러나 그의 십자군 운동은 시선이 사방팔방에 미쳤다.

인노켄티우스는 이베리아반도에서 이 지역의 왕들에게 함께 뭉쳐 알무와히둔에 맞서 싸우라고 촉구했다. 그들은 당연히 그렇게 했고, 신전기사단과 구호기사단, 그리고 피레네산맥 너머에서 온 다른 십자군 전사의 지원을 받은 그들은 1212년 라스나바스 데톨로사 전투에서 알무와히둔 할리파 안나시르를 격파했다. 기독교 세력이 남쪽으로 급속히 밀고 내려가기 시작한 레콩키스타의 한 이정표였다. 그들은 꾸준히 알무와히둔을 지중해 쪽으로 밀어내고 있었다.

한편 멀리 북유럽에서 인노켄티우스는 또한 온 마음을 다해 덴마크와 독일, 기타 스칸디나비아 영주를 격려해 개종하지 않은 동북 유럽의 이교도를 공격하게 했다. 리보니아 십자군으로 알려진 원정이다. 새로 만들어진 도이치기사단 등 모든 기독교도 전사는 발트해 주변의 새로운 땅을 식민화한 대가로 자기네 죄에 대한 사면을 주장할 수 있었다.

이들 군사 원정은 이베리아 이슬람교도와 이교도 리브인(리보니아인) 모두에게 참혹한 결과를 가져왔다. 그러나 보다 더 혁명적이었던 것은 인노켄티우스가 서유럽 중심부에서 십자군을 사용한 것이었다. 스티븐 랭턴이라는 캔터베리 대주교 임명을 둘러싸고 잉글랜드왕 존과 다투면서 인노켄티우스는 존을 상대로 한 십자군을 승인하는 문건을 준비했다(그러나 공표하지는 않았다). 그는 존이 순종하지 않고 전반적으로 무례하다는 이유로 그를 파문했다. 그리고 그와 거의 동시인 1209년, 카타리파로 알려진 남부 프랑스의 기독교 이단 종파를 상대로 한 십자군을 창도했다. 이 원정은 활동의 일부가 프랑스 남부 도시 알비 주변에서 이루어졌기 때문에 보통 알비 십자군이라 부르는데, 이는 20년 동안 이어졌다.

내부의 적

인노켄티우스의 알비 십자군의 불운한 목표물이었던 카타리파는 유럽에서 적어도 1170년대 이후 알려졌다. 이때 3차 라테라노 공의회로 알려진 교회 지도자의 대회의가 그들의 신앙을 "역겨운 이단"이라고 선언했다. 이들이 비정통인 것은 사실이었다. 그들은 클레르보의 베르나르의 시토회가 개발한 것조차도 훨씬 넘어서는 기독교 금욕주의 전통을 택하고 있었다.

그들의 제1교리는 논란의 여지가 없는 것이었다. 카타리파는 인간의 육신을 본질적으로 죄가 있고 혐오스러운 것으로 간주했다. 이 관점은 앞서 보았듯이 인노켄티우스가 공유하고 있다고 한때 진심으로 고백했던 것이었다. 그들은 도덕적 타락에서 벗어나는 유일한 길이 엄격한 극기의 원칙에 따라 사는 것이라고 생각했다. 성교 억제, 채식주의, 검소한 생활 같은 것이었다. 따라서 그들은 대략 같은 시기에 유럽에서 등장하고 있던, 예컨대 탁발수도사 교단들과 그리 다르지 않았다.

그러나 카타리파는 서방 교회의 위계를 거부하고 자기네 스스로 독자적인 성직자를 택했으며, 성찬식과 세례, 기타 교회 의식을 거부함으로써 기독교 금욕주의에서 이단으로 넘어갔다. 이는 그들을 매우 용인될 수 없는 처지로 내몰았다. 특히 인노켄티우스처럼 교회 전반에 명령과 통제의 권위를 강제하려고 심하게 집착했던 교황에게는 말할 것도 없었다.

카타리파는 또한 고통스럽게도 아픈 데를 찌르고 있었다. 프랑스 남부와 이탈리아 북부의 소도시 주민 사이에서 열렬하게 신봉되었기 때문이다. 카타리파가 득세한 전형적인 도시는 비테르보였다. 이 도시는 1205년 시민들이 시 의회에 카타리파 몇 명을 선출했다가 인노켄티우스의 분노를 고스란히 당해야 했다. 화가 난 교황이 그들에게 이렇게 말했다. "당신들은 스스로의 죄악 속에서 썩어버렸소. 똥 속에 빠진 짐승들처럼 말이오."[40] 그러나 인노켄티우스는 독설의 편지로 카타리파를 박멸할 수 없었다. 카타리파 신앙은 색다르고 극단적이었지만, 신봉자에게는 대단한 헌신과 충성심을 자극했다. 더구나 프랑스 남부의 몇몇 영주(대표적으로 툴루즈 백작 레몽)는 이 이단을 못 본 체하는 것으로 만족했다. 매우 이상하기는 했지만 사회의 도덕적·종교적 구조에 가시적인 해악을 별로 끼치지 않았기 때문이다. 그래서 교황이 행동에 나서기로 결심했다. 그는 1205년 프랑스왕인 '존엄자' 필리프 2세에게 이렇게 썼다. "찜질약의 치료에 반응하지 않는 상처는 칼로 도려내야 합니다."[41]

1208년, 교황은 전쟁의 명분을 얻었다. 그의 주요 외교관 가운데 하나인 카스텔노의 피에르가 툴루즈의 레몽과 카타리파에 대해 논의한 회담을 성과 없이 마친 뒤 살해당한 것이다. 몇 주 지나지 않아 피에르가 순교자로 선포되었다. 그리고 그와 동시에 인노켄티우스는 서방의 주요 영주와 군주에게 편지를 보내 카타리파를 "사라센보다 더 위험"하다고 비방하고 그들을 지상에서 쓸어내기 위한 총체적인 노력을 요구했다.[42] 그는 십자군을 소집하고 1209년 여름 리옹에서 만나 신의 적을 단호하게 처리하고자 했다.

기독교도의 땅에 십자군을 보내자는 요구는 극단적이고 전례가 없는 일이었지만 곧바로 프랑스왕과 북부 프랑스 귀족의 호응을 얻었다. 그들에게 프랑스 남부는 거의 외국이나 마찬가지였다. 그곳은 덥고 감각적이며 언어가 북쪽과 달라(옥시타니아 방언을 쓴다) 오랫동안 왕권의 지배가 미치지 않았다. 이는 '존엄자' 필리프에게 매우 불쾌한 일이었다. 그가 재위 기간 내내 목표로 삼은 것은 자신의 왕국에서 왕권을 기존의 것보다 훨씬 더 넓은 지역에서 확립하는 것이었다.[†] 필리프는 직접 십자군으로 출정하려는 생각은 별로 없었지만(보다 젊었을 때였던 3차 십자군에서의 경험은 충분히 즐거운 것이었다), 그래도 자기 왕국 안의 카타리파를 상대로 한 십자군에 무언의 지지를 보냈다. 그것이 툴루즈 백작 같은 사람들의 자치 권력을 깨는 데 유용한 수단이 되리라고 생각한 것이다.

[†] 이 목표는 노르망디에서 이미 거창하게 달성되었다. 1203~1204년에 필리프는 노르망디 공작인 잉글랜드의 존왕을 쫓아내고 수백 년 만에 처음으로 이 공국을 프랑스왕의 통제하에 넣었다.

반反카타리 군대의 지휘권은 노련한 십자군 시몽 드몽포르에게 맡겨졌다. 그는 4차 십자군 참전 용사로, 지칠 줄 모르고 완고한 열성파였다. 그의 삶을 이끌어간 열정은 어디서든 마주치는 이교도들을 살육하는 것이었다.† 그는 알비 십자군에서 자신의 살인 충동을 해소할 수 있는 완벽한 배출구를 찾았다.

1209년 6월 이후 만 2년 동안 시몽 드몽포르와 동료 십자군은 프랑스 남부를 휩쓸고 지나면서 카타리파를 숨기고 있다고 의심되는 도시를 포위 공격했으며, 사람을 불태우고 베고 고문해 죽였다. 드몽포르는 베지에와 카르카손, 미네르브와 카스텔노다리 같은 곳에서 이단자들을 찾아냈고, 그들을 발견하면 절대로 용서치 않았다. 《알비 십자군의 노래》로 알려진 기록물의 필자 가운데 한 사람은 이렇게 썼다. "너무도 엄청난 살육이 일어나 (…) 이 일은 세상이 끝나는 날까지 회자될 것이다." 십자군은 카타리파가 있는 시골들을 돌아다니며 불을 지르고 공격했다. 이단자가 한 사람도 자기네의 벌을 피할 수 없도록 확실히 하기 위해 주민을 대량으로 학살했다. 그들은 〈오소서, 창조주 성령이여〉 같은 종교적 성가를 불렀으며, 여자들을 우물 속에 던져버렸다. 1210년까지 그 희생자는 수만 명이 이르렀다.

드몽포르는 전혀 멈출 생각이 없었다. 사실 그는 큰 성공을 거두어 스스로 남부에 커다란 자신의 영지를 모으기 시작했다. 이단자를 상대로 한 자신의 행동을 지원하기를 거부한 영주들로부터 몰수한 땅으로 만든 것이

---

† 이 사람은 드몽포르가의 시몽 4세다. 아들인 레스터 백작 시몽 5세와 구별하기 위해 때로 '아버지' 시몽 드몽포르로 알려졌다. 아들은 잉글랜드에서 1264~1265년 일시적으로 헨리 3세 왕을 쫓아냈던 대규모 반란의 지도자였다. '아버지' 시몽은 자라에서의 낭패 이후 독자적으로 이동해 한동안 시리아에서 싸웠다. 이 결정으로 그는 1204년 콘스탄티노폴리스 약탈과 연관되었다는 오명을 쓰지 않게 되었다.

었다. 1212년 말에 그는 남부 프랑스의 상당 부분을 맡고 있었으며, 이 지역을 '파미에법'이라는 엄격하고 차별적인 여러 법에 따라 통치했다.

그는 완전히 통제 불능이었다. 1213년에 드몽포르는 자신의 십자군 국가를 아라곤왕이자 바르셀로나 백작인 페드로 2세에게 속한 영토(그의 영지는 피레네산맥 북쪽까지 뻗쳐 있었다)로 확장하고자 했다. 페드로는 레콩키스타의 영웅이었고 바로 인노켄티우스로부터 왕으로 대관되었다. 1212년에는 라스나바스 데톨로사에서 알무와히둔을 상대로 한 큰 전투에 참가했다. 그러나 상관없었다. 1213년 9월 12일, 드몽포르는 툴루즈에서 그리 멀지 않은 뮈레에서 페드로를 싸움에 끌어들여 그의 군대를 격파하고 이 아라곤왕을 죽였다.

카타리파가 교회의 단합에 어떤 식의 위험 요소가 되었는지 모르지만, 그들이 십자군 군주를 죽인 책임은 없었다. 이제 프랑스 남부의 질서에 가장 큰 위협으로 떠오른 듯이 보이는 것은 바로 드몽포르였다.

그러나 인노켄티우스는 그를 신경 쓰거나 제어할 수 없었다. 교황은 이제 5차 십자군에 대한 계획을 세우기 시작했다. 그것은 1215년 4차 라테라노 공의회에서 발표된다. 목적지는 나일강 삼각주의 도시 다미아트였다. 이 임무를 준비하는 동안 드몽포르는 분명히 마음에 걸리는 존재였지만, 인노켄티우스가 그리스도의 적에 대한 박해 중지를 요구할 필요성을 확신할 만큼 걸리는 것은 아니었다. 이에 따라 교황은 박해를 계속하도록 허용했고, 1216년 6월 쉰다섯 살 무렵의 인노켄티우스가 페루자에서 병이 들어 죽을 때도 드몽포르는 여전히 살아서 활동하고 있었다. 드몽포르는 2년을 더 카타리파를 벌하는 채찍 노릇을 즐기다가 툴루즈시를 포위 공격하던 중 살해되었다. 그는 도시의 여자들이 쏜 돌에 맞았다. 그것은 요행으로 맞은 것이었다. 그러나 손상은 이미 오래전에 입은 상태였다.

드몽포르가 죽은 뒤 카타리파와의 전쟁은 '존엄자' 필리프의 아들인 '사자' 루이가 맡았다. 1223년 아버지의 뒤를 이어 프랑스왕 루이 8세가 되는 사람이다. 루이는 남부 이단자들과의 전쟁을 1220년대 말까지 계속했는데, 이때에 이르러 그는 툴루즈 백국에서 독립의 흔적을 말끔히 씻어내는 데 성공했다.

이것으로 이단이라는 근본 문제를 해결했는지는 상당히 불분명하다. 카타리파는 14세기까지 남부에서 여전히 살아남아 있었지만, 서방 사회의 도덕적 구조에 과거처럼 위험하지는 않았다. 따라서 알비 십자군이 정치적 재편이라는 측면에서는 이룬 것이 있는지 모르겠지만, 이단의 정신 자체는 박멸할 수 없었다.[†] 그러나 이것은 서방의 기독교도 왕국 안에서 십자군이 싸우는 장면을 이상하지 않은 것으로 만들었다. 13~14세기에 이것은 갈수록 익숙한 모습이 된다.

도처의 십자군

인노켄티우스가 계획을 세우고 4차 라테라노 공의회에서 공표된 5차 십자군은 결국 인노켄티우스의 후임인 호노리우스 3세가 감독하게 되었다. 성과는 매우 제한적이었다. 프랑스와 독일이 대부분을 차지한 대군을 파견해 다미아트를 공격했지만, 1217년에서 1221년 사이의 4년에 걸친 전쟁은 지속적인 소득을 전혀 만들어내지 못했다. 다미아트는 차지했다

---

† 관념을 대상으로 하는 전쟁의 무용성을 보여주는 많은 역사적 사례 가운데 하나다. 오늘날의 테러와의 전쟁, 마약과의 전쟁 같은 것을 보라.

가 빼앗겼고, 이집트 수도 카이로를 공격하려는 시도는 술탄인 살라흣딘의 조카 알카밀에게 금세 격퇴당했다. 그는 나일강 유역을 범람시켜 십자군 병사들을 흙탕물이 넘치는 들판에 빠뜨렸다. 이것과 1248~1254년 프랑스의 루이 9세가 이끈 다미아트를 공격한 거의 동일한 십자군이 동방을 향한, 약간 우스운 마지막 대규모 공격이었다. 이후에는 갈수록 군사 단체의 방어만이 남고, 가끔씩 거대 영주가 개별적으로 추진한 독립적인 원정으로 보강되었다.

이것이 십자군 운동의 종말을 의미하는 것은 아니었다. 대규모 원정의 시대가 저물어가면서 그 대신 여러 작은 십자군 전쟁의 무대가 생겨났기 때문이다. 이베리아에서는 1212년 라스나바스 데톨로사에서 알무와히둔에 승리를 거두면서 레콩키스타의 새로운 국면이 시작되었다. 기독교 세력이 갈수록 커져 꾸준히 남쪽으로 밀고 내려갔으며, 1252년이 되면 오직 반도 맨 남쪽의 그라나다 아미르국만이 이슬람 지배하에 남았다.

한편 북유럽에서는 십자군 운동이 사실상 항구화했다. 도이치기사단은 변경 지역에 뿌리를 내리고, 뭉뚱그려 프루사Prūsa로 알려진 발트해 지역 주변의 이교도 나라들로 해마다 습격을 나갔다. 그들은 불신자를 강제로 개종시키고, 기독교권의 세속 영주와 주교를 위해 새로운 사유지를 개척했다. 이것은 느리지만 결국 성공한 과정이었다. 이를 통해 한동안 지금의 폴란드 북부에서 에스토니아까지 내쳐 뻗어 있는 발트해 지역에 십자군의 군사 국가가 만들어졌다. 이와 동시에, 9장에서 보겠지만 십자군은 동유럽의 기독교 세계 변방에서 새로운 세계 초강국을 방어하는 수단이 된다. 그 초강국은 몽골이다.

그러나 이 십자군과 기타 십자군은 적어도 비기독교도와 싸웠지만, 13세기 이후에는 다른 많은 사람이 예수의 이름으로 싸우기를 서약한 뒤 결국 같은 종교를 가진 사람끼리 전쟁을 벌이게 된다. 실제로 가장 악명 높은 십자군 지도자이자 나중에 당대의 표적이 된 사람이 신성로마 황제인 프리드리히 호엔슈타우펜이다.

당대의 가장 놀라운 사람 가운데 하나였던 프리드리히는 날카로운 지성, 정치적 천재성, 끝없는 부지런함으로 '스투포르문디'(세계의 경이)라는 별명을 갖고 있었다. 시칠리아에서 양육되어 그곳에서 1198년 세 살의 나이에 왕위에 오른 그는 자신의 기독교 신앙뿐만 아니라 아라비아어와 이슬람 문화에도 친숙했다. 또한 평생 과학 탐구, 자연철학, 수학, 동물학에 매달렸으며 맹금류 사냥에 관한 교과서를 써서 높은 평가를 받았다.

1220년에 프리드리히는 신성로마 황제로 즉위했고, 자신의 권위를 남쪽으로는 시라쿠사에서 북쪽으로는 독일-덴마크 국경까지 넓혔다. 그의 개인적인 능력을 감안하지 않더라도 그는 기독교 세계의 지배적인 세속 군주였다. 그리고 십자군 운동에 관심을 돌리면서 엄청난 결과를 만들어냈다.

프리드리히는 동방으로 가는 대규모 십자군을 이끌지는 않았지만, 1220년대 말에 예루살렘 왕국에 갔다. 그곳에서 그는 알카밀 술탄과의 흔치 않은 접촉 기회를 이용해 많은 사람이 불가능하다며 포기했던 일을 이루어냈다. 성도를 기독교도가 통치하도록 되돌려놓은 것이다. 프리드리히는 개인 외교 채널로 중재된 자신과 술탄 사이의 교섭 타결을 통해 기독교도의 성도 관리에 대한 인정을 확보했다. 이슬람교도가 방해받지 않고 알하람 앗샤리프(신전산)에 접근해 쿱밧 앗사흐라와 알악사 이슬람 사원을 참배할 수 있도록 허용한다는 양해 아래서였다. 프리드리히는 예루살렘왕의 칭호와 왕관도 자기 것이라고 주장했으나, 일상적인 행정은 그가 유럽으로 돌아올 때 임명된 대리인들에게 맡겼다.

이 즐거운 힘의 균형은 불과 16년 동안 지속되었을 뿐이지만, 기적적으로 공평하고 피를 흘리지 않은 혁명이었다. 프리드리히는 이 일로 온 기독교 세계의 감사와 찬양을 기대할 만했다. 그러나 불행하게도 그는 그런 것을 전혀 받지 못했다.

프리드리히 호엔슈타우펜은 일생 동안 교황들과 끊임없이 다투었고, 놀랍게도 네 번이나 파문당했다. 사실 그가 1229년 성묘교회에서 예루살렘왕으로 즉위하던 그 순간에 그는 서류상 로마 교회와 교신이 금지된 상태였다.

그는 교황 그레고리우스 9세(재위 1227~1241)와 철천지원수였다. 그레고리우스는 인노켄티우스(그를 움직이는 임무는 이단을 박멸하고 모든 곳의 불신자를 박해하며 모든 세속 군주에게 그들의 권력이 교황의 위엄과 비교하면 아무것도 아님을 알게 하는 것이었다)와 상당히 비슷하게 오만하고 화를 잘 내는 사람이었다. 시칠리아, 이탈리아 남부, 독일, 롬바르디아에 갖고 있는 프리드리히의 힘이 호엔슈타우펜 왕가로 하여금 교황국의 교황을 포위하고 지배할 수 있을 것이라고 겁을 먹은 그레고리우스는 프리드리히를 이단이라고 거듭 비난하고 다른 지배자들에게 호엔슈타우펜의 땅들을 침략하도록 부추겼다.

반목은 두 사람이 모두 죽고 나서도 이어졌다. 1240년대부터 1260년대까지 역대 교황은 프리드리히와 그 후계자를 상대로 한 전쟁을 부르짖었다. 예루살렘 십자가를 걸치고 죄의 사면을 요구하며 성지 순례를 하겠다는 전투원들의 서약을 신성로마 제국과 싸우기 위해 서방에 머무르는 것으로 바꾸도록 격려했다.

결국 호엔슈타우펜가는 몰락했다. 그들의 운은 1268년 프리드리히의 손자로 당시 열여섯 살에 불과했던 이름뿐인 예루살렘왕 콘라딘이 시칠리아 지배를 놓고 싸우던 중 교황의 동맹자들에게 붙잡혀 나폴리로 이송되고 참수당하면서 끝났다. 유럽계의 예루살렘왕이 교황에게 맞선 전쟁에서 머리가 잘린 일보다 더 크게 십자군의 본래 임무가 전도된(심지어 타락한) 일은 상상하기 어려울 것이다. 그러나 세상은 그렇게 움직이고 있었다.

13세기 중반 이후 동방의 십자군 국가들은 회복할 수 없는 쇠락에 빠졌다. 시리아와 팔레스티나의 지리정치학은 급속하게 변했다. 그 원인 가운데 하나는 몽골의 등장에 따른 혼란이었다. 1244년, 예루살렘시는 호라즘의 튀르크인에게 침략당하고 약탈당했다. 이들은 몽골이 밀고 들어오면서 중앙아시아에서 밀려 쫓겨난 사람이었다. 그리고 1260년대 이후 이집트의 새 지배 왕조(맘루크로 알려진 튀르크인 노예 병사 계급)가 예루살렘 왕국, 트리폴리 백국, 안티오케이아 공국의 남아 있는 해안 보루 및 요새를 갉아먹기 시작했다. 30년에 걸쳐 그들은 취약하고 방치된 십자군 도시들을 사라지게 했다. 그 정점은 1291년 5월의 아코에 대한 대규모 포위전이었다. 이 전투는 바다를 통한 강제 소개로 끝났다. 그 이후 유럽계 예루살렘 왕국은 키프로스로 옮겨 갔고, 거기서 종말을 맞았다.

동방으로 가는 십자군은 사라졌고, 그 조직들도 뒤를 따랐다. 14세기 초에 신전기사단은 '미남' 필리프 4세의 프랑스 정부가 이끈 냉소적이고 조직적인 공격으로 파괴되었다(11장 참조). 그 성직자들은 신전기사단 지도자들이 신성모독, 성적 일탈, 중대한 위법을 저질렀다고 비난했다.[43] 14세기에서 16세기까지의 많은 작가가 1096~1099년의 정신이 다시 한 번 내려오고 온 기독교 세계가 예루살렘을 되찾는 새로운 시대에 대한 공상에 잠겼지만, 또 다른 서방의 장군이 정복자로서 성도의 성문을 걸어 들어가는 것은 1917년이 되어서야 가능했다. 이때 에드먼드 앨런비가 1차 세계대전에서 오스만인을 몰아낸 연합국을 대표해 들어가 지휘를 맡았다.

그러나 이와 동시에 십자군은 계속되었고, 일부 경우에는 심지어 본래의 형태인 '이교도'를 상대로 한 것이었다. 도이치기사단은 15세기에 들어서도 한동안 발트해 연안의 이교도를 상대로 한 전쟁을 계속했다. 구호기사단은 성전을 명분으로 로도스섬에 국제적인 본부를 만들고 그곳에서 잇단 해전을 벌였으며, 소아시아와 북아프리카의 해적에 맞서 지중해를 경비했다. 그리고 오스만 제국이 동유럽 쪽으로 휩쓸고 가기 시작했을 때 기독교도 기사들은 판금갑板金甲에 십자가를 꽂고 대의를 위해 결집했다. 그러나 마찬가지로 흔히, 십자군은 기독교도 권력자가 싸운 전쟁에 추가적인 정당성의 겉치레를 제공하기 위해 다는 휘장이 되었다.

1258년 교황 알렉산데르 4세는 베네치아 공화국 등 동맹자들이 트레비소의 지배자 로마노의 알베리코를 상대로 전쟁을 일으키기를 원하면서 교황 특사를 보내 산마르코 광장에서 알베리코를 상대로 한 십자군을 역설하게 했다. 그곳에서 벌어진 행진에서 특사는 한 무리의 벌거벗은 여성들을 등장시키고, 이들이 트레비소인에게 성폭행을 당했다고 주장했다. 조금 뒤인 1260년대에 '아들' 시몽 드몽포르(카타리 십자군이었던 같은 이름의 인물의 아들)는 잉글랜드왕 헨리 3세를 상대로 한 자신의 반란이 십자군 운동이라고 선언했다.†

한 세기 뒤 헨리 3세의 고손자로 랭커스터 공작인 곤트의 존은 이베리아반도로 싸우러 가면서 그것을 십자군이라고 주장했다. 카스티야의 살

---

† 드몽포르의 반란은 사실 시칠리아에 대한 반反호엔슈타우펜 십자군을 이끌겠다는 헨리 3세의 어리석은 약속으로 촉발된 것이었다. 헨리는 그곳의 기독교도 지배자를 내쫓고 대신에 자신의 아들 에드먼드를 세울 수 있을 것이라고 생각했다.

해당한 왕 '잔혹자' 페드로의 딸인 자기 아내의 이름으로 그 왕국의 왕권을 잡으려는 희망을 가지고 간 것이었다. 1380년대에 잉글랜드 노리치 주교 헨리 디스펜서는 플란데런으로 가는 십자군을 이끌었다. 대립교황 클레멘스 7세의 지지자를 쓸어버린다는 명분이었지만, 사실은 백년전쟁으로 알려진 장기간의 잉글랜드-프랑스 갈등에서 파생된 전쟁이었다.

15세기에는 종교개혁으로 알려지게 되는 초기 반체제 신학의 학자인 얀 후스라는 보헤미아의 이단자를 추종하는 후스파를 상대로 한 십자군이 다섯 차례 일어났다(16장 참조). 그리고 1493년에 제노바의 탐험가 크리스토포로 콜롬보(에스파냐명 크리스토발 콜론)는 아메리카인과 처음 만난 뒤 배를 타고 돌아와, 놀랍도록 십자군식 표현법을 연상시키는 말투로 엄청난 부와 많은 이교도가 있는 땅을 발견했다고 공표했다. 모든 기독교 세계를 대신해 권리를 주장할 수 있는 곳이었다.

그리고 이것은 '십자군'이라는 말의 마지막 언급은 결코 아니었다. 십자군은 중세가 끝난 뒤에도 이어졌고, 오늘날에도 여전히 극우, 신나치주의자, 이슬람 테러리스트가 좋아하는 표현법이다. 이 모두는 그것이 1000년 동안 기독교도와 이슬람교도 사이의 관계를 규정했다는 생각(분명히 허점이 많은 생각이다)을 고수하고 있다. 그들은 옳지 않지만, 그 잘못이 그들의 독창인 것도 아니다.

십자군 운동은 중세의 가장 성공적이면서도 지속적으로 해악을 끼친 생각 중 하나였다. 그것은 종교와 폭력의 조악한 혼합물로, 교황의 야심을 위한 수단으로 채용되었지만 결국 그가 내키는 대로, 그가 원하는 곳에서, 그가 원하는 상대를 대상으로 운용되었다. 그것이 살아남았다는 사실은 그것이 천재적이었음과 동시에, 당시나 지금이나 사람들이 보다 고상한 대의를 명분으로 갈등 속으로 뛰어들 용의가 있음을 나타내는 징표다.